Goならわかる システムプログラミング

—第2版—

渋川よしき［著］

Learn Systems Programming with Go
Second Edition

by
Yoshiki Shibukawa

はじめに

プログラミングの勉強にあたってよく言われるのは、「流行に左右されるような技術の尻を追いかけるよりも、土台となる技術を身につけることが大切」ということです。たとえば、ウェブブラウザで動くJavaScriptを書くときは、流行しているライブラリの書き方を暗記するよりも、ブラウザがどのようにCSSやHTMLを解釈してスクリーンに文字や絵を描き出していく（レンダリングしていく）のかを理解することが大切です。さもないと、ライブラリの流行が変わるだけで勉強したスキルが失われてしまいかねません。データベースでも同じことがいえます。SQLの文法を学ぶことよりも、データベースがどのようにスケジューリングを行い、どのようにデータを探索していくのかを学ぶほうが、パフォーマンス・チューニングのコツなどもひらめきやすくなるでしょう[†1]。

「土台となる技術を身につける」を、もう少しちゃんと言い換えれば、「今の関心領域より下のレイヤーの知識も身につけよう」ということになります。みなさんが使っている言語の下のレイヤーはなんでしょうか？ Ruby、Python、PHPなど、多くのスクリプト言語はC言語で書かれています。Node.jsはC++ですね。ということは、これらの言語についてはC言語かC++が下のレイヤーといえるでしょう。

それでは、C言語やC++のさらに下のレイヤーはなんでしょうか？ よく言われるのはアセンブリ言語ですが、実はアセンブリというのはC言語やC++より下のレイヤーのうちの半分でしかありません。残りの半分は、オペレーティングシステム（OS）です。つまり、プログラマーとして土台となる技術を身につけようと思ったら、OSの機能がプログラミング言語でどう使われるかも知っているべきだということです。

たとえば、ファイルを開くのも、メモリを確保するのも、ネットワークにアクセスするのも、すべてOSが提供する機能を利用します。本書では、OSが開発者にどのような機能を提供してくれているかを見て、それらを使う「システムプログラミング」の方法を学びます。プログラミングを支えている下位のレイヤーを**プログラマーの視点で**知ることが、本書の目的です。プログラマーがこのようなOSの機能を使うときは、提供されているAPIを呼び出すだけです。しかし、そのAPIの裏ではOSが多くの仕事をしています。このAPIの裏側で、OSがいかに一生懸命に仕事をしているのかを知る、というのが本書のゴールです。

本書は2016年9月21日から2017年6月21日まで、9ヶ月にわたってASCII.jp（`https://ascii.jp/programming/`）上で連載してきた原稿に加筆修正したもの

†1　パフォーマンス・チューニングを行う場合には「まずは計測せよ」というのが大原則ですが、遅そうなポイントの推測がつくほうが、効率よく計測すべきポイントを見つけられます。

です。企画時から目標としていたのは、「今時のC言語を知らないプログラマーが、簡単にOSの仕事が学べる」というものでした。Go言語はその説明にうってつけでした。OSの提供するC言語のランタイムの依存もなく、ランタイムがすべてGo言語で書かれています。そのため、少ない学習量で奥底まで到達できます。筆者はPythonも得意ですが、Pythonに限らず、多くのスクリプト言語のライブラリはC言語で実装されたものも多く、実装コードを追いかけるとすぐにC言語の世界になってしまいます。また、この手の「拡張ライブラリの書き方」というのは、専用の知識が必要で、学ぶためのオーバーヘッドが大きい問題があります。

Go言語を対象としたことで、Windows、macOS、Linuxという、人気のあるさまざまな環境の人が読んで試せる内容になりました。OS側の知識としては情報の多いLinuxカーネルを題材としたところも多いのですが、OSというシステムの役割はどれも似通っています。また、21世紀が始まって20年近くの月日が流れてから新たに書き下ろしで執筆というチャンスをいただけたので、これからの時代に必要とされそうな、新しいネタをたくさん盛り込むことができました。一方で、Go言語そのものの説明が目的ではなかったため、Go言語を学ぼうと思っていなかった方にはとっつきにくい内容もあったかもしれません。しかし、コンピューターシステムを学ぶ言語の選択肢が事実上C言語ばかりというなかで[†2]、間口を広げる貢献はできたと思います。

おかげさまで本書はコンスタントに皆様に買っていただける書籍となり、増刷のたびにコンテンツを少しずつ追加しながら、この第2版では2017年発売の初版よりも70ページほど内容が増えました。初版が書籍化する段階で加筆した時間に関する章とセキュリティの章に加え、第2版ではシェル、プロセス起動の流れ、デバッガーの動作に関する章をそれぞれ追加しています。それ以外の部分にも小さなトピックがいろいろと増えています[†3]。Goのバージョンも1.7から1.17と10以上進みました。

アプリケーションの内部から下側をきちんと学びたい多くの人に手に取っていただけたら、と思っています[†4]。

渋川よしき

2022年2月

---

†2　プロセス限定ですが、Rubyを使って解説する『なるほどUnixプロセス ― Rubyで学ぶUnixの基礎』のような本はあります。 `https://tatsu-zine.com/books/naruhounix`

†3　本書のスピンオフとして、POSIX準拠を目指したBiscuitというMITで作られたGoで書かれた実験的なOSについて解説した文章も『n月刊ラムダノート Vol.2, No.1(2020)』に掲載されています。興味がある方はそちらも手に取っていただけるとうれしいです。 `https://www.lambdanote.com/collections/n/products/nmonthly-vol-2-no-1-2020`

†4　本書の説明は、特別な断りがない限りはGo言語のバージョン1.17時点のソースコードに基づいています。本来は非公開の内部APIに言及している箇所もあり、そうした部分は将来のバージョンで変化する可能性があります。

目次

更新履歴

■ 第2版第2刷（2023年3月）

- 各プラットフォームにおけるシステムコールの説明を刷新（5.2節）
- Go 1.20で追加されたメモリアリーナの説明を追加（第16章）

第1章

Go言語で覗く
システムプログラミングの世界

本章では、解説に使うプログラミング言語であるGoの開発環境を準備し、デバッガーを使ってシステムプログラミングのレイヤーを覗いてみます。デバッガーは、プログラムが実行されるようすを観察できるツールです。開発環境を準備してデバッガーの使い方に慣れるまで、最初のうちは少し戸惑うところがあるかもしれませんが、何かしらの言語でプログラミングをしたことがあれば難しいところはないはずです。

1.1 システムプログラミングとは

現代ではプログラミングの多くがウェブに関係しています。ウェブサービスのUIを動かすJavaScriptだけでなく、バックエンドのウェブアプリケーションサーバーであったり、ウェブシステムが出力するログを収集してきて機械学習させるシステムだったり、多岐にわたるプログラミングがウェブに関係しています。

そうしたウェブ関係のプログラミングとは対照的な場面でよく使われているのが、**システムプログラミング**という用語です。実際、システムプログラミングとはなんでしょうか？ 人によっていろいろ異なりますが、よく見かけるのは次のような定義です。

- C言語によるプログラミング
- アセンブリ言語を意識したC言語によるプログラミング
- 言語処理系（インタプリタを含む）、特にネイティブコードを生成するコンパイラの開発
- OS自身のプログラミング
- OSの提供する機能を使ったプログラミング

本書では、一番最後の「OSの提供する機能を使ったプログラミング」をシステムプログラミングの定義として話を進めます。

1.1.1 OSの機能について

みなさんが使っているOSは、グラフィカルなインタフェースを備えているものが多いでしょう。モバイル端末のOSには、地図情報を利用するための機能やカメラのための機能がついています。ニュースを見ていると、OSの機能として、テレビ電話とか人工知能（AI）などの言葉が踊っていることもあります。

しかし、現在のコンピューターにOSの一部としてインストールされているこれらの機能の多くは、実は「アプリケーション」です。地図機能がないモバイル端末は、ビジネス上は不利でしょうが、歴史上は地図が見られないOSのほうが多数派です。グラフィカルなユーザーインタフェースも、サーバー系のOSであれば持っていないことがあります。これらはアプリケーションであり、機能上はなくてもOSは成立します。

現在の一般的なコンピューターに搭載されるOSについて、その機能の最大公約数を取れば、次のようなものが「OSの機能」だといえるでしょう。

- メモリの管理
- プロセスの管理
- プロセス間通信
- ファイルシステム
- ネットワーク
- ユーザー管理（権限など）
- タイマー

プログラミングを支えている下位のレイヤーを知る、という本書の目的を言い換えれば、これらのOSの機能を学ぶということになりそうです。しかし、これらの機能をボトムアップで勉強していくと、「自分のプログラミングのレベルアップにどうつなげればいいかわからない」という状態になりがちです。それにボトムアップな解説は読んでいて眠くなります。

本書では、これらのOSの機能を、もっとプログラマーになじみやすい視点で、普段の開発にもフィードバックできるように見ていくことにします。

1.2 Go言語

本書でシステムプログラミングの解説に使うのは、Go言語です。Go言語は、C言語の性能とPythonの書きやすさ／読みやすさを両立させ、モダンな言語の特徴をうまく取り入れた言語となることを目標にGoogleが開発したプログラミング言語です[†1]。

ただし、本書を読むのにGo言語をバリバリ書ける必要はありません。プログラミングの経験があれば十分です。Goの文法などについては、必要になったときに随時

†1 https://go.dev/doc/faq#What_is_the_purpose_of_the_project

紹介していくので安心してください。

なぜ解説にGo言語を使うことにしたかというと、Go言語は多くのOSの機能を直接扱えて、なおかつ少ない行数で動くアプリケーションが作れるからです。現在のシステムプログラミングでは主にC/C++が使われていますが、Go言語はC/C++よりもコードを書き始める前のライブラリの収集が簡単です。C/C++よりもコンパイルで多くのエラーが見つかりますし[†2]、実行時のエラーもわかりやすく[†3]、ガベージコレクションのおかげでメモリ管理を注意深く設計する必要がありません。コンパイルも速く、コーディングに集中しやすくなっています。もちろん、直接システムコールを呼び出したり（LinuxやBSD、macOSなどのPOSIX系）、OSの提供するAPIを呼び出したりできる（Windows）ので、システムプログラミングを学ぶうえでなんの問題もありません。

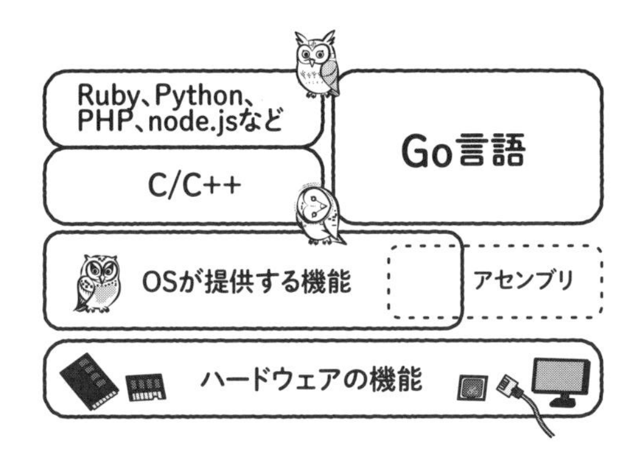

▶図1.1 Go言語はシステムプログラミングを学び始めるのにうってつけ

Go言語はC言語を置き換えるか

Go言語でシステムプログラミングをすることは可能ですが、今後、Go言語がC/C++の役割を置き換えられるかというと、筆者はそうは思いません。Go言語は、スクリプト系言語よりははるかに高速であるとはいえ、C/C++と比べると性能は落ちますし、バイナリサイズもかなり大きくなります。バージョンアップを重ねるにつれて、速度もサイズも徐々に改善されていますが、今後すぐにGo言語がC/C++を置き換えていくとは考えられません。本書では、OSを書くような言語にはならないものの、OSの機能を気軽に使え、高度に抽象化されすぎない簡単に書けるC言語という前提で、Go言語を取り扱っていきます。

---

†2 C++もclangのエラーメッセージはかなり改善されていますが、Goはそれよりも多くの問題をコンパイル時に発見できます。

†3 C++もコンパイラを限定すれば`libSegFault.so`などがあります。

1.3 Go言語のインストールと準備

ここでは、Go言語と統合開発環境であるVisual Studio Codeのインストールと設定を行います。すでにインストールされている方や、今電車の中なので手を動かすのはあとにしようという方は、この節は全部読み飛ばしてしまい、本章のメインである1.4「デバッガーを使って"Hello World!"の裏側を覗く」へ一気に進んでもかまいません。

まずはGo言語のインストールですが、各環境用のバイナリが用意されているので、Go言語の公式サイト[†4]で取得してください。

Go言語はデフォルトでGOPATH環境変数で指定された場所にライブラリや実行ファイルをダウンロードします。バージョン1.8からは何も設定しなければホームディレクトリのgoフォルダを使います。

NOTE　デフォルトの場所とは違う場所に置きたい場合や、1.7以前のバージョンを使う場合は、GOPATHの設定が必要です。GOPATHの設定方法は、公式ページの解説[†5]などを参照してください。

Go言語では、`go install`というコマンドを使ってGo言語製のツールを取得できます。その際、取得してきたツールは`$GOPATH/bin`にインストールされるので、ここにパスを通す必要があります。Windowsであれば`%USERPROFILE%\go\bin`、POSIX系OSなら`$HOME/go/bin`、GOPATHを明示的に設定した場合は`$GOPATH/bin`をパスに追加します。バージョン管理ツールであるGit[†6]も必要です。Gitがシステムに入っていない場合はインストールしてください。Goではオープンソースのライブラリを GitやMercurial、Bazaarなどのバージョン管理ツールを通じて外部のリポジトリから取得してきますが、本書で解説されるライブラリはすべてGitで管理されているため、システムにGitがインストールされていないとあとで困ります。

Go言語の文法については、まったくのプログラミング初心者でなければ、`Tour of Go`[†7]という公式のチュートリアルを一通りこなすだけで、本章の範囲なら十分理解できるでしょう。少し深い内容や、他の言語では見かけない特徴などは適宜補足していきます。

さらに丁寧なGo言語についての説明が欲しい方は、書店に並んでいるさまざまな書籍を参考にしてください。2016年6月に丸善出版から出版された『プログラミング言語Go』[†8]が定番書です。

---

†4　`https://go.dev/doc/install`

†5　`https://go.dev/doc/code#GOPATH`（「Goコードの書き方 - GOPATH環境変数」）

†6　`https://git-scm.com/`

†7　`https://go-tour-jp.appspot.com/welcome/1`

†8　Alan A.A. Donovan、Brian W. Kernighan 著、柴田芳樹 訳『プログラミング言語Go』（丸善出版、ISBN 978-4621300251、2016年）

1.3.1 Visual Studio CodeでGoが使えるようにする

Go言語では早くからソースコード解析ツールやデバッガーが開発されたこともあって、さまざまなエディタや開発環境でコード補完を含む開発支援機能が得られます。どの開発環境であっても、バックエンドで使われているツールは同じなので、優劣はそれほどありません。好きなエディタ[†9]や開発環境が利用できます。

本節では、利用者数が急速に増えているVisual Studio Codeを解説に使います。Visual Studio CodeはMicrosoft社が開発しているオープンソースの開発者用のエディタで、Windows、macOS、Linux環境をサポートしています。本書では2022年2月現在のインストール方法について解説します。

Visual Studio Codeは次のサイトで手に入ります（図1.2）。

- `https://code.visualstudio.com/`

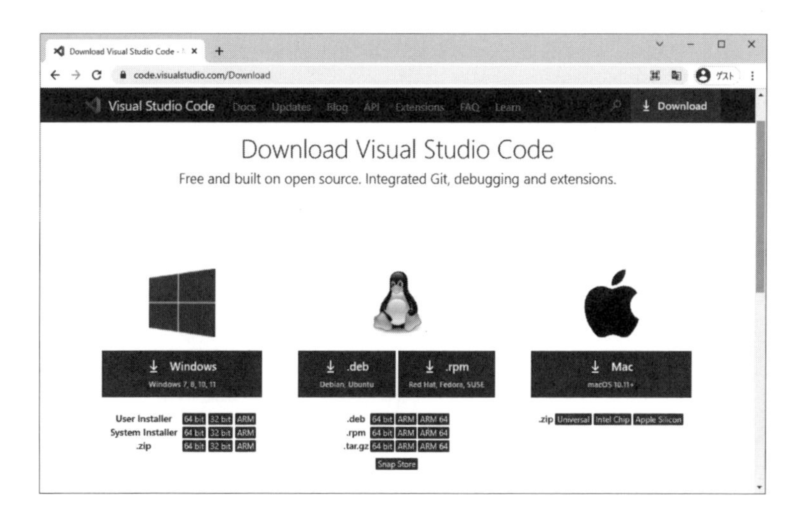

▶ 図1.2 Visual Studio Codeのウェブサイト

Windows向けには実行形式のインストーラが、Linux向けには`.deb`と`.rpm`が提供されているので、それらを使ってインストールしてください。macOS向けには`.zip`ファイルがあるので、それを入手して展開後にアプリケーションをアプリケーションフォルダにドラッグ・アンド・ドロップします。

Visual Studio Codeをインストールできたら、WindowsとLinuxでは`Ctrl+Shift+X`、macOSでは`Shift+ ⌘ +X`で拡張機能のパネルを表示します。[`View`]→[`Extensions`]、あるいはウインドウ左端に縦に並んでいるアイコンの上から5

†9 宗教上の理由でVimやEmacsしか使わない方でも問題なく使えます。

番めのボタンでも表示できます。左上の検索欄に「Go」と入力して、ダウンロード数が100万を超えているほうの拡張機能をインストールして再起動します（図1.3）。

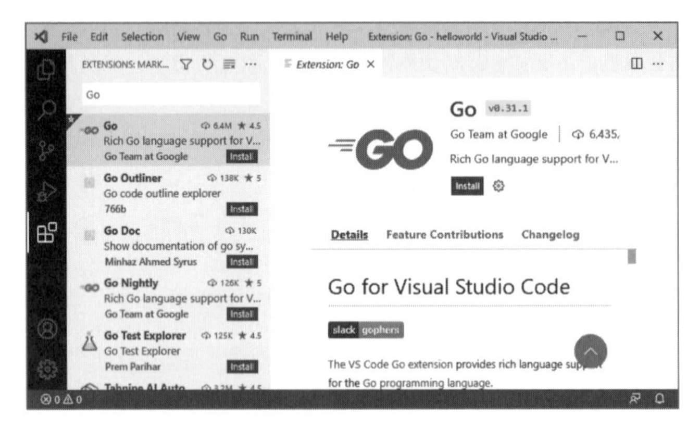

▶図1.3　Go用の拡張機能をインストール

その後、Goのソースコードを開いてみると、必要なツールが見つからないというポップアップが右下に出てきます（図1.4）。このポップアップをクリックして、必要なツールをインストールしてください。

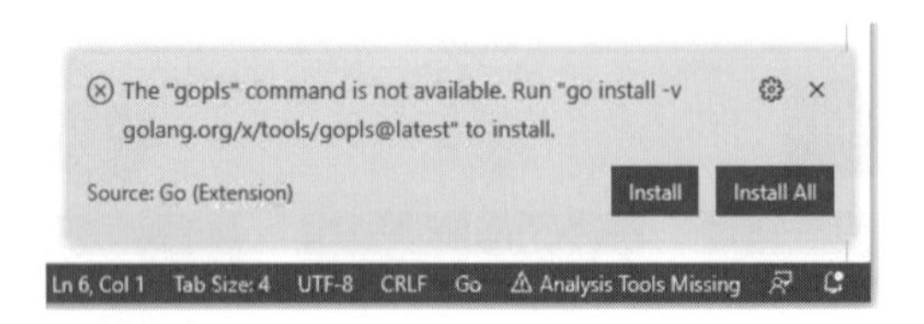

▶図1.4　必要なツールが見つからない（Analysis Tools Missing）

以上で、デバッガーも含めてVisual Studio CodeでGo言語を使ったプロジェクトを扱えるようになりました。

GoLand

他の選択肢としては、Jetbrains社製のGoLandがあり、こちらも広く使われています（https://www.jetbrains.com/go/）。機能的にもリファクタリングなども含めて充実しており、インストーラでインストールするだけで使えます。

以前はCommunity版のIntelliJ IDEAにGo用の拡張機能を組み合わせる方法もありましたが、その拡張機能はGoLandのベースとなっており、無料版のIDEはサポートから外されてインストールできなくなっています。今後も無料での提供は計画されていません[†10]。少し古い2016年版のIntelliJ IDEAに無料公開されていたバージョンの拡張機能をインストールする方法も一応ありますが、どうしてもIDEが良い人以外にはおすすめしません。

1.3.2 はじめてのGoプロジェクト

Visual Studio Codeで新規のプロジェクトを作成しましょう（図1.5）。Visual Stuido Codeを起動して表示される画面にある［Open folder...］を選択してください（すでに起動済みで開発画面が表示されている場合には、［File］メニューから［Open...］で新しいプロジェクトを作成できます）。Visual Studio Codeで「プロジェクト」というのは、単なるフォルダです。新規プロジェクトの作成をすると、OSの一般的なファイルダイアログが表示されるので、適当な作業フォルダを作成して［Open］で開いてください。フォルダ単位でプロジェクトになっていないとデバッガーをうまく実行できないので、基本的には実行ファイルごとにフォルダを作成するほうがよいでしょう。

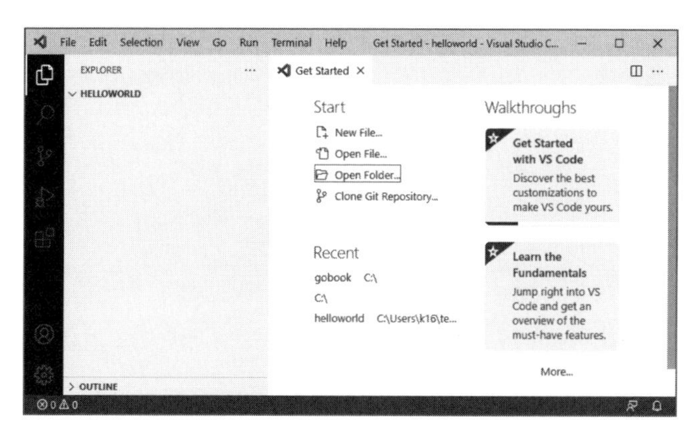

▶図1.5　新規プロジェクトの作成

これで新しいGoのプロジェクトが作成され、画面左のパネルにHELLOWORLDというプロジェクトフォルダができているはずです。このプロジェクトフォルダ内でCtrl+Shift+`とすると、画面右下にターミナルが起動します。このターミナルで次のコマンドを実行してください。このコマンドを実行すると、go.modというファイルが作成され、このフォルダがGo処理系から「Goプロジェクトのルート」であると識別されるようになります。

```
$ go mod init (プロジェクト名) ↵
```

(プロジェクト名)の部分は、単独のサンプルの場合はなんでもかまいません。今の例であれば、helloworldみたいな名前で大丈夫です。ちなみに、もしGitHubで公開するプロジェクトを開始する場合には、ユーザー名がmyname、ライブラリ名

†10 https://www.jetbrains.com/help/go/faq-about-goland.html

をawesomelibとするのであれば、github.com/myname/awesomelibというプロジェクト名にします。

次に、プロジェクトフォルダにmain.goという名前のファイルを追加し、画面内のエディタで次のコードを入力してください。

```
package main

import "fmt"

func main() {
    fmt.Println("Hello World!")
}
```

ターミナルでgo run main.goと実行すると、次の行にHello World!と表示されます（図1.6）。

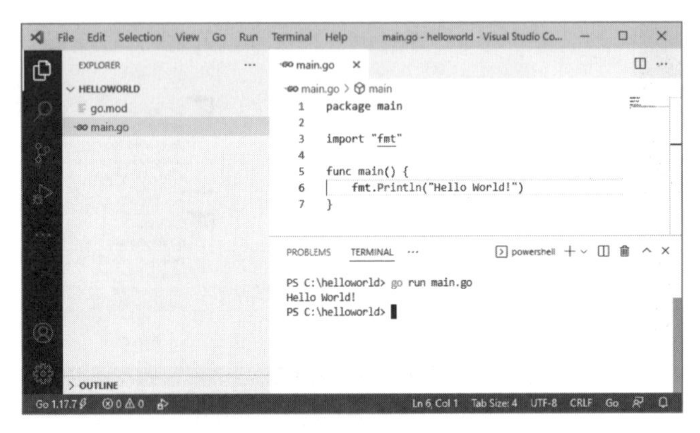

▶図1.6　はじめてのGoプロジェクト

1.4 デバッガーを使って"Hello World!"の裏側を覗く

ここまでの手順で、Go言語でプログラムを書いて実行できるようになりました。しかし本書の目的は、プログラムを書くだけでなく、その下のレイヤーを覗いてみることです。先ほど書いたGo言語の"Hello World!"プログラムの、さらに下のレイヤーでは、いったい何が起きているのでしょうか。

C/C++で、さらに下のレイヤーのシステムプログラミングを学ぼうとしたら、ランタイムライブラリのソースコードを自分で取得してきて、それをデバッグモードでビルドするなどの作業が必要になります。OSの機能を直接利用するコードをC/C++で書こうという方は、そこまでやって勉強するしかないでしょう。

一方、Go言語であれば、処理系に全環境用のソースコードもすべてバンドルされています。そのため、デバッガーでGoのコードを1行ごとに実行させたり、指定した行まで処理が到達したら一時中断させたりするだけで、OSの機能を直接呼び出すコードまで簡単に掘り下げていくことができます。中身を勉強するにはとても優れた環境といえます。以降の解説でも、Visual Studio Codeに内蔵されているデバッガーを使って、先ほどの"Hello World!"プログラムの下で何が起こっているのかを実際に探っていきましょう。

NOTE Windowsのソースコードを macOSで確認することさえ簡単にできます。Goをインストールしたフォルダのsrcディレクトリをプロジェクトと同じように開くとソースにアクセスできるので、そこでsrc/os/file_windows.goを開くだけです。

Visual Studio Code以外でデバッガーを使う場合

Visual Studio CodeのGo言語プラグインでは、デバッガーのバックエンドにDelveというツールを利用しています。Delveはさまざまなエディタの Goデバッガーのバックエンドとして使われているツールで、Visual Studio Code以外でも利用可能です。最新のインストール方法は以下のURLで参照できます。

- https://github.com/go-delve/delve/tree/master/Documentation/installation

Go 1.16以降であれば、基本的には下記のコマンドでDelveのインストールが完了します。

```
$ go install github.com/go-delve/delve/cmd/dlv@latest ⏎
```

さっそくデバッガーを使って、"Hello World!"プログラムのテキスト出力の裏で何が行われているのか覗いてみましょう。本書で紹介するコードはGo 1.17.7時点のコードになります。将来のバージョンでは本書の解説とはようすが異なる可能性があります[†11]。

プログラムの処理を1つずつ追いかけていくデバッガーの機能(「ステップ実行」といいます)を使い、先ほどの短いソースコードが実際にOSの機能を使っている箇所へと潜っていきましょう。

まずはVisual Studio Code内のエディタに表示されているソースコードでfmt.Println()の行の左側を1回クリックしてください。図1.7のように赤い丸がつくはずです。これでデバッガーに「この行まで処理が到達したら一時中断する」というブレークポイントを設置できたことになります。

この状態で、Visual Studio Codeでデバッグを開始します。デバッグを開始する方法はいくつかありますが、[Run] メニューから [Start Debugging] を選ぶ、もし

[†11] 実際、本書の第1版ではGo 1.8のコードを使って解説していましたが、第1版第3刷以降では解説の更新が必要になりました。

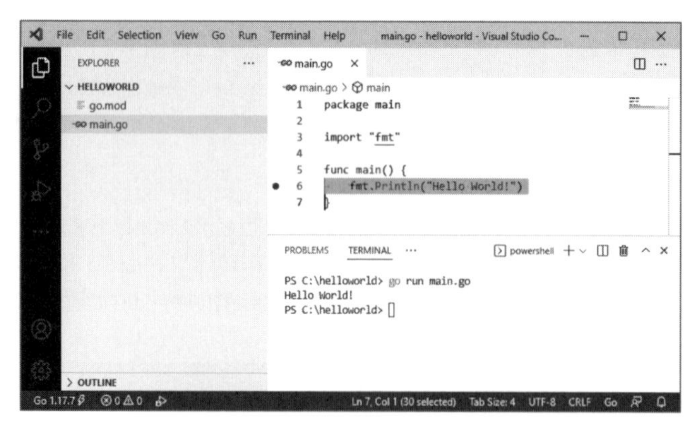

▶図1.7　ブレークポイントを設置

くはF5を入力します。あるいは、左側のメニューの三角形と虫が組み合わされたアイコンを選ぶと［Run and Debug］というボタンが表示されるので、そのボタンを押してもデバッグが開始します（図1.8）。

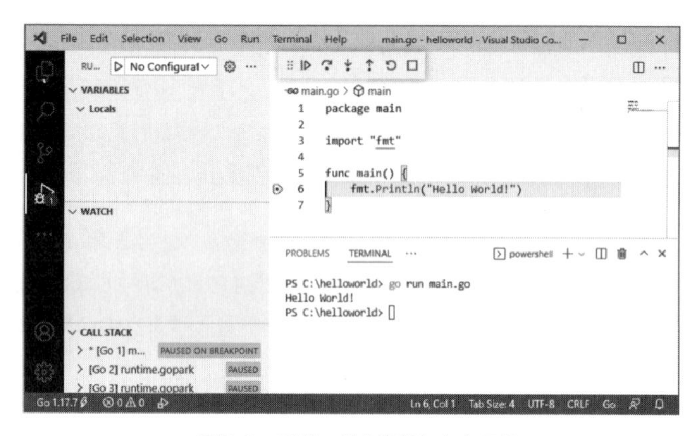

▶図1.8　デバッグを実行したところ

macOSの場合、初回実行時にパスワード入力画面が表示されます。デバッガーは実行中のプログラムのすべての情報にアクセスできてしまうので、悪意あるユーザーが下手に実行できないように認証が必要となっています。

デバッグを開始すると、プログラムの実行が始まりますが、プログラムの初期化処理が終わってブレークポイントとして選択した行に処理がくると、そこでプログラムの実行がいったん中断します。

ここから、デバッガーのステップ実行を使って、徐々に下のレイヤーへと降りていくことにします。デバッガー起動時には図1.9のようなデバッガー用の操作パネルが表示されます。この操作パネルにあるボタン（あるいはそのショートカット）を使ってステップ実行をします。

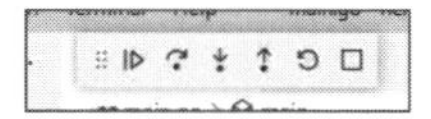

▶図1.9　デバッガー操作パネル

各ボタンの役割は次のとおりです（ボタンの名前はマウスオーバーすると表示されます）。

- 継続実行（**Continue**）：次のブレークポイントに到達するまで処理を継続させる
- ステップオーバー（**Step Over**）：見えているソースコードの次の行に移動する。カーソル位置の関数の中は実行され、終了するところまで処理が進む
- ステップイン（**Step Into**）：関数呼び出しの中に飛び込む。下のレイヤーに降りていくときに使う
- ステップアウト（**Step Out**）：今実行している関数が終了するところまで処理を進める
- 再スタート（**Restart**）：一度終了して再度実行を開始する
- 停止（**Stop**）：一度終了する

ステップインしすぎたり、間違ってステップオーバーしてしまった場合には

ステップオーバーすべき箇所で間違ってステップインしてしまい、身に覚えのない関数の中に入ってしまったら、何度かステップアウトしてその関数をやり過ごしてください。

逆に、ステップインすべき場所でステップオーバーしてしまうと、前に戻ることはできません。[Restart] ボタンを押して最初からやり直してください。

ではさっそく下のレイヤーに降りていきましょう。下のレイヤーを探るときに主に使うのはステップインです。先ほど`fmt.Println()`にブレークポイントを設定してデバッグを開始したので、今はここでプログラムの実行が中断しています。

それではステップインしてみましょう。画面では`fmt/print.go`ファイル内に下記のようなコードが見えていると思います（Go 1.17.7の場合）。

```
func Println(a ...interface{}) (n int, err error) {
    return Fprintln(os.Stdout, a...)
}
```

これはどうやら`Fprintln()`を呼び出すだけの関数のようです。`Fprintln()`の最初の引数には`os.Stdout`を渡しています。もっとステップインして`Fprintln()`まで進んでみましょう。`Fprintln()`関数は、下記のような具合に定義されているはずです。

```
func Fprintln(w io.Writer, a ...interface{}) (n int, err error) {
    p := newPrinter()
    p.doPrintln(a)
    n, err = w.Write(p.buf)
    p.free()
    return
}
```

Fprintln()の定義の最初の2行では、文字列をフォーマット文字列に従って整形するpをnewPrinter()で作成し、それで出力する文字列を生成しています。それを3行めでw.Write()に渡して書き込んでいます。wは、その前の関数で渡されたos.Stdoutです。

次は、このw.Write()にステップインしましょう。そのためには、Fprintln()の定義内をw.Write()が出てくる3行めまでステップオーバーし、そこでステップインします。osパッケージのos/file.goで次のように定義されたFile.Write()メソッドに飛ぶはずです。後半はエラーチェックなので、前半に注目してください。

```
func (f *File) Write(b []byte) (n int, err error) {
    if err := f.checkValid("write"); err != nil {
        return 0, err
    }
    n, e := f.write(b)
    if n < 0 {
        n = 0
```

File.Write()関数では、write()という非公開メソッドを呼んでいることがわかります(上記だと5行め)。Go言語では、名前の先頭が大文字だと公開メソッド、小文字だと非公開メソッドなので、write()は非公開メソッドですね。このwrite()メソッドまでステップオーバーし、その中へステップインしてみましょう。write()メソッドは次のようになっていて、構造体fのプライベートメンバーpfdのWrite()メソッドを呼び出しています。

```
func (f *File) write(b []byte) (n int, err error) {
    n, err = f.pfd.Write(b)
    runtime.KeepAlive(f)
    return n, err
}
```

ここから先は環境によって固有のコードに飛びます。Unix系OS(macOSやLinuxなど)ではWrite()メソッドは次のようになっています。

```
func (fd *FD) Write(p []byte) (int, error) {
    // (中略)
    var nn int
    for {
        max := len(p)
        if fd.IsStream && max-nn > maxRW {
            max = nn + maxRW
        }
        n, err := ignoringEINTRIO(syscall.Write, fd.Sysfd, p[nn:max])
        // (中略)
        if err != nil {
            return nn, err
        }
```

```
        // (中略)
    }
}
```

forループに囲まれて、送信が終わるまで何度もsyscall.Write()を呼んでいることがわかります。このsyscall.Write()はシステムコールと呼ばれる関数です。

システムコールについては第5章「システムコール」で詳しく説明します。今のところは、「システムコールにはいくつも種類があり、アプリケーションのプログラム単体では達成できない仕事をOSのカーネルに依頼するために使う」という理解で十分です。ここでは、「プログラムの外のターミナルに対して文字列を出力する」という仕事を依頼しています。

Windowsで実行している場合は、Unix系OSとは別のファイルがVisual Studio Codeの画面に表示されるはずです。

```
func (fd *FD) Write(buf []byte) (int, error) {
    // (中略)
    if fd.isFile {
        fd.l.Lock()
        defer fd.l.Unlock()
    }

    ntotal := 0
    for len(buf) > 0 {
        // (中略)
        var n int
        var err error
        if fd.isFile {
            switch fd.kind {
            case kindConsole:
                n, err = fd.writeConsole(b)
            default:
                n, err = syscall.Write(fd.Sysfd, b)
                // (以下略)
        }
    }
}
```

こちらもsyscall.Writeを使っていますが、Unix系OSの場合とは異なり、コンソールの場合はfd.writeConsole()メソッドを呼び出しています。Visual Studio Codeではコンソール出力なので、もう一段下がる必要があります。

```
func (fd *FD) writeConsole(b []byte) (int, error) {
    // (中略)
    err := syscall.WriteConsole(fd.Sysfd, &uint16s[0], uint32(len(uint16s)),
                                &written, nil)
    // (中略)
}
```

やはり最後はシステムコール（syscall.WriteConsole()）を呼び出していますね！

最後に、本章のおさらいとして、図1.10に今回のmain()関数のコールグラフ（関数の呼び出し関係のグラフ）を掲載します。

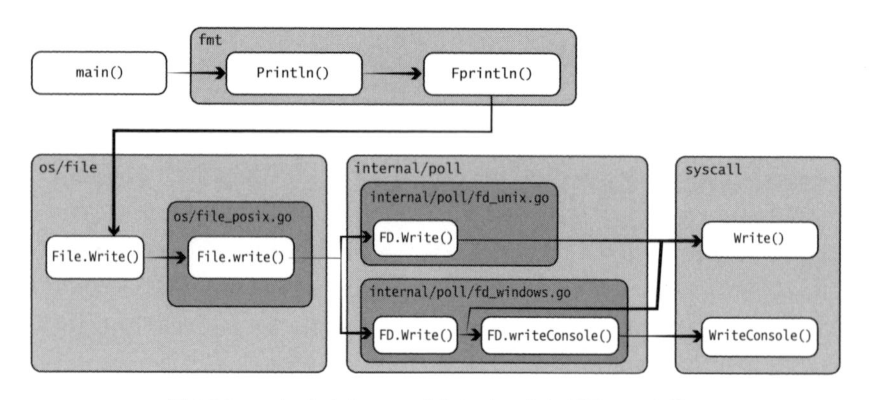

▶図1.10 main()からsyscall.Write()に至るコールグラフ

1.5 本章のまとめと次章予告

本章では、Go言語の"Hello World!"プログラムの実行時に下のレイヤーでどんなシステムコールが呼び出されているのか、デバッガーを使ってレイヤーを降りていくことで実際に確かめてみました。Go言語の基本的な機能だけで、下のレイヤーで起こることを意外なほどあっさりと確かめられたと思います。

第2章「低レベルアクセスへの入口1：io.Writer」と第3章「低レベルアクセスへの入口2：io.Reader」では、システムコールよりも少しだけ高いレイヤーに戻り、io.Writer、io.Readerを例にGo言語の「インタフェース」という抽象化の仕組みについて説明します。また、第4章「低レベルアクセスへの入口3：チャネル」では、やはりGo言語における抽象化の仕組みのひとつであるチャネルについて説明します。これらの機能を知ることで、ファイルやインターネット通信のためのソケットなど、OSから提供されている機能をGoから活用しやすくなります。

1.6 問題

Q1.1：静的解析でコードジャンプ

本章ではデバッガーを使ってコードを追いかけましたが、Go言語は静的型付き言語で、なおかつオーバーライドがないので、静的コード解析と相性が良い言語です。Visual Studio Codeでカーソルのある位置の関数の定義にジャンプするには、[**Go To Definition**]という機能が使えます（F12で起動）。この機能は、ランタイムコードの一部では使えませんが、デバッガーで呼び出しているのとは異なり、いつでもどこでも使えます。

デバッガーの代わりに、このGo To Definition機能を使って、コードの実装を追いかけてみましょう。

GoLandでカーソルのある位置の関数の定義にジャンプするには、[**Go To Declaration**]という類似の機能があります（WindowsではCtrl+B、macOSでは ⌘+Bで起動）。

Q1.2：呼ばれる場所を探す

デバッガーや静的解析では、関数の定義をたどっていきます。これとは逆方向に、関数などが使われている参照を探す、[**Find All References**]という機能もIDEには用意されています（Shift+F12で起動）。Find All References機能を使えば、カーソルのある位置にある関数や変数が使われている位置がすべてリストで表示されます。

Find All References機能をいくつかの関数や変数で実行し、それらがどこから使われているのか見てみましょう。

GoLandには[**Find Usages**]という類似機能があります（WindowsではCtrl+Alt+F7、macOSでは ⌘+Alt+F7で起動）。

第2章

低レベルアクセスへの入口1：io.Writer

本章から3章分にわたって、Go言語がOS直上の低レイヤーを扱いやすくするために提供している抽象化レイヤーを紹介していきます。Go言語がシステムプログラミングを簡単に行える言語でありつつも、それなりに少ない記述量で、比較的高速に、それでいて多くのことを達成できるのは、これから説明するような抽象化により低レイヤーを扱いやすい構造になっているからです。下記のような抽象化と、それらに対して提供されるさまざまなサービス関数が、Go言語の「安い、早い、うまい」の秘密です。

- `io.Writer`：出力の抽象化
- `io.Reader`：入力の抽象化
- `channel`：通知の抽象化

本章では、上記のうち`io.Writer`の紹介をします。

2.1 io.WriterはOSが持つファイルのシステムコールの相似形

前章では`"Hello World!"`プログラムの関数呼び出しをデバッガーでたどり、最後にシステムコール`syscall.Write()`が呼び出されているようすを見ました。OSでは、このシステムコールを、**ファイルディスクリプタ**といわれるものに対して呼びます。

ファイルディスクリプタは一種の識別子（数値）です。この数値を指定してシステムコールを呼び出すと、数値に対応するモノにアクセスできます（図2.1）。実際、前章の最後に見たシステムコール`syscall.Write()`もそのように利用されていました。引数の`f.fd`が、ファイルディスクリプタに相当します。

```
func (f *File) write(b []byte) (n int, err error) {
    for {
        bcap := b
        if needsMaxRW && len(bcap) > maxRW {
            bcap = bcap[:maxRW]
        }
```

```
            m, err := fixCount(syscall.Write(f.fd, bcap))
            n += m
            // （中略）
        }
}
```

ファイルディスクリプタに対応するモノは、通常のファイルには限られません。標準入出力、ソケット、OSやCPUに内蔵されている乱数生成の仕組みなど、本来ファイルではないものにもファイルディスクリプタが割り当てられ、どれもファイルと同じようにアクセスできます。

▶図2.1　ファイルと同じように扱えるように、OSがファイルディスクリプタで抽象化

ファイルディスクリプタは、OSがカーネルのレイヤーで用意している抽象化の仕組みです。OSのカーネル内部のデータベースに、プロセスごとに実体が用意されます。OSは、プロセスが起動されるとまず3つの擬似ファイルを作成し、それぞれにファイルディスクリプタを割り当てます。0が標準入力、1が標準出力、2が標準エラー出力です。以降は、そのプロセスでファイルをオープンしたり、ソケットをオープンしたりするたびに、1ずつ大きな数値が割り当てられていきます。

このようにPOSIX系OSでは、可能な限りさまざまなものが「ファイル」として抽象化されています。ただし同じPOSIX系OSでも、Windowsだとソケットはファイルとして扱えなかったり、ファイル出力とコンソール出力でAPIが違っていたりして、システムによる違いも少なからずあります。そこでGo言語では、ファイルディスクリプタのような共通化の仕組みを言語レベルで模倣して整備し、OSによるAPIの差異を吸収しています。その一例が、本章で取り上げる`io.Writer`です。

「システムプログラミング」というと、ファイルディスクリプタを直接使ってシステムコールを扱う方法やカーネルドライバを書く方法の解説を期待する方もいると思います。しかし本章の主題は、カーネルのレイヤーで用意されているのと同じ仕組みを少し上位のレイヤーで言語レベルで模倣している`io.Writer`です。`io.Writer`はGo言語の**インタフェース**という仕組みとして実装されているので、次節ではまずGo

言語のインタフェースと、それに関連するGo言語の**構造体**について説明します。

NOTE Go言語でも、直接ファイルディスクリプタを指定してファイルのインスタンスを作り出す関数はあります。

```
file, err := os.NewFile(ファイルディスクリプタ, 名前)
```

このあたりは第6章「TCPソケットとHTTPの実装」、第9章「ファイルシステムの基礎とGo言語の標準パッケージ」で詳しく説明します。

2.2 Go言語のインタフェース

Go言語の**インタフェース**は、構造体などの具象型が満たすべき仕様、つまりは持つべき**メソッド**を表現するための言語機能です。Javaにもインタフェースがありますが、それと基本的に同じものだと思ってかまいません。下記に、Go言語のインタフェースの実装例を示します。

```
package main

import (
    "fmt"
)

// インタフェースを定義
type Talker interface {
    Talk()
}

// 構造体を宣言
type Greeter struct {
    name string
}

// 構造体はTalkerインタフェースで定義されているメソッドを持っている
func (g Greeter) Talk() {
    fmt.Printf("Hello, my name is %s\n", g.name)
}

func main() {
    // インタフェースの型を持つ変数を宣言
    var talker Talker
    // インタフェースを満たす構造体のポインタは代入できる
    talker = &Greeter{"wozozo"}
    talker.Talk()
}
```

ここでは`Talker`というインタフェースを定義しています[†1]。このインタフェースは`Talk()`メソッドを持ちます。なお、インタフェースはフィールドを指定できません。

上記のコードでは、インタフェース`Talker`の定義に続き、このインタフェースを満たす`Greeter`という**構造体**を定義しています。構造体も、他の言語によくあるク

†1 C#だとインタフェースの名前は`I〜able`、Javaだと`〜able`という命名規則で付けることが多いですが、Goの場合は`Writer`のように`〜er`、`〜or`のような名前にすることが多いようです。

ラスや構造体と同じもので、複数のデータを内部に持てる複合型です。

Go言語にはクラスがなく、構造体しかありませんが、構造体がメソッドを持てます。funcキーワードとメソッドのシグネチャの定義との間にレシーバー[†2]（上記の例では(g Greeter)）を置くと、構造体にメソッドを定義したことになります。

インタフェースで宣言されているすべてのメソッドが、データ型[†3]に対して定義されている場合、「そのデータ型はインタフェースを満たす」と表現します。ここがよくある静的型付け言語と異なる点で、インタフェースを満たす構造体を定義するときに、implementsなどのキーワードでこのインタフェース名を宣言に含める必要はありません。Go言語のコンパイラが、構造体のインスタンスのポインタをインタフェース型の変数に代入するコードを見つけると、そこで構造体とインタフェースの互換性をチェックします。

この互換性がチェックされているところが、上記のコードのうち下記の部分です。ここで行っていることは、「初期化パラメータを与えてGreeter型の構造体のインスタンスを作成し、そのポインタを代入」です（構造体のインスタンス作成については16.1.5「ユーザーコードでメモリを使う」で紹介します）。

```
// インタフェースの型を持つ変数を宣言
var talker Talker
// インタフェースを満たす構造体のポインタは代入できる
talker = &Greeter{"wozozo"}
```

副作用のあるメソッドではレシーバーの型をポインタ型（(g *Greeter)）にします。ポインタと聞いて尻込みする方もいるかもしれませんが、怖がる必要はありません。ポインタが初心者殺しの異名を持つC言語とは異なり、Go言語では構造体がポインタであってもフィールド（構造体に含まれる各データ型）へのアクセスの方法は変わりませんし（いずれも「.」演算子が使えます）、ガベージコレクタが適切に掃除してくれるため、宣言時以外はポインタであることを意識しないで読み書きできます。

2.3 io.Writerは「インタフェース」

1.4「デバッガーを使って"Hello World!"の裏側を覗く」で確認したのは、「システムコールsyscall.Write()はos/file.goで次のように定義されているWrite()という関数から呼び出されている」ということでした。前項でインタフェースについて学んだ今、この定義を見れば、これが「osパッケージのFile型に定義されているWrite()というメソッド」であることがわかるでしょう。

---

†2 オブジェクト指向プログラミング言語の用語です。変数宣言しないでthisやselfとして処理系で決められている変数名でアクセスできる言語も数多くあります。

†3 主には構造体ですが、Goでは組み込み型のエイリアスにもメソッドが追加できます。第9章の紹介で触れています。

```
func (f *File) Write(b []byte) (n int, err error) {
    if f == nil {
        return 0, ErrInvalid
    }
    n, e := f.write(b)
    // (中略)
}
```

それでは、このWrite()の仕様に注目してみましょう。(f *File)の部分は、この定義がFile型の構造体へのポインタfに対するメソッドであることを示します。Fileは、通常のファイルを表すような型で、osパッケージで定義されている構造体です。ファイルを表現するのに必要なデータが含まれています。

次のWrite (b []byte) (n int, err error)の部分は、「[]byte型のデータを引数として受け取ってint型とerror型を返す」と読みます。[]byteはバイト列、intは整数、errorはエラーをそれぞれ表します。

まとめると、このWrite()は、fが指し示すファイルに対してバイト列bを書き込み、書き込んだバイト数nと、エラーが起きた場合はそのエラーerrを返すものとして定義されています。

Goのバイト列と文字列

Goでは、バイト列と文字列を表すstring型（UTF-8形式ですが不正な文字コードの検出などはしてくれません）とが、次のように相互に変換可能です。

```
// byteArrayは[]byte{0x41, 0x53, 0x43, 0x49, 0x49}
byteArray := []byte("ASCII")

// strは"ASCII"
str := string([]byte{0x41, 0x53, 0x43, 0x49, 0x49})
```

ここで、「POSIX系OSでは可能な限りさまざまなものがファイルとして抽象化されている」という話を思い出してください。「バイト列bを書き込み、書き込んだバイト数nと、エラーが起きた場合はそのエラーerrを返す（エラーが起きなければnil）」という振る舞いは、通常のファイルに限らず、さまざまなものに適用できそうですよね。そのような「入出力に共通する仕様を満たすメソッドを持つ型」を統一的に扱えると便利そうです。そして、上記のような仕様のWrite()メソッドが宣言されているインタフェースこそが、io.Writerなのです（図2.2）。

実際にio.Writerインタフェースの定義を見てみましょう。io.WriterはWrite()メソッドの仕様が宣言されているインタフェースです。

```
type Writer interface {
    Write(p []byte) (n int, err error)
}
```

Write()は、まさにこの形式で、*Fileのメソッドとして定義されていましたね。Fileというデータ型の構造体には、その仕様どおりに定義されたWrite()メソッド

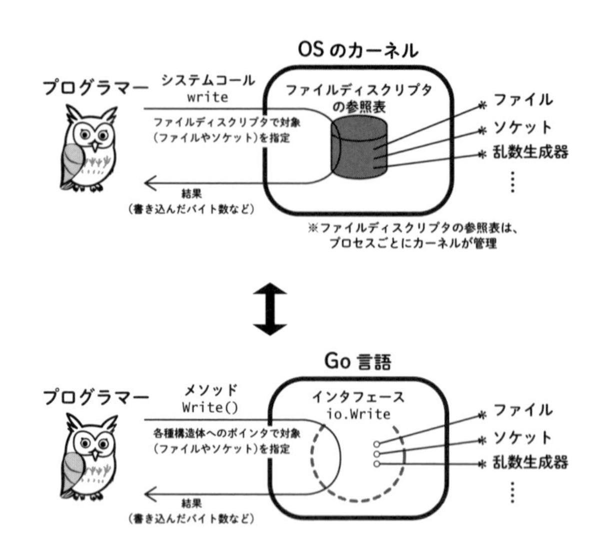

▶図2.2　Goにおけるio.Writerインタフェースによる抽象化

があります。したがって、「*Fileはio.Writerインタフェースを満たす」といえます。

2.4　io.Writerを使う構造体の例

io.Writerインタフェースを満たす構造体はGo言語のさまざまなところで実装されています。また、このインタフェースを利用する関数やメソッドもたくさん作られています。インタフェースは、構造体と違って何かしら実体を持つものを表すのではなく、「どんなことができるか」を宣言しているだけです（図2.3）。そこで次は、実際にどのようなものがio.Writerインタフェースを満たすのかを見ていきましょう。

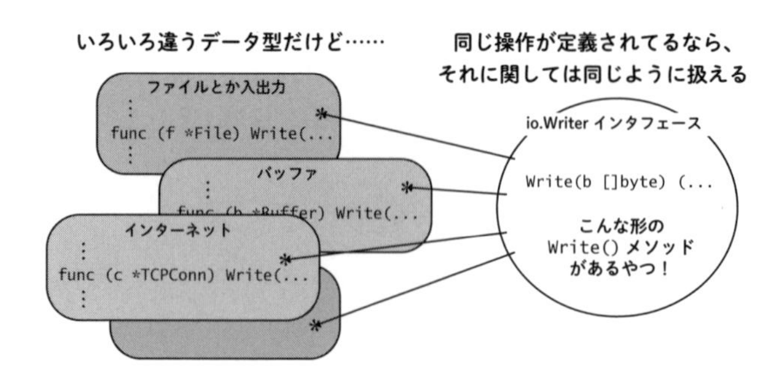

▶図2.3　インタフェースは「どんなことができるか」を宣言している

以降の例はすべて実動可能なサンプルですから、前章のようにデバッガーを使って中を覗いていくこともできます。また、前章の最後の問題で説明したように、宣言を追いかけていくだけでもある程度のことはわかります。

2.4.1 ファイル出力

まずは先ほどから見ているos.Fileです。os.Fileのインスタンスは、os.Create()（新規ファイルの場合）やos.Open()（既存のファイルのオープン）などの関数で作ります。

```
package main

import (
    "os"
)

func main() {
    file, err := os.Create("test.txt")
    if err != nil {
        panic(err)
    }
    file.Write([]byte("os.File example\n"))
    file.Close()
}
```

Write()が受け取るのは文字列ではなくてバイト列なので、変換を行ってからWrite()メソッドに渡しています。実行すると、実行したフォルダにtest.txtというファイルができて、"os.File example"という文字列が書き込まれます。日本語も使えます。

2.4.2 画面出力

次は、前章でも出てきた画面への出力です。前章のfmt.Println()では、最終的にos.StdoutのWrite()メソッドを呼び出していました。それと等価なコードは次のとおりです。

```
package main

import (
    "os"
)

func main() {
    os.Stdout.Write([]byte("os.Stdout example\n"))
}
```

標準エラー出力に出力するためのos.Stderrもあります。

2.4.3 書かれた内容を記憶しておくバッファ（1）：bytes.Buffer

ファイルや画面出力のようなOSが提供する出力先に出すだけがio.Writerの機能ではありません。他の例としては、Write()メソッドで書き込まれた内容を淡々とためておいてあとでまとめて結果を受け取れるbytes.Bufferがあります[†4]。

```
package main

import (
    "bytes"
    "fmt"
)

func main() {
    var buffer bytes.Buffer
    buffer.Write([]byte("bytes.Buffer example\n"))
    fmt.Println(buffer.String())
}
```

bytes.Bufferには次章で紹介する、読み込みの抽象化のio.Readerの機能もあります。この機能を使って読み出しをしたデータは消費されてしまうため、最後のbuffer.String()では取得できません。

io.Writerに文字列を出力する

この例では、今までの例と同じように、バイト列に変換した文字列をWrite()メソッドに渡しています。しかしbytes.Bufferには、特別に文字列を受け取れるWriteString()というメソッドもあります。そのため、Write()メソッドを呼んでいる行は次のように書き換えることもできます。

```
buffer.WriteString("bytes.Buffer example\n")
```

しかし、WriteString()はio.Writerのメソッドではないため、他の構造体では使えません。代わりに、次のio.WriteString()関数を使えばキャストは不要になります。

```
io.WriteString(&buffer, "bytes.Buffer example\n")
```

2.4.4 書かれた内容を記憶しておくバッファ（2）：strings.Builder

Goの1.10から導入されたのがstrings.Builderです。書き出し専用のbytes.Bufferです。読み出しがString()のみになっている以外はbytes.Bufferと置き換えて使えます。

```
package main

import (
    "strings"
    "fmt"
)

func main() {
    var builder strings.Builder
    builder.Write([]byte("strings.Builder example\n"))
    fmt.Println(builder.String())
}
```

†4　bytes.Bufferのような機能は、他のプログラミング言語ではstringio（Python）、StringStream（C++）、StringIO（Ruby）などと呼ばれています。

2.4.5 インターネットアクセスの送信

実のところio.Writerのような仕組みはたいていのプログラミング言語でも実装されているため、ここまでの例では物足りないと感じる方もいるでしょう。そこで次はio.Writerでインターネットにアクセスしてみます。この辺から少しずつGoらしさが出てきます。

net.Dial()関数を使うと、net.Connという通信のコネクションを表すインタフェースが返ってきます。net.Connは、io.Writerと次章で説明するio.Readerとのハイブリッドなインタフェースであり、もちろんio.Writerとしても使えます。net.Dial()関数が返すnet.Connインタフェースの実体は、net.TCPConn構造体のポインタです（net.Connについては3.4.3「ネットワーク通信の読み込み」で詳しく説明します）。このnet.Connにio.WriteString()を使ってHTTPリクエストを書き込めば、ウェブサイトにアクセスできます。

```
package main

import (
    "io"
    "os"
    "net"
)

func main() {
    conn, err := net.Dial("tcp", "example.com:80")
    if err != nil {
        panic(err)
    }
    io.WriteString(conn, "GET / HTTP/1.0\r\nHost: example.com\r\n\r\n")
    io.Copy(os.Stdout, conn)
}
```

上記のコードを実行してみると、何らかのHTMLが画面に表示されます。なお、最後の行では、net.Connがio.Readerインタフェースでもあることを利用して、サーバーから返ってきたレスポンスをio.Copyを使って画面に出力しています（3.2.2「コピーの補助関数」で詳しく説明します）。

なお、上記の例ではHTTPリクエストを文字列で用意しましたが、net/httpパッケージにはHTTPリクエストの作成に使う構造体もあり、http.NewRequestで生成できます。この構造体のフィールドを使ってヘッダーを追加するなどしてから、最後にWrite()メソッドを呼ぶことで、リクエストの内容をio.Writerに書き出せます。これにnet.Connを渡せば、そのままサーバーにリクエストを送信できます。

```
req, err := http.NewRequest("GET", "http://example.com", nil)
req.Write(conn)
```

ウェブサーバーからブラウザに対してメッセージを書き込むのにもio.Writerインタフェースが活躍します。ちょっと高レイヤーになりますが、net/httpパッケージのhttp.ResponseWriterという仕組みでも、次のようにio.Writerインタフェースが使えます。

```
package main

import (
    "net/http"
    "io"
)

func handler(w http.ResponseWriter, r *http.Request) {
    io.WriteString(w, "http.ResponseWriter sample")
}

func main() {
    http.HandleFunc("/", handler)
    http.ListenAndServe(":8080", nil)
}
```

このプログラムを起動すると、:8080ポートでウェブサーバーが起動するので、ブラウザでアクセスしてみてください。

このように、相手がなんであろうと、io.Writerインタフェースを使うことで、どれも同じWrite()メソッドを使って書き出すことができます。

2.4.6 io.Writerのデコレータ

io.Writerを受け取り、書き込まれたデータを加工して別のio.Writerに書き出す構造体もいくつかあります。次のio.MultiWriter()は、複数のio.Writerを受け取り、それらすべてに対して、書き込まれた内容を同時に書き込むデコレータ[†5]です。

```
package main

import (
    "io"
    "os"
)

func main() {
    file, err := os.Create("multiwriter.txt")
    if err != nil {
        panic(err)
    }
    writer := io.MultiWriter(file, os.Stdout)
    io.WriteString(writer, "io.MultiWriter example\n")
}
```

次は、書き込まれたデータをgzip圧縮して、あらかじめ渡されていたos.Fileに中継するというサンプルコードです。

```
package main

import (
    "compress/gzip"
    "os"
    "io"
)

func main() {
    file, err := os.Create("test.txt.gz")
```

†5 オブジェクトをラップして追加の機能を実現するという、GoFのデザインパターン用語のデコレータです。

```
    if err != nil {
        panic(err)
    }
    writer := gzip.NewWriter(file)
    writer.Header.Name = "test.txt"
    io.WriteString(writer, "gzip.Writer example\n")
    writer.Close()
}
```

ファイルの内容を加工するフィルターとしては、ここで紹介した圧縮の例以外にも、ハッシュ値の計算などがあります。

出力結果を一時的にためておいて、ある程度の分量ごとにまとめて書き出すbufio.Writerという構造体もあります[†6]。Flush()メソッドを呼ぶと、後続のio.Writerに書き出します。Flush()メソッドを呼ばないと、書き込まれたデータを腹に抱えたまま消滅してしまうので要注意です。

```
package main

import (
    "bufio"
    "os"
)

func main() {
    buffer := bufio.NewWriter(os.Stdout)
    buffer.WriteString("bufio.Writer ")
    buffer.Flush()
    buffer.WriteString("example\n")
    buffer.Flush()
}
```

Flush()を自動で呼び出す場合には、バッファサイズ指定のbufio.NewWriterSize(os.Stdout, バッファサイズ)関数でbufio.Writerを作成します[†7]。

ここで紹介したように、io.Writerを利用するフィルターは実装してみてもそれほど複雑ではありません。これ以外の例としては、mattnさんのブログ[†8]に、文字列をPascalCaseに変換しつつ書き出すフィルターの実装が紹介されています。参考にしてみてください。

バッファリングなしで書き込むとオーバーヘッドがあるのでは？

C言語の場合、標準出力に書き出すprintf()関数はバッファリングを行います。標準エラー出力はリアルタイム性を重視したり、出力直後にプログラムが異常終了した場合にログが出力されないのを防ぐためにバッファリングをしない動作になっていました。Go言語の場合はどの出力もバッファリングを行いません。呼び出した回数だけシステムコー

---

†6 他の言語で「バッファ付き出力」と呼ばれている機能は、Go言語ではこのbufio.Writer構造体が提供しています。2.4.3「書かれた内容を記憶しておくバッファ（1）：bytes.Buffer」で紹介したbytes.Bufferではないので注意してください。

†7 デフォルトでは4096バイトに設定されています。

†8 https://mattn.kaoriya.net/software/lang/go/20140501172821.htm

ルが呼び出されます。筆者の環境でベンチマークを取ったところ、バッファリングなし、2回に1回出力、10回に1回出力でそれぞれだいたい800ナノ秒、500ナノ秒、200ナノ秒程度でした。100回ぐらい出力する程度では、コマンドラインツールだと誤差の範囲でしょう。C言語ができた当時と比べると、OSのコードを呼び出して返ってくるまでのオーバーヘッドも大したことがないため、シンプルな実装にしたのかもしれません。

もし、大量のサイズの入出力、あるいは高頻度の入出力を行うのであれば、アプリケーションの特性に合わせてバッファサイズを決める必要があります。数GBのデータ転送になれば数十MBとかになるかもしれませんし（これもI/O速度や速度の安定性によります）、逆に応答性重視であればサイズを絞るといった調整を行うことになるでしょう。

2.4.7 フォーマットしてデータをio.Writerに書き出す

整形したデータをio.Writerへと書き出す汎用の関数もあります。fmt.Fprintf()は、たいていのプログラミング言語にある、C言語のprintf()のようなフォーマット出力のための関数です。フォーマット（2つめの引数）に従って、io.Writer（最初の引数）にデータ（3つめ以降の引数）を書き出します。

Go言語にはなんでも表示できる%vというフォーマット指定子があり、プリミティブ型でもそうでない型でもString()メソッドがあればそれを表示に使って出力してくれます。これもfmt.Stringerインタフェースとして定義されています。試しに日付を表示してみましょう。

```
package main

import (
    "os"
    "fmt"
    "time"
)

func main() {
    fmt.Fprintf(os.Stdout, "Write with os.Stdout at %v", time.Now())
}
```

JSONを整形してio.Writerに書き出すこともできます。次の例ではコンソールに出力していますが、先ほどのio.Writerの例と組み合わせれば、サーバーにJSONを送ったり、ブラウザにJSONを返したりすることも簡単にできてしまいます。

```
package main

import (
    "os"
    "encoding/json"
)

func main() {
    encoder := json.NewEncoder(os.Stdout)
    encoder.SetIndent("", "    ")
    encoder.Encode(map[string]string{
        "example": "encoding/json",
        "hello": "world",
    })
}
```

io.Writerに書き出すメソッドを持つ、用途が限定された構造体もあります。net/httpパッケージのRequest構造体です。この構造体は、文字どおりHTTPリクエストを取り扱う構造体です。クライアント側のリクエストを送るときにも使えますし、サーバー側でレスポンスを返すときにクライアントの情報をパースするのにも使えます。io.Writerに書き出すのは前者の用途です。

2.4.5「インターネットアクセスの送信」ではHTTPプロトコルを手書きしましたが、このRequest構造体を使えば、書き間違いなどのミスも減ります。この構造体のWrite()メソッドを使わないといけないケースは実際には少ないですが、Transfer-Encoding: chunkedでチャンクに分けて送信したり、プロトコルのアップグレードで別のプロトコルと併用するようなHTTPリクエストを送るときには使うことになるでしょう。

```
package main

import (
    "os"
    "net/http"
)

func main() {
    request, err := http.NewRequest("GET", "http://example.com", nil)
    if err != nil {
        panic(err)
    }
    request.Header.Set("X-TEST", "ヘッダーも追加できます")
    request.Write(os.Stdout)
}
```

2.5 インタフェースの実装状況・利用状況を調べる

Goでは、Javaのインタフェースや、純粋仮想関数が定義されているC++の親クラスと異なり、「このインタフェースを満たしています」という宣言を構造体側にはいっさい書きません。構造体がインタフェースを満たすメソッドを持っているかどうかは、インタフェースの変数に構造体のポインタを代入したり、メソッドの引数にポインタを渡したりするときに、自動的に確認されます。そのため、どの構造体がこのインタフェースを満たしているかは、コードを単純に検索するだけでは探せません。

GoLandを利用している場合には、コンテキストメニューのGo To → Implementation(s)を選ぶと、検索結果がポップアップします（図2.4）。

Visual Studio Codeでは、検索したいインタフェースにカーソルを合わせてから、Ctrl + Shift + P（macでは ⌘ + Shift + P）のコマンドパレットの中でGo to Implementationsを選ぶと、そのインタフェースを実装している型の一覧がポップアップで表示されます（図2.5）。あるいは、References: Find All Implementationsを選ぶと、サイドバーに表示されます（図2.6）。

io.Writerを使用している箇所を簡単に調べることはできませんが、引数としてio.Writerを受け取る公開メソッド（fmt.Fprintln()など）を簡単に検索した

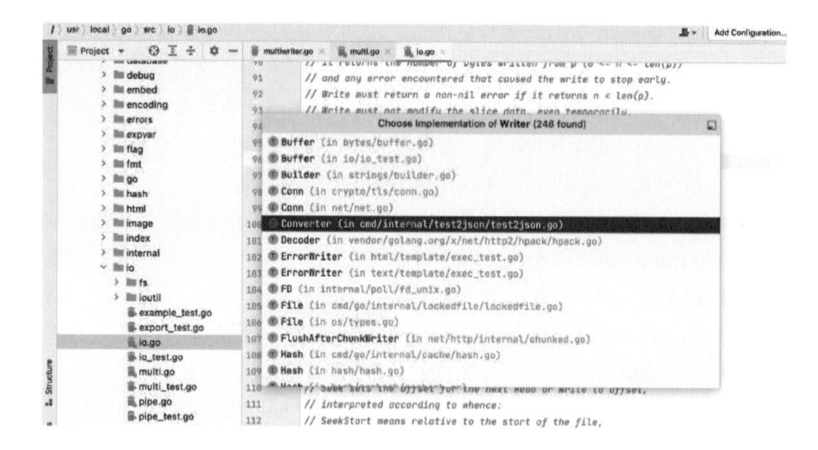

▶ 図2.4　GoLandでio.Writerインタフェースの実装を検索する

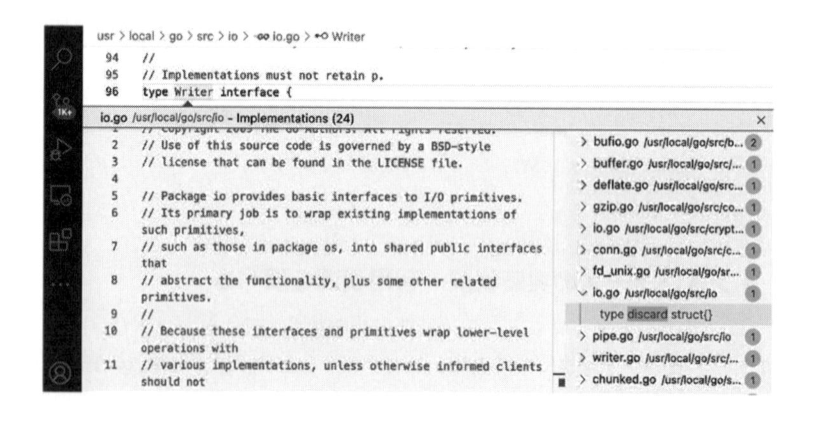

▶ 図2.5　Visual Studio Codeでio.Writerインタフェースの実装を検索する（ポップアップ）

だけでも100以上見つかります。net.Connのようなio.Writerを内包するインタフェースも数多くあるため、総数はさらに多いでしょう。

io.Writer関連の構造体がたくさんあるといっても、すべてを覚えておく必要はなく、そのつどリファレンスを引けばいいだけです。ですが、よく出てくるものは事前に存在を知って頭の中にインデックスを作っておくと、コードを読む際に楽ができます。

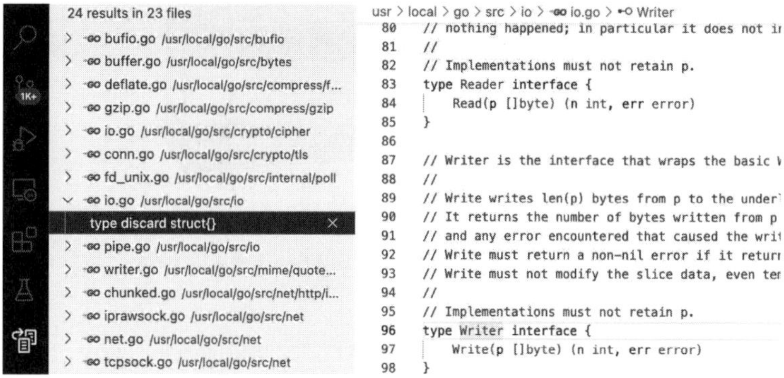

▶図2.6 Visual Studio Codeで`io.Writer`インタフェースの実装を検索する（サイドバー）

NOTE 以前はローカルでソースコードから生成したドキュメントを表示するgodocコマンドの`-analysis type`オプションをつけることでも見ることができました。しかし、2021年12月リリースの0.1.8からこのオプションがなくなり、見ることができなくなりました。

2.6 低レベルの機能を組み合わせて入出力APIを作る

「Go言語ではスクリプト言語並に簡単にファイル読み込みやネットワークアクセスができる」、という説明を見かけたことがある方も多いでしょう。確かにGo言語には、ファイル読み込みやネットワークアクセスの結果が1行で得られる、次のような関数が用意されています。

- `os.WriteFile()`：これだけを使ってファイルに書き込める[†9]
- `os.ReadFile()`：これだけを使ってファイルから読み込める[†10]
- `http.Get()`：これだけを使ってHTTPのGETメソッドでデータを受け取れる
- `http.Post()`：これだけを使ってHTTPのPOSTメソッドでデータを送れる

実はこれらのAPIは、本章の主役である`io.Writer`や次章で取り上げる`io.Reader`を隠蔽して、特定の用途で簡単に使えるようにしたものです（図2.7）。これらのAPIと比べると、低レベルな`io.Reader`と`io.Writer`は、同じことをするのに手間が少しかかります。しかし、取り扱い方がわかり、使いこなせるようになれば、より多くのことができるようになります。

---

†9 以前は`io/ioutil`でしたが、Go 1.16から`os`パッケージになりました。

†10 こちらも同様です。

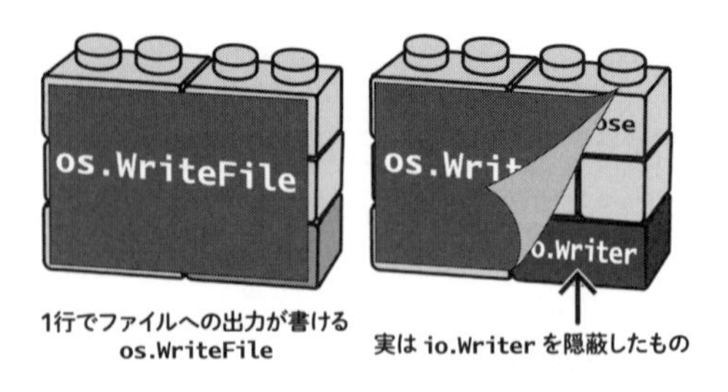

▶ 図2.7　os.WriteFileはio.Writerを隠蔽したもの

ソフトウェアは基本的に、「何らかの入力に対して、加工を行ってから、出力する」というパイプ構造をしています。したがって、入出力を思いどおりに扱うことは、ソフトウェア開発者にとってなくてはならないスキルです。部品を知ることで、高レベルな関数の実装を知ったり、自分で作れるようになります。それが低レベルを知ることの強みのひとつといえるでしょう（図2.8）。

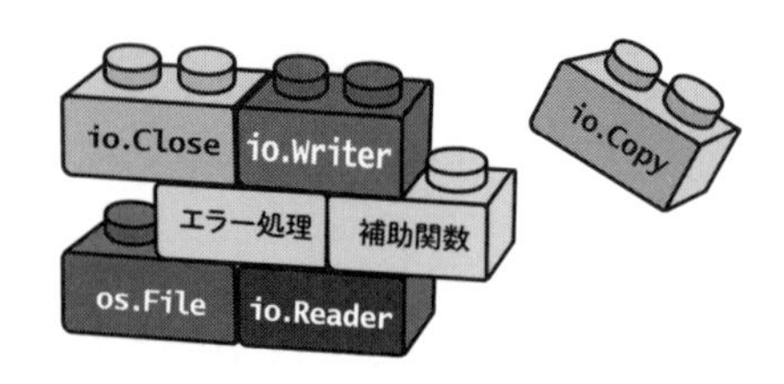

▶ 図2.8　低レベルの機能を組み合わせて自分だけのオリジナルの入出力を作ろう

2.7　柔軟性が高く、パフォーマンスのよい設計のためのTips

データの入出力や加工を行う関数を書く場合、選択肢は3つあります。

- ファイル名を受け取る
- io.Writerやio.Readerを受け取る
- バイト列を受け取る

この中で望ましいのは、ファイルを読み書きするコードを作成する場合でも、なるべくio.Writerやio.Readerを関数の引数として扱うことです。io.Writerやio.Readerを受け取れるようにしておけば、ファイル名を受け取って処理したい場合も、ヘルパー関数を1つ作ってラッパーを用意するだけです。バイト列を受け取りたい場合も、bytes.Bufferで同様に扱えます。

一方、ファイル名を受け取る関数として書いてしまうと、ネットワーク経由やオンメモリで作った内容（テストコード内のデータも含む）を直接読み書きできないので、一度ファイルに書き出すといった余計なコードが必要になってしまいます。

バイト列を受け取る関数という選択肢については、柔軟性という点ではosの各種関数を1つ使うことでラッパーライブラリを簡単に作れるので、一見するとネガティブな点はなさそうに思えますが、ここに落とし穴があります。Go言語は比較的実行時のパフォーマンスが良い言語であるとされています。平均的な性能が良いぶん、ロジックの処理速度で問題になることは少なく、スループットが悪いときは、OSに処理を依頼するといった、どちらかというと言語性能によらない処理の割合が大きい場合がよくあります。メモリの取得は、まさにそのようなケースです。os.ReadFile()などは、一括でファイルを読み込んでバイト配列にします。os.WriteFile()も、書き込む内容をバイト配列で用意する必要があります。これらの処理では、ファイルに読み書きする量が多くなると、それと同等の量のメモリが一時的に必要になります。本章で説明したio.Writerや、次章で扱うio.Readerは、小さいサイズのデータ単位で扱うことができ、大きなメモリを確保する必要がありません。

今はまだピンとこない方も多いかもしれませんが、第16章「Go言語のメモリ管理」のメモリ管理の章を読むと、メモリ確保の裏でカーネルがとてもたくさんの仕事をしていることがわかるでしょう。

2.8 本章のまとめと次章予告

本章では、共通する機能を抽象化するGo言語のインタフェースという仕組みについて学び、入出力に関するインタフェースのうちio.Writerについて、このインタフェースを満たす構造体をいくつか紹介しました。

次章では、io.Writerと対照の存在であるio.Readerについて紹介します。こちらも、io.Writerと同様に、低レベルなデバイスに対してより高級な読み込みの機能を提供するインタフェースです。

2.9 問題

Q2.1：ファイルに対するフォーマット出力

2.4.7「フォーマットしてデータをio.Writerに書き出す」で説明したように、fmt.Fprintf(writer, フォーマット文字列, 値...)でio.Writerに数値や文字列を出力できます。fmt.Fprintf()では、他の言語と同じように、"%d"が数値の表示に、"%s"が文字列の表示に、"%f"が浮動小数点数の表示に使えます。

これらを使って、数字や小数、文字列をファイルに書き出してみましょう。

Q2.2：CSV出力

2.4.6「io.Writerのデコレータ」では、io.Writerのフィルターとしてgzip圧縮について説明しました。似たようなフィルターとして、encoding/csvというパッケージがあります。

このパッケージを使って、標準出力やファイルにCSVデータを出力してみましょう。Flush()メソッドを呼ぶのを忘れないでください。

Q2.3：gzipされたJSON出力をしながら、標準出力にログを出力

JSONをgzip化してクライアントに返すウェブサービスを開発しているとします。本章で説明したようにhttp.ResponseWriterを指定してJSONエンコーダーで変換をかけるとJSONが生成できますが、そのままではどのようなレスポンスをクライアントに返したのかログを残すことができません。os.Stdoutに出力するとログが残るものとして、JSONの文字列変換、gzip圧縮を行いながら圧縮前の出力を標準出力にも出すように、io.MultiWriterを使ってみましょう。gzip出力の最後にFlush()が必要な点に注意してください。

```
package main

import (
    "compress/gzip"
    "encoding/json"
    "io"
    "net/http"
    "os"
)

func handler(w http.ResponseWriter, r *http.Request) {
    w.Header().Set("Content-Encoding", "gzip")
    w.Header().Set("Content-Type", "application/json")
    // json化する元のデータ
    source := map[string]string{
        "Hello": "World",
    }
    // ここにコードを書く
}

func main() {
    http.HandleFunc("/", handler)
    http.ListenAndServe(":8080", nil)
}
```

このプログラムを起動すると、:8080ポートでウェブサーバーが起動するので、ブラウザでアクセスしてみてください。

第3章

低レベルアクセスへの入口2：io.Reader

前章ではGo言語が提供するio.Writerを紹介しました。続いて、それと対になるio.Readerを中心に、仲間のインタフェースをいくつか紹介していきます。

書き込みに比べると読み込みのほうがトピックが多く、機能も多いため、本章の分量は多めです。

- io.Readerとその仲間たちの紹介
- 少ないコード量でio.Readerからデータを効率よく読み込むための補助的な関数群の紹介
- io.Readerとio.Writer以外の入出力インタフェースを紹介
- io.Readerを満たす構造体で特に頻繁に使われるものの紹介（標準入力、ファイル、ソケット、メモリのバッファ）
- バイナリ解析に便利な機能群の紹介
- テキスト解析に便利な機能群の紹介
- ちょっと抽象的なio.Readerの構造体の紹介

3.1 io.Reader

前章では、出力先の種類（ファイルか、画面か、バッファか、ネットワークか）にかかわらず、データを出力するという機能がGo言語のインタフェースという仕組みで抽象化されていることを見ました。そのインタフェースの名前がio.Writerでした。

同じように、プログラムで外部からデータを読み込むための機能もGo言語のインタフェースとして抽象化されています。そのインタフェースの名前がio.Readerです。

Go言語のインタフェースは、前章で説明したように、メソッド宣言をまとめたものです。io.Readerには、次のような形式のRead()メソッドが宣言されています。

```
type Reader interface {
    func Read(p []byte) (n int, err error)
}
```

引数であるpは、読み込んだ内容を一時的に入れておくバッファです。あらかじめメモリを用意しておいて、それを使います。Go言語でメモリを確保するには、組み込み関数のmake()を使うとよいでしょう（図3.1）。

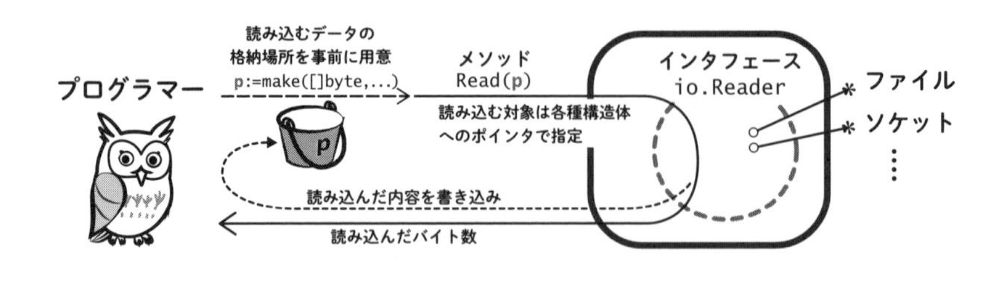

▶図3.1　io.Readerインタフェースを満たす型からのRead()

次の例は、io.Readerインタフェースを満たす何らかの型の変数rがあったとして、そこからmake()を使って用意した1024バイトの入力用バッファbufferへとデータを読み込んでくる例です。

```
// 1024バイトのバッファをmakeで作る
buffer := make([]byte, 1024)
// sizeは実際に読み込んだバイト数、errはエラー
size, err := r.Read(buffer)
```

前章の書き込みに比べて、バッファを用意してその長さを管理したり、ちょっとめんどくさいですね。バッファの管理をしつつ、何度もRead()メソッドを読んでデータを最後まで読み込むなど、読み込み処理を書くたびに同じようなコードを書かなければなりません。実際、このメソッドだけでプログラムを開発するのは大変です（C言語でファイル読み込み処理を書いたことがある方は身にしみていると思います）。

そのためGo言語では、低レベルなインタフェースだけでなく、それを簡単に扱うための機能も豊富に提供されています。次の節では、それらの補助機能を見ていきましょう。

3.2　io.Readerの補助関数

先ほど見たように、io.Readerをそのまま使うのは多少不便なため、入力を扱うときは補助関数を使うことになります。PythonやRubyであれば、そうした補助的なメソッドもすべてファイルのオブジェクトが持っていたりしますが、Go言語では特別なもの以外はこのような外部のヘルパー関数を使って実現します。

3.2.1 読み込みの補助関数

おそらく、一番利用するのはio.ReadAll()[†1]でしょう。これは終端記号にあたるまですべてのデータを読み込んで返します。メモリに収まらないかもしれないようなケースでは使えませんが、多くの場合はこれでいけます。

```
// すべて読み込む
buffer, err := io.ReadAll(reader)
```

一方、決まったバイト数だけ確実に読み込みたいという場合にはio.ReadFull()を使います。これを使うと、指定したバッファのサイズ分まで読み込めない場合にエラーが返ってきます。サイズが決まっているバイナリデータの読み込みで使います。

```
// 4バイト読み込めないとエラー
buffer := make([]byte, 4)
size, err := io.ReadFull(reader, buffer)
```

io.ReadFull()と似ていますが、最低読み込みバイト数を指定しつつ、それ以上のデータも読む、io.ReadAtLeast()というものもあります（筆者は使ったことがありません）。

3.2.2 コピーの補助関数

io.Readerからio.Writerにそのままデータを渡したいときに使うのが、コピー系の補助関数です。一番よく使うのは、すべてを読み尽くして書き込むio.Copy()でしょう。ファイルを開いてそのままHTTPで転送したいとか、ハッシュ値を計算したいとか、いろいろなケースで使います。io.CopyN()を使えばコピーするバイト数を指定できます。

```
// すべてコピー
writeSize, err := io.Copy(writer, reader)
// 指定したサイズだけコピー
writeSize, err := io.CopyN(writer, reader, size)
```

あらかじめコピーする量が決まっていて無駄なバッファを使いたくない場合や、何度もコピーするのでバッファを使い回したい場合もあるでしょう。そんな場合にはio.CopyBuffer()を使うと自分で作った作業バッファを渡すことができます。デフォルトではio.Copy()は32KBのバッファを内部で確保して使います。

```
// 8KBのバッファを使う
buffer := make([]byte, 8 * 1024)
io.CopyBuffer(writer, reader, buffer)
```

†1 Go 1.16でio/ioutilからioパッケージに移動となりました。

3.3 入出力に関するio.Writerとio.Reader以外のインタフェース

ここまでは、入出力に関するインタフェースとして、io.Writerインタフェースとio.Readerインタフェースの概要を説明してきました。入出力では、書き込みと読み込み以外にも、クローズ処理のようなさまざまな処理が必要になります。io.Writerとio.Reader以外の一般的な入出力関連インタフェースとしては、下記のようなものがあります。

- io.Closerインタフェース
  Close() errorメソッドを持ちます。使用し終わったファイルを閉じます。
- io.Seekerインタフェース
  Seek(offset int64, whence int) (int64, error)メソッドを持ちます。読み書き位置を移動します。
- io.ReaderAtインタフェース
  ReadAt(p []byte, off int64) (n int, err error)メソッドを持ちます。対象となるオブジェクトがランダムアクセスを行える場合に、好きな位置を自由にアクセスするときに使います。これが必要となる場面はあまり多くないのですが、あとで登場します。

3.3.1 入出力関連の複合インタフェース

実は、io.Closerやio.Seekerだけを満たした構造体を扱うことは基本的にありません。入出力に関連する構造体のほとんどは、次節で説明するように、これらのインタフェースだけでなく、io.Readerやio.Writerを組み合わせたインタフェースを満たします。そのため、APIで要求される引数や返り値の型としても、表3.1にあるような**複合インタフェース**が使用されます。この表から、たとえばio.ReadCloserであれば、Read()メソッドとClose()メソッドの両方を持つオブジェクトが要求されることがわかります。

▶表3.1　複合インタフェース一覧

インタフェース	io.Reader	io.Writer	io.Seeker	io.Closer
io.ReadWriter	✓	✓		
io.ReadSeeker	✓		✓	
io.ReadCloser	✓			✓
io.WriteSeeker		✓	✓	
io.WriteCloser		✓		✓
io.ReadWriteSeeker	✓	✓	✓	
io.ReadWriteCloser	✓	✓		✓

3.3.2 入出力関連インタフェースのキャスト

引数にio.ReadCloserが要求されているが、今あるオブジェクトはio.Readerしか満たしていない、ということもたまにあります。たとえば、ソケット読み込み用の関数を作成していて、その関数の引数はio.ReadCloserだが、ユニットテストにはio.Readerインタフェースを満たすstrings.Readerやbytes.Bufferを使いたい、といったケースが考えられます。その場合はio.NopCloser()関数[†2]を使うと、ダミーのClose()メソッドを持ってio.ReadCloserのフリをする（ただしClose()しても何も起きない）ラッパーオブジェクトが得られます。

```
import (
    "io"
    "strings"
)

var reader io.Reader = strings.NewReader("テストデータ")
var readCloser io.ReadCloser = io.NopCloser(reader)
```

バッファリングが入ってしまいますが、bufio.NewReadWriter()関数を使うと、個別のio.Readerとio.Writerをつなげて、io.ReadWriter型のオブジェクトを作ることができます。

```
import (
    "io"
    "bufio"
)

var readWriter io.ReadWriter = bufio.NewReadWriter(reader, writer)
```

3.4 io.Readerを満たす構造体で、よく使うもの

本章のテーマであるio.Readerインタフェースを満たす構造体を見ていきましょう。構造体の種類ごとに、Read()メソッドの使い方を説明していきます。

NOTE 書き込みのためのio.Writerとは別に読み込みのためのio.Readerインタフェースがあるので、読み込みや書き込みごとに違う構造体を駆使する必要があるように思われるかもしれません。
しかし、実はGo言語の構造体の多くは、読みと書きの両方のインタフェースを満たしています。そのため、前章のio.Writerの説明に登場した構造体の多くは、io.Readerインタフェースも満たしています。さらに、前項で説明した入出力関連の他のインタフェースを満たす場合もあります。実際、ファイルの入出力に関連するos.File構造体は、これまで紹介したio.Reader、io.Writer、io.Seeker、io.Closerの各インタフェースをすべて満たしています。
そこで以降では、各構造体の説明の冒頭に、4つの入出力関連インタフェースのうちでその構造体が満たしているものを表にしてまとめてあります。たとえば、すべての

---

†2 Go 1.16でio/ioutilからioパッケージに移動となりました。

インタフェースを満たすos.File構造体であれば、この表のすべての項目にチェックが入ることになります（表3.3を参照）。

3.4.1 標準入力

▶表3.2　標準入力（os.Stdin）が満たしているインタフェース

変数	io.Reader	io.Writer	io.Seeker	io.Closer
os.Stdin	✓			✓

標準入力に対応するオブジェクトがos.Stdinです。このプログラムをそのまま実行すると入力待ちになり、以降はEnterが押されるたびに結果が返ってきます。Ctrl+D（WindowsはCtrl+Z）で終了します。

```
package main

import (
	"fmt"
	"io"
	"os"
)

func main() {
	for {
		buffer := make([]byte, 5)
		size, err := os.Stdin.Read(buffer)
		if err == io.EOF {
			fmt.Println("EOF")
			break
		}
		fmt.Printf("size=%d input='%s'\n", size, string(buffer))
	}
}
```

あるいは、次のように実行すると、自分自身のソースコードを決まったバッファサイズ（ここでは5）ごとに区切って表示します。

```
$ go run stdin.go < stdin.go ↵
```

プログラムを単体で実行すると、入力待ちでブロックしてしまいます。つまり、入力がくるまで実行が完全停止してしまうのです。Go言語のRead()はタイムアウトのような仕組みもなく、このブロックを避けられません[†3]。

他の言語だと、ブロックするAPIとブロックしない（ノンブロッキングの）APIの両方が用意されていることが多いのですが、Go言語の場合は並列処理機構が便利に使えるので、それを使ってノンブロッキングな処理を書きます。具体的には、goroutineと呼ばれる軽量スレッドを別に作ってそこで読み込みを行い、読み込んだ文字列を処理するコードにはチャネルという仕組みを使って渡すのが定石です。Go言語の並列処理については第14章「Go言語と並列処理」で解説します。

---

†3　ネットワークアクセスのnet.Connにはタイムアウトがあります。

標準出力の接続先の判定

os.Stdinの入力がキーボードに接続されているのか、上記の例のように他のプロセスに接続されているのかを判定する方法は、プロセス周辺のトピックとして第12章「プロセスの役割とGo言語による操作」で紹介します。

3.4.2 ファイル入力

▶表3.3　ファイル入力（os.File）が満たしているインタフェース

構造体	io.Reader	io.Writer	io.Seeker	io.Closer
os.File	✓	✓	✓	✓

ファイルからの入力には、今までに何度も出てきたos.File構造体を使います。

ファイルの新規作成はos.Create()関数で行います。os.Open()関数を使うと既存のファイルを開くことができます。なお、この2つの関数は、内部的にはos.OpenFile()という関数のフラグ違いのエイリアスで、同じシステムコールが呼ばれています。

```
func Open(name string) (*File, error) {
    return OpenFile(name, O_RDONLY, 0)
}

func Create(name string) (*File, error) {
    return OpenFile(name, O_RDWR|O_CREATE|O_TRUNC, 0666)
}
```

ファイルの読み込みは次のとおりです。先ほど紹介したio.Copy()を使って標準出力にファイルの内容をすべて書き出しています。

```
package main

import (
    "io"
    "os"
)

func main() {
    file, err := os.Open("file.go")
    if err != nil {
        panic(err)
    }
    defer file.Close()
    io.Copy(os.Stdout, file)
}
```

ファイルを一度開いたらClose()する必要があります。Go言語ではこのような「確実に行う後処理」を実行するのに便利な仕組みがあります。それが、上記の例でdefer file.Close()と書かれているところです。deferは、現在のスコープが終了したら、その後ろに書かれている行の処理を実行します。

ここまでの説明で、ファイルの作成、読み込み、インタフェース間のデータコピーの方法がわかったので、ファイルをコピーする処理も簡単に書けますね。ぜひ挑戦してみてください。

3.4.3 ネットワーク通信の読み込み

▶表3.4　ネットワーク通信の読み込み（net.Conn）が満たしているインタフェース

インタフェース	io.Reader	io.Writer	io.Seeker	io.Closer
net.Conn	✓	✓		✓

インターネット上でのデータのやり取りは、送信データを送信者側から見ると書き込みで、受信者側から見ると読み込みです。書き込みについては前章のio.Writerで説明しました。下記のコードは2.4.5「インターネットアクセスの送信」で紹介したのと同じコードですが、これで受信側からすれば読み込みになります。

```
package main

import (
    "io"
    "os"
    "net"
)

func main() {
    conn, err := net.Dial("tcp", "example.com:80")
    if err != nil {
        panic(err)
    }
    conn.Write([]byte("GET / HTTP/1.0\r\nHost: example.com\r\n\r\n"))
    io.Copy(os.Stdout, conn)
}
```

net.Dial()で返されるconnがnet.Conn型で、これをio.Copyを使って標準出力にコピーすることでデータを一括で読み込んでいます。この場合、読み込まれるのは生のHTTPの通信内容そのものです。

この方法はシンプルではありますが、HTTPを読み込むプログラムを開発するたびにRFCに従ってパース処理を実装するのは効率的ではありません。Go言語では、HTTPのレスポンスをパースするhttp.ReadResponse()関数が用意されています。この関数にbufio.Readerでラップしたnet.Connを渡すと、http.Response構造体のオブジェクトが返されます。bufio.Readerでラップするには、bufio.NewReader()関数を呼びます。このオブジェクトはHTTPのヘッダーやボディーなどに分解されているため、プログラムでの利用がとても簡単です。

```
package main

import (
    "bufio"
    "fmt"
    "io"
    "net"
    "net/http"
    "os"
)

func main() {
```

```
    conn, err := net.Dial("tcp", "example.com:80")
    if err != nil {
        panic(err)
    }
    conn.Write([]byte("GET / HTTP/1.0\r\nHost: example.com\r\n\r\n"))
    res, err := http.ReadResponse(bufio.NewReader(conn), nil)
    // ヘッダーを表示してみる
    fmt.Println(res.Header)
    // ボディーを表示してみる。最後にはClose()すること
    defer res.Body.Close()
    io.Copy(os.Stdout, res.Body)
}
```

3.4.4 メモリに蓄えた内容をio.Readerとして読み出すバッファ

▶表3.5 メモリバッファが満たしているインタフェース

構造体	io.Reader	io.Writer	io.Seeker	io.Closer	io.ReaderAt
bytes.Buffer	✓	✓			
bytes.Reader	✓		✓		✓
strings.Reader	✓		✓		✓

前章では、書き込まれた内容をメモリに保持しておくbytes.Bufferを紹介しました。これはio.Readerとしても使えます。読み出しに使えるものとしては、これ以外にbytes.Readerとstrings.Readerもありますが、ほとんどのケースではこれらを使い分ける必要はありません。bytes.Bufferだけ覚えておけば問題はないでしょう。

ただし、3.5「バイナリ解析用のio.Reader関連機能」でバイナリデータの解析に使うio.SectionReaderだけは、io.Readerではなくio.ReaderAtというちょっと違うインタフェースのReaderを必要とします。そのときだけは、マイナーなbytes.Readerとstrings.Readerが役に立ちます。

初期化の方法は何通りかあります。それぞれ、初期データが必要かどうかや、初期化データの型に応じて使い分けます。

```
// 空のバッファ
var buffer1 bytes.Buffer
// バイト列で初期化
buffer2 := bytes.NewBuffer([]byte{0x10, 0x20, 0x30})
// 文字列で初期化
buffer3 := bytes.NewBufferString("初期文字列")
```

このうち、最初の初期化だけはポインタではなくて実体なので、io.Writerやio.Readerの引数に渡すときは&buffer1のようにポインタ値を取り出す必要があります。

あまり使わないほうのbytes.Readerとstrings.Readerの初期化も紹介します。

```
// bytes.Readerはbytes.NewReaderで作成
bReader1 := bytes.NewReader([]byte{0x10, 0x20, 0x30})
bReader2 := bytes.NewReader([]byte("文字列をバイト配列にキャストして設定"))

// strings.Readerはstrings.NewReader()関数で作成
sReader := strings.NewReader("Readerの出力内容は文字列で渡す")
```

3.5 バイナリ解析用のio.Reader関連機能

io.Readerから出てくるデータは、テキストデータのこともあればバイナリデータのこともあります。まずはバイナリデータを読み込むときに便利な機能から紹介します[†4]。

3.5.1 必要な部位を切り出すio.LimitReader／io.SectionReader

ファイルを読み込みたいけれど、先頭部分だけが必要なので、それ以降の領域は読み込みたくない、という場合があります。たとえばファイルの先頭にヘッダー領域があって、そこだけを解析するルーチンに処理を渡したいといった場合です。io.LimitReaderを使うと、データがたくさん入っていても、先頭の一部だけしか読み込めないようにブロックしてくれます。

```
// たくさんデータがあっても先頭の16バイトしか読み込めないようにする
lReader := io.LimitReader(reader, 16)
```

長さだけではなく、スタート位置も固定したいことがあります。PNGファイルやOpenTypeフォントなど、バイナリファイル内がいくつかのチャンク（データの塊）に分かれている場合は、チャンクごとにReaderを分けて読み込ませることで、別々のチャンクを読み込むコード間の独立性が高まり、全体としてメンテナンスしやすいコードになるでしょう。そのようなときに便利なのがio.SectionReaderです。

ただしio.SectionReaderではio.Readerが使えず、代わりにio.ReaderAtを使います。os.File型はio.ReaderAtを満たしますが、それ以外のio.Readerを満たす型からio.SectionReaderで直接に読み込むことはできません。文字列やバイト列にいったん書き出し、strings.Readerやbytes.Readerでラップしてからio.SectionReaderに渡します。

下記のコードでは、文字列からSectionの部分だけを切り出したReaderをまず作成し、それをすべてos.Stdoutに書き出しています（実際には文字列を分けるためにio.SectionReaderを使うことはまずありません）。

```
package main

import (
    "io"
```

---

†4　Go言語はシステムプログラミングに適した言語という触れ込みで執筆しましたが、残念ながらErlangの文法に組み込まれているバイナリパターンマッチのような強力なバイナリ解析はありません。

```
    "os"
    "strings"
)

func main() {
    reader := strings.NewReader("Example of io.SectionReader\n")
    sectionReader := io.NewSectionReader(reader, 14, 7)
    io.Copy(os.Stdout, sectionReader)
}
```

3.5.2 エンディアン変換

バイナリ解析では**エンディアン変換**が必要となります。現在主流のCPU[†5]はリトルエンディアンです（サーバーや組み込み機器で使用されるCPUにはビッグエンディアンのものもあります）。リトルエンディアンでは、10000という数値（16進表示で0x2710）があったときに、小さい桁からメモリに格納されます（Go言語で書けば`[]byte{0x10, 0x27, 0x0, 0x0}`と表現されます）。

しかし、ネットワーク上で転送されるデータの多くは、大きい桁からメモリに格納されるビッグエンディアン（ネットワークバイトオーダーとも呼ばれます）です。そのため多くの環境では、ネットワークで受け取ったデータをリトルエンディアンに修正する必要があるのです。

任意のエンディアンの数値を、現在の実行環境のエンディアンの数値に修正するには、`encoding/binary`パッケージを使います。このパッケージの`binary.Read()`メソッドに、`io.Reader`とデータのエンディアン、それに変換結果を格納する変数のポインタを渡せば、エンディアンが修正されたデータが得られます。

下記のコードを実行すると、`data`変数にビッグエンディアンで格納されている10000という数値が、エンディアン違いのIntel系のCPUのコンピューターでも正しく10000と出力されます（図3.2）。

```
package main

import (
    "bytes"
    "encoding/binary"
    "fmt"
)

func main() {
    // 32ビットのビッグエンディアンのデータ（10000）
    data := []byte{0x0, 0x0, 0x27, 0x10}
    var i int32
    // エンディアンの変換
    binary.Read(bytes.NewReader(data), binary.BigEndian, &i)
    fmt.Printf("data: %d\n", i)
}
```

---

†5 x86、x86_64はリトルエンディアンです。ARMはどちらも切り替えられますが、iOSもAndroidもリトルエンディアンです。

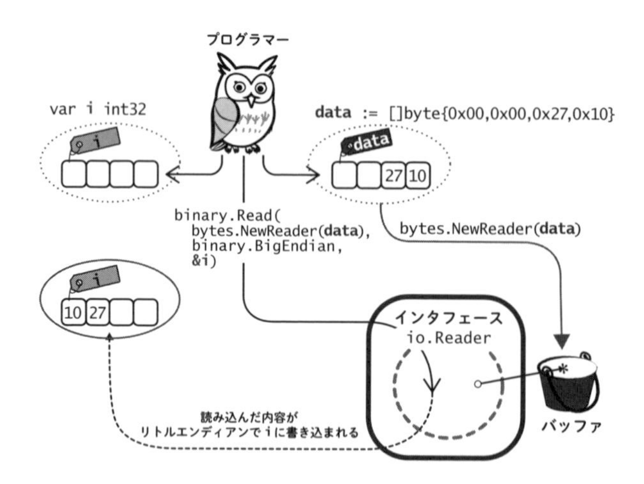

▶図3.2 ビッグエンディアンのデータを現在のCPUに合わせて変換

3.5.3 PNGファイルを分析してみる

PNGファイルはバイナリフォーマットです。先頭の8バイトがシグニチャ（固定のバイト列）となっています。それ以降は図3.3のようなチャンク（データの塊）のブロックで構成されています。

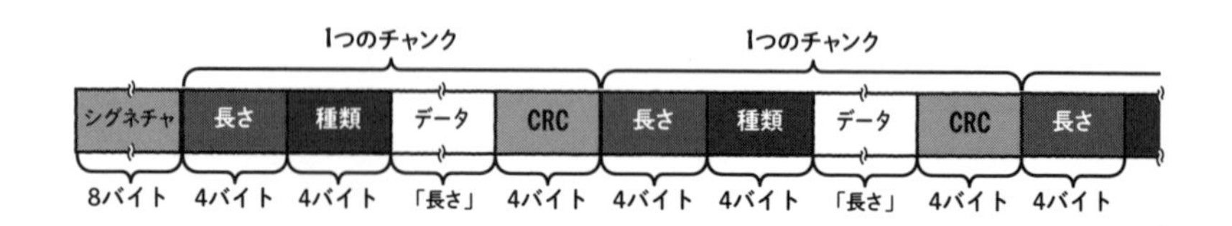

▶図3.3 PNGファイルのデータフォーマット（チャンク構造）

各チャンクとその長さを列挙してみましょう。以下のコードでは、`readChunks()`関数でチャンクごとに`io.SectionReader`を作って配列に格納して返しています。それをチャンクを表示する関数（`dumpChunk()`）で表示しています。ここでサンプルとして利用したPNGファイルは、本書執筆時点でWikipediaの「PNG」の項目に掲載されている`PNG_transparency_demonstration_1.png`という画像です[†6]。

- `https://commons.wikimedia.org/wiki/File:PNG_transparency_demonstration_1.png`

---

†6 本書および、そのベースとなったASCIIプログラミング++の連載時にはレナ・ソーダバーグさんの画像をサンプルに使っていましたが、その後、ご本人が技術分野での利用もモデルと同じように引退したいという表明をされたため、今回の改訂でサンプルを差し替えています。`https://www.losinglena.com/`

```
package main

import (
    "encoding/binary"
    "fmt"
    "io"
    "os"
)

func dumpChunk(chunk io.Reader) {
    var length int32
    binary.Read(chunk, binary.BigEndian, &length)
    buffer := make([]byte, 4)
    chunk.Read(buffer)
    fmt.Printf("chunk '%v' (%d bytes)\n", string(buffer), length)
}

func readChunks(file *os.File) []io.Reader {
    // チャンクを格納する配列
    var chunks []io.Reader

    // 最初の8バイトを飛ばす
    file.Seek(8, 0)
    var offset int64 = 8

    for {
        var length int32
        err := binary.Read(file, binary.BigEndian, &length)
        if err == io.EOF {
            break
        }
        chunks = append(chunks,
                        io.NewSectionReader(file, offset, int64(length)+12))
        // 次のチャンクの先頭に移動
        // 現在位置は長さを読み終わった箇所なので
        // チャンク名(4バイト) + データ長 + CRC(4バイト)先に移動
        offset, _ = file.Seek(int64(length+8), 1)
    }
    return chunks
}

func main() {
    file, err := os.Open("PNG_transparency_demonstration_1.png")
    if err != nil {
        panic(err)
    }
    defer file.Close()
    chunks := readChunks(file)
    for _, chunk := range chunks {
        dumpChunk(chunk)
    }
}
```

実行すると次のように表示されます。

```
chunk 'IHDR' (13 bytes)
chunk 'IDAT' (226876 bytes)
chunk 'IEND' (0 bytes)
```

Wikipediaから取得したPNG画像は、図3.4のようなチャンクの構造になっているようですね。

NOTE Go言語で配列（厳密にはスライス）に要素を追加するには、

```
配列 = append(配列, 要素)
```

と書きます。なお、多くのオブジェクト指向言語と違い、Go言語では配列やスライ

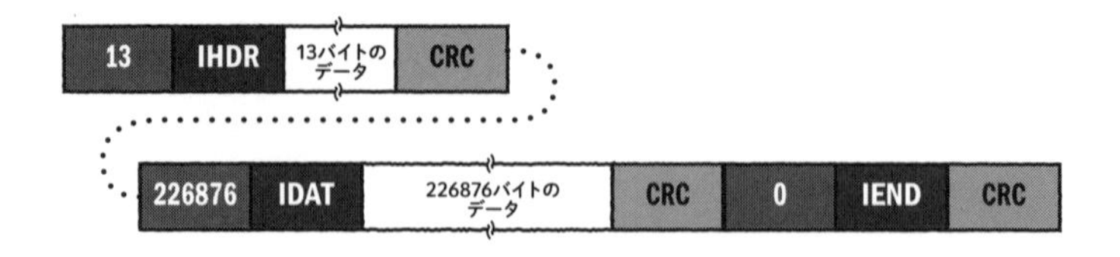

▶ 図3.4　サンプル画像のPNG画像のチャンク構造

スはメソッドを持ったオブジェクトではありません（Go言語のメモリ管理は第16章で紹介します）。

3.5.4 PNG画像に秘密のテキストを入れてみる

PNGのチャンク名にはテキスト情報を入れた`tEXt`チャンクや、それに圧縮をかけた`zTXt`というチャンクもあります。またチャンク名には先頭のテキストが大文字だと必須、小文字だとオプションのチャンクとなるルールがあります。また、2文字めが小文字だとオリジナルのチャンクになります。どちらにしてもデータを追加しても画像が改変されることはないため、こっそりとデータを追加することが可能です。

たとえば、先ほどのPNG画像に、「Lambda Note++」というテキストをプライベートな`teXt`チャンクを使って追加すると、図3.5のような構造のPNG画像になります。

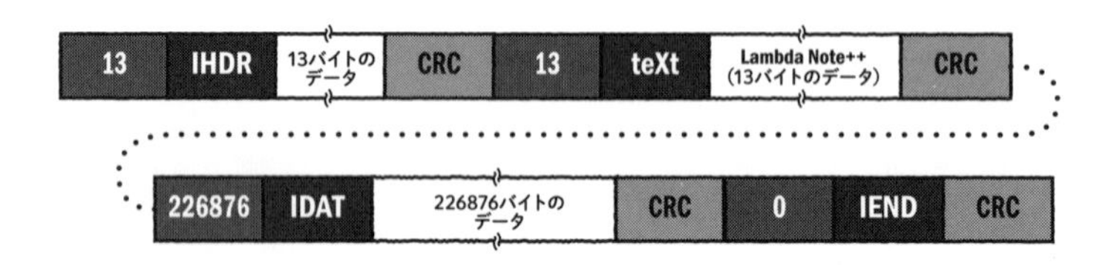

▶ 図3.5　秘密のテキストを入れたときPNG画像のチャンク構造

先ほどのコードをコピーして改造し、この秘密のテキスト入りのPNG画像を作ってみましょう。`readChunks()`関数はそのまま残して、下記の`textChunk()`関数を追加し、`main()`関数も下記のコードで置き換えます。さらに、`import`の節に`"hash/crc32"`と`"bytes"`を追加してください。

```
func textChunk(text string) io.Reader {
    byteText := []byte(text)
    crc := crc32.NewIEEE()
    var buffer bytes.Buffer
    binary.Write(&buffer, binary.BigEndian, int32(len(byteText)))
    // CRC計算とバッファへの書き込みを同時に行うMultiWriter
    writer := io.MultiWriter(&buffer, crc)
    io.WriteString(writer, "teXt") // 2バイトめの5ビットめを立てる（小文字にする）とプライ
    ↪ ベート
```

```
    writer.Write(byteText)
    binary.Write(&buffer, binary.BigEndian, crc.Sum32())
    return &buffer
}

func main() {
    file, err := os.Open("PNG_transparency_demonstration_1.png")
    if err != nil {
        panic(err)
    }
    defer file.Close()
    newFile, err := os.Create("PNG_transparency_demonstration_secret.png")
    if err != nil {
        panic(err)
    }
    defer newFile.Close()
    chunks := readChunks(file)
    // シグニチャ書き込み
    io.WriteString(newFile, "\x89PNG\r\n\x1a\n")
    // 先頭に必要なIHDRチャンクを書き込み
    io.Copy(newFile, chunks[0])
    // テキストチャンクを追加
    io.Copy(newFile, textChunk("Lambda Note++"))
    // 残りのチャンクを追加
    for _, chunk := range chunks[1:] {
        io.Copy(newFile, chunk)
    }
}
```

テキストチャンクの中は複雑に見えますが、パーツごとに見れば、それぞれio.Writerの書き込みのみで構成されています。binary.Write()による長さの書き込み、次にチャンク名の書き込み、本体の書き込み、最後にCRCの計算と、binary.Write()による書き込みです。たったこれだけのコードに5回もio.Writerによる書き込みが登場しています。

main()関数は、チャンクをio.Copy()でひたすら書き込んでいます。

読み込むコードも少し改造してみましょう。teXtチャンクの場合にのみ、中身をそのまま表示するようにしておきます。

```
func dumpChunk(chunk io.Reader) {
    var length int32
    binary.Read(chunk, binary.BigEndian, &length)
    buffer := make([]byte, 4)
    chunk.Read(buffer)
    fmt.Printf("chunk '%v' (%d bytes)\n", string(buffer), length)
    if bytes.Equal(buffer, []byte("teXt")) {
        rawText := make([]byte, length)
        chunk.Read(rawText)
        fmt.Println(string(rawText))
    }
}
```

先ほど追加したテキストがこんなふうに表示されましたか？

```
chunk 'IHDR' (13 bytes)
chunk 'teXt' (13 bytes)
Lambda Note++
chunk 'IDAT' (226876 bytes)
chunk 'IEND' (0 bytes)
```

3.6 テキスト解析用のio.Reader関連機能

バイナリ解析の次はテキスト解析です。バイナリ解析の場合は、読み込むバイト数が固定であったり、可変長データの場合も読み込むバイト数や個数などが事前に明示されていることがほとんどです。一方、テキスト解析ではデータ長が決まらず、スキャンしながら区切りを探すしかありません。そのため、探索しながら読み込んでいく必要があります。

3.6.1 改行／単語で区切る

テキスト解析の基本は改行区切りです。全部読み込んでしまってから文字列処理で改行に分割する、という方法もありますが、io.Readerによる入力ではbufio.Readerを使うという手があり、そちらのほうが比較的シンプルです。bufio.Readerは読み込んだ文字を戻すこともできるため、テキストの構文解析器を自前で作る際のベースにできます。

下記にbufio.Readerを使ってテキストを分割する例を示します。なお、ReadString()、ReadBytes()を使うと、改行だけでなく任意の文字で分割することもできます。

```
package main

import (
    "bufio"
    "fmt"
    "io"
    "strings"
)

var source = `1行め
2行め
3行め`

func main() {
    reader := bufio.NewReader(strings.NewReader(source))
    for {
        line, err := reader.ReadString('\n')
        fmt.Printf("%#v\n", line)
        if err == io.EOF {
            break
        }
    }
}
```

終端を気にせずにもっと短く書きたいのであれば、bufio.Scannerを使う方法もあります。これを使うと、上記のコードのmain()関数がこんなに短く書けます。

```
func main() {
    scanner := bufio.NewScanner(strings.NewReader(source))
    for scanner.Scan() {
        fmt.Printf("%#v\n", scanner.Text())
    }
}
```

ただし、bufio.Readerの結果の行の末尾には改行記号が残っていますが、bufio.

Scannerを使ったほうの結果では分割文字が削除されている点に注意が必要です。

bufio.Scannerのデフォルトは改行区切りですが、分割関数を指定することで任意の分割が行えます。次の設定を行うと単語区切りになります。

```
scanner.Split(bufio.ScanWords)
```

3.6.2 データ型を指定して解析

io.Readerから読み込んだデータは、今のところ単なるバイト列か文字列としてしか扱っていませんでした。io.Readerのデータを整数や浮動小数点数に変換するには、fmt.Fscan()を使います（図3.6）。1つめの引数にio.Readerを渡し、それ以降に変数のポインタを渡すと、その変数にデータが書き込まれます。

fmt.Fscan()はデータがスペース区切りであることを前提としています。fmt.Fscanln()は改行区切り時に使います。

```
package main

import (
    "fmt"
    "strings"
)

var source = "123 1.234 1.0e4 test"

func main() {
    reader := strings.NewReader(source)
    var i int
    var f, g float64
    var s string
    fmt.Fscan(reader, &i, &f, &g, &s)
    fmt.Printf("i=%#v f=%#v g=%#v s=%#v\n", i, f, g, s)
}
```

fmt.Fscanf()を使うと任意のデータ区切りをフォーマット文字列として指定できます。たとえば次のようにすれば「カンマ＋スペース」で区切られているデータを読み込みます。

```
fmt.Fscanf(reader, "%v, %v, %v, %v", &i, &f, &g, &s)
```

似た名前のC言語の関数をご存知の方もいると思いますが、Go言語は型情報をデータが持っているため、すべて「%v」と書いておけば変数の型を読み取って変換してくれます。

3.6.3 その他の形式の決まったフォーマットの文字列の解析

encodingパッケージの傘下にある機能を使えば、さまざまな形式のテキストを扱えます。

CSVファイルのパースは次のように行えます。サンプルデータは、みんな大好き

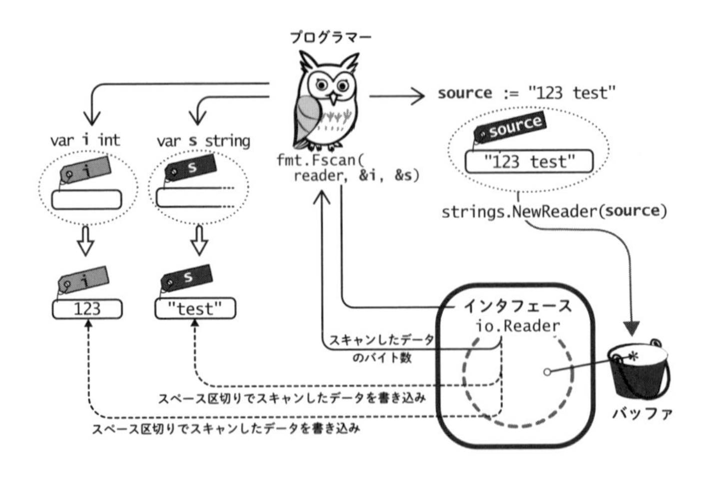

▶図3.6　io.Readerのデータを整数や浮動小数点数に変換するfmt.Fscan()

KEN_ALL.csv[†7]から一部抜粋してきたものです（「⇨」記号では改行せずに次行を入力してください。紙面の都合により改行していますが、「`」で囲まれた部分はGoの生文字リテラルなので、改行やスペースが意味を持ちます）。

```
package main

import (
	"encoding/csv"
	"fmt"
	"io"
	"strings"
)

var csvSource =
`13101,"100  ","1000003","ﾄｳｷｮｳﾄ","ﾁﾖﾀﾞｸ","ﾋﾄﾂﾊﾞｼ(1ﾁｮｳﾒ)","東京都","千代田区"⇨
,"一ツ橋（1丁目）",1,0,1,0,0,0
13101,"101  ","1010003","ﾄｳｷｮｳﾄ","ﾁﾖﾀﾞｸ","ﾋﾄﾂﾊﾞｼ(2ﾁｮｳﾒ)","東京都","千代田区"⇨
,"一ツ橋（2丁目）",1,0,1,0,0,0
13101,"100  ","1000012","ﾄｳｷｮｳﾄ","ﾁﾖﾀﾞｸ","ﾋﾋﾞﾔｺｳｴﾝ","東京都","千代田区"⇨
,"日比谷公園",0,0,0,0,0,0
13101,"102  ","1020093","ﾄｳｷｮｳﾄ","ﾁﾖﾀﾞｸ","ﾋﾗｶﾜﾁｮｳ","東京都","千代田区","平河町"⇨
,0,0,1,0,0,0
13101,"102  ","1020071","ﾄｳｷｮｳﾄ","ﾁﾖﾀﾞｸ","ﾌｼﾞﾐ","東京都","千代田区","富士見"⇨
,0,0,1,0,0,0`

func main() {
	reader := strings.NewReader(csvSource)
	csvReader := csv.NewReader(reader)
	for {
		line, err := csvReader.Read()
		if err == io.EOF {
			break
		}
		fmt.Println(line[2], line[6:9])
	}
}
```

†7　日本郵便株式会社が提供する、全国の郵便番号データをまとめた扱いに細心の注意を要する巨大なCSVデータです。

csv.Readerはio.Readerを受け取ります。Read()メソッドを呼ぶと、行の情報（文字列の配列）を返します。ReadAll()で、それがさらに配列になったものを一度に返すこともできます。

encoding/jsonはウェブのAPIのアクセスではよく使うでしょう。これもio.Reader、io.Writerとのインタフェースになっています。encoding/jsonはさまざまな使い方ができる複雑なライブラリなので、本書の1セクションで書ききれる分量では紹介しきれません。興味のある方は、ウェブの解説記事や拙著『Real World HTTP 第2版』[†8]を参照してください。

3.7 io.Reader／io.Writerでストリームを自由に操る

C++やJava、Node.jsでは、各言語で定義されたインタフェースを使ったデータ入出力の機構を**ストリーム**と呼んでいます。Go言語ではストリームという言い方はしませんが、io.Readerとio.Writerをデータが流れるパイプとして使うことができます。データの流れを自由に制御するために使える構造体を3種類紹介します。

- io.MultiReader
- io.TeeReader
- io.Pipe（io.PipeReaderとio.PipeWriter）

まずはio.MultiReaderです。引数で渡されたio.Readerのすべての入力がつながっているかのように動作します。

```
package main

import (
    "bytes"
    "io"
    "os"
)

func main() {
    header := bytes.NewBufferString("----- HEADER -----\n")
    content := bytes.NewBufferString("Example of io.MultiReader\n")
    footer := bytes.NewBufferString("----- FOOTER -----\n")

    reader := io.MultiReader(header, content, footer)
    // すべてのreaderをつなげた出力が表示
    io.Copy(os.Stdout, reader)
}
```

io.TeeReader()は、読み込まれた内容を別のio.Writerに書き出します。前章で紹介したio.MultiWriter()は書き込まれた内容を書き出していましたが、それと似ています。

[†8] 『Real World HTTP 第2版』（オライリー・ジャパン、ISBN 978-4873119038、2020年）

```
package main

import (
    "bytes"
    "fmt"
    "io"
)

func main() {
    var buffer bytes.Buffer
    reader := bytes.NewBufferString("Example of io.TeeReader\n")
    teeReader := io.TeeReader(reader, &buffer)
    // データを読み捨てる
    _, _ = io.ReadAll(teeReader)

    // けどバッファに残ってる
    fmt.Println(buffer.String())
}
```

このサンプルではio.TeeReader()から読み込んだ内容はすべて捨てていますが、Readerが読み込んだ内容をバッファにも入れていたので、バッファから同じ内容を取り出すことができました。前章の最後の問題では、ウェブのクライアントへの出力と標準出力を両立させるためにio.MultiWriterを使用しましたが、io.TeeReaderを使うと、クライアントからの入力と標準出力のログ出力の両立ができます。

NOTE io.TeeReader()の由来は、（おそらく）Unixコマンドのteeです。他のコマンドの標準出力からパイプで接続して利用し、受け取った標準出力をそのまま受け流すと同時に、分岐してファイルに保存もできるというコマンドです。図3.7のように模式図を書くとアルファベットのTの形に似ていることから、この名前になったようです[†9]。

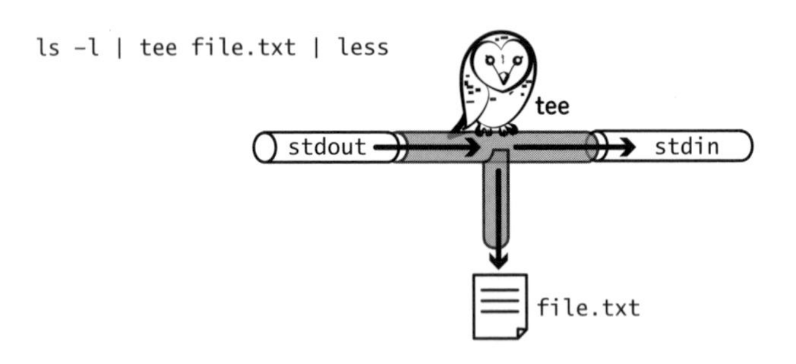

▶ 図3.7 teeコマンド

最後に紹介するのはio.Pipe()です。io.Pipe()を使うと、io.PipeReaderとio.PipeWriterのペアが得られます。Writerに書き込んだものは、Readerから出力されます。

†9 https://en.wikipedia.org/wiki/Tee_(command)

ただし、このパイプは同期的なデータのやり取りしか行えません。読み込み側のRead()が先に呼ばれると、誰かがWrite()を呼ぶまでブロックします。逆に、先にWrite()が呼ばれると、誰かがRead()を呼ぶまでブロックします。第2章「低レベルアクセスへの入口1：io.Writer」で紹介したbufio.NewWriterなどでバッファリングすると、ブロックしないで読み書きできるようになります。

NOTE Go言語では、チャネルを使った並列処理でもこのような完全同期の通信が発生します。シングルスレッド／プロセスでは必ずio.Pipe()操作がブロックしてプログラムがデッドロックします。書き込み側、あるいは読み込み側のどちらかを並列化するには、次のように関数呼び出しの前にgoを付与してgoroutineによる並行処理にします。

```
go io.Copy(pipe, reader)
```

ストリームを組み立てる道具として、これまで紹介してきた関数や構造体をモデル図にしてみました。丸いコネクタがio.Readerの送受信、三角形のコネクタがio.Writerの送受信を表しています。データはすべて左から右に流れます。

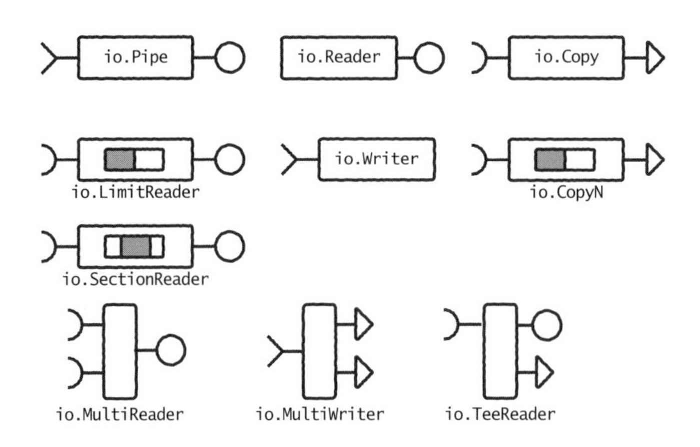

▶図3.8　ストリームを組み立てる道具としての入出力インタフェース

io.Copy()はio.Readerからio.Writerへの変換、io.Pipe()はその逆変換になっていることが、図3.8のパーツの組み合わせから見てとれると思います。このようなモデルを駆使すれば、ストリームを自由自在に組み合わせられるようになるでしょう。

3.8 本章のまとめと次章予告

本章ではio.Readerの仲間たちと、io.Readerと一緒に使う補助関数、具体的なサンプルをいくつか紹介しました。書き込みと読み込みとでシステムコールは対照ですが、ほとんどの場合、書き込みと比べると読み込みのほうが複雑な機能が求められます。サイズやデータの種類を推定しながら読み込んだり、セクションごとに読み込み処理を切り替えたり、可変長データを少ないメモリでうまく読み込む必要があったり、知っておくべきメソッドの数は読み込みに関するもののほうが多いのです。そのため、読み込みについては補助関数の機能や種類も豊富です。

次章はio.Writerやio.Readerとともに、低レベルAPIとして使われるチャネルについて説明していきます。

3.9 問題

io.Readerとio.Writerの使い方がいろいろわかったところで、組み合わせて遊んでみましょう。

Q3.1：ファイルのコピー

古いファイル（old.txt）を新しいファイル（new.txt）にコピーしてみましょう。本章で紹介したサンプルコードを応用すれば難しくないと思います。

さらに改造して実用的なコマンドにしてみたいと思われる方は、コマンドラインオプションでファイル名を渡せるようにするとよいでしょう。本書の範囲からは外れるので詳細は省きますが、os.Argsという文字列配列にオプションが格納されます。また、標準ライブラリにあるflagパッケージを使うと、オプションのパース処理がより便利に行えます。

Q3.2：テスト用の適当なサイズのファイルを作成

ファイルを作成してランダムな内容で埋めてみましょう。

crypto/randパッケージ（本来は付録Aで紹介するように暗号用の機能）をインポートすると、rand.Readerというio.Readerが使えます。このReaderは、ランダムなバイトを延々と出力し続ける無限長のファイルのような動作をします。これを使って、1024バイトの長さのバイナリファイルを作ってみましょう。

ヒントですが、io.Copy()を使っては**いけません**。io.Copy()はReaderの終了まですべて愚直にコピーしようとします。そしてrand.Readerには終わりはありません。あとはわかりますよね？

Q3.3：zipファイルの書き込み

OSのデバイスにリンクされたio.Writerやio.Readerは、1つのファイルやデバイスと1対1に対応しています。Go言語が提供するライブラリには、1つのファイルで複数の`io.Writer`や`io.Reader`の仲間で構成されているものもあります。複数ファイルを格納するアーカイブフォーマットであるtarやzipファイルや、インターネットのマルチパート形式（ブラウザのフォームによって作られるデータやファイルを複数格納するデータ構造）をサポートする`mime/multipart`パッケージの構造体は、中に格納されるひとつひとつの要素が`io.Writer`や`io.ReadCloser`になっています。

`archive/zip`パッケージを使ってzipファイルを作成してみましょう。出力先のファイルの`Writer`(以下のコードの`file`)をまず作って、それを`zip.NewWriter()`関数に渡すと、zipファイルの書き込み用の構造体ができます（図3.9「zipファイルの読み書きに構造体そのものではなくインタフェースを使う」）。最後に`Close()`を確実に呼ぶ必要がありますが、これにはGo言語の`defer`という機能を使って次のようにすればいいでしょう。

```
zipWriter := zip.NewWriter(file)
defer zipWriter.Close()
```

この構造体そのものは`io.Writer`ではありませんが、`Create()`メソッドを呼ぶと、個別のファイルを書き込むための`io.Writer`が返ってきます。

```
writer, err := zipWriter.Create("newfile.txt")
```

上記の例では、`newfile.txt`という実際のファイルが、最初に作った出力先のファイル`file`へと圧縮されます。では、実際のファイルではなく、文字列`strings.Reader`を使ってzipファイルを作成するにはどうすればいいでしょうか。考えてみてください。

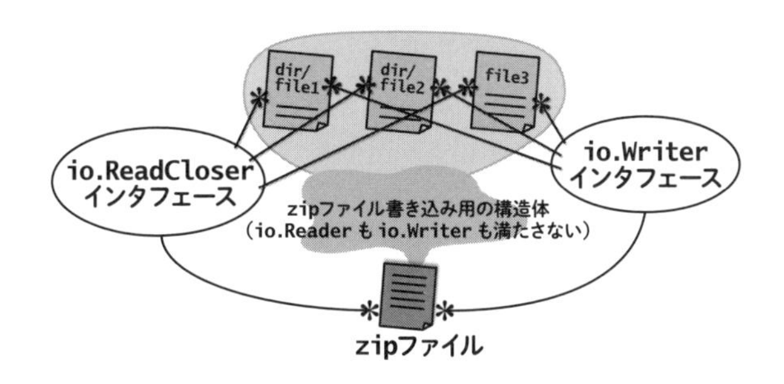

▶図3.9　zipファイルの読み書きに構造体そのものではなくインタフェースを使う

Q3.4：zipファイルをウェブサーバーからダウンロード

zipファイルの出力先は単なるio.Writerです。そのため、2.4.5「インターネットアクセスの送信」で紹介したウェブサーバーで、zipファイルを作成してそのままダウンロードさせるといったことも可能です。ウェブサーバーにブラウザでアクセスしたらファイルがzipダウンロードされるようにしてみましょう。

この場合は、次のようにContent-Typeヘッダーを使ってファイルの種類がzipファイルであることをブラウザに教えてあげる必要があります。必須ではありませんが、ファイル名も指定できます。

```
func handler(w http.ResponseWriter, r *http.Request) {
    w.Header().Set("Content-Type", "application/zip")
    w.Header().Set("Content-Disposition", "attachment; filename=ascii_sample.zip")
}
```

Q3.5：CopyN

io.Copy()と本章で紹介した構造体のどれかを使って、3.2.2「コピーの補助関数」で紹介したio.CopyN(dest io.Writer, src io.Reader, length int)を実装してみてください。

Q3.6：ストリーム総集編

これまで紹介してきた構造体や関数を組み合わせて、ちょっとしたパズルを組み立ててみましょう。

次の3つの文字列を3つの入力ストリーム（io.Reader）とし、下記に示すmain()関数のコメント部にコードを追加して、最後のio.Copy()で「ASCII」の文字列が出力されるようにしてみてください。

- COMPUTER
- SYSTEM
- PROGRAMMING

```
package main

import (
    "strings"
    "io"
    "os"
)

var (
    computer    = strings.NewReader("COMPUTER")
    system      = strings.NewReader("SYSTEM")
    programming = strings.NewReader("PROGRAMMING")
)

func main() {
    var stream io.Reader

    // ここにioパッケージを使ったコードを書く
```

```
    io.Copy(os.Stdout, stream)
}
```

ただし次の制約を守ってください。

- 使っていいのは`io`パッケージの内容+基本文法のみです。`io.Pipe()`を使う場合は、ブロッキングを防ぐために、次章で説明するgoroutineを使う必要があります。
- 文字列リテラルを使用してはいけません。
- コメント部以外を変更してはいけません。当然、`import`するパッケージを増やしてはいけません。

ヒントとして、図3.8のモデル図を使ってストリームの組み合わせを考えてみるといいでしょう。

第4章

低レベルアクセスへの入口3：チャネル

低レベルアクセスを抽象化する3つめのGoの機能が**チャネル**です。チャネルは低レベルアクセスの抽象化だけではなく、並列処理のプログラミングにおいて並列で行われる処理の同期を取るのにも使われる高水準の機能です。

本章では、まずGo言語のチャネル機能について説明し、その後、OSとのインタフェースとしてチャネルを使用する例を紹介します。アプリケーションレイヤーにおけるチャネルを使った並列処理の応用例については、第14章「Go言語と並列処理」で詳しく説明します。また、第18章「時間と時刻」では、チャネルを使って応答を受けるインタフェースの例としてタイマーを取り上げます。

4.1 goroutine

Go言語は、OSのネイティブなスレッドを扱いやすくした**goroutine**という並列処理機構を備えています。goroutineの使い勝手は、他の言語におけるスレッドとファイバー（軽量スレッド）の良いところを合わせたものになっています。

goroutineと並列処理の関係については第14章で詳しく説明します。今のところ本章を読み進めるにあたっては、「goというキーワードを付けて実行すればgoroutineが作られて並列実行される」という理解で大丈夫です。

下記にgoroutineの作り方を示します。前の2つのブロックは通常の処理で、後半の2つがgoroutineを使った並列処理の書き方です。

```
// 既存の関数を呼び出し
Function()

// 無名関数をその場で作って実行
func() {
    // ここに処理を書く
}()

// 別のgoroutineを作って、既存の関数を呼び出し
go Function()

// 別のgoroutineを作って、無名関数をその場で作って実行
go func() {
    // 別のgoroutineから呼びたい処理を書く
}()
```

実際に何かgoroutineを使う例を試してみましょう。

まずは、適当な関数を定義してから、その関数をgoで呼び出す例です。下記の例では、1秒間待って文字列を出力するだけのsub()という関数を定義し、それをgoで呼び出しています。

```
package main

import (
    "fmt"
    "time"
)

// 新しく作られるgoroutineが呼ぶ関数
func sub() {
    fmt.Println("sub() is running")
    time.Sleep(time.Second)
    fmt.Println("sub() is finished")
}

func main() {
     fmt.Println("start sub()")
     // goroutineを作って関数を実行
     go sub()
     time.Sleep(2 * time.Second)
}
```

次は、無名関数（クロージャ）を使って、関数の作成とgoroutine化を同時に行う例です。この場合は、goの後ろには関数名ではなく「関数呼び出し文」がきます。そのため、末尾に「()」が必要です。

```
package main

import (
    "fmt"
    "time"
)

func main() {
    fmt.Println("start sub()")
    // インラインで無名関数を作ってその場でgoroutineで実行
    go func() {
        fmt.Println("sub() is running")
        time.Sleep(time.Second)
        fmt.Println("sub() is finished")
    }()
    time.Sleep(2 * time.Second)
}
```

4.2 チャネル

ソフトウェアの世界には、**キュー**（**queue**）と呼ばれるデータ構造があります。キューは、最初に投入したデータが最初に出力される「First-in, First-out」（FIFO）型のデータ構造です。Go言語のチャネルは、このキューに並列処理用の「並列でアクセスされても正しく処理される」ことを保証する機能を組み合わせたものです。Go言語はTony Hoareという有名な計算機科学者の提唱した、CSP（Communicating Sequential Processes）というモデルをチャネルという形で実装しました。並行で動くコードを書くときに、お互いのプロセス[†1]が同じデータを直接触るのではなく、コミュニケーションを行いつつ協調する構造にすることで、難しい並行処理のプログラミングを簡単にしつつ、壊れにくいコードを書くことができます。

チャネルを機能に分解すると次の3つの性質があります。

- **チャネルは、データを順序よく受け渡すためのデータ構造である**
  キューとしてのチャネルは、データをためる配列です。チャネルには、普通の配列とはやや異なり、ランダムアクセスできません。投入と取り出しだけができます。投入した順番に値が出てきます。
  第6章「TCPソケットとHTTPの実装」では、TCPサーバーでレスポンスの順番を制御するのにチャネルを使う例を紹介します。
- **チャネルは、並列処理されても正しくデータを受け渡す同期機構である**
  チャネルは、整合性が壊れることがない、安全なデータ構造になっています。同時に複数のgoroutineでチャネルに読み書きを行っても、1つのgoroutineだけがデータを投入できます。データの取り出しも、同時に1つのgoroutineだけができます。Go言語では、goroutine間の情報共有方法としてチャネルを使うことが推奨されています。
- **チャネルは、読み込み・書き込みで準備ができるまでブロックする機能である**
  チャネルが通常のデータ構造と異なるのは、データがない状態で読み込みをしようとすると、他のgoroutineがそのチャネルにデータを投入して読み込みの準備ができるまでブロックして待つことです。また、バッファに空きがない状態で書き込みをしようとすると、他のgoroutineがデータを取り出して空きができるまでブロックします。この特性を利用して、待ち合わせや通知にチャネルが使われます。

Go言語でアプリケーションを書くときのチャネルの使用例としては、データ入力元、データ出力先、終了状態の伝達などがあります。Goのバージョン1.7からは、終了とタイムアウトの管理に**コンテキスト**（`context.Context`）という仕組みを利用しますが、このコンテキストの終了判定（`Done()`メソッド）もチャネルを介して行います。コンテキストをチャネルと一緒に使う例は4.2.5「コンテキスト」で紹介します。

システムプログラミング的な低レベルアクセスでは、上記のチャネルの機能のうち3つめの「読み込み・書き込みで準備ができるまでブロックする」という機能がポイントです。OS側から通知を受け取るインタフェース（Goの文法のインタフェースとは別で、情報の入出力の境界の意味）として、「データ投入まで待つ」という機能を

†1 ここでのプロセスという用語はスレッドなどの処理の単位を表しています。OSのプロセスとは異なります。

持つチャネルが使われます。

4.2.1 チャネルの使用方法

チャネルを作るには、次の例のようにmake()を使います。2つめの引数を省略するとバッファなしのチャネル（図4.1）、数値を指定するとバッファ付きのチャネルになります（図4.2）。両者は、チャネルへの送信以外は同じ動作です。

```
// バッファなし
tasks := make(chan string)
// バッファ付き
tasks := make(chan string, 10)
```

チャネルへデータを送信したり、チャネルからデータを受信するには、下記のように<-演算子を使います。

```
// データを送信
tasks <- "cmake .."
tasks <- "cmake . --build Debug"

// データを受け取り
task := <-tasks
// データ受け取り＆クローズ判定
task, ok := <-tasks
// データを読み捨てる場合は代入文も不要
<-wait
```

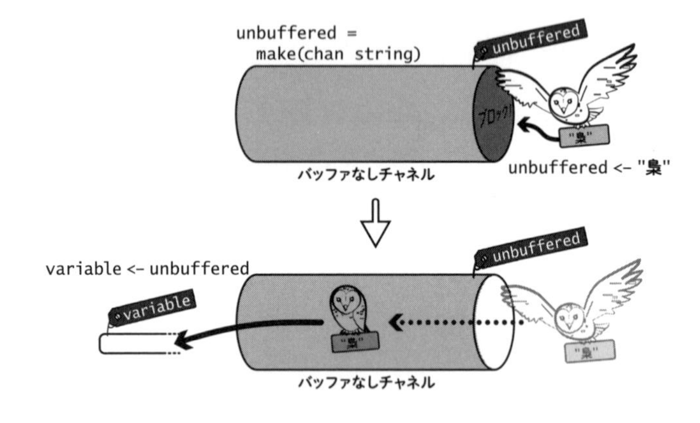

▶図4.1　バッファなしチャネル

バッファなしのチャネルでは、受け取り側が受信をしないと送信側もブロックされます。3.7「io.Reader／io.Writerでストリームを自由に操る」で紹介したio.Pipeと似た動作です。バッファ付きであれば、バッファがある限りすぐに完了して次の行が実行されます。

受け取り時には変数を1つか2つ書くことができます。1つ変数を書けば受信した

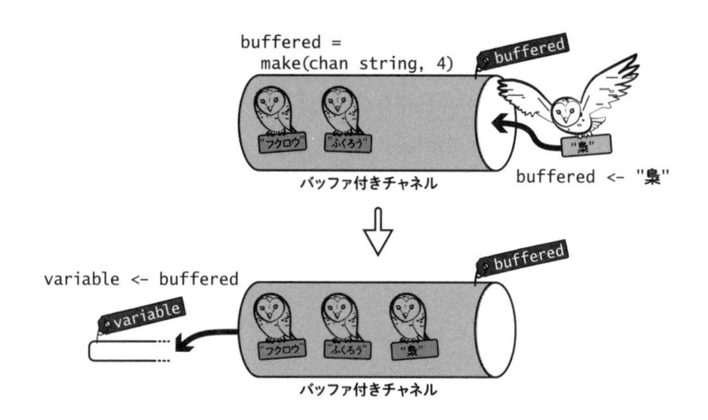

▶図4.2 バッファ付きチャネル

データが格納されます。2つ書くときは、2つめの変数としてbool型の変数を書くことができ、チャネルがまだオープンであればtrueが格納されます。終了待ちのチャネルでデータそのものに意味がない場合は<-waitのように書くこともあります。

読み込みは基本的に送信側が送信するまでブロックします。ブロックを避けるには、4.2.4項で説明するselectを使う方法があります。

チャネルを閉じるには組み込み関数のclose(チャネル)を呼びます。チャネルを閉じると、そのチャネルを使っているループが終了します。また、読み込みではデフォルト値（数値なら0、文字列なら空文字列など）が返ってくるようになり、送信しようとするとパニックになります。

チャネルは、意味のあるデータを送信する以外にも、何かしらのイベントの通知で使われることがあります。特に並列処理で処理が終了したことの通知でよく使われます。この場合、適当な値を送信する（値そのものには意味がないので値は読み捨て）こともあれば、チャネルを閉じてクローズさせることで通知することもできます。

次のサンプルコードは、4.1節のタイマー待ちの例をチャネルを使って書き換えてみたものです。この例ではデータはどんなものでもかまわないので、boolを使っています[†2]。

```
package main

import (
    "fmt"
)

func main() {
```

†2 Goのイディオムとしては、0バイトの空構造体struct{}をチャネル宣言時の型に使い、チャネルに投入する値としてそのインスタンスのstruct{}{}を使う方法もあります。

```
    fmt.Println("start sub()")
    // 終了を受け取るためのチャネル
    done := make(chan bool)
    go func() {
        fmt.Println("sub() is finished")
        // 終了を通知
        done <- true
    }()
    // 終了を待つ
    <-done
    fmt.Println("all tasks are finished")
}
```

注意が必要なのは、クローズされているかどうかを受信側に確実に知らせるための明確な方法がない点です[†3]。クローズされているとデフォルト値が返ってくるため、実際に数字の0を送信する必要がある場合には、数値だけ見ても正常値と異常値の判定ができません。受信側で2つ変数を並べてクローズ判定する方法はありますが、受け取り側のクライアントのコードを書く人がそれを承知して実装しないと、「まだまだデータがあるぞ」と無限ループになってしまうおそれがあります。受け取る変数を2つにするのをクライアント側で気をつけないといけないのは、例外処理もerrorチェックを無視せずにきちんと毎回書くことが推奨されるGo言語の思想とは相容れません。プログラムの意図を明確にするには、終了情報のやり取りのために別のチャネルを利用すべきです。

チャネルは、クローズしなくてもガベージコレクタに回収されます[†4]。データを流すチャネルは、正常なデータに本来入れてないデータ（ゼロ、空文字列など）が紛れ込んでしまう可能性があるため、クローズしないほうがよいでしょう。逆に、終了情報のシグナルを目的としたチャネルは、複数のgoroutineが監視している場合でもすべてに終了を通知できるため、close()を行うほうがよいでしょう。

4.2.2 チャネルの3つの状態

チャネルには、3つの状態があります。作成時のバッファサイズの有無で、バッファ付きチャネル、バッファなしチャネルになります。チャネルを閉じるにはclose(チャネル)を呼びます。それぞれの状態によって、各操作の結果や挙動が一部変わります（表4.1）。

4.2.3 for文

チャネルは単なるデータ構造ではなく、言語のコアに深く組み込まれた機能です。チャネルの入出力で使う<-演算子の次に使うのが、for文との連携でしょう。次のコードは素数を計算してチャネルを通じて返すコードです。

---

†3　過去にはクローズ状態かどうかを判定する関数が提供されていましたが今はありません。

†4　https://stackoverflow.com/questions/8593645/is-it-ok-to-leave-a-channel-open

▶ 表4.1 チャネルの状態と振る舞い

操作	バッファなしチャネル make(chan型)	バッファ付きチャネル make(chan型,個数)	閉じたチャネル close(チャネル)
チャネル<-値で送信	受け取り側が受信操作をするまで停止	バッファがあれば即座に終了。なければバッファなしの場合と同じ	パニック
変数:=<-チャネルで受信	送信側がデータを入れるまで停止	送信側がデータを入れるまで停止	値が残っていたらそれを、なければデフォルト値を返す
変数,ok:=<-チャネルで受信	上記と同じで、okにtrueが入る	上記と同じで、okにtrueが入る	上記と同じで、okにfalseが入る
for変数:=rangeチャネルで受信	チャネルに値が入るたびにループが回る	チャネルに値が入るたびにループが回る	ループから抜ける

```
package main

import (
    "fmt"
    "math"
)

func primeNumber() chan int {
    result := make(chan int)
    go func() {
        result <- 2
        for i := 3; i < 100000; i += 2 {
            l := int(math.Sqrt(float64(i)))
            found := false
            for j := 3; j < l + 1; j += 2 {
                if i%j == 0 {
                    found = true
                    break
                }
            }
            if !found {
                result <- i
            }
        }
        close(result)
    }()
    return result
}

func main() {
    pn := primeNumber()
    // ここがポイント
    for n := range pn {
        fmt.Println(n)
    }
}
```

このコードでは、primeNumber()がチャネルを生成して、それをmain()に渡しています。返ってきたチャネルは、for ... range構文の中で配列と同じ場所に置くと、「値がくるたびにforループが回る、個数が未定の動的配列」のように扱えます。このforループは、チャネルがオープンしている間は回り続けますが、チャネルがクローズされたら止まります。

関数は固定数個の返り値を返すことはできますし、可変数個でも配列に入れれば返すことができます。このコードのように計算しながら逐次返すようにして、その受け渡しにチャネルを利用すれば、PythonやJavaScriptのジェネレータのようなことが実現できます。

4.2.4 チャネルとselect文

ひとつの関数の中で、終了フラグとデータ読み込みの2つのチャネルがあるとします。先にどちらのチャネルから情報がきたかで、処理を変えたいとします。このとき、並列処理を使わずに単純に終了フラグのチャネルを先に読み込むと、終了されるまでブロックしてしまいます。それでは他の仕事ができなくなります。goroutineで並列化させるにしても、どちらが先に読み出しをしたかの管理を別途実装しなければなりません。

あるいは、複数のワーカーと、ワーカーに仕事を渡すための書き込み用チャネルがあり、先に今の仕事が終わったワーカーに仕事を投入したいとします。並列で同じ仕事を投げようとすると、「仕事があること」を受け取るチャネルと、「仕事そのもの」のチャネルを複数持たないと実装できません。

このように、ブロックする複数のチャネルを同時に並列で待ち受け、データが到着したチャネルから順に取り出して処理する、あるいはブロックする複数のチャネルの書き込みが完了するのを並列で待ち受け、データが先に送信できたチャネルにのみデータを投入するには、select文を使います。

Go言語のselect文の基本的な使い方は、下記のコードのようになります。

```
for {
    select {
    case data := <-reader:
        // 読み込んだデータを利用
    case <-exit:
        // ループを抜ける
        break
    }
}
```

selectは、一度トリガーすると終わってしまうため、上記のようにforループに入れて使われることがほとんどです。

case文には、必要な数だけチャネルの読み込みコードを列挙します。変数を書けば、読み込んだ値も取得できます。上記の構文を使うと、どれかのチャネルが応答するまでブロックし続けます。

下記のようにdefault節を書くと、何も読み込めなかったときには、そのdefault節が実行されます。この場合は、ブロックせずにすぐに終了します。この構文はチャネルにデータが入るまでポーリングでループを回したい場合に使えます。

```
select {
case data := <-reader:
    // 読み込んだデータを利用
default:
    // まだデータが来ていない
    break
}
```

実際に使われている例を見かけたことはありませんが、selectを使って複数のチャネルへの書き込みのブロッキングを扱うこともできます。

```
case tasks <- "make clean":
```

4.2.5 コンテキスト

次のコードは、単なるチャネルではなく、Go言語のバージョン1.7から入ったcontextパッケージによる**コンテキスト**を使う方法を示すための例です。コンテキストは、深いネストの中、あるいは派生ジョブなどがあって複雑なロジックの中でも、正しく終了やキャンセル、タイムアウトが実装できるようにする仕組みです。このコードでは、終了を受け取るコンテキストctxと、そのコンテキストを終了させるcancel関数をcontext.WithCancel()を通じて取得して利用しています。

```
package main

import (
    "context"
    "fmt"
)

func main() {
    fmt.Println("start sub()")
    // 終了を受け取るための終了関数付きコンテキスト
    ctx, cancel := context.WithCancel(context.Background())
    go func() {
        fmt.Println("sub() is finished")
        // 終了を通知
        cancel()
    }()
    // 終了を待つ
    <-ctx.Done()
    fmt.Println("all tasks are finished")
}
```

context.WithCancel()以外には、終了時間を設定したりタイムアウトの期限を設定できるcontext.WithDeadline()やcontext.WithTimeout()もあります。他の言語のスレッドローカルストレージのような、ある程度の塊のジョブ単位で共有したいグローバルデータを保持する機能context.WithValue()もあります。

コンテキストは親子関係を持てます。たとえばウェブサービスがリクエストを受けてDBアクセスする場面などで、リクエスト単位で大きなタイムアウト枠を設定しつつ、個々のDBアクセスにも個別にタイムアウト時間を設定しつつ、どこかでエラーが発生したり、全体のタイムアウト時間が過ぎたら派生タスクを全部一気にキャンセル、といったことが可能です[†5]。

[†5] 詳しい使い方はこちらの無料書籍が参考になります。 https://zenn.dev/hsaki/books/golang-context

4.3 システムからの通知

OSの仕事には、時間がかかるものや、いつ返ってくるかわからないものがいくつかあります。

- サーバーのプロセスに、クライアントからつなげてくるのを待つ
- 巨大なファイルを読み込んで、読み込み完了まで待つ
- タイマーで設定した時間が経過するのを待つ
- ユーザーがマウスをクリックするまで待つ
- 他のスレッドがロックを解除するまで待つ

これらの仕事を実現するために、システムの一番下のカーネルのレイヤーでは、大きく分けて次の3つの方式が採用されています。

- OSが何かを準備するときに、それを待っているプロセスがどれかを把握し、準備が終わるまではプロセスを止め、準備ができたらプロセスに処理を戻す（ファイルやソケットなどのブロッキング入力）
- OSが何かを準備するときに、終わっていなくても即座に処理を返す。返すものが一部だけ準備できていたら、その一部のデータとまだ続きがあることを返す（ノンブロッキング入力）
- プロセスが実行中であればプロセスを一時停止（停止中ならそのまま）し、あらかじめ設定してあったコールバック関数を呼び出す（シグナル）

Go言語のレイヤーでは、第3章「低レベルアクセスへの入口2：io.Reader」で紹介した`io.Reader`によるブロッキング読み込みと、チャネルを使った通知という、2つのパターンとして実装されています。ここでは、後者のチャネルを使ったAPIの呼び出しの例を紹介します。

Goの標準ライブラリの中では次の2つがチャネルを使ったAPIを提供しています

- プロセスの外からプロセスに終了などの命令を送るシグナル
- 決まった時間のあとに通知を行うタイマー

標準ライブラリ以外では、ファイルシステムの特定のフォルダでファイルの書き換えなどのイベントが発生したときに通知するライブラリもチャネルを使っています。それぞれ、「シグナルによるプロセス間の通信」、「時間と時刻」、「ファイルシステムの最深部を扱うGo言語の関数」で詳しいコード例を紹介しています。

NOTE `io.Reader`の読み込みはGo言語のアプリケーションコードを見ると同期呼び出しに見えますが、Go言語のランタイムの中では別のスレッドを呼び出したりすることでCPU時間を停止させずに効率よくCPUを使いこなせるようになっています。このランタイムの中の仕組みについては第14章「Go言語と並列処理」で説明します。

通知を他の方式に変換する

OSや言語ランタイムで提供されている通知をそのまま使うだけでは、少し凝ったことをやろうとするとコード量が膨れ上がってしまいます。そのため、もう少し便利なインタフェースが用意されることがあります。

たとえば、POSIXのAPIには、さまざまな通知をファイルディスクリプタとして取り扱うシステムコールが用意されています。signalfd()は、通常のシグナルやタイマーをファイルディスクリプタとして扱うためのシステムコールです。eventfd()は、プロセス間通信をファイルディスクリプタとして扱うのに使います。これにより、read()によるブロッキング読み込みでシグナルやタイマーを待てるようになります。さらに、第10章「ファイルシステムの最深部を扱うGo言語の関数」で紹介するselect属のシステムコールを使うと、多数のファイルディスクリプタをまとめて読み込めます。

ほかの例として、Qtには他のプロセスを起動するQProcessというクラスがあり、他のプロセスが標準出力に書き出すたびにコールバックを呼び出すようにできたり、全部のプロセスの実行が終わったらまとめて1つの文字列として読み出したりできます。現在読み込めるデータがバッファにあるかどうかを問い合わせるメソッドも持っているので、本節の冒頭で要約したカーネルのレイヤーにおける3つのパターンすべてに当てはまります。GUIのアプリケーションでは、OSが用意するメッセージ用のキュー（Goのチャネルから同期機能をなくしたもの）にイベント情報を送り込み、アプリケーション側では「イベントループ内からキューからメッセージを取り出しては各GUIフレームワークが用意する仕組みを使ってコールバック関数をイベントハンドラとして呼び出す」という構成が一般的です。このように、他の方式も利用できるようにして、アプリケーション側から使いやすい方法を選べるようになっていることもあります。

Go言語では、goroutineで並列化するコスト（実行コストおよび実装コスト）が低いため、goroutineを使ってブロッキング入力をノンブロッキング入力に変えたり、コールバック関数に変えたり、ブロッキングをチャネルに変えたりといったことが手軽にできます。このあたりのコード例は第15章「並行・並列処理の手法と設計のパターン」で紹介しています。

4.4 本章のまとめと次章予告

本章では、Go言語において珍しくリッチな機能を与えられているチャネルについて取り上げました。次のような3つのチャネルの役割を説明し、3つめの機能が通知のインタフェースとして使われている点について説明しました。

- データを順序よく受け渡すためのデータ構造
- 並列処理されても正しくデータを受け渡す同期機構
- 読み込み・書き込みで準備ができるまでブロックする機能

Go言語のチャネルは、他の言語に同等の機能があまりないため、自由に使いこなせるまでには時間がかかるかもしれません。最初は、本章で紹介したような既存のライブラリを使ってみることから試してみるとよいでしょう。

第2章から第4章まで、Go言語の入出力まわりの低レベルインタフェースを広く説明してきました。RubyやPythonのようなサービス精神旺盛なオブジェクト指向のスクリプト言語に慣れている方のなかには、`io.Writer`、`io.Reader`という余計な情報を理解しないと入出力を使いこなせないGo言語にとっつきにくさを感じている人がいるかもしれません。RubyやPythonでは、ファイルを表すオブジェクトで豊富なメソッドが提供されているため、その気持ちは理解できます。

ただ、裏を返せば、この部分がわかれば低レベルな層との付き合いが格段に楽になるということでもあります。以降の章では、ここまでに紹介した機能をいろいろ使って、ソケットなどの低レベルな入出力も扱っていきます。でもその前に、次章では、第1章「Go言語で覗くシステムプログラミングの世界」でチラ見したOSとアプリケーションの境界線であるシステムコールを再訪しましょう。

4.5 問題

Q4.1：タイマー

`time`パッケージの`time.After(duration)`により、指定した時間後に時刻データを流すチャネルが得られます。引数の`duration`は時間間隔を表す`time.Duration`型で、`10 * time.Second`で10秒になります。

`time.After(duration)`を使って、決まった時間を計るタイマーを作ってみましょう。

第5章

システムコール

本章では、これまで何度も名前だけ出てきていた、システムコールそのものについて深く掘り下げていきます。

- システムコールとは何者で、ないとどうなるのか？
- システムコールを呼び出すコード（Go言語アプリケーション側）を探索しよう
- システムコールから、実際にOSカーネル内で仕事をする関数が呼び出されるまでのステップは？
- システムコールの呼び出しをモニターするツールの紹介

とはいえ、Goでアプリケーションプログラムを書くほとんどの人は、直接システムコールを呼び出すコードを書くわけではないでしょう。また、OSを改造してシステムコールを自分で作成することもまれでしょう。

そのため、本章にはサンプルコードを使ったハンズオンはあまりなく、手を動かしてコード化するネタはありません。本書のテーマは「プログラマーの視点から、具体的で役に立ちそうな低レイヤーの情報を提供する」ことですが、本章は座学的な内容です。

NOTE 本章に出てくるOSカーネルのコードや自動生成されるコードは、紙面に合わせて改行とインデントを入れています。

5.1 システムコールとは何か？

システムコールという言葉は、これまで本書の中で何度か登場していますが、詳しい説明はしてきませんでした。システムコールの正体は「特権モードでOSの機能を呼ぶ」ことです。そこで、まずは「特権モード」とは何かを説明します。

5.1.1 CPUの動作モード

OSが行う仕事には、第1章「Go言語で覗くシステムプログラミングの世界」で簡単に紹介したように、各種資源（メモリ、CPU時間、ストレージなど）の管理と、外部入出力機能の提供（ネットワーク、ファイル読み書き、プロセス間通信）があります。

コンピューターシステムではプログラムの実行単位のことをプロセスと呼び、通常はOSがプロセスを管理しています（プロセスについては第12章で詳しく説明します）。アプリケーションの各プロセスが行儀よく他のプロセスに配慮しつつ、権限上許されないことを自分で節制しながら自分の仕事を行うのであれば、OSは基本的に外部入出力の機能を提供するだけで済むでしょう。実際、Windowsを例にすると、設定しだいではWindows 3.0までアプリケーションプロセスが他のプロセスのメモリ空間にも自由にアクセスできました。Windows 3.1になっても、各プロセスが外部ファイルの読み込み待ちをする際に自分でCPUの処理を休止し、他のプロセスに処理を回していました。

しかし、プロセスはバグがあって想定外の暴れ方をすることがあります。また、悪意あるプロセスが他のプロセスのメモリを書き換えたり、他のプロセスに処理を回さないでコンピューター全体を停止させることが可能というのは問題です。そこで現在は、プロセスは自分のことだけに集中し、メモリ管理や時間管理などはプロセスの外からOSがすべて行う方式が主流となっています。そのぶんOSの仕事は増えてしまいますが、ハードウェアであるCPUでもさまざまな仕組みが用意されていて、OSの仕事を裏で支えています。

そのようなCPUの仕組みのひとつとして、CPUの**動作モード**があります。動作モードが用意されているCPUでは、実行してよいハードウェアとしての機能がソフトウェアの種類に応じて制限されており、それを動作モードによって区別しているのです。

サポートしている動作モードの種類はCPUによって異なります。Intel系CPUでは4種類のモードを使用できますが[†1]、ほとんどのOSで使われているのは、OSが動作する**特権モード**と、一般的なアプリケーションが動作する**ユーザーモード**の2種類です（図5.1）。

特権モードでは、CPUの機能が基本的にはすべて使えます。OSは、配下のすべてのプロセスのために資源を管理したり、必要に応じて取り上げたり（ユーザーの操作による強制終了や、メモリ資源がなくなりそうなときのOOMキラーなど）する必要があるため、通常のプロセスよりも強い特権モードで動作します。一方、ユーザーモードでは、そうした機能をCPUレベルで利用できないようになっています。

OSの機能も、アプリケーションの機能も、バイナリレベルで見れば同じようなアセンブリコードですが、CPUの動作モードが異なるわけです。

---

†1 `https://ja.wikipedia.org/wiki/リングプロテクション`

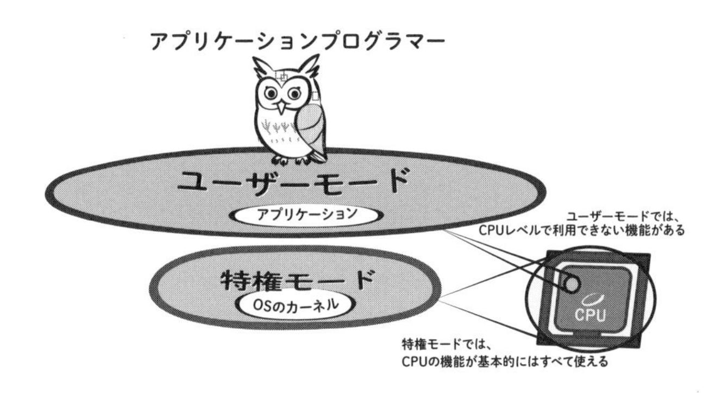

▶図5.1 CPUのユーザーモードと特権モード

NOTE ここではCPUの動作モードのことを大雑把に「機能の差」として説明しましたが、厳密には少し異なります。特権モードでしか使えない機能もありますが、たとえば「メモリアクセス」は、機能としては特権モードとユーザーモードの両方で使えます。ただし、メモリの領域ごとに制約が異なります。CPUの持つメモリ管理ユニットでは、メモリの領域ごとに、「読み込みができる」「書き込みができる」「実行ができる」といった制約をモードごとに設定できます。そしてOSのカーネルが、安全性を上げるため、「特権モードでしか実行できないプログラム」「ユーザーモードでも書き込みができるメモリ領域」といった制約を細かく設定しています。

5.1.2 システムコールでモードの壁を越える

とはいえ、通常のアプリケーションでも、メモリ割り当てやファイル入出力、インターネット通信などの機能が必要になることは多々あります。むしろ、それらをまったく利用しないアプリケーションには意味がないでしょう。そこで必要になるのが**システムコール**です。多くのOSでは、システムコールを介して、特権モードでのみ許されている機能をユーザーモードのアプリケーションから利用できるようにしているのです（図5.2）。

システムコールの仕組みは何種類かありますが、現在主流の64ビットのx86系CPUでは、通常の関数呼び出し（アセンブリ命令のCALL）と似たSYSCALL命令を使って呼び出し、戻るときも通常の関数からの戻り（アセンブリ命令のRET）に近い、SYSRET命令を使います。ARMの場合はSVC命令（スーパーバイザーコールの略）が使われます[†2]。これらの命令を使うと、OSが提供する関数を呼び出しますが、呼ばれた側では特権モードで動作します。そのため、ユーザーモードでは直接行えない、メモリ割り当てやファイル入出力、インターネット通信などの機能を実行することができます。

NOTE 前の段落では、システムコールを通常の関数呼び出しになぞらえて説明しましたが、これも厳密には正確な表現ではありません。他の場所で定義された処理の塊（プロシージャ）を呼ぶ、という概念レベルでは似ていますが、5.4「システムコールより内側の世界」で説明するように、呼べる関数は1つだけで好きな関数を自由に呼び出すことはできません。特権モードになれるといっても、使える機能自体は制約されていますし、その呼ばれた関数内で呼び出したアプリケーションの身元確認をすることで安全を守っています。

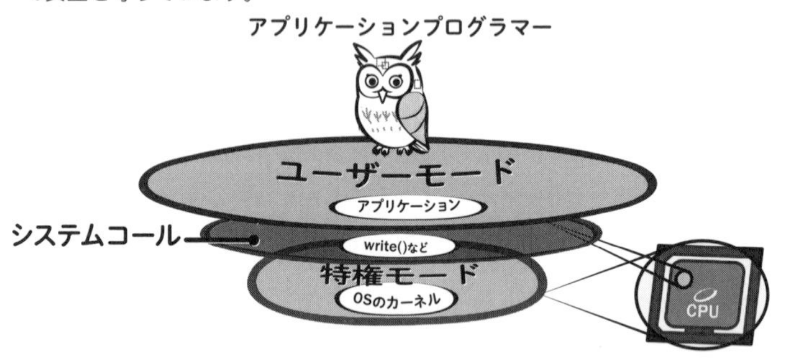

▶ 図5.2　システムコールを介してCPUの特権モードの機能を呼び出す

5.1.3 システムコールがないとどうなるか？

システムコールがなくても、CPUの命令そのものはほとんど使えます。たとえば、高度な計算を高速に行うにはCPUのSIMD（SSEやAVX）という種類の命令を使いますが、その実行はユーザーモードでも可能です。ですが、システムコールがなければ、それらの計算がすべて無駄になってしまいます（図5.3）。

- システムコールがなければ、計算した結果を画面に出力することはできません。ターミナルからプログラムを実行している場合も、IDEから実行している場合も、出力先は別のプロセスです。特権モードのみで許可されるプロセス間通信の機能を使わなければ、結果を伝達することはできません。

---

†2　16ビット時代から32ビット世代の前半では、ソフトウェア割り込みという仕組みを使って実装されていましたが、まず割り込みベクタからOSの機能を探し（MS-DOSは21h、Windowsは2eh、Linuxは80hの番地）、その後OS側で命令のリストから呼び出したい関数を選ぶという2段階のテーブル走査が必要でした。ARMも32ビットではソフトウェア割り込みのSWI命令を使っています。32ビット時代の後半のx86系CPUでは、SYSENTER/SYSEXITというより高速な仕組みが導入されました。

- システムコールがなければ、計算した結果をファイルに保存することはできません。特権モードのみで許可されるファイルの入出力機能を使わなければ、結果をファイルに保存して、他のプログラムから読むことはできません。
- システムコールがなければ、計算した結果を共有メモリに書き出すこともできません。共有メモリ機能を使えば、他のプログラムから計算結果を参照することができますが、特権モードでなければ共有メモリを作成することができません。
- システムコールがなければ、計算した結果を外部のウェブサービスなどに送信することもできません。外部のウェブサービスなどへの通信も、カーネルが提供する機能がなければ利用できません。

GUIのウインドウを開いて表示するときも、どこかの段階で必ずシステムコールが必要となります。何も出力ができないので、プロセスにできることといったら、電力を消費して熱を発生させるぐらいでしょう。

実際は、出力するどころか、まともな計算を行うこともできません。そもそも計算に必要なデータを外部から読み込むこともできません。また、計算に必要なメモリを確保することもできません。計算を開始するためのプロセスを生み出すこともできませんし、終了することもできません。システムコールがなければプログラムを起動することもできません。

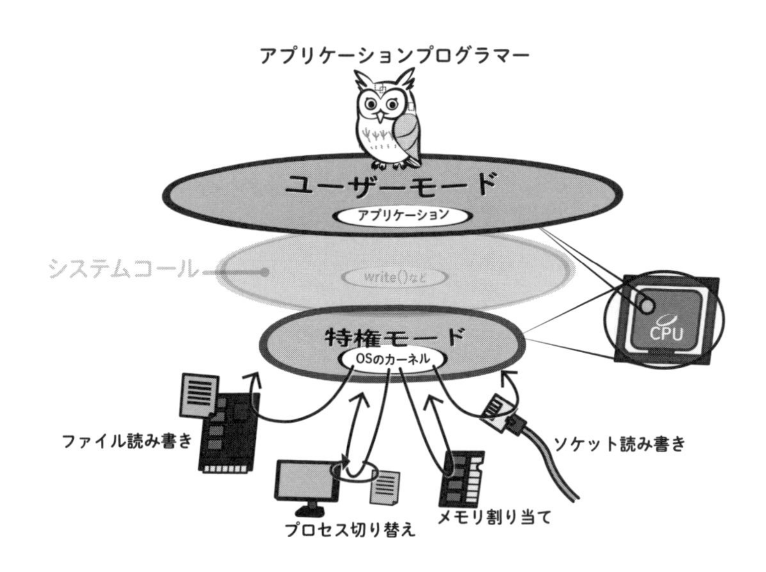

▶図5.3　システムコールがないと……

WebAssemblyでOSの機能を使う

現在、ブラウザ上でCやRustなどのプログラムを高速に動作させるWebAssemblyという技術がどんどん整備されてきています。Goも1.11からWebAssembly出力に対応しており、syscall/jsパッケージを使ってJavaScriptのAPIを呼び出せます。

```
var cb js.Func
cb = js.FuncOf(func(this js.Value, args []js.Value) interface{} {
    fmt.Println("button clicked")
    cb.Release()
    return nil
})
js.Global().Get("document").
    Call("getElementById", "myButton").
    Call("addEventListener", "click", cb)
```

さらに、WebAssemblyの世界ではWASI（WebAssembly System Interface）[†3]というものが開発中で、これにより通常のOSが備えるファイルI/Oなどの機能にアクセスできるようになる予定です。これが実装されると、特別なsyscall/jsパッケージではなく他のOSと同じようなAPIが使えるようになって、ポータビリティが上がることが期待されます。

5.2 Go言語におけるシステムコールの実装

第2章と第3章では、ファイルなどの入出力に関係するいくつかの関数や構造体、そしてインタフェースについて取り上げました。たとえば、ファイルの構造体（os.File）は次の4つのインタフェースを満たしていました。

- io.Reader
- io.Writer
- io.Seeker
- io.Closer

これらのインタフェースの内部では、最終的にsyscallパッケージで定義された関数を呼び出します。そのうちファイルの読み書きで使われるのは表5.1の5つの関数です。

5.2.1 各OSにおけるシステムコールの実装を見てみよう

では、実際にシステムコールの内部ではどのような処理が行われるのでしょうか。syscall.Open()関数を例に、各OSにおける実装を見ていきましょう。

まずはデバッガーを使って、システムコールを呼び出しているところまで降りていきます。例として、次のサンプルコードに出てくるos.Create()の中をデバッガーを使って覗いてみましょう。

---

†3　https://hacks.mozilla.org/2019/03/standardizing-wasi-a-webassembly-system-interface/

▶表5.1 ファイルの基本操作の裏で呼ばれるシステムコール

システムコール関数	機能
func syscall.Open(path string, mode int, perm uint32)	ファイルを開く（作成も含む）
func syscall.Read(fd int, p []byte)	ファイルから読み込みを行う
func syscall.Write(fd int, p []byte)	ファイルに書き込みを行う
func syscall.Close(fd int)	ファイルを閉じる
func syscall.Seek(fd int, offset int64, whence int)	ファイルの書き込み／読み込み位置を移動する

```
package main

import (
    "os"
)

func main() {
    file, err := os.Create("test.txt")
    if err != nil {
        panic(err)
    }
    defer file.Close()
    file.Write([]byte("system call example\n"))
}
```

1.4「デバッガーを使って"Hello World!"の裏側を覗く」で説明した手順でos.Create()の定義まで下りていくと、os.Create()はos.OpenFile()を使いやすくする便利関数として次のように定義されていることがわかります。

```
func Create(name string) (*File, error) {
    return OpenFile(name, O_RDWR|O_CREATE|O_TRUNC, 0666)
}
```

この定義に出てくるos.OpenFile()ではos.openFileNolog()という関数が呼ばれていて、そこから先はOSによって呼ばれる関数が異なります。まずはLinuxを例に見てみましょう。

5.2.2 LinuxにおけるGoのシステムコール実装（syscall.Open）

Linuxや macOSの場合は、os.OpenFile()から、file_unix.goというファイルに定義されているos.openFileNolog()の実装が呼ばれます。この関数の定義には、ファイルのモードフラグを変更するかどうかの判定コードなどが続いていますが、一番大切なのは次の行です。

```
r, e = syscall.Open(name, flag|syscall.O_CLOEXEC, syscallMode(perm))
```

ここから先はLinuxとmacOSとで処理が分岐します。まずはLinuxの場合を見てみましょう。syscall_linux.goで専用のsyscall.Open()が定義されており、その中でopenat()という関数を使ってopen()システムコールを実現しています。

```
func Open(path string, mode int, perm uint32) (fd int, err error) {
    return openat(_AT_FDCWD, path, mode|O_LARGEFILE, perm)
}
```

openat()は、指定されたディレクトリ内にファイルを作成する関数で、CPUアーキテクチャごとにzsyscall_linux_amd64.goなどのファイル中に自動生成されます。

```
func openat(dirfd int, path string, flags int, mode uint32) (fd int, err error) {
    var _p0 *byte
    _p0, err = BytePtrFromString(path)
    if err != nil {
        return
    }
    r0, _, e1 := Syscall6(SYS_OPENAT, uintptr(dirfd),
                          uintptr(unsafe.Pointer(_p0)), uintptr(flags),
                          uintptr(mode), 0, 0)
    fd = int(r0)
    if e1 != 0 {
        err = errnoErr(e1)
    }
    return
}
```

この関数では、まずGo言語形式の文字列をC言語形式の文字列、つまり最後の文字の後に文字コード0x00の文字を入れたバイト列に変換し、その先頭要素へのアドレスの数値に変換しています。これは、システムコールに渡せるのが「数値」だけだからです。それから、真ん中付近でSyscall6()を呼び出しています。このSyscall6()が、OSに対してシステムコール経由で仕事をお願いするときに使う関数です。

Syscall6()に渡している最初の引数SYS_OPENATは、各OS用のヘッダーファイルなどから自動生成される定数です。OSに仕事をお願いするときは、「5番の処理を実行してほしい」など番号で指定するので、その番号として定義されています。各OS用のファイル（名前の先頭がzsysnum_）で定義されています。

Syscall6()にはパラメータを6つまで渡せますが、3つ以下でよい場合はSyscall()、それ以上必要な場合はCPUやOSに応じてSyscall9()を使います。ここでは必要な引数が4つなのでSyscall6()を使い、余った引数には0を渡しています。引数の数以外はどれも大きく変わらないので、Syscall()の中身を見てみましょう。インテル系のCPUでLinuxの場合、asm_linux_amd64.sというGo言語の低レベルアセンブリ言語で書かれたコードで定義されています。

```
TEXT    ·Syscall(SB),NOSPLIT,$0-56
        CALL    runtime·entersyscall(SB)
        MOVQ    a1+8(FP), DI
        （中略）
        ADDQ    $0x2000000, AX
        SYSCALL
        CMPQ    AX, $0xfffffffffffff001
        JLS     ok
        （中略）
        CALL    runtime·exitsyscall(SB)
        RET
```

暗号めいた文字列が並んでいますが、真ん中よりも少し下にSYSCALLという命令（_arm.sとか_arm64.sのようなARM系のコードではSVC命令）があります。ここが境界線となっていて、ここから先はOS側のコードに処理が渡ります。残念ながらデバッガーではSYSCALLの内側は覗けませんが、このSYSCALL（もしくはSVC）の前後で、runtimeパッケージのentersyscall()関数とexitsyscall()関数が呼び出されます。

entersyscall()は、現在実行中のOSスレッドが時間のかかるシステムコールでブロックされていることを示すマークを付ける関数です。そのマークを外すのが、exitsyscall()関数です。これらの関数を使うのは、スレッド作成という重い処理を必要になるまで行わないためです。Go言語では、システムコールのブロックなどが原因で、実行しなければならないタスクが多くあるのに動けるスレッドが不足すると、OSに依頼して新しい作業用スレッドを作成します。このGo言語内部の実行モデルは効率の面でメリットがあり、他のプログラミング言語には見られない特徴といえます。

なお、これらのスレッド関係の処理を行わないsyscall.RawSyscall()という関数もあります。ファイルの読み書きやネットワークアクセスは、物理的にHDDのヘッドを動かすといった可能性があり、数100ミリ秒から数秒程度のレスポンス待ちが発生しうる重い処理です。メモリ確保も、スワップが発生すると、ファイルの読み書きと同じぐらいコストがかかります。そういった操作以外の、短時間で終わることが見込まれる処理の場合には、こちらのsyscall.RawSyscall()が使われます。

5.2.3 macOSにおけるシステムコールの実装（syscall.Open）

macOSは途中まではLinuxと同じですが、syscall.Open()関数からは、zsyscall_darwin_amd64.goの中のOpen()関数が呼び出されます。この関数のmacOSにおける実装は次のようになっています（ファイル中のコメントによると、この関数はGo言語の処理系に含まれるツールによって自動生成されます）。

```
func Open(path string, mode int, perm uint32) (fd int, err error) {
    var _p0 *byte
    _p0, err = BytePtrFromString(path)
    if err != nil {
        return
    }
    r0, _, e1 := syscall(abi.FuncPCABI0(libc_open_trampoline),
                     uintptr(unsafe.Pointer(_p0)), uintptr(mode), uintptr(perm))
    fd = int(r0)
    if e1 != 0 {
        err = errnoErr(e1)
    }
    return
}
```

FuncPCABI0()はコンパイラが処理する関数でランタイムに実態はありません。これは参照先の関数のアドレスを取得するものです。ABI0はGoが利用するアプリケーションバイナリインタフェース（ABI、CPUレベルで見た引数の渡し方などの関数の呼び出し規約）のことで、Goで定義された関数であれば満たしています。この関数の実態は`syscall`パッケージ内で定義されており、libcの関数を直接呼び出しています。macOSがシステムコールの番号を変更したことがあり、互換性への対応からGo 1.12からこの方式に変更されました。

```
TEXT    ·libc_open_trampoline(SB),NOSPLIT,$0-0
        JMP   libc_open(SB)
```

OpenBSDのカーネルでも、返り値のアドレスを詐称する攻撃への対策として特別に許可したlibc以外からのシステムコールを禁止しているので、ほぼ同様の仕組みが利用されています（Goは、一時は直接呼び出しを許可されていましたが、OpenBSD 6.9で特別扱いされなくなり、Go 1.16からこの方式になりました）。

5.2.4 WindowsにおけるGoのシステムコール実装（syscall.Open）

Windowsもこれまで紹介してきたOS同様に内部ではシステムコールを呼び出しているはず[†4]ですが、Microsoftは内部のコードを公開していないため、システムコールを直接呼び出せません。Go言語も、Windowsでは`kernel32.dll`、`user32.dll`、`shell32.dll`などのDLLをロードして、Microsoftが公開しているWin32 API呼び出しを行うことでOSの機能を利用しています。そのためGo言語では、他のOSについては共有ライブラリの読み込みを言語機能としては提供していませんが、Windowsだけは標準ライブラリを使ってDLLをロードできるようになっています。

第2章「低レベルアクセスへの入口1：io.Writer」で紹介したように、POSIX系OSではファイルもソケットも同じ仲間です。どちらもファイルディスクリプタを使ってまとめて扱えます。Windowsの場合には、ファイルはハンドルと呼ばれる識別子を使って操作します。ハンドルは32ビット整数で、ハンドルを使って管理される仲間には、ウインドウやボタン、フォントがあります。

Windowsの`syscall.Open()`の実装では、Windows用のフラグに各種パラメータを置き換えたあとに、次の関数を呼び出しています。

```
h, e := CreateFile(pathp, access, sharemode, sa, createmode,
                   FILE_ATTRIBUTE_NORMAL, 0)
```

この関数は`zsyscall_windows.go`の中で定義されています。

```
func CreateFile(name *uint16, access uint32, mode uint32, sa *SecurityAttributes,
                createmode uint32,
                attrs uint32, templatefile int32) (handle Handle, err error) {
    r0, _, e1 := Syscall9(procCreateFileW.Addr(), 7,
                          uintptr(unsafe.Pointer(name)),
```

[†4] https://www.codeguru.com/windows/how-do-windows-nt-system-calls-really-work/

```
                            uintptr(access), uintptr(mode),
                            uintptr(unsafe.Pointer(sa)), uintptr(createmode),
                            uintptr(attrs), uintptr(templatefile), 0, 0)
    handle = Handle(r0)
    if handle == InvalidHandle {
        if e1 != 0 {
            err = error(e1)
        } else {
            err = EINVAL
        }
    }
    return
}
```

他のOSではSyscall()系の関数に渡す最初の引数は数値でしたが、WindowsではAPIの関数ポインタを渡しています。この外部APIのアクセス用オブジェクトは次のように初期化されています。

```
modkernel32 = NewLazyDLL(sysdll.Add("kernel32.dll"))
procCreateFileW = modkernel32.NewProc("CreateFileW")
```

これらの処理の中では、LoadLibraryExA()[†5]やGetProcAddress()[†6]といったWindows APIを使って、必要な関数のアドレスを取得してきます。

CreateFile()はWindowsのCreateFileA()[†7]APIのユニコード対応版のCreateFileW()を利用しています。

Syscall9()の実体は、runtimeパッケージ内のsyscall_windows.goにあります。ここではシステムコール呼び出しではなく、C言語形式でAPIを呼び出しています。

```
//go:linkname syscall_Syscall9 syscall.Syscall9
func syscall_Syscall9(fn, nargs, a1, a2, a3, a4, a5, a6, a7, a8, a9 uintptr)
  (r1, r2, err uintptr) {
    c := &getg().m.syscall
    c.fn = fn
    c.n = nargs
    c.args = uintptr(noescape(unsafe.Pointer(&a1)))
    cgocall(asmstdcallAddr, unsafe.Pointer(c))
    return c.r1, c.r2, c.err
}
```

5.3 POSIXとC言語の標準規格

前の節では、各OSにおいてGo言語のシステムコールがどう実装されているかを見てきました。ここから先は、システムコールによって呼び出される側です。つまりOSの世界の話になります。

---

†5 https://docs.microsoft.com/en-us/windows/win32/api/libloaderapi/nf-libloaderapi-loadlibraryexa

†6 https://docs.microsoft.com/en-us/windows/win32/api/libloaderapi/nf-libloaderapi-getprocaddress

†7 https://docs.microsoft.com/en-us/windows/win32/api/fileapi/nf-fileapi-createfilea

でもその前に、Go言語に限らないシステムコール全般の標準規格について話をしておきます。

POSIXという名前を聞いたことがある人は多いでしょう。POSIX（Portable Operating System Interface）は、OS間で共通のシステムコールを決めることで、アプリケーションの移植性を高めるために作られたIEEE規格です。最終的にOSに仕事をお願いするのはシステムコールですが、POSIXで定められているのはシステムコールそのものではなく、システムコールを呼び出すためのインタフェース（Go言語の用語とは違いますが、広い意味で）です[†8]。具体的にはC言語の関数名と引数、返り値が定義されています。

たとえばファイル入出力は、POSIXでは5つの基本のシステムコールで構成されていて、そのためのC言語の関数は`open()`、`read()`、`write()`、`close()`、`lseek()`です。

これらの関数は、C言語における低レベルな共通インタフェースとして用意されていますが、通常のプログラミングで直接扱うことはほとんどありません。

> **NOTE** 実を言うと、C言語の国際規格（ISO/IEC 9899:1999やISO/IEC 9899:2011）にはこのあたりの関数は存在しません。C言語の参考書に書かれているのは、`fopen()`や`fwrite()`などの、頭に`f`が付いた関数です。これらは、処理の高速化のためにバッファリングを行うなど、少し使いやすくした高級なインタフェースを提供していたり[†9]、POSIXでないWindowsでも同じように書けるようになっています。

Go言語における`syscall`の各関数も、このシステムコールの呼び出し口です。それぞれ先頭を小文字にすれば、C言語の関数と同じ名前になっています。呼び出し時に与える情報の意味、引数の順序、返り値なども、引数の型はGo言語特有のものを使っていますが、基本的には同じです。

そして、やはりGo言語でも`syscall`の関数を直接使うことはなく、基本的には`os.File`構造体とそのメソッドを使ってプログラミングをします。`syscall`以下の関数を使う方法は、Go言語のドキュメントにはほとんどありません。使う必要がある場合はC言語用の情報を参照する必要があります。

5.4 システムコールより内側の世界

Go言語におけるシステムコールは、`syscall`パッケージの関数として実装されていました。その実装を追っていくと、SYSCALLのような特別な命令に行きつきました。では、SYSCALLが呼ばれるとマシンの中では何が起こるのでしょうか。

それを知るために、今度はシステムコールから呼ばれるカーネル側のコードを見て

---

†8　必ずしもシステムコールとPOSIXが1対1というわけではありません。

†9　高級といってもC言語なので、後発の各種言語のAPIに比べると低レベルで使いにくいと感じる人は多いでしょう。

みることにしましょう。参考にするのはLinuxのソースコードです。ここから先に出てくるコードはGo言語ではなくC言語になります。

Linuxのソースコードは規模も大きいため、ローカルにダウンロードするだけでも大変です。コードを追いかけるときには次のようなサイトを使ってみてください。本書では、バージョン5.16のソースコードを想定します。

- GitHub上のリポジトリ: https://github.com/torvalds/linux
- クロスリファレンス： https://elixir.bootlin.com/

5.4.1 システムコール関数はSYSCALL_DEFINExマクロで定義される

Linuxにおけるwriteシステムコールは、/fs/read_write.cというファイルで、下記のように定義されています[†10]。

```
SYSCALL_DEFINE3(write, unsigned int, fd, const char __user *, buf,
        size_t, count)
{
    /* 実際の定義 */
}
```

上記のように、実際に呼ばれるコードはSYSCALL_DEFINExマクロ（xの部分には0〜6の数値が入る）を使って定義されています。このマクロを展開すると、次のようなsys_write()という関数の定義になります。

```
asmlinkage long sys_write(unsigned int fd,
                          const char __user *buf,
                          size_t count)
```

先頭に付いているasmlinkageは、引数をCPUの**レジスタ**経由で渡すようにするためのフラグです。レジスタというのはCPUが持つ演算用のメモリで、CPUの種類によって異なります。動作モードが32ビットか64ビットかでも多少変わってきます[†11]。

通常の関数呼び出しでは、呼び出し側と呼ばれる側が、スタックメモリ上で隣接したメモリブロックに、それぞれのスコープに含まれるローカル変数を格納します。関数の引数も、このスタックメモリを使って渡されます。

一方、ユーザーモードのアプリケーションと特権モードのカーネル間で呼び出されるSYSCALL命令は、関数呼び出しのように呼び出されますが、呼び出し側と呼ばれる側とで環境がまったく別物です。そもそも、ユーザーモード領域とカーネル領域と

---

†10 バージョン5.16では、同ファイルの652行めです。 https://github.com/torvalds/linux/blob/v5.16/fs/read_write.c#L652

†11 たとえば同じCore i7でも、32ビットモードでは8本の32ビットの汎用レジスタが、64ビットモードでは16本の64ビットの汎用レジスタが使えます（ https://www.intel.com/content/dam/develop/public/us/en/documents/253665-sdm-vol-1.pdf ）。本書では出てきませんが、CPUの状態を持っているレジスタ、数値演算用コプロセッサ用のレジスタなどもあります。

ではスタックメモリも別に用意されています。

asmlinkageフラグを付けることで、引数がすべてCPUのレジスタ経由で渡されるようになるため、スタックを使わずに情報が渡せるようになります。

5.4.2 CPUが関数を実行できるようにするまで

sys_write()関数は、Linuxカーネルのビルド時に自動生成される、sys_call_tableという配列に格納されています。配列のインデックスがシステムコールの番号になっています。

この配列から必要な情報を取り出して呼び出すのは、/arch/x86/entry/common.cというファイルのdo_syscall_64()関数を経由して呼び出される、do_syscall_x64()という関数の中です[†12]。

```
static __always_inline bool do_syscall_x64(struct pt_regs *regs, int nr)
{
    unsigned int unr = nr;

    if (likely(unr < NR_syscalls)) {
        unr = array_index_nospec(unr, NR_syscalls);
        regs->ax = sys_call_table[unr](regs);
        return true;
    }
    return false;
}
```

この関数は、/arch/x86/entry/entry_64.Sというアセンブリコードで定義されているentry_SYSCALL_64()という関数の中から、do_syscall_64()経由で呼ばれます[†13]。このentry_SYSCALL_64()の中では、レジスタを構造体に退避してカーネルモード用のスタックに付け替えたりしながら、次のようにdo_syscall_64()を呼び出しています。

```
call do_syscall_64
```

entry_SYSCALL_64()関数を呼び出すのは、みなさんが触っているコンピューターのCPUそのものです。/arch/x86/kernel/cpu/common.cで定義されているsyscall_init()関数[†14]の中で、次のようにCPUから呼び出されるように登録しています。

```
wrmsrl(MSR_LSTAR, (unsigned long)entry_SYSCALL_64);
```

上記の部分では、wrmsrl命令を使って、entry_SYSCALL_64()関数のポインタ

---

†12 バージョン5.16では同ファイルの40行めです。 https://github.com/torvalds/linux/blob/v5.16/arch/x86/entry/common.c#L40

†13 バージョン5.16では同ファイルの113行めです。 https://github.com/torvalds/linux/blob/v5.16/arch/x86/entry/entry_64.S#L113

†14 バージョン5.16では同ファイルの1794行めです。 https://github.com/torvalds/linux/blob/v5.16/arch/x86/kernel/cpu/common.c#L1794

を、CPUの特別なレジスタ（MSR_LSTAR）に登録しています。CPUは、SYSCALL命令があると、システムコール番号をRAXレジスタに入れて、このMSR_LSTARレジスタに登録されたentry_SYSCALL_64()関数を呼び出します。entry_SYSCALL_64()関数は、RAXレジスタのシステムコール番号をもとに実際に処理をする関数のアドレスをテーブルから取り出し、そこへジャンプします。そのときに、他のいくつかのレジスタを、実際に処理を行う関数に引数として渡します。

ここまで、実際に呼ばれる関数から逆方向にシステムコールの接点までたどってきました（図5.4）。これでGo言語のアプリケーションコードからカーネル内の関数定義まで線がつながりました！

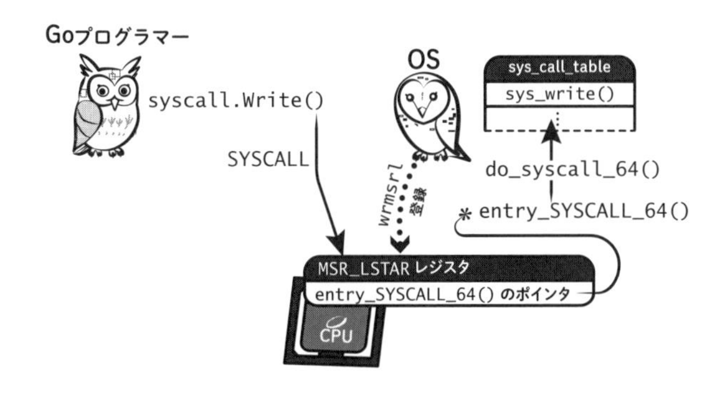

▶ 図5.4　Go言語のアプリケーションコードからLinuxカーネル内の関数定義までの関係

5.5 Go言語のシステムコールとPOSIX

ここまで、各種OSにおけるGo言語のシステムコールの実装がどうなっているかをざっと眺め、それを受けるOS内のコードについてもLinuxを例に解説してきました。ここで、今まで見た話をまとめておきましょう。

Go言語におけるファイル読み書きに登場する5つの基本操作で、最終的に呼び出される処理は、表5.2のとおりOSによって異なります。

ただし、同じシステムコールでもOSごとに番号が異なりますし、Linuxに関しては表5.3のようにプロセッサの種類によっても番号が変わります。

POSIXのコンセプトは、「OS間のポータビリティを維持する」です。そう考えると、本来はC言語の関数をそのまま使うべきであり、システムコールを自前で番号指定して呼び出すのは推奨されることではありません。しかしGo言語は、ポータビリティを自力でがんばるほうを選択しました。それによりクロスコンパイルが容易になり、他のOSで動くバイナリが簡単に作成できるようになっています。

もちろん、そのようにすることでデメリットもあります。情報が公開されている

OSやリバースエンジニアリングした内容を使っても問題とならない環境であればGoのアプローチはうまくいきます。たとえば、Go言語の1.7のリリースが予定より少し遅れたのは、macOSの10.12（Sierra）でシステムコールの引数が変更されたのが原因です。macOSにはシステムコールを直接呼ぶやり方に対する動作保証する義務はないため、このような影響が出るのは仕方がないことです。Go1.11からはmacOSとiOSでは直接カーネルを呼ぶのではなく、`libSystem.dylib`というシステムライブラリを使い、将来のOSの変更の影響を受けにくいように変更されています。また、Nintendo SwitchのようなNDAで保護されていていっさい情報が公開できない環境もあります。Go製のゲームエンジンのEbitengineはSwitchでゲームを動かすために、Goのシステムコール直接呼び出しをポータブルなC言語のAPI呼び出しに置き換えることで非公開情報に依存せずにSwitchでも動かせるようにしています[†15]。

5.6 システムコールのモニタリング

本章の冒頭で触れたように、アプリケーションが存在して意味のある結果を生み出すにはシステムコールが必要不可欠です。ちょっとしたメモリ確保、スレッドの起動、ファイルアクセス、ネットワークアクセスなど、さまざまな機能の実現にシステムコールが利用されます。そのため、中途半端にログを出力するぐらいであれば、システムコールの呼び出し状況をモニターするほうが、アプリケーションがどのように動作しているかを確実に知るための手助けになります。

なお、Go言語製アプリケーションは、`main()`関数呼び出しの前の初期化シーケンスの中でも大量のシステムコール呼び出しを行います。特に、シグナルハンドラの初期化で大量に呼び出されます。起動済みのプロセスにあとからアタッチする方法であ

▶表5.2　システムコールと最終的に呼び出される関数

システムコール関数	Linux	FreeBSD	macOS	Windows
`syscall.Open()`	openatシステムコールを呼び出す	openシステムコールを呼び出す	同左	Win32 APIの`CreateFile()`を呼び出す
`syscall.Read()`	readシステムコールを呼び出す	同左	同左	Win32 APIのReadFile()を呼び出す
`syscall.Write()`	writeシステムコールを呼び出す	同左	同左	Win32 APIの`WriteFile()`を呼び出す
`syscall.Close()`	closeシステムコールを呼び出す	同左	同左	Win32 APIの`CloseHandle()`を呼び出す
`syscall.Seek()`	lseekシステムコールを呼び出す	同左	同左	Win32 APIの`SetFilePointer()`を呼び出す

---

†15 https://zenn.dev/hajimehoshi/articles/72f027db464280

▶表5.3 システムコールのOSごとの番号

システムコール	Linux (x86)	Linux (x64)	Linux (arm64)	FreeBSD (x86/x64/arm)	macOS (x64/arm64)
open	5	2	–	5	5
openat	295	257	56	499	–
read	3	0	63	3	3
write	4	1	64	4	4
close	6	3	57	6	6
lseek	19	8	62	478	199

れば問題はありませんが、モニタリングツールからアプリケーションを起動するときは、その点に注意してください。

5.6.1 Linux

Linuxでシステムコールをモニタリングするにはstraceコマンドを使います。以下のどれかのコマンドでたいていのディストリビューションではインストールできるでしょう。どれもシステム管理者権限が必要なため、スーパーユーザーかsudoを使って実行します。

```
# apt-get install strace ↵
# yum install strace ↵
# emerge strace ↵
# pacman -S strace ↵
```

使い方は簡単です。

```
# ツール経由で起動
$ strace ./実行ファイル ↵

# 実行中のアプリケーションにアタッチ
$ strace -p プロセスID ↵
```

5.6.2 FreeBSD

FreeBSDにはtrussコマンドが付いてきます。使い方はstraceと同じく簡単です。

```
# ツール経由で起動
$ truss ./実行ファイル ↵

# 実行中のアプリケーションにアタッチ
$ truss -p プロセスID ↵
```

5.6.3 macOS

macOSにはFreeBSDのtrussに似たdtrussコマンドがインストールされています。DTraceという仕組みを使ったツールです。sudoが必要ですが、基本的にFreeBSDのtrussと一緒です。

```
# ツール経由で起動
$ sudo dtruss ./実行ファイル ⏎

# 実行中のアプリケーションにアタッチ
$ sudo dtruss -p プロセスID ⏎
```

ですが、残念ながらこのように簡単にはいきません。実は、macOS 10.11（El Capitan）からSystem Integrity Protection（SIP）と呼ばれるセキュリティ機構が有効化されていてDTraceが動かないので、この機能を停止する必要があります。当然、セキュリティリスクが上がりますので、各自の責任で設定してください。

5.6.4 Windows

WindowsでAPI呼び出しなどのプロセスのイベントを監視するツールとしては、純正ツールのProcess Monitor[†16]が一般的には有名です。これ以外の高性能なサードパーティー製の無料のツールとしては、やや古いですが、API Monitorというものもあります[†17]。

5.7 エラー処理

OSからの通知を受ける手段として、第4章ではGo言語のチャネルを紹介しました。チャネルはアプリケーションから使いやすい統一された通知のためのインタフェースですが、低レイヤーからの通知に関してもう一つ重要なのはエラーの扱いです。エラーを適切にユーザー（開発者）に返すことは、問題のすばやい解決にとって重要になります。

POSIXのシステムコールであるwrite()関数では、エラーについて次のように定義されています[†18]。

> 成功すると、書き込まれたバイト数が返される。エラーの場合、-1が返り、errnoにエラーの原因を示す値が設定される。

†16　https://docs.microsoft.com/en-us/sysinternals/downloads/procmon

†17　http://www.rohitab.com/apimonitor。API Monitorの使い方については、たとえば次のウェブページなどが参考になります。「API Monitor：アプリから呼ばれるAPIコールの引数・戻り値をモニター可能なフリーのツール」http://troushoo.blog.fc2.com/blog-entry-189.html（2022年2月時点）

†18　https://linuxjm.osdn.jp/html/LDP_man-pages/man2/write.2.html

どのシステムコールも、たいていは正常の場合には0より大きい数値、エラーの場合には`-1`を返します。`errno`変数に入るのは単なる数値で、`strerror()`関数を呼ぶと人間が読める文字列になります。

このような面倒な仕組みになっているのは理由があります。察しの良い人はもうわかったと思いますが、システムコールで引数がレジスタで渡せる数値のみだったのと同じように、返り値もレジスタに入って返ってくるからです。

Windowsの場合は、`GetLastError()`でエラー番号を見つけたあとに、`FormatMessage()`[†19]でエラーメッセージを取得します。

もっとも低いレイヤーは、このように数値を使う方法でエラー報告をしますが、それより上位の各プログラミング言語はそれぞれの言語の流儀にあった方法でエラー報告をします。多くの言語では例外を使います。Node.jsでは、コールバック関数の最初のパラメータをエラーとして返すようにしています。

Go言語は、レスポンスで複数の値を返せるので、その最後の値を`error`インタフェースとして設定するという習慣になっています。下記に、第2章で紹介した`io.Writer`インタフェースでの例を示します。

```
type Writer interface {
    Write(p []byte) (n int, err error)
}
```

`error`インタフェースにはメッセージが格納され、`err.Error()`という関数でエラーの詳細がわかります。エラーがあるかどうかは、`err`が`nil`と同じかどうかで見分けます。

```
count, err := writer.Write([]byte("hello"))
if err != nil {
    log.Fatal(err.Error())
    // 説明のためにこうしているが、本来は log.Fatal(err) と書く
}
```

5.8 通常のシステムコール以外の特殊なシステム呼び出し

本章の冒頭では、システムコールがないとアプリケーションは何もできない、と説明しました。特権モードで動くカーネルがあり、その上にあるアプリケーションがシステムコール経由でシステムやハードウェアの機能を使うというのが、現在のコンピューターシステムのもっとも基本的な構成です。しかし、近年ではCPUの速度が向上し、より高速な性能や、安全性が求められるようになったことから、この基本モデルから外れたシステム呼び出しもいくつかあります。

---

†19 `https://docs.microsoft.com/en-us/windows/win32/api/winbase/nf-winbase-formatmessage`

5.8.1 DPDK

DPDK[20]は、ユーザーランドに実装されたハードウェアドライバを使って、ネットワークのパケットを高速に処理できるようにする仕組みです。インテル社が開発し、現在ではオープンソースのコミュニティでメンテナンスされています。

システムコールを呼び出すと、処理速度に影響する次のようなペナルティがどうしても生じます。

- システムコールのユーザーランドからカーネルへのコンテキストスイッチのコスト
- ブロッキングI/Oのコンテキストスイッチのコスト
- カーネルからユーザーランドへのデータコピーのコスト
- カーネル内部での割り込み処理のコスト

そのため、ネットワークカードからのパケット取得をカーネルで行い、そのパケットをユーザーランドで分析すると、処理速度の限界値がかなり下がってしまいます。それをすべてユーザーランド側でやってしまおうというのがDPDKです。同じような発想の技術として、netmap[21]、OpenOnLoad[22]、PF_RING[23] というものもあります。

ただし、この領域までくると、導入するだけでハイパフォーマンスになるというわけにはいきません。パフォーマンスを引き出すには、CPUのコアをまたがずに特定のコアにのみ処理させてCPUのメモリキャッシュの効果を最大化させるなど、それなりのチューニングが必要です。

5.8.2 io_uring

これまで説明してきたように、システムコールは呼ぶたびに特権モードとの切り替えが発生します。データ読み込みであれば、そのたびにカーネルの中のメモリからユーザーランドのメモリへのコピーが発生するので、呼び出し頻度が高まればそこが問題となります。

2019年にLinux 5.1に導入されたio_uringでは、システムコールとしては初回のキューの初期化を行うだけで、あとはユーザーランドとカーネルの共有メモリにある送信キュー（Submission Queue）に読み書きの命令を積むとOSがそれを読み込んで処理を行い、完了キュー（Completion Queue）に結果を詰め込みます（図5.5）。システムコールの欠点が解消されているので、ファイルやネットワークなどの大量のデータ入出力を効率よく処理できます。Goで利用した場合でもパフォーマンスが上

---

[20] `https://www.dpdk.org/`

[21] `https://github.com/luigirizzo/netmap`

[22] `https://www.openonload.org/`

[23] `https://www.ntop.org/products/packet-capture/pf_ring/`

がるという報告もあります[†24]。

なお、Windows 11にもI/O Ringという類似した機構が導入されています[†25]。

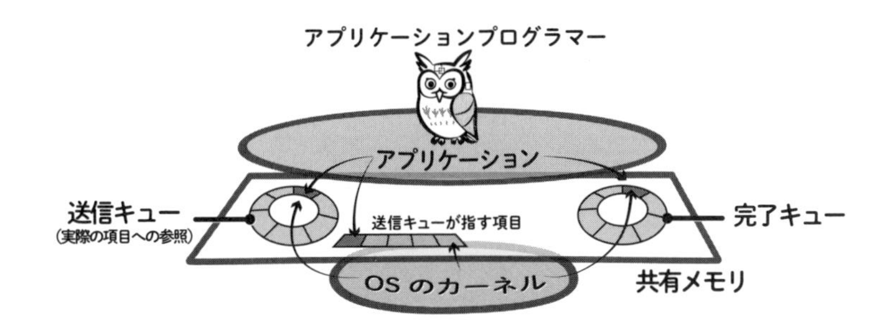

▶図5.5 io_uring

5.8.3 gVisor

gVisor[†26]はGoogleが開発した仕組みです。アプリケーションからは通常と同じようにシステムコールを呼びますが、gVisorが擬似カーネルとしてすべてのシステムコールに応答します。危険度の高いシステムコールを防いだり、ネットワークアクセスを転送したり、セキュリティを守るレイヤーとして動作します。

GoogleのクラウドサービスであるGoogle App EngineのGo版では、当初は完全にカスタマイズされたコンパイラによるコンパイルが必要でした。これが必要だったのは、Goのランタイムのシステムコールを呼び出す部分を書き換え、安全な操作だけを許すようにするためです。最新バージョンでは、gVisorが実際のシステムコールを横取りして解釈するようになっているので、通常の方法でGoのアプリケーションをビルドすれば動作するようになっています。

gVisorはGoで実装された擬似カーネルのように動作します。`pkg/sentry/platform/ring0/kernel_amd64.go`の`start()`関数では、本章で説明したシステムコールのエントリーポイントである、MSRレジスタに関数を登録しています。実際のカーネルと同様にシステムコールを受けて、Goで書かれたランタイムを呼び出し、セキュリティ的に問題のないシステムコールであれば、本物のカーネルのシステムコールを呼び出します。

---

†24 C言語のコードをGoから呼び出すCgoという機構を利用した事例がMattermostのブログで詳しく説明されています。https://developers.mattermost.com/blog/hands-on-iouring-go/

†25 https://windows-internals.com/ioring-vs-io_uring-a-comparison-of-windows-and-linux-implementations/

†26 https://github.com/google/gvisor

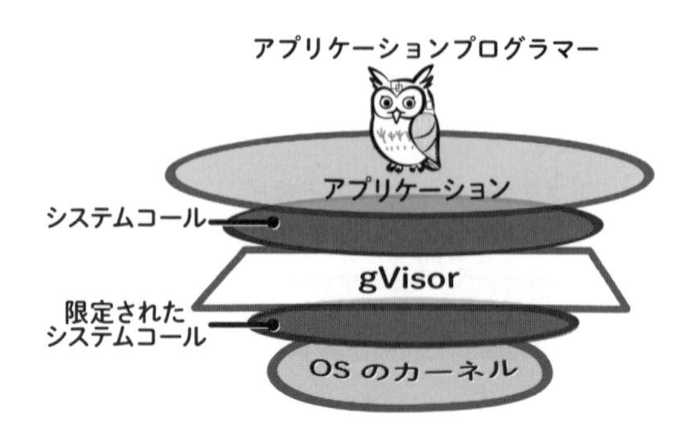

▶図5.6　gVisorの役割

5.9 本章のまとめと次章予告

前章までとは異なり、本章は座学的な内容の章でした。システムコールは、プログラムが機能を提供するうえでなくてはならない存在です。大切なことは、「特権モードを必要とする操作をしたいときにシステムコールが必要」ということです。

本章では、システムコール呼び出しの実装をアセンブリ言語のコードまで探索し、Linuxを例にカーネル側のコードまで見てみました。さらに、カーネルとの接点を説明するために、アセンブリ言語のコードとカーネル側のC言語のコードを簡単に紹介しました。

本章では触れませんでしたが、Go言語のランタイムを実装しているruntimeパッケージの中でも、Go言語自身が必要とするスレッドの起動、プロセスの終了、メモリ確保などのシステムコールを呼んでいます。興味のある方は、どこで呼び出しているか探してみてください（本書の後半でも追々説明していきます）。

次章からは、3章分にわたって、ソケット通信まわりのAPIを見ていきます。

5.10 問題

Q5.1：システムコールの確認

本章の最後にシステムコールやWin32 APIの呼び出しをモニターするツールを紹介しました。ファイルの入出力のサンプルコードを作成し、どのようなシステムコールやAPIが呼ばれるか確認してみましょう。

第6章

TCPソケットとHTTPの実装

本章からは、実用的なアプリケーション開発にも役に立つであろうGo言語の低レベルなAPIを紹介していきます。最初の題材は、ネットワークを利用したアプリケーションで特によく使われるソケット通信です。

ソケットの使い方そのものはシンプルです。つないでしまったら、できることは書き出し、読み込み、クローズしかありません。これらの操作は、第2章、第3章で紹介した`io.Writer`と`io.Reader`で抽象化されていますし、読み書きも難しくはありません。APIリファレンスを読めれば、とりあえずソケットを使うことはできるでしょう。

本書では、HTTPの機能を再現しながら、このソケットの使い方を学びます。HTTPサーバーとクライアントの実装という題材を通して、ソケットと、その実行効率を向上させる方法を具体的に見ていきましょう。

6.1 プロトコルとレイヤー

まずはネットワーク通信の基本についてのお話です。

通信を行うためには、送信側と受信側で通信のルールを共有する必要があります。このルールのことを**プロトコル**（通信規約）と呼びます。

プロトコルは、通常、役割に応じていくつかを組み合わせて使います。情報処理試験などを受けたことがある人は、「OSI 7階層モデル」とか「TCP/IP参照モデル」という言葉を聞いたことがあるでしょう。これらは、ネットワーク通信を実現するためのさまざまな機能を階層（レイヤー）に分け、それぞれのレイヤーを担うプロトコルを規定したものです。

インターネット通信で採用されているのはTCP/IP参照モデルです。TCP/IP参照モデルは表6.1のようなレイヤー分割になっています。

このうち、アプリケーションを作るために気にする必要があるのはトランスポート層よりも上のレイヤーだけです。実際のインターネット通信では、ケーブルや無線を

▶ 表6.1　TCP/IP参照モデル

レイヤーの名称	代表的なプロトコル
アプリケーション層	HTTP
トランスポート層	TCP/UDP/QUIC
インターネット層	IP
リンク層	Wi-Fi、イーサネット

通してIPパケットの形でデータがやり取りされますが、アプリケーションで直接IPパケットを作ったりするわけではありません。HTTPやTCPのレベルで決められているルールに従って通信をすれば、それより下のレイヤーで必要になる詳細を気にすることなく、ネットワークの向こう側にあるアプリケーションとやり取りができるわけです（図6.1）。

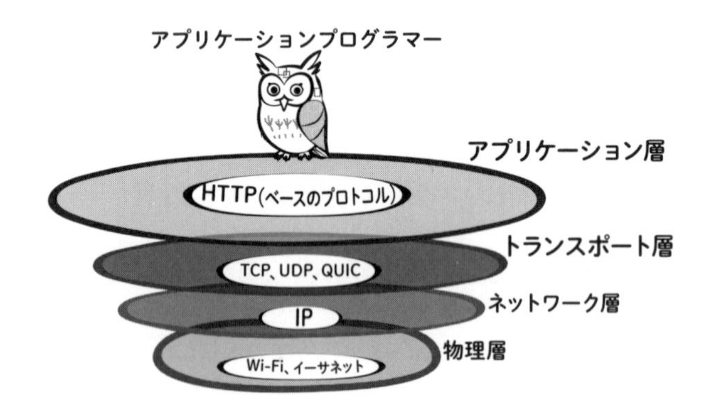

▶ 図6.1　TCP/IP参照モデル

Go言語では、HTTP、TCP、UDPについて組み込みの機能が提供されています[†1]。実用的なアプリケーションでは、それらの機能を使って、自分のアプリケーションに必要なプロトコルを実装していくことになります。

6.2　HTTPとその上のプロトコルたち

近年では低レベルなソケットを知らなくても使える便利なライブラリやフレームワークを利用することが増えています。そのため、より上位レイヤーであるアプリケーション層に話題が集中しています。特に、現代のインターネットでもっともよく利用されているアプリケーション層のプロトコルは、ウェブで利用されているHTTP

†1　あまり使うことはないと思いますが、UNIX系OSであればIPのレイヤーについてもプログラマーから利用できるようなAPIが用意されています。

でしょう。

そこで、ネットワークの低レベルな部分をGo言語で見る前に、まずは読者の多くの人たちが慣れ親しんでいるHTTPの基本的な仕組みと、HTTPよりさらに上位のレイヤーの話をいくつかピックアップして紹介します。

6.2.1 HTTPの基本

HTTPには、HTTP/1.0とHTTP/1.1、HTTP/2, HTTP/3というバージョンがありますが、ここではHTTP/1.0を例に基本的なやり取りを説明します。

HTTPでは、クライアントからのリクエストと、それに対するサーバーのレスポンスが規定されています。HTTP/1.0では、クライアントはサーバーに次のような内容をテキストで送信します。

```
メソッド パス HTTP/1.0
ヘッダー1: ヘッダーの値
ヘッダー2: ヘッダーの値
(空行)
リクエストボディー (あれば)
```

HTTPではサーバーにリクエストする要件の種類があらかじめいくつか定められています。これはHTTPメソッドと呼ばれます。リクエストで1行めの先頭にくるのがHTTPメソッドです。HTTPメソッドとしてはGETやPOSTなどがあります。

また、HTTPでは改行が区切り文字と決められています。第3章「低レベルアクセスへの入口2：io.Reader」で触れたように、読み込みは内容を分析しながら行う必要があるためコードが複雑になり、そのぶんだけ処理が遅くなりがちです。そこで現在のHTTPでは、リクエストの解析が簡単に行えるように、改行を区切り文字と決めているのです[†2]。

サーバーは上記のようなリクエストを受け取ると、指定されたパスに格納されているリソースを次のような形式のレスポンスとして返します（図6.2)。

```
HTTP/1.0 200 OK
ヘッダー1: ヘッダーの値
ヘッダー2: ヘッダーの値
(空行)
サーバーレスポンス
```

1行めにある「200」という数字は、レスポンスの種類を表すコードです。これもHTTPの仕様で定められていて、レスポンスの成功を表すコードが200です。

HTTPは、もともとは情報交換を目的としてドキュメントを送受信するためのプロトコルでしたが、インターネットブームとともにソフトウェアの専門家や研究者以外の多くの人に使われるようになりました。今ではなくてはならないインフラになっています。

[†2] 昔はヘッダー行の途中で改行を許可していたりして簡単ではありませんでした。

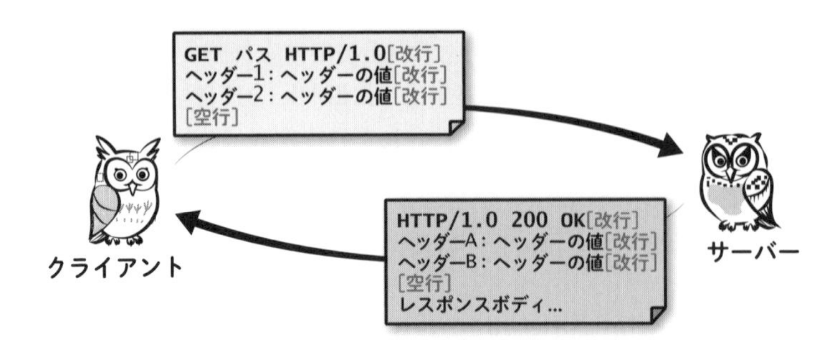

▶ 図6.2　HTTP/1.0の基本的なやり取り

しかし、用途が広がったことでHTTPに対して要求される機能も増えました。フォームを使って情報を送信できるようになったり、TLS[†3]で通信の暗号を守る機能が入ったり、HTMLではない部分的なコンテンツをサーバーから取得するXML-HttpRequestやFetch APIが入ったり、WebSocketで双方向通信ができるようになったり、ServiceWorkerでPush Notificationもできるようになったりして現在に至っています。機能が次々と加えられた結果、現在ではかなり複雑な仕組みになっています。

HTTP/2では通信内容がバイナリ化されて高速化しました。**HTTP/3**はTCPとHTTP/2が重複していた機能がアプリケーションレイヤーに統合され、UDPベースとなりました。ただし、ブラウザから見た通信内容の意味（セマンティクス）はHTTP/1.1と変化はありません。規格上も、HTTPの通信プロトコルと、その上のセマンティクスは切り離されて文書化されています。本書で扱うのは古き良き1.0/1.1ですが、通信プロトコルとしての基本は今でも同じです。

6.2.2 RPC

RPC（Remote Procedure Call）は、サーバーが用意しているさまざまな機能を、ローカルコンピューター上にある関数のように簡単に呼び出そう、という仕組みです。20年以上前から、XML-RPC[†4]やJSON-RPC[†5]といった形で、HTTP上のプロトコルとして利用されてきました。「引数を渡して実行し、返り値を受け取る」という関数呼び出しを、そのままインターネット上で実現します。

---

†3　当初はSSLと呼ばれていて、今でも慣習的にSSLという呼称が使われていますが、たとえるならApple社のMacをマッキントッシュと呼んでいるようなものです。

†4　`http://xmlrpc.com/spec.md`

†5　`https://www.jsonrpc.org/specification`

XML-RPCは、Ruby[†6]やPython[†7]、PHP[†8]では標準ライブラリとして提供されています。Go言語では、JSON-RPC[†9]が標準ライブラリとして提供されています。

JSON-RPCでは、プロトコルバージョン（"jsonrpc"キーの値）、メソッド（"method"）、引数（"params"）、送受信の対応を取るためのIDの4項目を使ってリクエストを送信します。レスポンスのデータ構造はメソッドと引数の代わりに返り値（"result"）を設定します。あとは決まったURLにHTTPのPOSTメソッドで送信するだけです（図6.3）。

```
// 送信側
{"jsonrpc": "2.0", "method": "subtract", "params": [42, 23], "id": 1}
// 受信側
{"jsonrpc": "2.0", "result": 19, "id": 1}
```

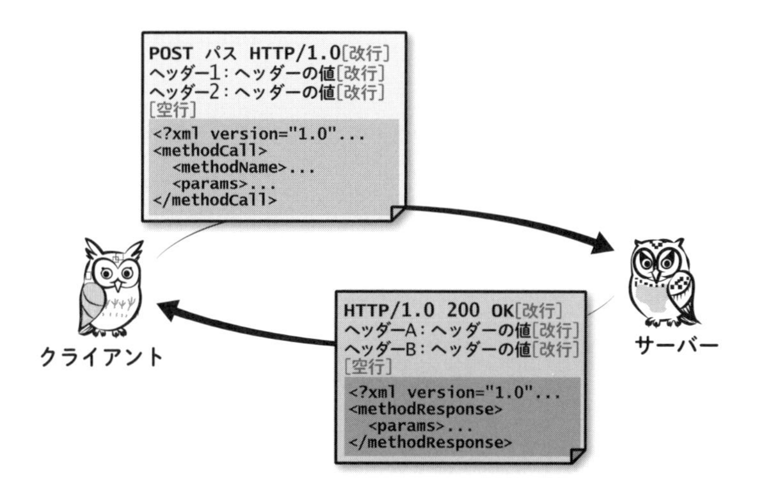

▶ 図6.3 RPCの基本的なやり取り

6.2.3 REST

ウェブサービスでは、すべてを階層化されたリソース（ファイルのようなもの）とみなし、URLを使ってそれらのリソースを取得したり投稿したりするAPIが採用されることが増えています。このようなAPIにより、サーバーとクライアント間の通信をシンプルなファイルサーバーのような考え方に集約するスタイルは、REST

---

†6 https://docs.ruby-lang.org/ja/latest/library/xmlrpc.html
†7 https://docs.python.org/ja/3/library/xmlrpc.html
†8 https://www.php.net/manual/ja/book.xmlrpc.php
†9 https://pkg.go.dev/net/rpc/jsonrpc

(Representational State Transfer) と呼ばれています[†10]。RESTはHTTPのルールを最大限取り入れたプロトコルだといえます。RESTの基本的なやり取りを図6.4に示します。

RESTの思想に従うシステムのことを**RESTful**といいます。最近では、RESTfulの究極形態（第4形態）として位置づけられる**HATEOAS**という考え方も広まりつつあります。サーバーからのHTTPレスポンスに「リンク」情報を入れ、そこから賢いクライアントプログラムが自律的にデータ探索をして情報を見つけられる世界を実現しようというものです。人間がウェブサイトを見るときはページ内のリンクをたどって関連ページを読み込んでいきますが、その考え方を取り入れたRESTがHATEOASだといえるでしょう。

HATEOASの原則に従ったAPIを採用しているウェブサービスとしてはGitHubがあります。GitHubにおける「issue」は、リポジトリ所有者・リポジトリ・issueという階層でリソースが構造化されています。試しに次のURLにブラウザでアクセスしてみてください。

- `https://api.github.com/repos/sphinx-doc/sphinx/issues`

上記のページ中にはissueの情報が含まれていますが、それ以外にもたくさんのURL情報が含まれていることがわかるでしょう。これらのURLをページング情報として扱うというのが、HATEOASの一般的な方法です。実際、ブラウザの開発者ツールで見てみると、HTTPのレスポンスに次のようなヘッダーが含まれています。

```
Link: <https://api.github.com/repositories/28710753/issues?page=2>; rel="next",
      <https://api.github.com/repositories/28710753/issues?page=20>; rel="last"
```

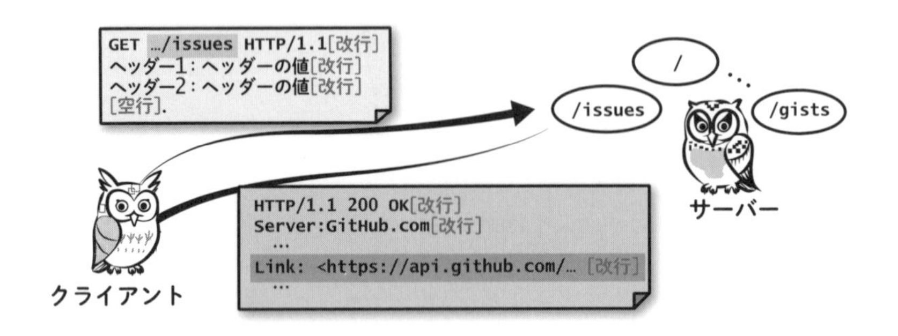

▶図6.4　RESTの基本的なやり取り

[†10] 単純化には欠点もあって、RESTではトランザクションを記述することはできません。

6.2.4 GraphQL

RESTfulとは多少違う路線で、RPCベースの**GraphQL**[†11]にも注目が集まっています。これはMeta社（旧Facebook）が提唱しているアプリケーション層のプロトコルです。GraphQLを使った具体的なサービスの事例としては、GitHubがあります。

アプリケーションのすべての情報がきれいな階層構造にマッピングできるわけではありません。FacebookなどのSNSではグループを作ることができますが、グループに所属しているユーザー、ユーザーが所属しているグループなど、リソース表現は複数考えられます。属性が増えれば増えるほど、それらの表現は複雑になっていきます。GraphQLは、複数の属性から構成されている要素をピンポイントで取得するためのクエリー言語として機能します。GraphQLで要素を取得するには、JavaScriptに似た構文（{と}）を使って階層を表し、( )を使って制約を指定します。

GraphQLもHTTP上で利用できるアプリケーション層のプロトコルです。HTTPのGETメソッドで扱うときは、GraphQLの文章をそのままクエリーとして付与して送信します。POSTで送るときは、等価なJSONに変換してから送信します。

プロトコルにおけるシステムコールともいえるRFC

インターネット上で扱われる通信プロトコルのほとんどは、IETF（Internet Engineering Task Force）という組織が取りまとめているRFC（Request for Comments）という規格書で定義されています。

HTTPは、もちろんRFC化されています（HTTP/1.0がRFC 1945、HTTP/1.1がRFC 2616、HTTP/2がRFC 7540、HTTP/3がRFC 9000）。XML-RPCとJSON-RPCはRFC化されていませんが、XML-RPCを内包したプロトコルはあります（RFC 3529）。RESTは、それ自体はRFC化されていません。とはいえ、RESTの提唱者はHTTP/1.1を規定するRFC 2616の著者の一人であり、RESTを理解するにはHTTP/1.1をまず理解すべきであると述べています。GraphQLは現在RFC化を目指しています。

RFCでは、通信がOSや機器の違いを超えてきちんと行えるかどうかという、通信規約としての面に重点が置かれます。そのため、プロトコルを扱うコードを実装しようとしたり、プロトコルの仕様を調べようとすると、RFCに突き当たることがよくあります。本書ではプログラムの低レイヤーとしてOSの提供する機能にフォーカスしていますが、通信を行うプログラムにおいては、このRFCこそがシステムコールにあたるレイヤーになります。原文はすべて英語ということもあり、最初は読みづらいと思いますが、書き方もルール化されていて、辞書をいくら調べても解釈に苦しむ慣用表現もなく、英文としては読みやすいほうです。興味のある方はぜひRFCのリーディングにも挑戦してみてください。最近の機械翻訳との相性も良いとのことです。

[†11] `https://graphql.org/`

6.3 ソケットとは

インターネットを利用するアプリケーションを作ろうというとき、直接コーディングに影響があるのは、前節で紹介したようなアプリケーション層のプロトコルです。Go言語にもHTTPを扱う機能が組み込まれているので、そのAPIを使うことで、HTTPやその上のプロトコルを利用したアプリケーションを簡単に開発できます。

では、HTTPそのものはどのような仕組みで下位のレイヤーを使っているのでしょうか。現在、ほとんどのOSでは、アプリケーション層からトランスポート層のプロトコルを利用するときのAPIとして**ソケット**という仕組みを利用しています（図6.5）。HTTP/1.0と1.1はこのソケットのバイトストリーム上に作られた、テキストを使ったプロトコルという階層構造になっています[†12]。TLS（SSL）はソケットとHTTPの間に入って暗号化を行います。

一般に、他のアプリケーションとの通信のことをプロセス間通信（IPC、Inter Process Communication）と呼びます。OSには、シグナル、メッセージキュー、パイプ、共有メモリなど、数多くのプロセス間通信機能が用意されています。ソケットも、そのようなプロセス間通信の一種です。ソケットが他のプロセス間通信と少し違うのは、アドレスとポート番号がわかればローカルのコンピューター内だけではなく外部のコンピューターとも通信が行える点です。

ソケットにはいくつか種類があります。本書で説明するのは次の3つです。

- TCP
  一番使われている。安定性が高い。お互いに開始の挨拶をしてから行う。電話で会話を始めるときのようなプロトコル。
- UDP
  通信開始が早い。第7章で解説。相手に一方的に送りつける。手紙のようなプロトコル。
- Unixドメインソケット
  ローカル通信でしか使えないが、最速。第8章で解説。

アプリケーション間のインターネット通信も、これらのソケットを通じて行います。たとえば、通常のブラウザを利用したHTTP通信では、サーバーのTCPポート80番に対して、ソケットを使ったプロセス間通信を行います。

直接扱うことはほとんどありませんが、TCP/UDPソケットは、IPというプロトコルの上に作られています。このレイヤーまでくるとカーネルの中の仕事となります。ここは本書の内容とはまた違う深い世界になりますので、興味のある方は他の書籍を

---

†12 HTTP/2は性能向上のためにバイナリのプロトコルになりました。

あたってみてください[†13]。

▶図6.5 アプリケーションはソケットを通じてインターネットを使う

6.4 ソケット通信の基本構造

どんなソケット通信も、基本となる構成は次のような形態です。

- サーバー：ソケットを開いて待ち受ける
- クライアント：開いているソケットに接続し、通信を行う

Go言語の場合、サーバーが呼ぶのは`Listen()`メソッド、クライアントが呼ぶのは`Dial()`メソッドという具合に、APIの命名ルールが決まっています。ソケット通信も同様の命名規則に従っています。

TCPソケットをGo言語で使う場合、通信のライフサイクルは図6.6のようにまとめられます（この図ではサーバーから通信を切断していますが、クライアントから切断することもできます）。

NOTE ソケット通信の手順はプロトコルによって異なります。一方的な送信しかできないUDPでは、このように接続時にサーバーがクライアントを認知（`Accept()`）して双方向のやり取りを実現するTCPとは異なったライフサイクルになります。UDPについては次章で扱います。

TCP通信が確立されると、送信側、受信側の両方に、相手との通信を行う`net.Conn`インタフェースを満たすオブジェクトが渡ってきます。この`net.Conn`は、通信のた

---

†13 導入としては、小川晃通 著『ポートとソケットがわかればインターネットがわかる』（技術評論社、ISBN 978-4774185705、2016年）や、村山公保 著『基礎からわかるTCP/IP ネットワークコンピューティング入門 第3版』（オーム社、ISBN 978-4274050732、2015年）などがあります。

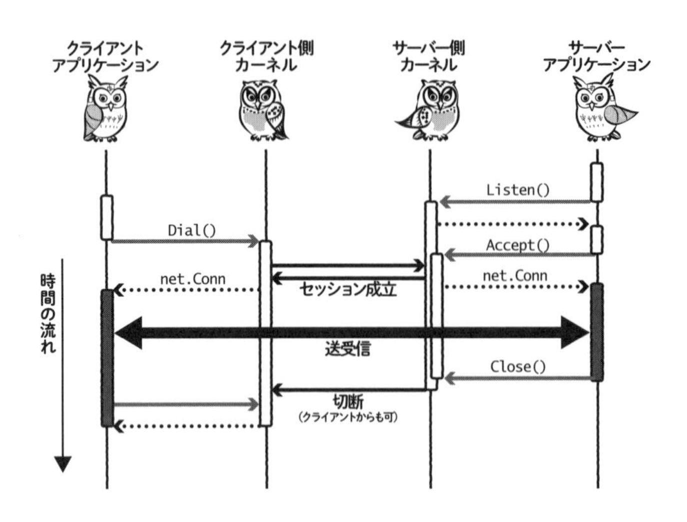

▶ 図6.6　TCPの通信手順

めの共通機能が実装されたインタフェースで、`io.Reader`、`io.Writer`、`io.Closer`で定義されたメソッドに加えて、タイムアウトを設定するメソッドが追加されています。

図6.6の手順をGo言語で実現するTCPのクライアントコードは次のようになります。

```
conn, err := net.Dial("tcp", "localhost:8080")
if err != nil {
    panic(err)
}
// connを使った読み書き
```

TCP通信のサーバー側の最低限のコードは次のとおりです。

```
ln, err := net.Listen("tcp", ":8080")
if err != nil {
    panic(err)
}
conn, err := ln.Accept()
if err != nil {
    // handle error
}
// connを使った読み書き
```

サーバー側は、上記のコードで応答はできるものの、これだけでは一度アクセスされたら終了してしまいます。そのため、実用的なコードが上記のような形になることはありません。

Go言語を使ってサーバーを実装する人が期待することは、「実装が簡単な割に秒間に処理できるレスポンス数が極めて高い」ことでしょう。1つのリクエストの処理中も他のリクエストを受け付けたり、CPUが許す限り並列でタスクをこなしたいですよね。これらのニーズを満たす現実的な最小限のTCPサーバーは次のようなコードになります。

```
ln, err := net.Listen("tcp", ":8080")
if err != nil {
    panic(err)
}
// 一度で終了しないためにAccept()を何度も繰り返し呼ぶ
for {
    conn, err := ln.Accept()
    if err != nil {
        // handle error
    }
    // 1リクエスト処理中に他のリクエストのAccept()が行えるように
    // Goroutineを使って非同期にレスポンスを処理する
    go func() {
        // connを使った読み書き
    }()
}
```

6.5 Go言語でHTTPサーバーを実装する

Go言語でTCPソケットを使った通信は可能になりましたが、肝心なのは、このサーバーで何をするかです。クライアントから送信されたテキストをそのまま返すだけでもネットワークプログラムの勉強にはなりますが、せっかく6.2節でHTTPの基本を紹介したので、ここではGo言語に組み込まれているTCPの機能（net.Conn）だけを使ってHTTPによる通信を実現してみましょう。

NOTE 実際にGo言語でHTTPのコードを作成するときは、net/http以下の高機能なAPIを使います。低レベルなnetパッケージのAPIを直接触って通信を行うことはほとんどありませんが、ここではソケット通信の実例として低レベルの機能を使ってHTTPサーバーを書くことに挑戦します。

6.5.1 TCPソケットを使ったHTTPサーバー

Go言語のソケットを使ってHTTP/1.0相当の送受信を実現してみましょう。まずはサーバーコードです。

```
package main

import (
    "bufio"
    "fmt"
    "net"
    "net/http"
    "net/http/httputil"
    "strings"
)

func main() {
    listener, err := net.Listen("tcp", "localhost:8888")
    if err != nil {
```

```
        panic(err)
    }
    fmt.Println("Server is running at localhost:8888")
    for {
        conn, err := listener.Accept()
        if err != nil {
            panic(err)
        }
        go func() {
            fmt.Printf("Accept %v\n", conn.RemoteAddr())
            // リクエストを読み込む
            request, err := http.ReadRequest(
                bufio.NewReader(conn))
            if err != nil {
                panic(err)
            }
            dump, err := httputil.DumpRequest(request, true)
            if err != nil {
                panic(err)
            }
            fmt.Println(string(dump))
            // レスポンスを書き込む
            response := http.Response{
                StatusCode: 200,
                ProtoMajor: 1,
                ProtoMinor: 0,
                Body:       io.NopCloser(
                                strings.NewReader("Hello World\n")),
            }
            response.Write(conn)
            conn.Close()
        }()
    }
}
```

少し長いですが、基本構成は6.4節のソケット通信そのままです。`go func()`の中は非同期実行されます。

このサーバーを起動して、同じマシンからcurlコマンドやウェブブラウザを使って`localhost:8888`にアクセスしてみてください。画面に`"Hello World"`と表示されたでしょうか？

ブラウザの開発者ツールなどでレスポンスの内容を見ると、次のようなログが出力されているはずです（`User-Agent`の情報はクライアントによって異なります。また、紙面に合わせて改行とインデントを入れています）。

```
Accept 127.0.0.1:54017
GET / HTTP/1.0
Host: localhost:8888
Accept: text/html,application/xhtml+xml,application/xml;q=0.9,
        image/webp,*/*;q=0.8
Accept-Encoding: gzip, deflate, sdch, br
Accept-Language: en-US,en;q=0.8,ja;q=0.6
Connection: keep-alive
Upgrade-Insecure-Requests: 1
User-Agent: Mozilla/5.0 (Windows NT 10.0; Win64; x64)
            AppleWebKit/537.36 (KHTML, like Gecko)
            Chrome/98.0.4758.102 Safari/537.36
```

それでは、先にお見せしたHTTPサーバーのコードを解説していきましょう。

まずは、クライアントから送られてきたリクエストの読み込みです。自分でテキストを解析してもいいのですが、`http.ReadRequest()`関数を使ってHTTPリクエストのヘッダー、メソッド、パスなどの情報を切り出しています。

読み込んだリクエストは、`httputil.DumpRequest()`関数を使って取り出しています。この関数は`httputil`以下にある便利なデバッグ用の関数です。ここまでで、`io.Reader`からバイト列を読み込んで分析してデバッグ出力に出す、という処理を行っています。

次は、HTTPリクエストを送信してくれたクライアント向けにレスポンスを生成するコードです。これには`http.Response`構造体を使います。`http.Response`構造体は`Write()`メソッドを持っているので、作成したレスポンスのコンテンツを`io.Writer`に直接書き込めます。

サーバーのコードでやっていることは以上です。それぞれの処理はそれほど難しくはないでしょう。このように、Go言語なら生のTCPソケットを使ったウェブサーバーを作るのは難しくありません（それでも、2.4.5「インターネットアクセスの送信」で紹介したコードよりはだいぶ長くなりました）。

6.5.2 TCPソケットを使ったHTTPクライアント

HTTPクライアントも作ってみましょう。`http.NewRequest`でホスト名を指定していますが、接続先をファイル名で指定しているので、この情報はヘッダー以外では使われません。

```
package main

import (
    "bufio"
    "fmt"
    "net"
    "net/http"
    "net/http/httputil"
)

func main() {
    conn, err := net.Dial("tcp", "localhost:8888")
    if err != nil {
        panic(err)
    }
    request, err := http.NewRequest(
        "GET", "http://localhost:8888", nil)
    if err != nil {
        panic(err)
    }
    request.Write(conn)
    response, err := http.ReadResponse(
        bufio.NewReader(conn), request)
    if err != nil {
        panic(err)
    }
    dump, err := httputil.DumpResponse(response, true)
    if err != nil {
        panic(err)
    }
    fmt.Println(string(dump))
}
```

実は、2.4.5「インターネットアクセスの送信」で、ソケットを使った最短のHTTPクライアントのコードを紹介済みです。

```
conn, err := net.Dial("tcp", "example.com:80")
if err != nil {
    panic(err)
}
conn.Write([]byte("GET / HTTP/1.0\r\nHost: example.com\r\n\r\n"))
io.Copy(os.Stdout, conn)
```

この最短コードでは、HTTPのリクエストで文字列を直接書き込むという構成にしていました。上記で書き直したHTTPクライアントの実装では、HTTPサーバーの実装と同様に、リクエストとレスポンスのテキストを標準ライブラリを使って構成しています。

6.6 速度改善（1）：HTTP/1.1のKeep-Aliveに対応させる

前節までのコードでサーバーとクライアントの通信はつながりました。しかし、ソケットまわりはボトルネックになりやすく、パフォーマンスの問題がユーザーの体感に直結します。通信が切れる、タイムアウトなどのエラーが発生する可能性も多々あります。最大の効率を得るには、ボトルネックを中心に最適化を行うしかありません†14。そこで、通信を高速化するためのさまざまな実践的な技術をHTTPから学んで再現してみましょう。

まずはKeep-Aliveからです。HTTP/1.0では、1セットの通信が終わるたびにTCPのコネクションが切れる仕様になっていました。

HTTP/1.1ではKeep-Aliveが規格に入りました。Keep-Aliveを使うことで、HTTP/1.0のように1つのメッセージごとに切断するのではなく、しばらくの間はTCP接続のコネクションを維持して使い回します。TCPでは、コネクションを確立するのに1.5 RTT（ラウンドトリップタイム：1往復の通信で1RTT）の時間がかかります。切断にも1.5 RTTの時間がかかります。物理的な距離や回線速度などで1 RTTの時間は変わりますが、RTTが多ければ通信速度に直接の影響を与えます。一度の送信（送信と確認の返信で1 RTT）につき1.5 + 1.5 = 3 RTTのオーバーヘッドがあります。片道50ミリ秒なら、300ミリ秒の時間が余計にかかります。Keep-Aliveを使えば、このぶんのオーバーヘッドがなくせるため、速度の低下を防げます。

6.6.1 Keep-Alive対応のHTTPサーバー

前節のHTTPサーバーにKeep-Aliveを実装してみましょう。長いコードなので前のコードと重複しているところは省きます。`Accept()`を呼び出したあと、`go`に渡している関数の内部だけを紹介します。`import`には`"io"`と`"time"`を追加してください。

---

†14　これは、いわゆる「制約理論」の一種であるといえます（エリヤフ・ゴールドラット 著／三本木亮 訳『ザ・ゴール』（ダイヤモンド社、ISBN 978-4478420409、2001年）などを参照）。

```
go func() {
    defer conn.Close()
    fmt.Printf("Accept %v\n", conn.RemoteAddr())
    // Accept後のソケットで何度も応答を返すためにループ
    for {
        // タイムアウトを設定
        conn.SetReadDeadline(time.Now().Add(5 * time.Second))
        // リクエストを読み込む
        request, err := http.ReadRequest(bufio.NewReader(conn))
        if err != nil {
            // タイムアウトもしくはソケットクローズ時は終了
            // それ以外はエラーにする
            neterr, ok := err.(net.Error) // ダウンキャスト
            if ok && neterr.Timeout() {
                fmt.Println("Timeout")
                break
            } else if err == io.EOF {
                break
            }
            panic(err)
        }

        // リクエストを表示
        dump, err := httputil.DumpRequest(request, true)
        if err != nil {
            panic(err)
        }
        fmt.Println(string(dump))
        content := "Hello World\n"

        // レスポンスを書き込む
        // HTTP/1.1かつ、ContentLengthの設定が必要
        response := http.Response{
            StatusCode:    200,
            ProtoMajor:    1,
            ProtoMinor:    1,
            ContentLength: int64(len(content)),
            Body:          io.NopCloser(
                           strings.NewReader(content)),
        }
        response.Write(conn)
    }
}()
```

このコードで重要なのは、Accept()を受信したあとにforループがある点です。これにより、TCPのコネクションが張られたあとに何度もリクエストを受けられるようにしています。

タイムアウトの設定も重要です。これを設定しておくと、通信がしばらくないとタイムアウトのエラーでRead()の呼び出しを終了します。設定しなければ相手からレスポンスがあるまでずっとブロックし続けます。ここでは現在時刻プラス5秒を設定しています。

タイムアウトは、標準のerrorインタフェースの上位互換であるnet.Errorインタフェースの構造体から取得できます。net.Connをbufio.Readerでラップして、それをhttp.ReadRequest()関数に渡しています。タイムアウト時のエラーはnet.Connが生成しますが、それ以外のio.Readerは最初に発生したエラーをそのまま伝搬します。そのため、errorからダウンキャストを行うことでタイムアウトかどうかを判断できます。

それ以降はほぼ一緒ですが、唯一異なるのが最後のhttp.Responseの初期化処理

です。まず、HTTPのバージョンを1.1になるように設定しています。送信するデータのバイト長が書き込まれている点もポイントです。Go言語の`Response.Write()`は、HTTP/1.1より古いバージョンが使われる場合、もしくは長さがわからない場合は、`Connection:  close`ヘッダーを付与してしまいます。複数のレスポンスを取り扱うには、明確にそれぞれのレスポンスが区切れる必要があります。

6.6.2 Keep-Alive対応のHTTPクライアント

クライアント側もKeep-Alive対応しましょう。

```
package main

import (
    "bufio"
    "fmt"
    "net"
    "net/http"
    "net/http/httputil"
    "strings"
)

func main() {
    sendMessages := []string{
        "ASCII",
        "PROGRAMMING",
        "PLUS",
    }
    current := 0
    var conn net.Conn = nil
    // リトライ用にループで全体を囲う
    for {
        var err error
        // まだコネクションを張ってない / エラーでリトライ
        if conn == nil {
            // Dialから行って connを初期化
            conn, err = net.Dial("tcp", "localhost:8888")
            if err != nil {
                panic(err)
            }
            fmt.Printf("Access: %d\n", current)
        }
        // POSTで文字列を送るリクエストを作成
        request, err := http.NewRequest(
            "POST",
            "http://localhost:8888",
            strings.NewReader(sendMessages[current]))
        if err != nil {
            panic(err)
        }
        err = request.Write(conn)
        if err != nil {
            panic(err)
        }
        // サーバーから読み込む。タイムアウトはここでエラーになるのでリトライ
        response, err := http.ReadResponse(
            bufio.NewReader(conn), request)
        if err != nil {
            fmt.Println("Retry")
            conn = nil
            continue
        }
        // 結果を表示
        dump, err := httputil.DumpResponse(response, true)
        if err != nil {
            panic(err)
        }
        fmt.Println(string(dump))
```

```
            // 全部送信完了していれば終了
            current++
            if current == len(sendMessages) {
                break
            }
        }
        conn.Close()
}
```

クライアントでは、簡単化のため、送信メッセージをあらかじめ配列に入れておいてその送信が終わったら終了というコードになっています。それでも最初のコードよりもだいぶ複雑になりました。

サーバー同様、一度通信を開始したソケットはなるべく再利用します。サーバー側と異なるのは、通信の起点はソケットなので、セッションが切れた場合の再接続はクライアント側にあるという点です。切れた場合は`net.Conn`型の変数を一度クリアして再試行するようになっています。

6.7 速度改善（2）：圧縮

HTTPの速度アップ手法としてよく使われているのが圧縮です。圧縮をしてもパケット伝達の速度は変わりませんが、転送を開始してから終了するまでの時間は短くなります。

昔よりもインターネットやWi-Fiの性能は向上しましたが、それでもCPUを使って圧縮することにより通信量を減らすほうが、まだメリットが大きい場合が多々あります。本章で作ったHTTPサーバーとクライアントに、一般的なブラウザでも使われているgzip圧縮を実装してみましょう[†15]（図6.7）。

gzip圧縮については、2.4.6「io.Writerのデコレータ」で紹介しました。そのときはファイルシステム上で展開できる圧縮ファイルを作成しましたが、本節ではバイト列をgzip圧縮します。そのため、2.4.6項のときのようにヘッダーでファイル名を指定する必要はありません。

6.7.1 gzip圧縮に対応したクライアント

前節のKeep-Alive版のコードをベースにクライアントを改造していきます。変更する箇所は3つです。

まず、`import`に`"compress/gzip"`と`"io"`、`"os"`を追加します。

次に、リクエスト生成部を改造して、自分が対応しているアルゴリズムを宣言するようにします。サーバーから自分が理解できない圧縮フォーマットでデータを送りつけられても、クライアントではそれを読み込めないからです。下記のように、リクエストヘッダーの`"Accept-Encoding"`に「このクライアントはgzip圧縮を処理でき

†15 ローカルエリアの通信の場合はレイテンシが低いLZ4（`http://lz4.github.io/lz4/`）などのほうが効果が高いこともあります。

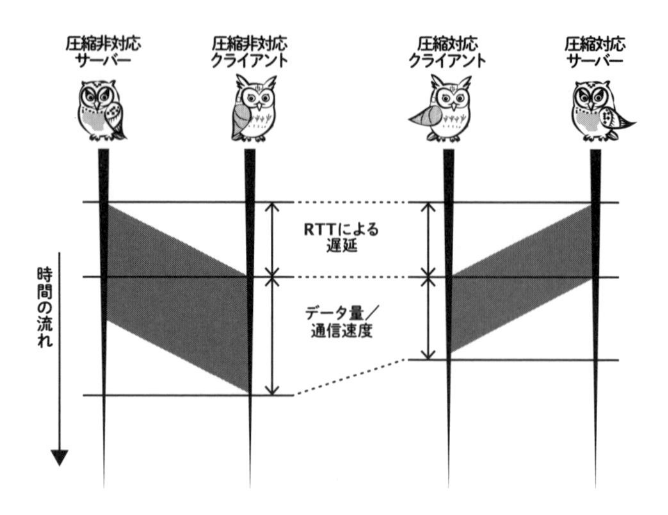

▶図6.7 HTTPのgzip圧縮

ます」という表明を入れます。

```
request, err := http.NewRequest(
    "POST",
    "http://localhost:8888",
    strings.NewReader(sendMessages[current]))
if err != nil {
    panic(err)
}
request.Header.Set("Accept-Encoding", "gzip")
```

3つめの変更箇所は、レスポンスを受け取る部分です。希望した方式でサーバーがデータを圧縮してきたかを確認し、圧縮されている場合は復元するようにします。

```
dump, err := httputil.DumpResponse(response, false)
if err != nil {
    panic(err)
}
fmt.Println(string(dump))

defer response.Body.Close()

if response.Header.Get("Content-Encoding") == "gzip" {
    reader, err := gzip.NewReader(response.Body)
    if err != nil {
        panic(err)
    }
    io.Copy(os.Stdout, reader)
    reader.Close()
} else {
    io.Copy(os.Stdout, response.Body)
}
```

`httputil.DumpResponse()`は圧縮された内容を理解してくれないため、2番めのパラメータに`false`を設定してボディーを無視するように指示しています。

`Accept-Encoding`で表明した圧縮メソッドにサーバーが対応していたかどうか

は、Content-Encodingヘッダーを見ればわかります。表明したアルゴリズムに対応していれば、そのアルゴリズム名がそのまま返ってきます。今回実装するサンプルで対応するアルゴリズムは1種類だけですが、複数の候補を提示してサーバーに選ばせることもできます。実際、HTTPには、1応答の間に最適なアルゴリズムのネゴシエーションを行う仕組みが備わっています。

gzip圧縮されていたら、gzip.NewReader()を使って展開し、それをコンソールに書き出します。これはio.Readerインタフェースを満たす構造体であればなんでも入力にできます。第3章「低レベルアクセスへの入口2：io.Reader」で紹介したio.Readerの仲間です。

6.7.2 gzip圧縮に対応したサーバー

次はサーバー側のコードを見てみましょう。前節では全部1つの関数内で処理していましたが、1セッションの通信をprocessSession()関数に切り出しています。

```
package main

import (
    "bufio"
    "bytes"
    "compress/gzip"
    "fmt"
    "io"
    "net"
    "net/http"
    "net/http/httputil"
    "strings"
    "time"
)

// クライアントはgzipを受け入れ可能か？
func isGZipAcceptable(request *http.Request) bool {
    return strings.Index(
        strings.Join(request.Header["Accept-Encoding"], ","),
        "gzip") != -1
}

// 1セッションの処理をする
func processSession(conn net.Conn) {
    fmt.Printf("Accept %v\n", conn.RemoteAddr())
    defer conn.Close()
    for {
        conn.SetReadDeadline(time.Now().Add(5 * time.Second))
        // リクエストを読み込む
        request, err := http.ReadRequest(bufio.NewReader(conn))
        if err != nil {
            neterr, ok := err.(net.Error)
            if ok && neterr.Timeout() {
                fmt.Println("Timeout")
                break
            } else if err == io.EOF {
                break
            }
            panic(err)
        }
        dump, err := httputil.DumpRequest(request, true)
        if err != nil {
            panic(err)
        }
        fmt.Println(string(dump))
        // レスポンスを書き込む
```

```
        response := http.Response{
            StatusCode: 200,
            ProtoMajor: 1,
            ProtoMinor: 1,
            Header:     make(http.Header),
        }
        if isGZipAcceptable(request) {
            content := "Hello World (gzipped)\n"
            // コンテンツをgzip化して転送
            var buffer bytes.Buffer
            writer := gzip.NewWriter(&buffer)
            io.WriteString(writer, content)
            writer.Close()
            response.Body = io.NopCloser(&buffer)
            response.ContentLength = int64(buffer.Len())
            response.Header.Set("Content-Encoding", "gzip")
        } else {
            content := "Hello World\n"
            response.Body = io.NopCloser(
                strings.NewReader(content))
            response.ContentLength = int64(len(content))
        }
        response.Write(conn)
    }
}

func main() {
    listener, err := net.Listen("tcp", "localhost:8888")
    if err != nil {
        panic(err)
    }
    fmt.Println("Server is running at localhost:8888")
    for {
        conn, err := listener.Accept()
        if err != nil {
            panic(err)
        }
        go processSession(conn)
    }
}
```

少々長いですが、重要なポイントはレスポンスを作成している部分です。前節のコードでは、コンテンツとそのサイズを、すべて`http.Response`に入れていました。上記のコードでは、クライアントがgzipが受け入れ可能かどうかに応じて、中に入れるコンテンツを変えています。

圧縮には`gzip.NewWriter`で作成した`io.Writer`を使います。圧縮した内容は`bytes.Buffer`に書き出しています。さらに`Content-Length`ヘッダーに圧縮後のボディーサイズを指定します。

このコードを見てわかるとおり、ヘッダーは圧縮されません。そのため、少量のデータを通信するほど効率が悪くなります。20バイト足らずのサンプルの文字列ではgzipのオーバーヘッドのほうが大きく、サイズが倍増してしまっていますが、大きいサイズになれば効果が出てきます。

なお、HTTPで圧縮されるのはレスポンスのボディーだけで、リクエストのボディーの圧縮はありません。ヘッダーの圧縮はHTTP/2になって初めて導入されました。

6.8 速度改善（3）：チャンク形式のボディー送信

これまで紹介してきた通信処理は、一度のリクエストに対して必要な情報をすべて1回で送るというものでした。そのため、全部のデータが用意できるまでレスポンスのスタートが遅れます。結果として終了時間も延び、実行効率は下がります。

この方法には、巨大なファイル（長時間の動画コンテンツや、Linuxディストリビューションのインストールイメージなど）をクライアントに返すときに全体がメモリにロードされてしまい、それだけ多大なリソースが必要になるという問題もあります。HTTPでは、チャンク形式のレスポンスをサポートすることで、これらの問題に対処しています（図6.8）。

チャンク形式ではヘッダーに送信データのサイズを書きません。代わりに、`Transfer-Encoding: chunked`というヘッダーを付与します。

ボディーは、16進数のブロックのデータサイズの後ろに、そのバイト数分のデータブロックが続く、という形式です。通信の完了は、サイズとして0を渡すことで伝えます。

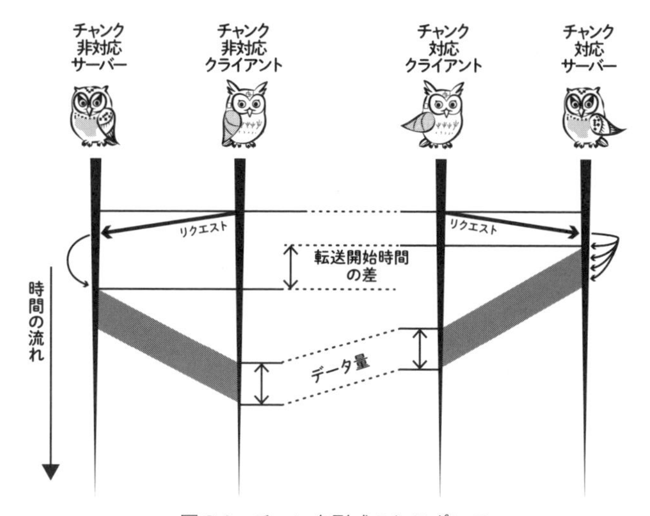

▶図6.8　チャンク形式のレスポンス

チャンク形式であれば、準備ができた部分からレスポンスを開始できるため、レスポンスの初動が早くなります。特にファイルサイズが大きくなると効果が大きくなります。ファイルから細切れに読み込んで少しずつソケットに流していければ、データ全体を保持するために大量のメモリを確保するというオーバーヘッドも減らせます。ヘッダーにサイズを入れる必要もないので、最終的なデータのサイズが決まる前に送信を開始することもできます。

6.8.1 チャンク形式のサーバーの実装

まずはチャンク形式でデータを送信するサーバーの実装を見てください。「ごんぎつね」の文章を100バイトずつぐらいレスポンスとして返すサーバーです。`import`文まわりと`main()`関数については、gzip圧縮版のサーバーと同じコードなので省略します。

```
// 青空文庫: ごんぎつねより
// https://www.aozora.gr.jp/cards/000121/card628.html
var contents = []string{
	"これは、私わたしが小さいときに、村の茂平もへいというおじいさんからきいたお話です。",
	"むかしは、私たちの村のちかくの、中山なかやまというところに小さなお城があって、",
	"中山さまというおとのさまが、おられたそうです。",
	"その中山から、少しはなれた山の中に、「ごん狐ぎつね」という狐がいました。",
	"ごんは、一人ひとりぼっちの小狐で、しだの一ぱいしげった森の中に穴をほって住んでいました。",
	"そして、夜でも昼でも、あたりの村へ出てきて、いたずらばかりしました。",
}

func processSession(conn net.Conn) {
	fmt.Printf("Accept %v\n", conn.RemoteAddr())
	defer conn.Close()
	for {
		// リクエストを読み込む
		request, err := http.ReadRequest(bufio.NewReader(conn))
		if err != nil {
			if err == io.EOF {
				break
			}
			panic(err)
		}
		dump, err := httputil.DumpRequest(request, true)
		if err != nil {
			panic(err)
		}
		fmt.Println(string(dump))

		// レスポンスを書き込む
		fmt.Fprintf(conn, strings.Join([]string{
			"HTTP/1.1 200 OK",
			"Content-Type: text/plain",
			"Transfer-Encoding: chunked",
			"", "",
		}, "\r\n"))
		for _, content := range contents {
			bytes := []byte(content)
			fmt.Fprintf(conn, "%x\r\n%s\r\n", len(bytes), content)
		}
		fmt.Fprintf(conn, "0\r\n\r\n")
	}
}
```

`http.Response`は、ファイルサイズ指定がないと`Connection: close`を送ってしまうため、ここでは`fmt.Fprintf`でHTTPレスポンスを直接書き込んでいます。レスポンスボディーは次のような形式になっています。

```
7b
これは、私わたしが小さいときに、村の茂平もへいというおじいさんからきいたお話です。
（中略）
45
中山さまというおとのさまが、おられたそうです。
（中略）
0
```

7bとありますが、16進数なので実際のバイト数は123です。サイズ、本文の末尾は\r\nで区切られています。

このサーバーはHTTP/1.1標準なので、たとえばcurlコマンドやブラウザでアクセスすることもできます。

6.8.2 チャンク形式のクライアントの実装

クライアント側も実装してみましょう。やはり前節のクライアント実装をベースにしますが、Keep-Alive版のクライアントは実験のためにループでわざと3回送信するようにしていたので、そのループは省いてあります。

```go
package main

import (
  "bufio"
  "fmt"
  "io"
  "net"
  "net/http"
  "net/http/httputil"
  "strconv"
)

func main() {
  conn, err := net.Dial("tcp", "localhost:8888")
  if err != nil {
    panic(err)
  }
  defer conn.Close()
  request, err := http.NewRequest(
    "GET",
    "http://localhost:8888",
    nil)

  if err != nil {
    panic(err)
  }
  err = request.Write(conn)
  if err != nil {
    panic(err)
  }
  reader := bufio.NewReader(conn)
  response, err := http.ReadResponse(reader, request)
  if err != nil {
    panic(err)
  }
  dump, err := httputil.DumpResponse(response, false)
  if err != nil {
    panic(err)
  }
  fmt.Println(string(dump))
  if len(response.TransferEncoding) < 1 ||
         response.TransferEncoding[0] != "chunked" {
    panic("wrong transfer encoding")
  }
  for {
    // サイズを取得
    sizeStr, err := reader.ReadBytes('\n')
    if err == io.EOF {
      break
    }
    // 16進数のサイズをパース。サイズがゼロならクローズ
    size, err := strconv.ParseInt(
      string(sizeStr[:len(sizeStr)-2]), 16, 64)
    if size == 0 {
      break
    }
    if err != nil {
```

```
        panic(err)
      }
      // サイズ数分バッファを確保して読み込み
      line := make([]byte, int(size))
      io.ReadFull(reader, line)
      reader.Discard(2)
      fmt.Printf("  %d bytes: %s\n", size, string(line))
    }
  }
```

ヘッダーを受信するところまではgzip対応クライアントと同じです。そのあとはforループでチャンクごとに読み込んでいます。その際のテキスト解析には、3.6.1「改行／単語で区切る」で紹介したbufio.Readerが活躍します。「改行を探し、サイズを取得したら、そのサイズの分だけ読み込む」という処理を末尾まで繰り返しています。

6.9 速度改善（4）：パイプライニング

最後に紹介するのは、送受信を非同期化することでトータルの通信にかかる時間を大幅に減らす方法です。

この機能はパイプライニングと呼ばれ、HTTP/1.1の規格にも含まれています。パイプライニングでは、レスポンスがくる前に次から次にリクエストを多重で飛ばすことで、最終的に通信が完了するまでの時間を短くします（図6.9）。

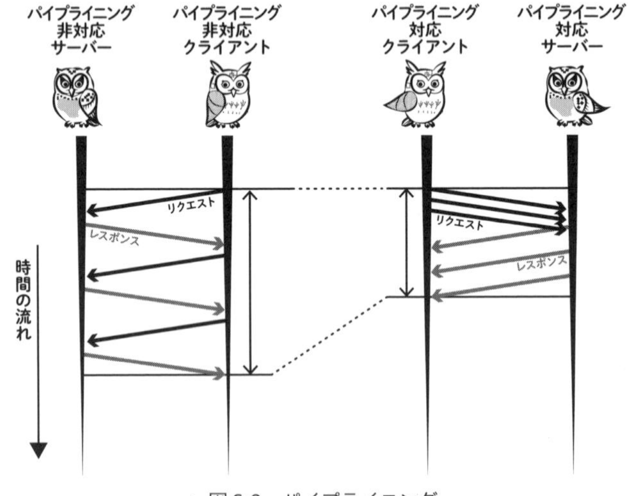

▶図6.9 パイプライニング

残念ながら、パイプライニングはHTTPの歴史におけるもっとも不幸な機能でした。規格には入りましたが、後方互換性がない機能であるため、HTTP/1.0しか解釈できないプロキシが途中にあると通信が完了しなくなるという問題があったのです。サーバーの実装が不十分な場合もありました。

ブラウザ側の対応も十分とはいえませんでした。Netscape Navigatorでは、サーバーが自称するX-Powered-Byヘッダーを見てパイプライニングを使うかどうかを決める条件分岐ロジックが組まれていました。Chromeブラウザでは、いったん実装されたものの、あとで削除されました。Safariでも、画像が入れ替わるバグを誘発するという問題がありました。サポートされているブラウザにしても、何度か通信してサーバーの対応を確認してから有効化するような実装になっています。

完全に仕様を満たすものを作るのは大変ですが、ここではソケットを使ってHTTPパイプライニングの簡易実装に挑戦してみましょう。

6.9.1 パイプライニングのサーバー実装

まずはサーバー実装を見ていきましょう。サーバーを実装するうえで注意すべきパイプライニングの仕様は次の2点です。

- サーバー側の状態を変更しない（安全な）メソッド（GETやHEAD）であれば、サーバー側で並列処理を行ってよい
- リクエストの順序でレスポンスを返さなければならない

Keep-Alive対応版のサーバーをパイプライニング対応版に改修したものを下記に示します。import文まわりとmain()は省略してあります。

```
// 順番に従ってconnに書き出しをする(goroutineで実行される)
func writeToConn(sessionResponses chan chan *http.Response, conn net.Conn) {
  defer conn.Close()
  // 順番に取り出す
  for sessionResponse := range sessionResponses {
    // 選択された仕事が終わるまで待つ
    response := <-sessionResponse
    response.Write(conn)
    close(sessionResponse)
  }
}

// セッション内のリクエストを処理する
func handleRequest(request *http.Request,
                   resultReceiver chan *http.Response) {
  dump, err := httputil.DumpRequest(request, true)
  if err != nil {
    panic(err)
  }
  fmt.Println(string(dump))
  content := "Hello World\n"
  // レスポンスを書き込む
  // セッションを維持するためにKeep-Aliveでないといけない
  response := &http.Response{
    StatusCode:    200,
    ProtoMajor:    1,
    ProtoMinor:    1,
    ContentLength: int64(len(content)),
    Body:          io.NopCloser(strings.NewReader(content)),
  }
  // 処理が終わったらチャネルに書き込み、
  // ブロックされていたwriteToConnの処理を再始動する
  resultReceiver <- response
}

// セッション1つを処理
func processSession(conn net.Conn) {
```

```
  fmt.Printf("Accept %v\n", conn.RemoteAddr())
  // セッション内のリクエストを順に処理するためのチャネル
  sessionResponses := make(chan chan *http.Response, 50)
  defer close(sessionResponses)
  // レスポンスを直列化してソケットに書き出す専用のgoroutine
  go writeToConn(sessionResponses, conn)
  reader := bufio.NewReader(conn)
  for {
    // レスポンスを受け取ってセッションのキューに
    // 入れる
    conn.SetReadDeadline(time.Now().Add(5 * time.Second))
    // リクエストを読み込む
    request, err := http.ReadRequest(reader)
    if err != nil {
      neterr, ok := err.(net.Error)
      if ok && neterr.Timeout() {
        fmt.Println("Timeout")
        break
      } else if err == io.EOF {
        break
      }
      panic(err)
    }
    sessionResponse := make(chan *http.Response)
    sessionResponses <- sessionResponse
    // 非同期でレスポンスを実行
    go handleRequest(request, sessionResponse)
  }
}
```

リクエストごとに非同期処理でレスポンスを返す処理（`handleRequest()`）を呼び出しています。今回はただ文字列を返しているだけなので処理時間が変動することはありません。

レスポンスの順番を制御するためには、Go言語のデータ構造のチャネルを使っています。チャネルの概要は第4章「低レベルアクセスへの入口3：チャネル」で紹介しました。

パイプライニング対応版サーバーの実装では、まず並列処理でレスポンスを書き込む`writeToConn()`関数が順序を守って書けるように、先頭から1つずつデータを取り出すための順序整理用のキューとしてバッファ付きのチャネルを使っています。さらに、リクエスト処理が終わるまで待つため、送信データをためるバッファなしのチャネルを内部にもう一つ用意しています。待つ側のコードは`writeToConn()`の中に、送信側のコードは`handleRequest()`の最後にあります。チャネルまわりの構成は図6.10のような雰囲気です。

6.9.2 パイプライニングのクライアント実装

```
package main

import (
  "bufio"
  "fmt"
  "net"
  "net/http"
  "net/http/httputil"
)

func main() {
```

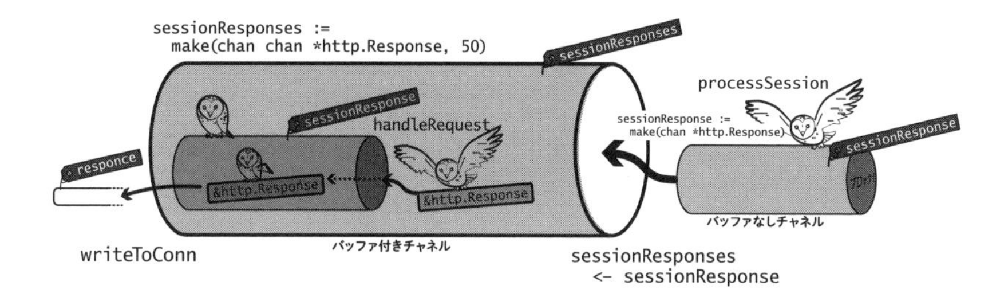

▶図6.10　パイプライニング対応版サーバーの実装における「チャネル内チャネル」

```
  sendMessages := []string{
    "ASCII",
    "PROGRAMMING",
    "PLUS",
  }
  var conn net.Conn = nil
  var err error
  requests := make([]*http.Request, 0, len(sendMessages))

  conn, err = net.Dial("tcp", "localhost:8888")
  if err != nil {
    panic(err)
  }
  fmt.Printf("Access\n")
  defer conn.Close()

  // リクエストだけ先に送る
  for i := 0; i < len(sendMessages); i++ {
    lastMessage := i == len(sendMessages)-1
    request, err := http.NewRequest(
      "GET",
      "http://localhost:8888?message="+sendMessages[i],
      nil)
    if lastMessage {
      request.Header.Add("Connection", "close")
    } else {
      request.Header.Add("Connection", "keep-alive")
    }
    if err != nil {
      panic(err)
    }
    err = request.Write(conn)
    if err != nil {
      panic(err)
    }
    fmt.Println("send: ", sendMessages[i])
    requests = append(requests, request)
  }

  // レスポンスをまとめて受信
  reader := bufio.NewReader(conn)
  for _, request := range requests {
    response, err := http.ReadResponse(reader, request)
    if err != nil {
      panic(err)
    }
    dump, err := httputil.DumpResponse(response, true)
    if err != nil {
      panic(err)
    }
    fmt.Println(string(dump))
  }
}
```

クライアントでは、まずリクエストだけを先行してすべて送ります。その後、結果を1つずつ読み込んで表示しています。レスポンスをダンプするのにリクエストが必要なため、あとから取得できるようにチャネルを使っています。

今回は簡易実装なので、POSTなどの安全ではない処理が混ざった場合の対処を省略しています。ですが、パイプライニングのだいたいの雰囲気はつかめるでしょう。

6.9.3 パイプライニングとHTTP/2

パイプライニングでは、1回の送信および受信内容は通常のHTTP/1.1の通信とまったく同じでした。HTTP/2では、ここをバイナリ化して、小さい単位（**フレーム**）に分割します。HTTP/2のフレームには、ヘッダー用やボディー用など、いくつかの種類かあります。HTTP/1.1と異なり、HTTP/2ではヘッダーの圧縮もできるようになっています。

HTTPでいうところの1つのリクエストは、HTTP/2では**ストリーム**という単位で扱われます。ストリームは仮想的なソケットのように説明されることもありますが、TCPソケットの視点で見れば、同じストリームID（32ビットの数値）を持ったフレームの論理的なグループです。

また、HTTP/2では、パイプライニングで必須だったリクエストとレスポンスの順序の保証が不要になりました。リクエストされていないコンテンツをサーバー側から送ることもできます。パイプライニングでは順序を維持する必要があったので、先にリクエストされた巨大なデータが通信路を占拠してしまうという問題がありました。HTTP/2では、完全に問題が解決されているわけではありませんが、サーバー側で優先度を決めてレスポンスの順序も変更できるようになっています。

Go言語ではHTTP/2のデータを取り扱うAPIが公開されておらず、コードがどうしても長くなるため本書では取り上げませんが、HTTP/2の非同期通信の機能は基本的には本章のサンプルコードの延長で実装できます。

6.10 本章のまとめと次章予告

本章では、HTTPを通してTCPソケットによる通信の基礎を概説しました。ソケット通信の紹介というと、送った内容をそのまま返すエコーサーバーを使った説明がほとんどでしょう。本書では、読者の多くにとってよりなじみ深いHTTPによる通信を実装してみました。

Go言語では、ソケットもまた、第2章から何度となく登場している`io.Writer`であり、第3章で登場している`io.Reader`でもあります。また、HTTPプロトコルのテキストを`io.Writer`に直接読み書きする機能（`Response.Write()`、`Request.Write()`）も提供されています。これらを使うことで、比較的少ないコード量でHTTPサーバーとクライアントを実装してみました。

さらに、HTTPが持つ機能を実装することで、ソケットを効率よく使用する方法をいくつか紹介しました。HTTPの変遷を見ると、シンプルなプロトコルから出発し、後方互換性を保ちつつTCPの性能を引き出す進化を遂げてきたことがわかります。

▶表6.2 本章で紹介してきた高速化手法

手法	効果
Keep-Alive	再接続のコストを削減
圧縮	通信時間の短縮
チャンク	レスポンスの送信開始を早める
パイプライニング	通信の多重化

ソケットのAPIの使い方は書籍などで見かけますが、プロトコルを作る、実装するとなると、あまりまとまった情報はありません。HTTPの事例だけですべてを語れないとはいえ、本章ではその一部をお伝えできたと思います。最終的なアーキテクチャは結果でしかありません。そこに至る、その場その場の機能改善の意思決定こそが、ソフトウェア設計だといえます。

ソケットの使用効率向上で言うと、I/O多重化のシステムコールやAPIもあります。これは、第10章「ファイルシステムの最深部を扱うGo言語の関数」でselect属として紹介します。結論を先に述べると、特に何もしなくてもGo言語を使っている限りはこれらの機能の恩恵を受けています。

次章では、よりシンプルなソケットであるUDPを紹介するとともに、TCPとの違いを紹介します。

第7章

UDPソケットを使ったマルチキャスト通信

前章では、Go言語によるTCPソケットの通信例を紹介してきました。本章では、TCPとの違いに焦点を当てつつ、UDPのソケットをGo言語で触ってみます。

7.1 UDPとTCPの用途の違い

UDPはTCPと同じトランスポート層プロトコルですが、TCPと違ってコネクションレスであり、誰とつながっているかは管理しません。プロトコルとしてデータロスの検知をすることも、通信速度の制限をすることもなく、一方的にデータを送りつけるのに使われます。パケットの到着順序も管理しません（図7.1）。

▶図7.1　UDPは高機能なTCPと比べて機能が少なくシンプル

UDPは、TCPと比べて機能が少なくシンプルですが[†1]、その代わりに複数のコンピューターに同時にメッセージを送ることが可能なマルチキャストとブロードキャストをサポートしています。これはTCPにはない機能です。

具体的なアプリケーションとしては、ドメイン名からIPアドレスを取得するDNSの通信、時計合わせのためのプロトコルのNTPがUDPを利用しています。さまざまなストリーミング動画・音声プロトコルも、トランスポート層でUDPを利用するものが多い分野です。たとえば、最近話題になることが多いブラウザ上で行うP2Pのための動画・音声通信プロトコルWebRTCでは、主にUDPを使います。

かつては、VPNなどの仮想ネットワークの土台としてもUDPが使われていました。仮想ネットワークでは、そこで張られたTCPコネクションがエラー訂正や順番の制御を行うため、その土台としてTCPを使うとTCP over TCPになってしまい無駄が多いから、というのがその理由でした。

「UDPは高速」と言われているので、独自プロトコルを開発するときにUDPが土台として選ばれることもあります。伝送ロスがあまりないことが期待できる構内LAN専用の高速プロトコルなどがUDPベースで作られることも多かったそうです。

UDPとTCPのそれぞれの特徴をまとめておきます。いくつかの項目の詳細については、7.5「UDPとTCPの機能面の違い」で詳しく紹介します。

▶ 表7.1 UDPとTCPのそれぞれの特徴

機能	UDP	TCP
信頼性	低い（シンプル）	高い（ウインドウ制御、再送制御、輻輳（ふくそう）制御、順序整理を行う）
コネクション	なし（相手のポートに送りつける）	あり（お互いを認識して通信する）
通信速度	高い（とされている）	低い（とされている）
接続コスト	開始時に時間はかからない	1.5RTTの時間がかかる
マルチキャスト	できる	できない
ブロードキャスト	できる	できない

これ以外に、再送処理とウインドウ制御だけをTCPからUDPに移植したRUDP（Reliable：信頼できるUDP）や、UDPにTLSによる暗号化を載せつつハンドシェイクだけはきちんと行うDTLSなど、その中間的な特性のプロトコルもあります。

7.1.1 UDPが使われる場面は昔と今で変わってきている

しかし、現在では上記のようなUDPとTCPの使い分けが常に正しいとは言い切れません。

---

†1 シンプルといっても簡単というわけではありません。むしろ、再送処理や通信の信頼性の確保を自前でコントロールしたい人向けの上級のプロトコルです。

現在は、セキュリティ上の理由から、VPN接続でも暗号化のためにTLSを経由するSSL-VPNが使われることが増えています。SSL-VPNにも3通りの方式がありますが、その中にはパケットをHTTPS上にくるんで送信するものがあります。この場合には、上で使うプロトコルがTCPの場合、どうしてもTCP over TCPになります。

独自プロトコルを開発する場合も、土台としてUDPを使うということは、通信環境が劣悪な状態での信頼性や、ネットワークに負荷をかけすぎて他の通信の邪魔をしない（フェアネス）など、そういった点について自分たちで作りこみが必要になるということです。そのような「安定したプロトコル」を作るには多くの労力がかかります。TCPプロトコルの制御もバージョンが上がり、輻輳制御は高性能になっています[†2]。

エラーで通信できなかった場合や、順序が変わってしまった場合にどのような対応が必要になるか、あるいは再接続の手間がどの程度許容できるかは、アプリケーションの質によります。そのため、UDPが高速かどうかも通信するアプリケーションの特性に左右されます[†3]。

UDPが高速と言われている理由は、コネクションがなく、ハンドシェイクの時間がかからないからです。TCPでは1.5RTTの時間がかかりますが、UDPでは接続の時間は不要なので、短時間で完了するメッセージを大量に送受信する場合はメリットが大きいでしょう。また、一度の通信が1パケットに収まる分量であれば、メッセージの到達順序を気にする必要が薄くなるため、TCPの必要性も低くなります。ただし、未達の場合のエラー処理は必要になります。

動画や音声のストリーミングを利用したアプリケーションでは、順序を待ったり再送を依頼したりすることで、動画や音声の再生が途切れて遅延を引き起こす可能性があります。TCPでは未達のパケットがあると再送を依頼して通信を遅らせますが、UDPやDTLSを使って未達パケットを無視することで遅延時間のぶれをなくしたほうがユーザー体験が向上すると考えられます（徐々に会話が遅れて応答がずれていき定期的にリセットが必要になるようなテレビ会議システムでは困りますよね？）。

現在では、一部を除いて、アプリケーションレイヤーで使われるプロトコルの多くがTCPを土台にしています。主にUDPを使っているDNSも、512バイトを超えるレスポンスの場合にはTCPにフォールバックする仕組みがあります。WebRTCも、UDPだけではなくTCPが使えます。TCPがやってくれるような再送処理を実装するには、通信経路が混雑してきたときの対処法、パケット到着順の制御など、さまざまな機能が必要です。それらをアプリケーションごとに実装するのは大変ですし、TCPなら使える環境にも差がないため、特別な理由がない限りはTCPが選択されることが多くなっています。

---

†2 TCPの輻輳制御の数々：https://en.wikipedia.org/wiki/TCP_congestion_control

†3 ゲームの事例ですが、モノビットエンジンさんのスライド「ネットワークゲームにおけるTCPとUDPの使い分け」がわかりやすいです。https://www.slideshare.net/yhonjo/tcpudp-81497235

アプリケーション開発という視点で見れば、「ロスしてもよい、ロスしても順序が変わってもアプリケーションレイヤーでカバーできる、マルチキャストが必要、ハンドシェイクの手間すら惜しいなど、いくつかの特別な条件に合致する場合以外はTCP」という選択でよいでしょう。

QUIC

UDPの利用例としてQUICがあります。QUICは、TCPのレイヤーを軽量化して、さらにTLSの暗号化と合体させたようなトランスポート層のプロトコルです。前章ではTCP上で動作するHTTPについて解説しましたが、QUIC上で動作するHTTPはHTTP/3という名前となっています（HTTP/3については本章末のコラムも参照してください）。

HTTP/3はUDPを利用するQUICトランスポート上で動作しますが、TCP上のHTTP/1.1、HTTP/2と同じ信頼性が確保できています。これは、上位のQUICのレイヤーでエラー処理などをやりきっているからこそです。

QUICは、もともとGoogleによって開発され、現在それをもとに標準化されつつあるプロトコルです。Googleのようなネットワークを知り尽くした人たちの手できちんと設計され、大規模なフィールドテストができる環境だったからこそ、UDPで効率的な独自プロトコルを開発できた好例といえるかもしれません。

7.2　UDPとTCPの処理の流れの違い

UDPの特徴とTCPの違いを言葉で説明してきましたが、「UDPはシンプルで高速」だけでは単なる感想と大差がないので、具体的にUDPとTCPとでは何が違うのかをGo言語のコードを通して見ていきましょう。まずは、1対1のユニキャストについて説明します。接続の流れは図7.2のようになります。

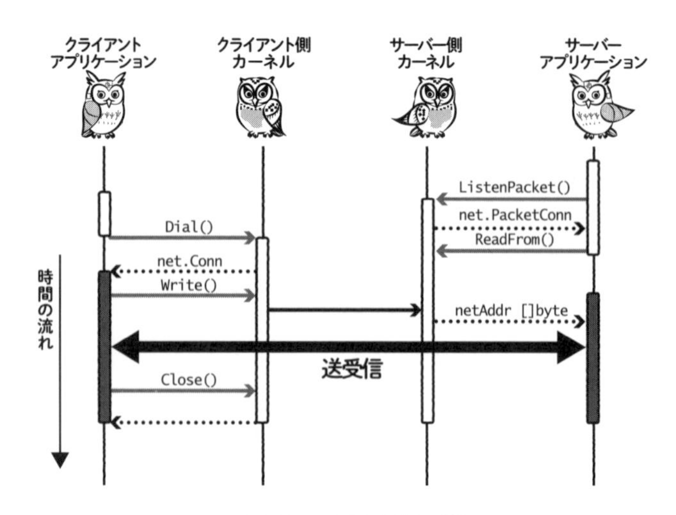

▶ 図7.2　UDPの通信の流れ

7.2.1 サーバー側の実装例

まずはサーバー側から見ていきましょう。

TCPソケットの場合、接続を受け付けるサーバーはnet.Listen()関数を呼び、返ってきたnet.Listenerインタフェースでクライアントが接続してくるのを待っていました。クライアントが接続してきたら、net.ListenerインタフェースのAccept()メソッドを呼び、お互いにデータを送受信するためのnet.Connインタフェースのオブジェクトを得ます。

これに対し、UDPの接続でサーバーが使う関数はnet.ListenPacket()です。net.ListenPacket()を呼ぶと、net.Listen()のような「クライアントを待つ」インタフェースではなく、データ送受信のためのnet.PacketConnというインタフェースが即座に返されます。このnet.PacketConnオブジェクトもio.Readerインタフェースを実装しているため、圧縮やファイル入出力などの高度なAPIと簡単に接続できます。

実際にサーバー側のコードを見てみましょう。接続後の処理も一緒に示してあります。TCPの通信例と比べるとステップ数が減っていて、そのぶんだけシンプルになっていることがわかります。

```
package main

import (
    "fmt"
    "net"
)

func main() {
    fmt.Println("Server is running at localhost:8888")
    conn, err := net.ListenPacket("udp", "localhost:8888")
    if err != nil {
        panic(err)
    }
    defer conn.Close()

    buffer := make([]byte, 1500)
    for {
        length, remoteAddress, err := conn.ReadFrom(buffer)
        if err != nil {
            panic(err)
        }
        fmt.Printf("Received from %v: %v\n",
                   remoteAddress, string(buffer[:length]))
        _, err = conn.WriteTo([]byte("Hello from Server"),
                              remoteAddress)
        if err != nil {
            panic(err)
        }
    }
}
```

接続後の処理で注目すべきポイントはconn.ReadFrom()です。ReadFrom()メソッドを使うと、通信内容を読み込むと同時に、接続してきた相手のアドレス情報を受け取れます。

net.PacketConnは、サーバー側でクライアントを知らない状態で開かれるソケットなので、このインタフェースを使ってサーバーから先にメッセージを送ることはできません。サーバーには、クライアントからリクエストがあったときに、初めてクライアントのアドレスがわかります。通信内容だけを取得し、通信の送信元を識別しないRead()メソッドを使ってしまうと、相手に通信を送り返す必要があるときに対処できなくなってしまいます。

ReadFrom()では、TCPのときに紹介した「データの終了を探りながら受信」といった高度な読み込みはできません。そのため、データサイズが決まらないデータに対しては、フレームサイズ分のバッファや、期待されるデータの最大サイズ分のバッファを作り、そこにデータをまとめて読み込むことになります。あるいは、バイナリ形式のデータにしてヘッダーにデータ長などを格納しておき、そこまで先読みしてから必要なバッファを確保して読み込む、といったコードになるでしょう。上記のサンプルでは前者の実装になっています。

データの境界まで読み込みが完了し、データが入ったバイト配列（[]byte）が手元に用意できたら、bytes.Readerやbufio.Readerが使えます。

ReadFrom()で取得したアドレスに対しては、net.PacketConnインタフェースのWriteTo()メソッドを使ってデータを返送することができます。

7.2.2 クライアント側の実装例

次はクライアント側です。

```
package main

import (
    "fmt"
    "net"
)

func main() {
    conn, err := net.Dial("udp4", "localhost:8888")
    if err != nil {
        panic(err)
    }
    defer conn.Close()
    fmt.Println("Sending to server")
    _, err = conn.Write([]byte("Hello from Client"))
    if err != nil {
        panic(err)
    }
    fmt.Println("Receiving from server")
    buffer := make([]byte, 1500)
    length, err := conn.Read(buffer)
    if err != nil {
        panic(err)
    }
    fmt.Printf("Received: %s\n", string(buffer[:length]))
}
```

こちらも前章で紹介したTCPのコードと比べるとシンプルになっています。クライアントでは相手がわかったうえでDial()するので、TCPの場合と同じようにio.Reader、io.Writerインタフェースのまま使うこともできます。しかし、サーバー側でフレームサイズやバイナリ形式に従った読み込みをする関係で、実際にはサーバー側と同じようなコードにすることが多いでしょう。

抽象インタフェースと具象実装

UDPの通信サンプルをネットで調べると、ほとんどのコードでは`net.Listen()`や`net.Dial()`ではなく、`net.ListenUDP()`や`net.DialUDP()`という関数を使っています。結論から言うと、上記の例ではどちらを使ってもほぼ変わりはありません。

しかし、次節で説明するUDPのマルチキャストや、前章で見たTCPのKeepAliveなど、プロトコル固有の操作が必要な場合には、それぞれの型の関数（`net.TCPConn`や`net.UDPConn`など）を明示的に使う必要があります。

```
udp, ok := conn.(*net.UDPConn)
if ok {
    // UDP固有の処理
}
```

上記の例で使っている`net.Listen()`や`net.ListenPacket()`、`net.Dial()`は、プロトコルの種類を文字列で指定するだけで具体的なインタフェースを隠して通信を抽象的に書くためのインタフェースです。

明示的な実装が必要な場合は、最初から`net.ListenUDP()`や`net.ListenTCP()`などの関数を使って通信してもいいし、`net.Conn`や`net.PacketConn`インタフェースから具象型にキャストする方法もあります。

POSIXとの違い

POSIX APIとの対応は第8章「高速なUnixドメインソケット」で紹介しますが、C言語経験者がGoのAPIで一番違和感を覚えるのがこのUDPまわりだと思われます。

POSIXでは、サーバーは`listen()`や`accept()`、クライアントも`connect()`を行わずに直接`recvfrom()`や`sendto()`で通信を行えます。それは本章の中で紹介したように、コネクションを確立してから送信するというステップがないからです。しかし、Go言語の場合はTCPと同じような準備が必要となっています。一般的ではない、ということに注意してください。

7.3 UDPのマルチキャストの実装例

マルチキャストは、リクエスト側の負担を増やすことなく多くのクライアントに同時にデータを送信できる仕組みです。マルチキャストはUDPならではの機能なので、次はGo言語でマルチキャストサーバーとクライアントを作ってみましょう。

その前に、まずはマルチキャストについて簡単に説明します。マルチキャストでは使える宛先IPアドレスがあらかじめ決められていて、ある送信元から同じマルチキャストアドレスに属するコンピューターに対してデータを配信できます。送信元とマルチキャストアドレスの組み合わせをグループといい、同じグループであれば、受信するコンピューターが100台でも送信側の負担は1台分です。IPv4については、先頭4

ビットが1110のアドレス（224.0.0.0 〜 239.255.255.255）がマルチキャスト用として予約されています[†4]。IPv6については、先頭8ビットが11111111のアドレスがマルチキャスト用アドレスです。IPv4では224.0.0.0 〜 224.0.0.255の範囲がローカル用として予約されているので、このアドレスはテストなどで使えます。

7.3.1 サーバー側の実装例

それではGoでマルチキャストを利用するコードを見てみましょう。例題として117の時報のようなサービスを実装しました（図7.3）。

▶ 図7.3　UDPを用いた時報サーバーとクライアント

時間合わせ用のプロトコルとしては、NTPという歴史あるしっかりしたものがあり、やはりUDPが利用されています。ここで紹介するのは、あくまでも例題ということで、電話による時報を聞く場合と同様に遅延による誤差などは気にしない簡易なものです。

```
package main

import (
	"fmt"
	"net"
	"time"
)

const interval = 10 * time.Second

func main() {
	fmt.Println("Start tick server at 224.0.0.1:9999")
	conn, err := net.Dial("udp", "224.0.0.1:9999")
	if err != nil {
		panic(err)
	}
	defer conn.Close()
```

†4　マルチキャストアドレスはIANAという団体が管理しています。IPv4については https://www.iana.org/assignments/multicast-addresses/multicast-addresses.xhtml で、IPv6については https://www.iana.org/assignments/ipv6-multicast-addresses/ipv6-multicast-addresses.xhtml で、マルチキャストアドレスの一覧が見られます。

```
    start := time.Now()
    wait := start.Truncate(interval).Add(interval).Sub(start)
    time.Sleep(wait)
    ticker := time.Tick(interval)
    for now := range ticker {
        conn.Write([]byte(now.String()))
        fmt.Println("Tick: ", now.String())
    }
}
```

UDPのマルチキャストでは、サービスを受ける側（クライアント）がソケットをオープンして待ち受け、そこにサービス提供者（サーバー）がデータを送信します。よく考えると、このフローはTCPを利用する場合とは逆の関係です。実際、TCPを利用する通常のネットワークのサービスでは、まずサーバーが起動してクライアントを待ち受けていて、リクエストがきたらレスポンスを返します。そのため、上記はマルチキャストにおけるサーバー側のコードなのですが、構成としては前章のTCPの例におけるクライアントコードと同じです。

時報サービスの実装なので、このサーバー側のコードには時間を扱う処理が出てきます。`time.Sleep()`に渡す値を作る部分が少し複雑に見えますが、10秒単位の端数を取り出してきているだけです。あとは、決まった時間間隔で定期的にfor文を回すために`time.Tick()`を使っています。

7.3.2 クライアント側の実装例

次はクライアント側のコードです。こちらはソケットを開いて、サーバーが10秒に1回送信するパケットを待って表示します。

```
package main

import (
    "fmt"
    "net"
)

func main() {
    fmt.Println("Listen tick server at 224.0.0.1:9999")
    address, err := net.ResolveUDPAddr("udp", "224.0.0.1:9999")
    if err != nil {
        panic(err)
    }
    listener, err := net.ListenMulticastUDP("udp", nil, address)
    defer listener.Close()

    buffer := make([]byte, 1500)

    for {
        length, remoteAddress, err := listener.ReadFromUDP(buffer)
        if err != nil {
            panic(err)
        }
        fmt.Printf("Server %v\n", remoteAddress)
        fmt.Printf("Now    %s\n", string(buffer[:length]))
    }
}
```

クライアントコードは、構成としてはTCPの例におけるサーバーと同じです。しかし、使っている関数はTCPのときに使った`net.Listen()`ではなく、UDPによるマルチキャスト専用のnet.ListenMulticastUDP()という関数です。この関数を使う場合は、アドレスをあらかじめnet.ResolveUDPAddr()関数でパースする必要があります。

ReadFromUDP()メソッドは、レスポンスで返ってくるサーバーのアドレスの型がUDP専用のnet.UDPAddr型であること以外、普通のUDPクライアントで使ったReadFrom()とほぼ同じです。

7.3.3 実行例

サーバー側の実行ログは次のようなものになります。

```
$ go run server_multicast.go ⏎
Start tick server at 224.0.0.1:9999
Tick:  2022-02-24 14:07:40.01363598 +0900 JST m=+14.885290963
Tick:  2022-02-24 14:07:50.013940305 +0900 JST m=+24.885595303
Tick:  2022-02-24 14:08:00.01410299 +0900 JST m=+34.885757973
Tick:  2022-02-24 14:08:10.014265669 +0900 JST m=+44.885920652
```

クライアント側の実行ログは次のようなものになります。

```
$ go run client_multicast.go ⏎
Listen tick server at 224.0.0.1:9999
Server 192.168.10.1:43021
Now 2022-02-24 14:07:40.01363598 +0900 JST m=+14.885290963
Server 192.168.10.1:43021
Now 2022-02-24 14:07:50.013940305 +0900 JST m=+24.885595303
```

このコードは1対多通信を想定した例になっていますが、送信はIPアドレスとポート番号を知っていれば誰でもできるので、多対多通信に拡張するのは難しくありません。クライアント側で複数のネットワーク接続があるときに特定のLAN環境のマルチキャストを受信するには、net.InterfaceByName("en0")のように書いてイーサネットのインタフェース情報を取得し、それをnet.ListenMulticastUDP()関数の第二引数に渡します。

7.4 UDPを使った実世界のサンプル

UDPの通信自体は、TCPと接続時の関数やパラメータが少し違うだけです。それでも、実践的なコードを読むほうが理解は進みやすいでしょう。ここではそのようなコードの例を2つ紹介します。

7.4.1 NTP

1対1のユニキャストについては、"Learning the Go Programming Language"[†5]という書籍の著者のVladimir Vivienが書いた「Let's Make an NTP Client in Go」[†6]というブログのエントリーのコードが解説付きでわかりやすいでしょう。前節の事例は簡略化した実装でしたが、こちらは本物のNTPの紹介です。

NTP（Network Time Protocol）は、正しい時刻を同期するためのプロトコルです。ネットワークの通信自体も時間がかかる処理なので、正しい時刻を伝えるというプロトコルがいかにセンシティブな処理であるかは想像に難くありません。

NTPでは、原子時計などの正確な情報源を持ったサーバーが最上位にいて、木構造にサーバーが接続され、子は親のサーバーと時刻を同期します。親から正しい時刻が渡されてきますが、通信遅延があるので、往路と復路でかかった時間が同一であるものとみなし、補正をしてから現在のクライアントの時刻を設定します。仮にTCPの再送処理があるとすると、その補正で大きく誤差を生じてしまうことから、情報の信頼性に悪影響があります。再送処理で遅延が起きることがないUDPにうってつけのタスクです。

7.4.2 同じネットワーク内部で仲間を探す

マルチキャストについては、`github.com/schollz/peerdiscovery`[†7]というパッケージがあります。このパッケージを使うと、同じネットワーク内の仲間を簡単に見つけることができます。

このライブラリは、`net`パッケージではなく、`golang.org/x/net/ipv4`というパッケージの`ipv4.PacketConn`を使っています。`golang.org/x`で始まるパッケージは「準」標準のライブラリで、標準ライブラリにない追加機能がたくさん実装されています。Go言語では1.x系列に対する後方互換性の維持が保証されていますが、この準標準ライブラリはその対象外です。とはいえ、`context`や`net/http`のHTTP/2対応などいくつかの標準機能は、まず準標準ライブラリ側として提供され、後に標準ライブラリ化されています。

この`github.com/schollz/peerdiscovery`ライブラリが使っている`ipv4.PacketConn`も、標準ライブラリである`net.PacketConn`よりも多くの機能を備えています。特に、マルチキャストや、マルチキャストのグループに関する設定のメソッドが増えています。

[†5] Packt Publishing, ISBN 978-1784395438, 2016

[†6] `https://medium.com/learning-the-go-programming-language/lets-make-an-ntp-client-in-go-287c4b9a969f`

[†7] `https://github.com/schollz/peerdiscovery`

7.5 UDPとTCPの機能面の違い

TCPとUDPにはサーバーとクライアントの実装例だけでは紹介できない違いもたくさんあります。たとえば、TCPの場合は接続前のハンドシェイク（握手、通信開始の準備）に1.5RTT分の時間がかかりますが、UDPはメッセージを直接送りつけるだけなので0RTTです。

ここでは、アプリケーションでTCPとUDPを使い分けるときの参考になるように、両者の機能面での違いを紹介します。

7.5.1 TCPには再送処理とフロー処理がある

TCPでは送信するメッセージにシーケンス番号が入っているので、受信側ではこの数値を見て、もしパケットの順序が入れ替わっていたときは順序を並べ直します。受信側はメッセージを受け取ると、受信したデータのシーケンス番号とペイロードサイズの合計を確認応答番号として返信します。送信側はこの応答確認番号が受け取れず、届いたことが確認できない場合は、落ちたと思ってもう一度送ります。これが**再送処理**です。

また、TCPには**ウインドウ制御**という機能があり、受信側がリソースを用意できていない状態で送信リクエストが集中して通信内容が失われたりするのを防ぎます。具体的には、受信用のバッファ（TCPではウインドウと呼ばれます）をあらかじめ決めておき、送信側ではそのサイズ（ウインドウサイズ）までは受信側からの受信確認を待たずにデータを送信できます。このウインドウサイズはコネクション確立時にお互いに確認し合います。受信側のデータの読み込み処理が間に合わない場合には、受信できるウインドウサイズを受信側から送信側に伝えて通信量を制御することができます。これを**フロー制御**といいます。

UDPには、TCPにおけるウインドウやシーケンス番号を利用した再送処理やフロー処理の機能がありません。クライアントからサーバーへと一方的にデータを送りつけます。受信確認もなく、順番のソートや再送処理もない代わりに高速になっています。もちろん、自分でこれらを実装することもできます。

7.5.2 UDPではフレームサイズも気にしよう

TCPもUDPも、その下のデータリンク層の影響を受けます。ひとかたまりで送信できるデータの大きさは、通信経路の種類やルーターなどの設定によって変わり、ある経路でひとかたまりで送信できるデータの上限のことをその経路の**最大転送単位**（MTU）といいます。

一般的に使われるイーサネットのMTUは1500オクテット[†8]ですが、現在の市販のルーターで「ジャンボフレーム対応」と書かれているものだとそれよりも大きくなります[†9]。ただし、UDPやTCPのヘッダーや、PPP、VPNでカプセル化されたりするとヘッダーが増えるため、実データ領域は小さくなります。

MTUに収まらないデータは、IPレベル（TCP/UDPの下のレイヤー）で複数のパケットに分割されます。これをIPフラグメンテーションと呼びます。IPフラグメンテーション自体はIPレイヤーで再結合はしてくれますが、分割された最後のパケットが来るまではUDPパケットとして未完成のままなので、アプリケーション側にはデータが流れてくることはありません。データが消失したら受信待ちのタイムアウトも発生しますし、UDPを使うメリットが薄れてしまいます。UDPの売りである応答性の高さをカーネル内部の結合待ちで無駄にしないためには、イーサネットのフレームサイズを意識したアプリケーションプロトコルの設計が必須でしょう[†10]。

具体的には、UDPを利用する場合にはデータ構造を1フレームで収まるサイズにし、フレームごとにフレームの内容を識別するヘッダーを付ける必要があるでしょう。データが欠落しても支障がないストリーミングデータであっても、順序ぐらいは守りたいでしょうから、何らかのカウンターを用意することになるでしょう。また、フレームに収まらないデータを格納するための仕組み（どのパーツかを指定するヘッダー、データの種類の識別子など）も必要になります。

巨大なデータをUDPとして送信するデメリットはもう1つあります。IPレイヤーでデータを結合してくれるといっても、IPレイヤーや、その上のUDPレイヤーで取り扱えるデータは約64キロバイトまでです。それ以上のデータになると別のUDPパケットとして扱うしかありません。TCPであれば大きなデータでも受信側アプリケーションでの扱いを気にすることなく送れます[†11]。UDPではデータの分割などはアプリケーションで面倒を見るしかありません。逆に言えば、データの最小単位がこの64キロバイト以下であればアプリケーション内でのデータの取り扱いはシンプルになります。

---

†8 1オクテット=1バイトです。昔は1バイトのビット数が機器によって違うため、8ビット単位のサイズをオクテットと呼んでいました。1バイトが8ビットに決定されたのはつい最近の2008年のことのようです。@yajuさんのエントリー「1バイトが8bitに定まったのは2008年」（`https://qiita.com/yaju/items/c5da6df2221d5c3611e0`）で詳しく説明されています。

†9 もちろんデータリンクプロトコルはイーサネットだけとは限りません。たとえば、ATM（と呼ばれるデータリンクプロトコルがありました）の場合、フレームサイズ（セル長）は53バイトです。

†10 フレームサイズを推測する方法もRFC 4821に定義されています。`https://blogs.itmedia.co.jp/komata/2011/04/udp-8fa9.html`

†11 TCPでも`io.Copy()`などを使うと差はありませんが、自前でバッファを用意して`Read()`メソッドを呼ぶと、このフレーム単位での読み込みになるはずです。

7.5.3 輻輳制御とフェアネス

輻輳制御とは、ネットワークの輻輳（渋滞）を避けるように流量を調整し、そのネットワークの最大効率で通信できるようにするとともに、複数の通信をお互いにフェアに行えるようにする仕組みです。

TCPには輻輳制御が備わっており、そのアルゴリズムにはさまざまな種類があります。どのアルゴリズムもゆっくり通信量を増やしていき、通信量の限界値を探りつつ、パケット消失などの渋滞発生を検知すると流量を絞ったり増やしたりしながら最適な通信量を探ります。最初の通信の限界を探る段階では2倍、4倍、8倍と指数的に速度を増やしていきます。このステップは「スロースタート」と呼ばれます。再送処理のところで、受信バッファの大きさを「ウインドウ」として制御していることを紹介しましたが、送信側にも「Congestion Window（輻輳ウインドウ）」があります。この輻輳ウインドウは整数で、これとパケットのペイロードのサイズ（1460バイト=1.46キロバイトなど）の積が転送量です。受信してレスポンスを待って送信だと、なかなか結果が得られないために、なかなか送信速度が上げられません。この輻輳ウインドウは、「受信を待つ前にとりあえずネットワークにデータを流す量を調整」するためのパラメータです。受信ウインドウが100メガバイトあっても、このウインドウサイズが10であれば、14.6キロバイト（1.46キロバイト×10）しかデータを送信しませんが、受信する側よりも途中のネットワークがボトルネックになることもあるため、徐々に上げていくことで最適な転送量を見つけて輻輳を防ぎます。スロースタートはこの輻輳ウインドウを制御することで実現されています。

輻輳するとパケットが失われ、相手にデータが送られなくなります。送信者には「輻輳したこと」そのものは観測できませんが、相手からの受信確認のようすから輻輳を察知できます。輻輳時には通信量を絞り、そのあとまた増やしていきますが、その詳細はアルゴリズムによって異なります。

輻輳制御は、ネットワークの混雑を避けるアルゴリズムですが、目的としているのは自分の通信だけを最大化することではなく、他の通信回線にもきちんと帯域を譲り、全員が問題なく通信を継続しつつ必要な最大速度が得られることです。これをフェアネスと呼び、これもTCPにおける大事な価値です。

UDPにはTCPのような輻輳を制御する仕組みはありません。流量の制御は、UDPを利用する各プログラムに委ねられています。そのため、UDPとTCPを利用するアプリケーションがそれぞれあって、UDPを利用するアプリケーションでフェアネスが考慮されていない場合には、両方の通信が重なったときに遠慮する機能が組み込まれたTCPの通信速度だけが極端に落ち込むこともあります。

HTTP/2とHTTP/3

前章のTCPソケットの解説では、HTTPのサーバーとクライアントを実装しました。そこで見たのはHTTP 1.0と1.1の機能が中心でしたが、すでにHTTP/2が2015年に、HTTP/3が2021年に規格化されています。

HTTP/2にはさまざまな機能が追加されていますが、そのなかにはフロー制御に関する機能もあります。これは上記で説明したようなTCPの機能を踏まえるとだいぶわかりやすくなるでしょう。いわばHTTP/2ではTCPの上に擬似的なTCPレイヤーが作られるわけです[†12]。

HTTP/1.1までは、TCP接続をドメインごとに複数セッションで並列に（多くは6並列）アクセスする方法が使われていました。それぞれの通信における渋滞はTCPレイヤーで解決し、HTTPのレイヤーでは特に何もしていませんでした。HTTP/2では1本のTCP接続上でストリームという単位で並列化できるようになっており、同じサーバーへの接続ではTCPのフロー制御より高度な優先順位による制御方法が組み込まれています。また、HTTP/2でもTCPのウインドウ制御のような仕組みが取り入れられています。

HTTP/2とTCPで同じようなことを重複して行っている部分を統合し、UDP上のQUICを使うことでさらに無駄を減らそうというのが**HTTP/3**です。QUICとHTTP/3の特徴を以下に要約します。

- QUICでは、TCPだと1.5RTTかかっていたハンドシェイクなしに一方的な通信で済むので、通信開始までの時間が減らせる。さらに、暗号化を行うTLSのレイヤーと協調して動くため、TCPセッション確立とTLSのセッション確立で個別に通信を行っていたところが一元化される
- 現代のスマートフォンでは通信中にWi-Fiからモバイル通信に切り替わったときに再接続になって時間がかかってしまうという問題がよく発生するが、その対処方法も組み込まれている
- TCPでは順序制御は全パケットについてまとめて管理するが、アプリケーション層の事情も知っているQUICの場合は、同一ストリーム内でのみ順序を維持することでオーバーヘッドを減らしている
- TCPのレイヤーとHTTP/2のレイヤーで個別に行っていたウインドウサイズの制御が一元化される
- IPフラグメンテーションが起きないサイズのフレームによる通信を行う仕様になっており、IPのレイヤーのパフォーマンスをアプリケーションが最大限に引き出せるような考慮もなされている

7.6 本章のまとめと次章予告

本章ではGo言語を使ってUDPの仕組みを覗いてみました。実装についてはUDPにしかできないマルチキャストを中心に紹介しました。とはいえ、積極的にUDPを使わなければならない機会はそれほど多くないと思うので、TCPとUDPの機能的な

†12 HTTPは今は2層に分離したプロトコルといえるでしょう。

違いについても簡単に説明しました。

次章は、ソケット編を締めくくるUnixドメインソケットの紹介です。Unixドメインソケットは、名前からして明らかなように長らくWindowsではそのまま使えない機能ではありましたが、2018年にようやく追加されました。それまでUnixドメインソケットの代替手段としてWindowsで使われていた手法も含めて紹介します。

第8章

高速なUnixドメインソケット

本章で取り上げるUnixドメインソケットは、POSIX系OSで提供されている機能です。コンピューター内部でしか使えない代わりに、高速な通信が可能という特徴があります。Unixドメインソケットは、TCP型（ストリーム型）とUDP型（データグラム型）の両方の使い方ができます。

Windowsでは長らくこのUnixドメインソケットをそのまま使うことはできませんでした。似た概念の機能として、「名前付きパイプ」というものが存在し、使われてきました。以降の説明では、まずUnixドメインソケットについて説明したあとで、Windowsの名前付きパイプについても説明します。

Windows 10からMicrosoft社は大きく方針を転換し、今までWindowsでできなかった機能を次々と追加し始めています。WSL（Windows Subsystem for Linux）という互換機能を実装してWindows上でLinuxのバイナリが実行できるようになったのは多くの人の記憶に残っていると思いますが、本章で取り上げるUnixドメインソケットも、最初の節で取り上げるストリーム型のみ、Windows 10の2018年4月の更新で追加され、第2版執筆時のすべてのサポート中のWindows 10で利用可能となっています。Go言語側については、mattnさんのPull RequestによってWindows上で利用できるようになっています。

8.1 Unixドメインソケットの基本

TCPとUDPによるソケット通信は、外部のネットワークにつながるインタフェースに接続します。これに対し、Unixドメインソケットでは外部インタフェースへの接続は行いません。その代わり、カーネル内部で完結する高速なネットワークインタフェースを作成します。Unixドメインソケットを使うことで、ウェブサーバーとNGINXなどのリバースプロキシとの間、あるいはウェブサーバーとデータベースとの間の接続を高速にできる場合があります。

Unixドメインソケットを開くには、ファイルシステムのパスを指定します。サー

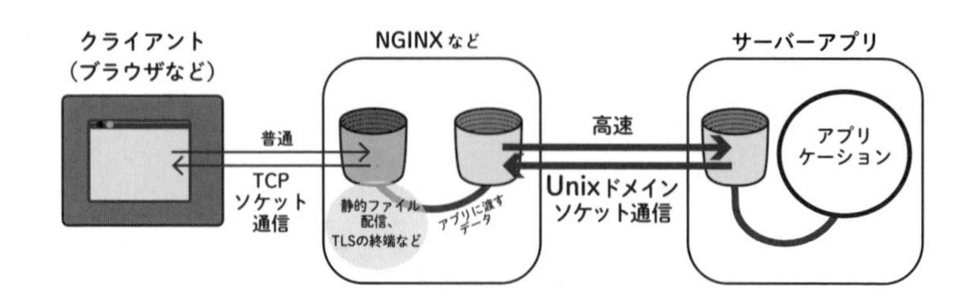

▶図8.1 Unixドメインソケット

バープロセスを起動すると、ファイルシステム上の指定した位置にファイルができます。そのサーバーが作成したファイルに、クライアントプロセスからつなぎに行きます。クライアントは、通常のソケット通信のようにIPアドレスとポート番号を使って相手を探すのではなく、ファイルパスを使って通信相手を探します。ファイルのパーミッションを使ってアクセス制限を加えることも可能です。

一見すると、単にサーバーが作成したファイルにクライアントが書き込み、その内容を他のプロセスが見に行っているだけに思えるかもしれません。しかし、そうではありません。Unixドメインソケットで作成されるのは、ソケットファイルという特殊なファイルであり、通常のファイルのような実体はありません。あくまでもプロセス間の高速な通信としてファイルというインタフェースを利用するだけです。

NOTE Unixドメインソケットには、本来はファイルパスを指定する以外の作成方法もあります。ただし、Go言語からは使えません。

- `syscall.Socketpair()`使う方法
  無名のUnixドメインソケットのペアを作成します。C言語のプログラムであれば、このあとにプログラムをフォーク（プロセスのコピーを作成）することで、親プロセス・子プロセス間の高速な通信手段として使うことができます。Go言語ではUnix環境であっても単純なフォークをサポートしていませんが、第13章「シグナルによるプロセス間の通信」で紹介する`os/exec`パッケージの`exec.Cmd`構造体の`ExtraFiles`メンバーを使うと、子プロセスに渡すことができます。
  Go言語で単純なフォークがサポートされてない理由については第12章「プロセスの役割とGo言語による操作」で紹介します。
- 抽象名前空間を使う方法
  Linuxだけの機能になりますが、C言語ではNULLバイトが先頭に入っていると、ファイルパスと関係ない名前でソケットを作成します。Goの場合は"\u0000"で始まる名前を使うことで、使用できます。

8.2 Unixドメインソケットの使い方

Unixドメインソケットの使い方は簡単です。基本的には、今までに説明したTCP/UDPのソケットと同様に使えます。

8.2.1 ストリーム型のUnixドメインソケット

まずは、TCPと同等のストリーム型のUnixドメインソケットをGo言語で使う方法です。

クライアント側のコードは次のような構成です。

```
conn, err := net.Dial("unix", "socketfile")
if err != nil {
    panic(err)
}
// connを使った読み書き
```

サーバー側の最低限のコードは次のようになります。

```
listener, err := net.Listen("unix", "socketfile")
if err != nil {
    panic(err)
}
defer listener.Close()
conn, err := listener.Accept()
if err != nil {
    // エラー処理
}
// connを使った読み書き
```

どちらも、第6章「TCPソケットとHTTPの実装」で説明したTCPのときのコードとほとんど同じであることがわかると思います。

サーバーでは、ストリーム型のソケットをTCPと同様に`net.Listen()`を使って開きます。TCPとの違いは、`net.Listen()`の第一引数が`"tcp"`ではなく`"unix"`である点と、第二引数がアドレスとポートではなく「ファイルのパス」という点です。返ってくるインタフェースはTCPの場合と同じ`net.Listener`であり、使い勝手もまったく変わりません。

クライアント側では、やはりTCPのときと同じく、`net.Dial()`を使います。`net.Dial()`の最初の引数に指定するソケットの型は、サーバー側と同じく`unix`です。第二引数には、これもサーバー側と同じくファイルのパスを指定します。

TCPとの違いで注意すべき点として、サーバー側で`net.Listener.Close()`を呼ばないとソケットファイルが残り続けてしまうことが挙げられます。`Ctrl+C`で止める場合には、何らかの方法でシグナルをトラップする必要があるでしょう。シグナルについては第13章で紹介するので、本章ではとりあえず「ファイルがすでにあってソケットが開けない」というエラーが出たら手でファイルを削除してください[†1]。

---

†1 グレイスフル・シャットダウンといって、きちんと`Close()`する方法もあります（13.5.3「Server::Starter対応のサーバーの実装例」を参照）。

NOTE サーバー側でnet.Listener.Close()を呼んでソケットをクローズしたときにはファイルが削除されますが、これはGo言語に特有な処理です[†2]。C言語でUnixドメインソケットを使った場合には、close()を呼んでもソケットファイルは残ります。

ソケットファイルをオープンする前に既存のファイルを削除してみる、という手も定石としてよく使われます。

```
// 削除（存在しなかったらしなかったで問題ないのでエラーチェックは不要）
os.Remove(path)
```

8.2.2 Unixドメインソケット版のHTTPサーバーを作る

第6章「TCPソケットとHTTPの実装」で紹介したHTTPサーバーとクライアントを、Unixドメインソケットで書き換えてみましょう[†3]。

まずはHTTPサーバーです。TCP版のimport文に"path/filepath"と"os"を書き足し、net.Listen()の引数を変更していきます。TEMP領域の"unixdomainsocket-sample"というファイルパスにソケットファイルが作られるようにします（図8.2）。基本的にはこれだけです。

```
package main

import (
    "bufio"
    "fmt"
    "net"
    "net/http"
    "net/http/httputil"
    "os"
    "path/filepath"
    "strings"
)

func main() {
    path := filepath.Join(os.TempDir(), "unixdomainsocket-sample")
    os.Remove(path)
    listener, err := net.Listen("unix", path)
    if err != nil {
        panic(err)
    }
    defer listener.Close()
    fmt.Println("Server is running at " + path)
    for {
        conn, err := listener.Accept()
        if err != nil {
            panic(err)
        }
        go func() {
            fmt.Printf("Accept %v\n", conn.RemoteAddr())
            // リクエストを読み込む
```

†2 https://go.dev/src/net/unixsock_posix.go#L174（本書執筆時点）。リンク先のコードでは"@"で名前が始まるケースを特別扱いしていますが、これは抽象名前空間で作られたソケットを除外するためのコードです。

†3 Dockerのサーバーとクライアントがこの方式でAPIアクセスを行なっています。ソケットのパスは/var/run/docker.sockです。

```
            request, err := http.ReadRequest(bufio.NewReader(conn))
            if err != nil {
                panic(err)
            }
            dump, err := httputil.DumpRequest(request, true)
            if err != nil {
                panic(err)
            }
            fmt.Println(string(dump))
            // レスポンスを書き込む
            response := http.Response{
                StatusCode: 200,
                ProtoMajor: 1,
                ProtoMinor: 0,
                Body:       io.NopCloser(
                    strings.NewReader("Hello World\n")),
            }
            response.Write(conn)
            conn.Close()
        }()
    }
}
```

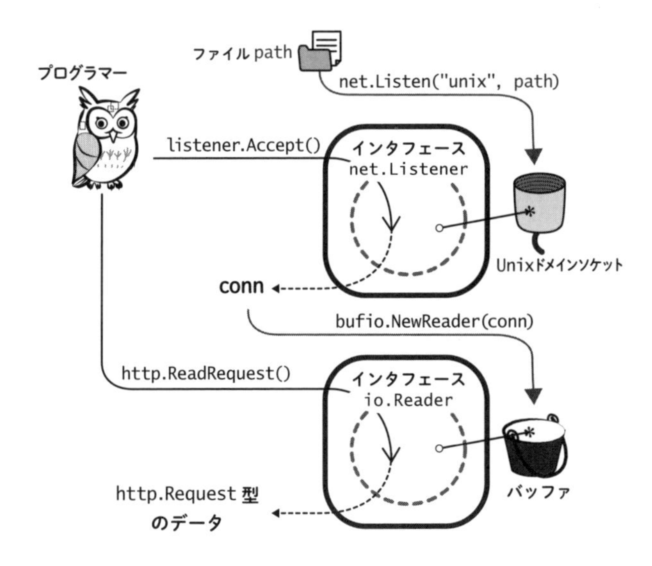

▶ 図8.2 Unixドメインソケットによる HTTP サーバーの実装

このサーバーを起動したら、使っているシステムのTEMP領域のフォルダを見てみましょう。作成されたソケットのファイルがあることがわかります。先頭の文字"s"はソケットファイルであることを表しています。

```
$ ls -la unixdomainsocket-sample ⏎
srwxr-xr-x    1 shibu  1522739515     0 Jan  5 00:47 unixdomainsocket-sample
```

作成されたソケットについての情報は、netstatコマンドを使って見ることができます。

```
$ netstat -u ↵
Active LOCAL (Unix) domain sockets
Address          Type   Recv-Q Send-Q            Inode Conn Refs Nextref Addr
24c652c93b976ddf stream      0      0 24c652c93b081ae7    0    0       0 /var/……
```

8.2.3 Unixドメインソケット版のHTTPクライアントを作る

クライアント側の実装も見てみましょう。TCPソケットのときのHTTPクライアントを修正して使います。`http.NewRequest`でホスト名を指定していますが、接続先をファイル名で指定しているので、この情報はヘッダー以外では使われません。

```
package main

import (
    "bufio"
    "fmt"
    "net"
    "net/http"
    "net/http/httputil"
    "os"
    "path/filepath"
)

func main() {
    conn, err := net.Dial("unix",
        filepath.Join(os.TempDir(), "unixdomainsocket-sample"))
    if err != nil {
        panic(err)
    }
    request, err := http.NewRequest(
                 "get", "http://localhost:8888", nil)
    if err != nil {
        panic(err)
    }
    request.Write(conn)
    response, err := http.ReadResponse(
                 bufio.NewReader(conn), request)
    if err != nil {
        panic(err)
    }
    dump, err := httputil.DumpResponse(response, true)
    if err != nil {
        panic(err)
    }
    fmt.Println(string(dump))
}
```

NOTE `net.Listen()`と`net.Dial()`に指定したソケットの型としては、`"unix"`のほかに`"unixpacket"`というものもあります。`"unix"`と`"unixpacket"`の違いは、システムコールの文脈では`"unix"`はSOCK_STREAMで、`"unixpacket"`はSOCK_SEQPACKETという定数である点です。SOCK_SEQPACKETは、TCPのようにコネクション指向だけど通信はUDPのようなデータグラム単位で扱うというソケットの型です。SOCK_SEQPACKETは新しめのOSでないと実装されていません。macOSでも実装されておらず、指定すると†4エラーになります。
実装されているOSであっても、実はGo言語から簡単に使えません。前章では紹介しませんでしたが、UDPなどのデータグラム型のソケットに対して使用できる`syscall.Recvmsg()`というシステムコールがあります。これは、UDPで紹介した`PacketConn.ReadFrom()`の高機能版で、制御コードも受信できます。このシステムコールでデータ境界を取得できるというのが、SOCK_SEQPACKETのウリとされています。この制御コードのパース処理はsyscall.ParseSocketControlMessage()などの関数を使って行いますが、本書では割愛します。

8.2.4 データグラム型のUnixドメインソケット

次に、UDP相当の使い方ができるデータグラム型のUnixドメインソケットの実装について紹介します。こちらのコードは、Windows 10であってもまだサポートされていない点に注意してください[†5]。

まずはサーバーです。前章のUDPのサンプルと同じくnet.ListenPacket()を使いますが、プロトコルとして"udp"ではなく"unixgram"を指定し、アドレスとしてはファイルパスを渡します。それ以外の部分は、基本的には前章のコードから修正していません。

```
package main

import (
    "fmt"
    "net"
    "os"
    "path/filepath"
)

func main() {
    path := filepath.Join(os.TempDir(), "unixdomainsocket-server")
    // エラーチェックは削除（存在しなかったらしなかったで問題ないので不要）
    os.Remove(path)
    fmt.Println("Server is running at " + path)
    conn, err := net.ListenPacket("unixgram", path)
    if err != nil {
        panic(err)
    }
    defer conn.Close()
    buffer := make([]byte, 1500)
    for {
        length, remoteAddress, err := conn.ReadFrom(buffer)
        if err != nil {
            panic(err)
        }
        fmt.Printf("Received from %v: %v\n",
                   remoteAddress, string(buffer[:length]))
        _, err = conn.WriteTo([]byte("Hello from Server"),
                              remoteAddress)
        if err != nil {
            panic(err)
        }
    }
}
```

それではクライアント側も修正してみましょう。これまでの傾向を見れば、net.Dial()の引数を変更するだけでよさそうですよね？ だとしたら、次のようなコードになるはずです。

---

†4 https://stackoverflow.com/questions/13287333/sock-seqpacket-availability

†5 MSDNのコマンドラインツールに関するブログ記事 https://blogs.msdn.microsoft.com/commandline/2017/12/19/af_unix-comes-to-windows/ において「Unsupported」とされているSOCK_DGRAMが、本項の"unixgram"に該当します。

```
conn, err := net.Dial("unixgram", filepath.Join(os.TempDir(),
                      "unixdomainsocket-server"))
```

クライアント側コードの該当箇所を上記のように変更して、さっそく試してみましょう。

```
Server is running at /var/folders/.../T/unixdomainsocket-server
Received from <nil>: Hello from Client
panic: write unixgram /var/folders/.../unixdomainsocket-server: invalid argument
```

なんということでしょう。エラーになってしまいました。エラーの原因は、サーバー側のconn.ReadFrom()呼び出しで取得できるアドレスがnilになってしまい、返事を送り返せないことです。net.Dial()で開いたソケットは一方的な送信用で、アドレス（ソケットファイルのパス）と結び付けられていないので、返信を受けられないのです。

解決方法は、クライアント側もサーバーと同じ初期化を行い、net.PacketConnインタフェースのWriteTo()メソッドと、ReadFrom()メソッドを使って送受信することです（図8.3）。送信を、自分の受信用のソケットファイルを持っているソケットから実行すれば、サーバーのReadFrom()で返信可能なアドレスが得られます。これによりUDPとほぼ同じ要領でサーバーを利用できるようになります。

```
package main

import (
    "log"
    "net"
    "os"
    "path/filepath"
)

func main() {
    clientPath := filepath.Join(os.TempDir(), "unixdomainsocket-client")
    // エラーチェックは不要なので削除（存在しなかったらしなかったで問題ない）
    os.Remove(clientPath)
    conn, err := net.ListenPacket("unixgram", clientPath)
    if err != nil {
        panic(err)
    }
    // 送信先のアドレス
    unixServerAddr, err := net.ResolveUnixAddr(
        "unixgram", filepath.Join(os.TempDir(), "unixdomainsocket-server"))
    var serverAddr net.Addr = unixServerAddr
    if err != nil {
        panic(err)
    }
    defer conn.Close()
    log.Println("Sending to server")
    _, err = conn.WriteTo([]byte("Hello from Client"), serverAddr)
    if err != nil {
        panic(err)
    }
    log.Println("Receiving from server")
    buffer := make([]byte, 1500)
    length, _, err := conn.ReadFrom(buffer)
    if err != nil {
        panic(err)
    }
    log.Printf("Received: %s\n", string(buffer[:length]))
}
```

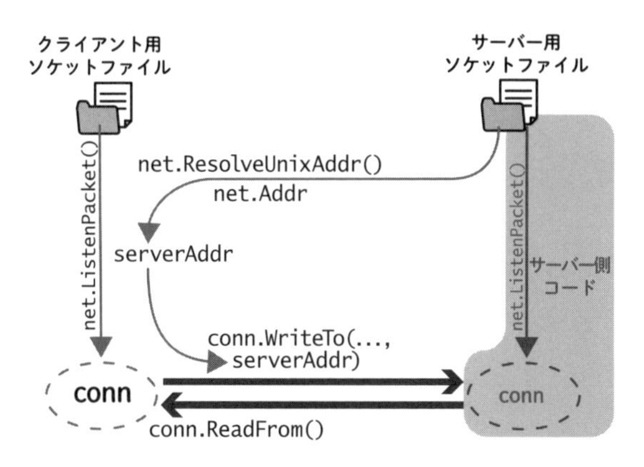

▶ 図8.3 Unixドメインソケットをデータグラム型で利用

8.3 Windowsの名前付きパイプ

これまではUnix系OSの話でした。Windowsでは、ストリーム型のUnixドメインソケットに近い使い方ができる仕組みとして、名前付きパイプというものがあります。なお、名前付きパイプという概念はUnixにもありますが、ややこしいことにWindowsとは意味が違う別物です。ここで解説するのは、Windowsの名前付きパイプです。

Windowsの名前付きパイプを使うときも、Unixドメインソケットと同じように、ファイルシステムにマッピングします。ただし定義できる場所は限定されており、「`\\.\pipe\パイプ名`」という特別なファイル名でパイプを定義して、他のプロセスはこのファイル名を使ってアクセスします。Windowsの名前付きパイプはUnixドメインソケットと異なりコンピューター間の通信にも使えますが、通信速度はTCP/UDPよりも劣ります。

Go言語の標準ライブラリではWindowsの名前付きパイプの機能は提供されていません。筆者は次の`npipe`というパッケージでWindowsの名前付きパイプを利用しています。

- `https://gopkg.in/natefinch/npipe.v2`

次のようにすればパッケージを利用できます。

```
$ go get gopkg.in/natefinch/npipe.v2 ↵
```

`npipe`の使い方は、今まで紹介してきたストリーム型のコードと同じです。`Dial()`と`Listen()`にプロトコル名を入力する必要がない程度の差しかありません。

```
// サーバー
ln, err := npipe.Listen(`\\.\pipe\mypipename`)
if err != nil {
    panic(err)
}
for {
    conn, err := ln.Accept()
    if err != nil {
        // エラー処理
        continue
    }
    go handleConnection(conn)
}

// クライアント
conn, err := npipe.Dial(`\\.\pipe\mypipename`)
if err != nil {
    // エラー処理
}
fmt.Fprintf(conn, "Hi server!\n")
msg, err := bufio.NewReader(conn).ReadString('\n')
```

WindowsにもUnixドメインソケットサポートが追加されましたが、歴史のあるサーバー系のミドルウェアによっては、POSIX環境ではUnixドメインソケット、Windowsでは名前付きパイプを使い分けるものがあります。Oracle、MySQLやPostgreSQLのようなリレーショナルデータベース管理システムでは、Unixドメインソケットと名前付きパイプの両方をサポートしています。Redis、Memcachedなど、Unixドメインソケットしかサポートしていないツールもあります。

GUIフレームワークのQtは、同一コンピューター内で高速なソケット通信を行うためのクラスとして`QLocalServer`[†6]、`QLocalSocket`[†7]を提供しています。このクラスは、Windowsでは名前付きパイプを「`\\.\pipe\`」以下に作成し、それ以外のOSではUnixドメインソケットをTEMPフォルダ以下に作成して通信します。このQtのクラスと同じ挙動をするGo言語のパッケージを筆者が開発して公開しているので、興味があったら覗いてみてください。

- `https://github.com/shibukawa/localsocket`

8.4 UnixドメインソケットとTCPのベンチマーク

ここまで、Unixドメインソケットはインターネットを越えて行う通信よりも速いと説明してきましたが、実際にどの程度速いのか、実験してみましょう。

本節の末尾に掲載したソースコード（`tcpserver.go`、`unixdomainsocketstreamserver.go`、`server_test.go`）をすべて同一のフォルダに入れて、次のようにコマンドを起動すると、ベンチマークが行えます。

---

†6 `https://doc.qt.io/qt-6/qlocalserver.html`
†7 `https://doc.qt.io/qt-6/qlocalsocket.html`

```
$ go test -bench . ⏎
testing: warning: no tests to run
BenchmarkTCPServer-8              1000       7989037 ns/op
BenchmarkUDSStreamServer-8       20000         91136 ns/op
```

このベンチマークは、Go言語の標準ライブラリのテスティングフレームワークの一部として提供されている、ベンチマーク測定のフレームワークを利用しています。

何度か実行すると、多少の変動はありますが、Unixドメインソケットのほうが80倍から90倍高速なことがわかります。Unixドメインソケットの場合はほぼ、カーネル内のバッファにデータをコピーして、そこからサーバープロセス（の裏側のカーネル内）のバッファに書き込む程度の負荷しかかかりません。第5章のシステムコールの説明で、システムコールにはGo言語のタスクスケジュールを切り替えてカーネルの仕事が完了するのを非同期で待機する`syscall.Syscall`と、そのまま待機する`syscall.RawSyscall`の2種類あると紹介しました。ファイルI/OやTCPソケットの場合はタスク切り替えを行って待ちを入れる前者を使いますが、Unixドメインソケットは高速なシステムコール専用の後者を使います。もちろん、これはHTTPのスループットだけを計測するマイクロベンチマークで、TCPには比較的不利なベンチマークとなっています。リアルなアプリケーションで同じ結果になるとは限りませんので注意してください。

TCPソケットは8ミリ秒ほど1回のHTTPアクセスにかかっていますが、1回に1リクエストしか受け付けておらず、決してGoのウェブサーバーが秒間120アクセスしかさばけないわけではありません。並列して負荷をさばく余力を多分に残しています。

ベンチマークの実行に必要なソースコードを下記に掲載します。

【tcpserver.go】

```go
package main

import (
    "bufio"
    "net"
    "net/http"
    "net/http/httputil"
    "strings"
)

func TCPServer() {
    listener, err := net.Listen("tcp", "localhost:18888")
    if err != nil {
        panic(err)
    }
    for {
        conn, err := listener.Accept()
        if err != nil {
            panic(err)
        }
        go func() {
            // リクエストを読み込む
            request, err := http.ReadRequest(bufio.NewReader(conn))
```

```
            if err != nil {
                panic(err)
            }
            _, err = httputil.DumpRequest(request, true)
            if err != nil {
                panic(err)
            }
            // レスポンスを書き込む
            response := http.Response{
                StatusCode: 200,
                ProtoMajor: 1,
                ProtoMinor: 0,
                Body:       io.NopCloser(strings.NewReader("Hello World\n")),
            }
            response.Write(conn)
            conn.Close()
        }()
    }
}
```

【unixdomainsocketstreamserver.go】

```
package main

import (
    "bufio"
    "net"
    "net/http"
    "net/http/httputil"
    "os"
    "path/filepath"
    "strings"
)

func UnixDomainSocketStreamServer() {
    path := filepath.Join(os.TempDir(), "bench-unixdomainsocket-stream")
    os.Remove(path)
    listener, err := net.Listen("unix", path)
    if err != nil {
        panic(err)
    }
    for {
        conn, err := listener.Accept()
        if err != nil {
            panic(err)
        }
        go func() {
            // リクエストを読み込む
            request, err := http.ReadRequest(bufio.NewReader(conn))
            if err != nil {
                panic(err)
            }
            _, err = httputil.DumpRequest(request, true)
            if err != nil {
                panic(err)
            }
            // レスポンスを書き込む
            response := http.Response{
                StatusCode: 200,
                ProtoMajor: 1,
                ProtoMinor: 0,
                Body:       io.NopCloser(strings.NewReader("Hello World\n")),
            }
            response.Write(conn)
            conn.Close()
        }()
    }
}
```

【server_test.go】

```
package main

import (
	"bufio"
	"net"
	"net/http"
	"net/http/httputil"
	"os"
	"path/filepath"
	"testing"
)

func BenchmarkTCPServer(b *testing.B) {
	for i := 0; i < b.N; i++ {
		conn, err := net.Dial("tcp", "localhost:18888")
		if err != nil {
			panic(err)
		}
		request, err := http.NewRequest("get", "http://localhost:18888", nil)
		if err != nil {
			panic(err)
		}
		request.Write(conn)
		response, err := http.ReadResponse(bufio.NewReader(conn), request)
		if err != nil {
			panic(err)
		}
		_, err = httputil.DumpResponse(response, true)
		if err != nil {
			panic(err)
		}
	}
}

func BenchmarkUDSStreamServer(b *testing.B) {
	for i := 0; i < b.N; i++ {
		conn, err := net.Dial("unix", filepath.Join(os.TempDir(),
		                          "bench-unixdomainsocket-stream"))
		if err != nil {
			panic(err)
		}
		request, err := http.NewRequest("get", "http://localhost:18888", nil)
		if err != nil {
			panic(err)
		}
		request.Write(conn)
		response, err := http.ReadResponse(bufio.NewReader(conn), request)
		if err != nil {
			panic(err)
		}
		_, err = httputil.DumpResponse(response, true)
		if err != nil {
			panic(err)
		}
	}
}

func TestMain(m *testing.M) {
	// init
	go UnixDomainSocketStreamServer()
	go TCPServer()
	time.Sleep(time.Second)
	// run test
	code := m.Run()
	// exit
	os.Exit(code)
}
```

8.5 ソケットのシステムコール小話

データグラム型のソケットでリプライを送信するとエラーになってしまう挙動は、Go言語よりもC言語レベルのシステムコールのほうが少しシンプルに考えられます。Go言語ではシンプルな関数やメソッドで通信の確立ができますが、C言語のほうは少し多くの関数を呼び出しています（表8.1）。

▶表8.1　Go言語とC言語のインタフェースの違い（1）

用途	Go言語の実装	C言語レベルのシステムコール
ストリーム型サーバー作成	net.Listen()	socket()、bind()、listen()
ストリーム型クライアント作成	net.Dial()	socket()、connect()
データグラム型サーバー作成	net.Listen()	socket()、bind()、listen()
データグラム型クライアント作成	net.Dial()	socket()

これを見ると、Listen()とDial()に対応している関数が一部重複しています。サーバーとクライアントで、Go言語のコードの見た目は大きく違いますが、C言語はそこまで違いはありません。今回のコードに関して言えば、bind()さえ呼ぶことができれば、クライアント側のコードはほとんど変更することなくそのまま行けましたが、Go言語ではC言語よりもAPIの抽象度が高いため、Listen()を呼ぶ必要がありました。なお、表8.2のメソッドは1対1で対応しています。

▶表8.2　Go言語とC言語のインタフェースの違い（2）

用途	Go言語の実装	C言語レベルのシステムコール
ストリーム型サーバー／クライアント接続受付	net.Listener.Accept()	accept()
ストリーム型送信	net.Conn.Write()	write()
ストリーム型受信	net.Conn.Read()	read()
データグラム型送信	net.PacketConn.WriteTo()	sendto()
データグラム型受信	net.PacketConn.ReadFrom()	recvfrom()
ソケットを閉じる	net.Conn.Close()、net.Listener.Close()	close()

8.6 本章のまとめと次章予告

第6章から3章分にわたって、ソケット通信のAPIを見てきました。第6章では、TCPソケットのAPIの使い方だけでなく、HTTPの仕組みの再実装を通して効率のよい通信の実装について学びました。第7章では、UDPソケットについてTCPソケットとの違いに焦点を当てて説明し、さらにUDPにのみ許されているマルチキャスト送信を実装しました。最後に本章で学んだUnixドメインソケットは少しトリッキーで、1つのソケットなのにモードが複数ありましたが、高速なため使いどころがハマればアプリケーションの性能向上に役立つでしょう。

次は、2章分にわたって、ファイルシステムについてを学びます。

第9章

ファイルシステムの基礎とGo言語の標準パッケージ

コンピューターにはさまざまなストレージが接続されています。ハードディスクやSSD、取り外し可能なSDカード、読み込み専用のDVD-ROMやBlu-Ray、書き込み可能なDVD-RWなど、種類を網羅するのが困難なほどです。

種類はいろいろありますが、どのストレージも、基本的にはビットの羅列を保存できるだけです。そこで、そのストレージスペースを、特定の決まったルールで管理するための仕組みが必要になります。

たとえば、自分のローカルフォルダにあるテキストファイルをエディタで開き、編集して書き込みたいとします。ストレージのどこかにテキストファイルの内容を表すビット列があるはずですが、その実体のある場所を、ファイル名から探し出せる必要があります。また、そこから内容を読み込んだり、新しい内容を上書きすることが、アプリケーションから不自由なく実現できなければなりません。そのためにOSに備わっている仕組みが**ファイルシステム**です。

現在のOSには、マルチスレッドや複雑な権限管理、ネットワークなど、さまざまな機能が備わっていますが、それらの機能を必ずしもすべてのOSが最初から備えていたわけではありません。しかしファイルシステムは、太古の時代から、ほとんどのOSで必ずと言っていいほど提供されてきた機能です。

本章では、まずファイルシステムとは何なのかをざっくりと説明してから、その上に実装されているファイル操作のためのGo言語の標準パッケージの基本関数を一気に説明していきます。対象とするパッケージは次の2つです。

- `os`パッケージ
- `path/filepath`パッケージ

なお、OS内部に関する説明では基本的にLinuxを前提にしています。

9.1 ファイルシステムの基礎

ストレージに対するファイルシステムでは、まず、ストレージの全領域を512バイト〜4キロバイトの固定長のデータ（セクター）の配列として扱います。そして、そこにファイルの中身だけを格納していくのではなく、ファイルの管理情報を格納する領域も用意しておきます。この管理情報は、現在のLinuxでは、**inode**と呼ばれます（WindowsではNTFS、macOSではHFS+やApple File Systemというファイルシステムが使われていますが、それぞれマスターファイルテーブルおよびカタログノードという、inodeの代わりになる仕組みがあります）。

inodeに格納されるファイルの管理情報には、実際のファイルの中身の物理的な配置情報も含まれます。また、inodeにはユニークな識別番号が付いています。その識別番号がわかればinodeにアクセスでき、inodeにアクセスできれば実際のファイルの配置場所がわかり、その中身にアクセスできる、という仕掛けです（図9.1）。

私たちが普段見ている、ディレクトリで整理されたファイル構造は、この仕掛けを使って実現されています。ディレクトリというのは、実を言うと、配下に含まれるファイル名とそのinodeのインデックスの一覧表が格納されている特別なファイルです。そしてルートディレクトリは、必ず決まった番号（2番）のinodeに格納されています[†1]。起点となるinodeの番号が2番とわかっているので、そのinodeにアクセスでき、そこで示されている実際のファイルはルートディレクトリなので、そこから配下の各ディレクトリやファイルのinodeのインデックスがわかり、……という具合に、ファイル構造とストレージのセクターとが対応づけできるわけです。

ファイル名の情報はファイルそのものではなく、ディレクトリ側にあります。ハードリンクという、「ファイルの実体は1つだが、さまざまな場所に置けて、別の名前を付けられる」という仕組みはこれを利用しています。

Linuxなどの POSIX 系 OS であれば、下記のように`ls`コマンドに`-i`オプションを追加することで、ファイルやディレクトリのinode番号を確認できます。

```
$ ls -i ⏎
```

9.1.1 複雑なファイルシステムとVFS

先の説明だと、ストレージ上にファイルシステムが1つしかないように読めるかもしれませんが、実際のストレージはもっと複雑に入り組んでいます。

---

†1 他のLinuxなども同じ理由かどうかはわかりませんが、FreeBSDでは0番は未使用、1番はバッドブロックを表していて、2番が最初ということに歴史的経緯で決まっているようです。AsiaBSDCon 2007におけるMcKusick氏の講演をレポートした後藤大地氏の記事 `http://news.mynavi.jp/articles/2007/03/09/mckusick/001.html` が参考になりますが、2022年2月現在はリンク切れです。

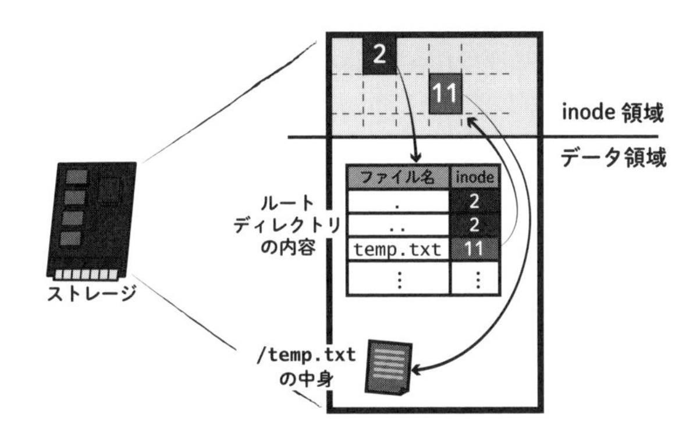

▶ 図9.1 inode領域とデータ領域

物理的なストレージと対応しない、仮想的なファイルシステムもあります。たとえば、Unix系のシステムにおける`/proc`は仮想的なファイルシステムの一例です。`/proc`以下は、各プロセスの詳細情報がファイルとして見られるように、カーネルが動的に作り出したファイルシステムになっています。

また、ファイルシステムには他のファイルシステムをぶら下げる（マウント）ことも可能です。

最近では、ジャーナリングファイルシステムといって、書き込み中に瞬断が発生してもストレージの管理領域と実際の内容に不整合が起きにくくする仕組みも広く利用されています。

さらに、近年ではDockerなどのコンテナ（第19章を参照）がよく使われています。こうしたコンテナでファイルシステムの一部を切り出し、特定のプロセスに対して、あたかもそれがファイルシステム全体であるかのように見せかける仕掛けがあります。具体的には、`chroot`というシステムコールを使い、擬似的なミニOS環境を作り出してサービスを隔離する方法が使われることがあります。

これらのさまざまなファイルシステムは、LinuxではVFS（Virtual File System）というAPIで、すべて統一的に扱えるようになっています。そのため、対象のファイルシステムがなんであれ、システムコール上は違いを気にする必要はありません。VFSの下では、デバイスドライバが抽象的な操作を各ファイルシステム用の操作に翻訳し、実際の読み書きを行います。

9.1.2 論理ボリュームマネージャ（LVM）

ファイルシステムは、VFSの機構を通じて、複数のファイルシステムを統一して扱うことができます。そのVFSにぶら下がるストレージは、ファイルが入る箱のようなものですが、ディスク1機が1つの箱を提供するわけではありません。かつては、ディスクをパーティションと呼ばれる領域に分割して、用途によって分けたり、複数のOSをインストールしたりしていました。

その後より柔軟なストレージ管理として、論理ボリュームマネージャ（LVM：Logical Volume Manager）が登場しました。複数のストレージ（物理ボリューム）を束ねて論理ボリュームグループと呼ばれる、大きな仮想ストレージを作ります。それを、論理ボリュームに分割してVFSにマウントします。論理ボリュームはストレージの追加による容量の追加やリサイズ、スナップショットをサポートします。

これらは、ファイルシステムと物理ディスクの間のレイヤーの仕組みとして実装されています。本書では詳しくは説明しません。

Windowsでは昔ながらの使い方を「ベーシックディスク」、論理ボリューム相当のものを「ダイナミックディスク」と呼んでおり、同等の機能をサポートしています。

9.2　ファイル／ディレクトリを扱うGo言語の関数たち

ファイルシステムの話はこれくらいにして、Go言語でファイルやディレクトリを扱う方法を見ていきましょう。ファイルシステム内部は高いパフォーマンスと柔軟性を両立するために複雑な仕組みになっていますが、アプリケーションからはVFSだけしか見えないため、とてもシンプルに見えます。本章では`os`パッケージの基本的な機能だけを紹介します。次章では標準パッケージでサポートしていない高度な機能も紹介します。

9.2.1　ファイル作成／読み込み

Go言語でファイルを新しく作成するには`os.Create()`を使います。また、すでに存在しているファイルは`os.Open()`関数で開くことができます。

これらの関数は、構造体の`os.File`を返します。この`os.File`は、`io.Writer`インタフェースと`io.Reader`インタフェースを実装しているので、第2章と第3章で紹介した機能を使ってデータを読み書きできます。復習になりますが、それぞれの使い方は次のとおりです。

```
package main

import (
    "fmt"
    "io"
    "os"
)

// 新規作成
func open() {
    file, err := os.Create("textfile.txt")
    if err != nil {
        panic(err)
    }
    defer file.Close()
    io.WriteString(file, "New file content\n")
```

```
}

// 読み込み
func read() {
    file, err := os.Open("textfile.txt")
    if err != nil {
        panic(err)
    }
    defer file.Close()
    fmt.Println("Read file:")
    io.Copy(os.Stdout, file)
}

func main() {
    open()
    read()
}
```

なお、3.4.2「ファイル入力」では「os.Create()とos.Open()はos.OpenFile()をラップする便利関数」と紹介しましたが、このos.OpenFile()を直接使えば、ファイルを追記モードで開くこともできます（ファイルを追記モードで開く便利関数は標準では提供されていません）。

```
// 追記モード
func append() {
    file, err := os.OpenFile("textfile.txt", os.O_RDWR|os.O_APPEND, 0666)
    if err != nil {
        panic(err)
    }
    defer file.Close()
    io.WriteString(file, "Appended content\n")
}

func main() {
    append()
}
```

GoではなくOSのレイヤーの話になりますが、GoのAPIでファイル出力のためのシステムコールを呼ぶと即座に結果が返ってきます。これは、OSカーネル内部のバッファメモリへの書き込みが終了した段階で、いったんレスポンスが返ってくるためです。注意が必要な点として、この段階ではメモリへ書き込まれただけなので、突然の電源断などがあると書き込んだつもりの内容が消えてしまいます。確実にストレージに書き込まれたことを確認するには、File.Sync()メソッドを利用します。

一方、この動作はユーザーランドで動くアプリケーションをブロックしないので、プログラムの処理速度やスループットを上げる効果があります。次のようなコードで試しに速度を計測してみましょう。

```
package main

import (
    "fmt"
    "os"
    "time"
)

func main() {
    f, _ := os.Create("file.txt")
    a := time.Now()
```

```
    f.Write([]byte("緑の怪獣"))
    b := time.Now()
    f.Sync()
    c := time.Now()
    f.Close()
    d := time.Now()
    fmt.Printf("Write: %v\n", b.Sub(a))
    fmt.Printf("Sync: %v\n", c.Sub(b))
    fmt.Printf("Close: %v\n", d.Sub(c))
}
```

下記の結果はHP Chromebook x360 14上のLinuxで計測した数値です。`Write()`も`Close()`も、マイクロ秒単位で完了しています。一方、`Sync()`はそれらと比較して500倍ほどかかっています。これがOSが書き出しを遅延していることによる高速化の効果です。

```
Write: 17.383μs
Sync: 5.787585ms
Close: 10.322μs
```

9.2.2 ファイルモード

POSIXでは、「読み」「書き」「実行」という3つの操作の権限を制御できます。macOSやLinuxであれば、`ls -l`コマンドにより、各操作の権限が表示されます。

「読み」「書き」「実行」の権限は、それぞれ`r`、`w`、`x`の文字で表します。そして、それぞれを0/1のフラグとみたてれば、3桁の2進数として表記できます。2進数なので、各桁が1の場合、それぞれ10進数で表すと4、2、1となります。表9.1にファイルモードの例を示します。

▶表9.1　ファイルモードの例

フラグ例	2進数表記	8進数表記	意味	使用箇所
---	000	0	何も許可しない	内容を秘密にしたいファイル
r--	100	4	読み込み専用	読み込みだけできる設定ファイルなど
r-x	101	5	読み込み＋実行	実行ファイル、編集できないスクリプト、ファイル追加を許容しないディレクトリ
rw-	110	6	読み込み＋書き込み	編集できるファイル
rwx	111	7	読み込み＋書き込み	編集＋実行できるスクリプト

なお、ディレクトリの内部にあるファイルの一覧を取得するには、そのディレクトリには読み込み権限だけでなく、実行権限も必要になります。

さらに、これら3つの権限の制御は、ファイルのユーザー向けの権限、グループ向けの権限、そのどちらでもないユーザー向けの権限という3種類の対象別に設定します。これをGoやその他のプログラムで扱うときは、それぞれの対象向けの3つの権限の合計を3桁の数字で表記するのが一般的です（この数字による表記は、実際には8進数表記なので、そのことを示すために通常は表9.2のように先頭に0をつけた4桁で表記します）。

▶表9.2 権限の設定例

記号表記	8進数表記	意味
-rwxr-xr-x	0755	所有者は全操作。それ以外のユーザーは実行を許可
-rw-r--r--	0644	所有者は読み書き、それ以外のユーザーは読み込みのみ許可
-r--------	0400	所有者は読み込みのみ、それ以外のユーザーはアクセスを不許可（秘密鍵など）

Go言語では、ファイルやディレクトリの作成時にこれらの数値を設定します。

9.2.3 ディレクトリの作成

ディレクトリの作成にはos.Mkdir()、os.MkdirAll()を使います。

```
// フォルダを1階層だけ作成
os.Mkdir("setting", 0755)

// 深いフォルダを1回で作成
os.MkdirAll("setting/myapp/networksettings", 0755)
```

9.2.4 ファイルの削除／移動／リネーム

ファイルや子の要素を持たないディレクトリの削除にはos.Remove()を使います。C言語レベルのシステムコールでは、ファイルの削除（unlink()）とディレクトリの削除（rmdir()）とが別の機能になっています。しかしGo言語のos.Remove()は、先にファイルの削除を行い、失敗したらディレクトリの削除を呼び出します。したがって、対象がどちらであっても削除可能です。

対象がディレクトリで、その子どものファイルも含めてすべて再帰的に削除するときは、os.RemoveAll()を使います。

```
// ファイルや空のディレクトリの削除
os.Remove("server.log")

// ディレクトリを中身ごと削除
os.RemoveAll("workdir")
```

特定の長さでファイルを切り落とすos.Truncate()という関数もあります。os.FileオブジェクトのTruncate()メソッドを使うこともできます。

```
// 先頭100バイトで切る
os.Truncate("server.log", 100)

// Truncateメソッドを利用する場合
file, _ := os.Open("server.log")
file.Truncate(100)
```

ファイルを移動／リネームするにはos.Rename()を使います。シェルのmvコマンドでは移動先がディレクトリの場合には同じファイル名でディレクトリだけを移動できますが、os.Rename()では移動先のファイル名まで指定する必要があります。（ドキュメントには、OSによってはリネーム先が同じディレクトリでないとダメという制約について触れられていますが、デスクトップOS（Windows、Linux、macOS）であれば問題ありません。）

Windowsの場合、os.Rename()は同一ドライブ内の移動にしか使えません。これは、利用しているMoveFileEx()[†2]というWin32 APIで、別ドライブへのコピーを許容するオプションが設定されていないためです。

```
// リネーム
os.Rename("old_name.txt", "new_name.txt")

// 移動
os.Rename("olddir/file.txt", "newdir/file.txt")

// 移動先はディレクトリではダメ
os.Rename("olddir/file.txt", "newdir/") // エラー発生！
```

POSIX系OSであっても、マウントされていて元のデバイスが異なる場合には、renameシステムコールでの移動はできません。下記のエラーメッセージは、macOSでtmpfsというオンメモリの一時ファイルシステム（昔の人はRAMディスクと呼んでいました）を作ってos.Rename()を実行したときに返されるエラーです。

```
err := os.Rename("sample.rst", "/tmp/sample.rst")
if err != nil {
    panic(err)
    // ここが実行され、コンソールに次のエラーが表示される
    // rename sample.rst /tmp/sample.rst: cross-device link
}
```

デバイスやドライブが異なる場合にはファイルを開いてコピーする必要があります。FreeBSDのmvコマンドも、最初にrenameシステムコールを試してみて[†3]、失敗したら入出力先のファイルを開いてコピーし、そのあとにソースファイルを消しています。

```
oldFile, err := os.Open("old_name.txt")
if err != nil {
    panic(err)
}
newFile, err := os.Create("/other_device/new_file.txt")
if err != nil {
    panic(err)
}
defer newFile.Close()
_, err = io.Copy(newFile, oldFile)
if err != nil {
    panic(err)
}
oldFile.Close()
os.Remove("old_name.txt")
```

---

†2 https://docs.microsoft.com/en-us/windows/win32/api/winbase/nf-winbase-movefileexa

†3 https://github.com/freebsd/freebsd/blob/stable/11/bin/mv/mv.c#L225

9.2.5 ファイルの属性の取得

ファイルの属性は、os.Stat()と、os.LStat()で取得できます。これらは対象がシンボリックリンクだった場合の挙動が異なります。os.Stat()は、指定したパスがシンボリックリンクだった場合に、そのリンク先の情報を取得します。os.LStat()は、そのシンボリックリンクの情報を取得します。

すでにos.Fileを取得しているときは、このインスタンスのStat()メソッドでも属性を取得できます。

これらの返り値であるos.FileInfo構造体からは、次の情報が取得できます。

▶表9.3 OS間で共通で取得できるファイル属性

メソッド	型	情報
Name()	string	ディレクトリ部を含まないファイルの名前
Size()	int64	ファイルサイズ
Mode()	FileMode（uint32のエイリアス）	ファイルのモード（0777など）
ModTime()	time.Time	変更日時
IsDir()	bool	ディレクトリかどうかのフラグ

実際にどうやって使うか、サンプルを紹介しましょう。次のコードは、os.FileInfoとos.FileModeの各メソッドを実行してファイルの情報をコンソールに出力するものです。

```
package main

import (
    "fmt"
    "os"
)

func main() {
    if len(os.Args) == 1 {
        fmt.Printf("%s [exec file name]", os.Args[0])
        os.Exit(1)
    }
    info, err := os.Stat(os.Args[1])
    if err == os.ErrNotExist {
        fmt.Printf("file not found: %s\n", os.Args[1])
    } else if err != nil {
        panic(err)
    }
    fmt.Println("FileInfo")
    fmt.Printf("  ファイル名: %v\n", info.Name())
    fmt.Printf("  サイズ: %v\n", info.Size())
    fmt.Printf("  変更日時 %v\n", info.ModTime())
    fmt.Println("Mode()")
    fmt.Printf("  ディレクトリ？ %v\n", info.Mode().IsDir())
    fmt.Printf("  読み書き可能な通常ファイル？ %v\n", info.Mode().IsRegular())
    fmt.Printf("  Unixのファイルアクセス権限ビット %o\n", info.Mode().Perm())
    fmt.Printf("  モードのテキスト表現 %v\n", info.Mode().String())
}
```

```
$ fileinfo move.go ↲
FileInfo
  ファイル名: move.go
  サイズ: 129
  変更日時 2022-02-24 18:06:51.392500576 +0900 JST
Mode()
  ディレクトリ？ false
  読み書き可能な通常ファイル？ true
  Unixのファイルアクセス権限ビット 644
  モードのテキスト表現 -rw-r--r--
```

FileModeタイプ

Go言語特有の機能について少し補足します。

FileModeは、実体は32ビットの非負の整数ですが、メソッドがいくつか使えます。このようにエイリアス型であってもメソッドが追加できるのは、Go言語の特殊なオブジェクト指向の機能です。

なお、FileModeには対応する定数がいろいろ定義されていて、より詳細なファイルタイプをビット演算を使って取得できます。詳しくは公式ドキュメント[†4]を参照してください。

9.2.6 ファイルの存在チェック

os.Stat()は、ファイルの存在チェックでもイディオムとしてよく使われます（この方法でしか存在チェックができないわけではありません）。

```
info, err := os.Stat(ファイルパス)
if err == os.ErrNotExist {
    // ファイルが存在しない
} else if err != nil {
    // それ以外のエラー
} else {
    // 正常ケース
}
```

存在チェックそのもののシステムコールは提供されていません。Pythonのos.path.exists()も内部で同じシステムコールを呼ぶos.stat()を使っていますし、C言語でもstat()や、access()を代わりに使います。access()は現在のプロセスの権限でアクセスできるかどうかを診断するシステムコールで、Go言語はsyscall.Access()としてPOSIX系OSで使えます。ただし、存在チェックそのものが不要であるというのが現在では主流のようです[†5]。

仮に存在チェックを行ってファイルがあることを確認しても、その後のファイル操作までの間に他のプロセスやスレッドがファイルを消してしまうことも考えられます。ファイル操作関数を直接使い、エラーを正しく扱うコードを書くことが推奨され

---

†4 https://pkg.go.dev/os#FileMode

†5 詳しくはNode.jsにおけるfs.exists()のドキュメントを参照。https://nodejs.org/api/fs.html#fs_fs_exists_path_callback

ています。

9.2.7 OS固有のファイル属性を取得する

ファイル属性にはOS固有のものもあります。それらを取得するには`os.FileInfo.Sys()`を使います。`os.FileInfo.Sys()`は、ドキュメントにも「`interface{}`を返す」としか書かれておらず、使い方に関する情報がいっさいない機能です。基本的には下記のようにOS固有の構造体にダウンキャストして利用します。

```
// Windows
internalStat := info.Sys().(syscall.Win32FileAttributeData)

// Windows以外
internalStat := info.Sys().(*syscall.Stat_t)
```

Go言語のランタイムの挙動としては、まずこのOS固有の構造体を取得し、共通情報を`os.FileInfo`に転記する処理になっています。`os.FileInfo`に転記されないOS固有のデータとしては表9.4のようなものがあります。

▶表9.4 Sys()で得られる追加情報

意味	Windows	Linux	macOS
デバイス番号		Dev	Dev
inode番号		Ino	Ino
ブロックサイズ		Blksize	Blksize
ブロック数		Blocks	Blocks
リンクされている数		NLink	NLink
ファイル作成日時	CreatinTime		Birthtimespec
最終アクセス日時	LastAccessTime	Atim	Atimespec
属性変更日時		Ctim	Ctimespec

この表はWindows(64ビット)、Linux(64ビット)、macOS(64ビット)の情報から作りました。その他のOSやプロセッサの実装の詳細はGo言語のソースに含まれる`syscall/ztypes_(OS)_(プロセッサ).go`というファイルを参照してください。

この表を見ると、Windowsで取得できる属性が極端に少ないのですが、これは内部ロジックの違いでOSから渡ってくる情報があまり`Sys()`に残されていないためです。Windows用の`os.Stat()`実装[†6]内部で使っている`syscall.GetFileInformationByHandle()`を使うと、デバイス番号にあたる`VolumeSerialNumber`、Inoにあたる`FileIndexHigh`、`FileIndexLow`、リンク数を表す`NumberOfLinks`が得られます。

†6 https://go.dev/src/os/stat_windows.go#L15

Linuxでファイル作成日時が取得できないのは、カーネル内に情報は持っているものの、それを取り出す口がないので、アプリケーションからは使用できないという事情であると考えられます[†7]。

9.2.8 ファイルの同一性チェック

Goのosパッケージには、os.FileInfoが参照するファイルが同一かどうかを判定する関数があります。同一というのは内容が同じ（同値）というわけではなく、まったく同じ実体を見ているかどうかの判定です。

前節で紹介した、os.FileInfoが内部に持っているものの、外部に公開していないinode番号やデバイス番号を見て、同じかどうかで判定しています。

```
if os.SameFile(fileInfo1, fileInfo2) {
    fmt.Println("同じファイル")
}
```

なお、inode番号やデバイス番号は同一のストレージ／コンピューター内でしかユニークではないため、別のコンピューター間では衝突する可能性があります。かつて、ウェブサーバーがファイルキャッシュの判定で使うID値（ETag）にinode番号を使っていました。これはセキュリティの問題ということで使わないようになりましたが、複数台でロードバランスすることを考慮するとキャッシュがうまく行われないことがあるのがわかるでしょう。

9.2.9 ファイルの属性の設定

属性の取得と比べると、設定に関する機能はシンプルです。モード変更とオーナー変更はos.Fileの同名のメソッドでも行えます。

```
// ファイルのモードを変更
os.Chmod("setting.txt", 0644)

// ファイルのオーナーを変更
os.Chown("setting.txt", os.Getuid(), os.Getgid())

// ファイルの最終アクセス日時と変更日時を変更
os.Chtimes("setting.txt", time.Now(), time.Now())
```

9.2.10 リンク

ハードリンク、シンボリックリンクの作成もGo言語から行えます。

```
// ハードリンク
os.Link("oldfile.txt", "newfile.txt")

// シンボリックリンク
os.Symlink("oldfile.txt", "newfile-symlink.txt")
```

†7 Rubyのissueにおける小崎資広さんのコメントからの推察です。https://bugs.ruby-lang.org/issues/9647

```
// シンボリックリンクのリンク先を取得
link, err := os.ReadLink("newfile-symlink.txt")
```

WindowsではPOSIXのように気軽にリンクを使えないイメージがありますが、ハードリンクもシンボリックリンクもVista以降では問題なく使用できます（内部ではCreateHardLinkW()[†8]やCreateSymbolicLinkW()[†9]を呼び出して作成します）。なお、Windowsでシンボリックリンクを作成するにはSeCreateSymbolicLinkPrivilege権限が必要です。

9.2.11 ディレクトリ情報の取得

ディレクトリ一覧の取得はosパッケージ直下の関数としては提供されていません。ディレクトリをos.Open()で開き、os.Fileのメソッドを使って、ディレクトリ内のファイル一覧を取得します。

```
package main

import (
    "fmt"
    "os"
)

func main() {
    dir, err := os.Open("/")
    if err != nil {
        panic(err)
    }
    fileInfos, err := dir.Readdir(-1)
    if err != nil {
        panic(err)
    }
    for _, fileInfo := range fileInfos {
        if fileInfo.IsDir() {
            fmt.Printf("[Dir]  %s\n", fileInfo.Name())
        } else {
            fmt.Printf("[File] %s\n", fileInfo.Name())
        }
    }
}
```

Readdir()メソッドはos.FileInfoの配列を返します。ファイル名しか必要がないときはReaddirnames()メソッドを使えます。このメソッドは文字列の配列を返します。

Readdir()とReaddirnames()は数値を引数に取ります。正の整数を与えると、最大でその個数の要素だけを返します。0以下の数値を渡すと、ディレクトリ内の全要素を返します。

---

†8 https://docs.microsoft.com/en-us/windows/win32/api/winbase/nf-winbase-createhardlinkw

†9 https://docs.microsoft.com/en-us/windows/win32/api/winbase/nf-winbase-createsymboliclinkw

9.3 OS内部におけるファイル操作の高速化

最後に、OSの内部で行われるファイル操作の高速化についても触れておきます。通常のアプリケーションでは意識する必要はまずありませんが、データベース管理システムを実装するようなケースでは気にする必要があるかもしれません。

CPUにとってディスクの読み書きはとても遅い処理であり、なるべく最後までやらないようにしたいタスクです。そこでLinuxでは、VFSの内部に設けられているバッファを利用することで、ディスクに対する操作をなるべく回避しています。

Linuxでファイルを読み書きする場合には、まずバッファにデータが格納されます。そのため、ファイルへデータを書き込むと、バッファに蓄えられた時点でアプリケーションに処理が返ります。ファイルからデータを読み込むときも、いったんバッファに蓄えられますし、すでにバッファに載っており、そのファイルに対する書き込みが行われていない（バッファが新鮮）ならバッファだけにしかアクセスしません。したがって、アプリケーションによるファイル入出力は、実際にはLinuxが用意したバッファとの入出力になります[†10]。バッファと、実際のストレージとの同期は、アプリケーションが知らないところで非同期で行われるわけです。

Go言語で、ストレージへの書き込みを確実に保証したい場合は、`os.File`の`Sync()`メソッドを呼びます。

```
file.Sync()
```

参考までに、最近のコンピューターで利用されているさまざまなキャッシュとそのレイテンシの関係を紹介します。表9.5からわかるように、すでにメインメモリのバッファに載っているデータなら200サイクルで取得できます。しかし、実際のストレージからウェブブラウザのキャッシュを取得してくるとしたら、その5万倍も遅い数値になってしまいます。

ちなみに、Linuxにおけるファイルアクセス高速化の仕組みはキャッシュ以外にもあります。たとえば、ストレージがハードディスクの場合にはヘッドを動かす時間を節約するため、中心からの距離が近いファイル単位で操作をまとめて、ディスク入出力の効率を上げる処理（エレベータ処理）を行います。ただし、エレベータ処理には、操作をまとめるための待ち時間もかかります。ストレージがSSDの場合は、そのような待ち処理が逆にオーバーヘッドになってしまうため、エレベータ処理を使わない設定のほうがスループットが向上します。

---

†10 バッファを迂回して直接読み書きするDirect I/Oの仕組みもあります。キャッシュ戦略まで自分でコントロールしたい方向けです。Go用のライブラリもあります。`https://github.com/ncw/directio`

†11 Randal E. Bryant, David R. O'Hallaron, "Computer Systems: A programmer's perspective 3rd edition", Pearson Education Limited, 2015（[邦訳] 五島正裕ら 監訳『コンピュータ・システム プログラマの視点から』、丸善出版、ISBN 978-4621302019、2019年）

▶表9.5 モダンなコンピューターのさまざまなキャッシュメカニズム[†11]

種類	何をキャッシュするか	どこにキャッシュするか	レイテンシ（サイクル数）	誰が制御するか
CPUレジスタ	4バイト/8バイトのデータ	CPU内蔵のレジスタ	0	コンパイラ
L1キャッシュ	64バイトブロック	CPU内蔵のL1キャッシュ	4	CPU
L2キャッシュ	64バイトブロック	CPU内蔵のL2キャッシュ	10	CPU
L3キャッシュ	64バイトブロック	CPU内蔵のL3キャッシュ	50	CPU
仮想メモリ	4KBのページ（と呼ばれるメモリブロック）	メインメモリ	200	CPU+OS
バッファキャッシュ	ファイルの一部	メインメモリ	200	OS
ディスクキャッシュ	ディスクのセクター	ディスクコントローラ	100,000	コントローラファームウェア
ブラウザキャッシュ	ウェブページ	ローカルディスク	10,000,000	ウェブブラウザ

SSDとOSチューニング

以前は「ストレージへのアクセスはなるべくしない」という方針でソフトウェアが設計されていました。本文で触れたように、ハードディスク（HDD）はヘッドの移動という物理的な処理に時間がかかるので、どうしてもメインメモリと比べるとアクセスが遅く、特にランダムアクセスのペナルティが大きかったからです。

ところが近年になってSSDが登場し、なおかつ市販のPCの多くがSSDとなってきました。インテルのSSD製品である760pシリーズのスペックシートによると、ランダム読み出しの性能は340,000IOPS（秒間の入出力の回数）となっています。シークタイムはないので、1回あたりのレイテンシが約3μ秒ということです。HDDのシークタイムはミリ秒単位なので圧倒的に高速です。HDDも連続アクセスはそれなりに高速になっていますが、SSDの強みは駆動部分が介在しないランダムアクセスの強さにあります。

その特性を生かし、近年ではOS側もSSDに合わせてチューニングされるようになっています。本文で触れたような「ランダムアクセスをなるべくまとめてスループットを上げるエレベータ処理をしない」というのもそのひとつです。近隣セクターにデータを集めるデフラグも不要になりました。また、SSDが高速になりすぎた結果、I/O処理命令を記録する構造体を管理するカーネル内の処理がボトルネックになり、LinuxではCPUごとにインスタンスのキャッシュを作ってロックフリーにして速度を向上させる改良も行われました[†12]。

逆に必要になったのが、未使用領域をストレージに明示的に伝えるTRIMコマンドです。SSDでは上書き時に速度低下があるため、事前に消しておくことで速度低下が起きないようにします。また、SSDの特性を生かしたフラッシュストレージ用のファイルシステムとしてF2FSなども登場しています。

SSDに合わせたチューニングが有効なのはOSやファイルシステムだけではありません。データベースでも有効です。データベースでは、データ量やインデックスが有効かどうかなどに基づいて実際の処理方法が選択されます。たとえばPostgreSQLでは、

seq_page_costおよびrandom_page_costというシーケンシャルアクセスの場合とランダムアクセスの場合のコストを設定できるようになっており、デフォルトでは前者が1、後者が4となっています。SSDでは2種類のアクセスの速度差が小さいため、両方のコストに同じ値を設定することで、より高速な処理方法が選択される確率が上がります[†13]。

9.4 ファイルパスとマルチプラットフォーム

アプリケーションからのファイルアクセスはすべて、「どのファイル」に対して「何をするか」で説明できます。このうち、「どのファイル」を指定するのがファイルパスです。

現在のコンピューターシステムにおけるパスの表記方法には、大きく2種類あります。POSIX共通の表記と、Windowsのファイルパス表記です。かつては別のパス表記も使われていましたが（たとえばOS 9以前のMacではフォルダの区切り文字がコロン（:）でした）、本書執筆時点で一般的に使われているのは、表9.6に示すPOSIX表記とWindows表記の2種類でしょう。

▶表9.6　OSによるパス表記の違い

項目	POSIX表記	Windows表記
パスの区切り文字	/（スラッシュ）	\（バックスラッシュ）
ルート	先頭が/	C:\のように、ドライブレター＋コロン＋バックスラッシュ
複数パスの区切り文字（環境変数などでパスを列挙するときの文字）	:（コロン）	;（セミコロン）

9.4.1 Go言語でパス表記を扱うパッケージ

Go言語でパス表記を取り扱うパッケージは2つあります。

- path/filepath：OSのファイルシステムに使う
- path：URLに使う

ファイルやディレクトリに対するパス表記を操作するには、path/filepathパッケージを使います。path/filepathを使えば、動作環境のファイルシステムで2種類のパス表記のどちらが使われていても、その違いを吸収して各プラットフォームに適した結果が得られます。OS依存のセパレータ文字をコードから追い出すことができれば、アプリケーションをマルチプラットフォーム化することも簡単になります。

---

†12　https://lwn.net/Articles/868070/

†13　SSDに合わせたチューニングで速度が50倍になった事例が以下のブログ記事で紹介されています。“How a single PostgreSQL config change improved slow query performance by 50x” https://amplitude.engineering/how-a-single-postgresql-config-change-improved-slow-query-performance-by-50x-85593b8991b0

Windows限定ですが、POSIX形式と相互変換する関数として、filepath.FromSlash()とfilepath.ToSlash()もあります（これらの関数はPOSIX系OSだと何もしません）。

pathパッケージのほうは、常に「/」（スラッシュ）で区切るパス表記に対して使うパッケージで、主にURLを操作するときに使います。pathパッケージの関数を実行した結果は、WindowsでもPOSIX系OSでも変わりません。本書ではpathパッケージを使いませんが、path/filepathで提供されている関数と同じものがいくつか提供されているため、読み替えればすぐに使えます。

9.5 path/filepathパッケージの関数たち

9.5.1 ディレクトリのパスとファイル名とを連結する

一番よく使うpath/filepathパッケージの関数は、ディレクトリのパスとファイル名とを連結するfilepath.Join()でしょう。

```
package main

import (
    "os"
    "fmt"
    "path/filepath"
)

func main() {
    fmt.Printf("Temp File Path: %s\n", filepath.Join(os.TempDir(), "temp.txt"))
}
```

上記の例では、filepath.Join()を使い、一時ファイル置き場のディレクトリ内のtemp.txtファイルを示す絶対パスを作成しています。os.TempDir()関数は、システムの一時ファイル置き場のディレクトリパスを返す関数です。すでに第8章「高速なUnixドメインソケット」で、ソケットファイルの置き場を決めるときに登場しています。

9.5.2 パスを分割する

パスを親ディレクトリとパス名に分割するfilepath.Split()もよく使います。

```
package main

import (
    "fmt"
    "os"
    "path/filepath"
)

func main() {
    dir, name := filepath.Split(os.Getenv("GOPATH"))
    fmt.Printf("Dir: %s, Name: %s\n", dir, name)
}
```

ファイルパスの全要素を配列にしたいこともあるでしょう。"/a/b/c.txt"を[a

b c.txt] にするには、次のようにセパレータ文字を取得してきて分割するのが簡単です。

```
fragments := strings.Split(path, string(filepath.Separator))
```

パス名を分解する関数には、ほかにも表9.7の4種類があります。

▶ 表9.7 path/filepathの関数群

関数	説明	"/folder1/folder2/example.txt"を入力	"C:\folder1\folder2\example.txt"を入力
filepath.Base()	パスの最後の要素を返す	"example.txt"	"example.txt"
filepath.Dir()	パスのディレクトリ部を返す	"/folder1/folder2"	"C:\folder1\folder2"
filepath.Ext()	ファイルの拡張子を返す	".txt"	".txt"
filepath.VolumeName()	ファイルのドライブ名を返す（Windows用）	""	"C:"

Base()とDir()はSplit()を目的別に特化させたものです。

9.5.3 複数のパスからなる文字列を分解する

filepath.SplitList()という名前の関数もあります。名前だけ見るとパスの分割に使えそうですが、これは別の用途の関数で、環境変数の値などにある「複数のパスを1つのテキストにまとめたもの」を分解するのに使います。

たとえば、次のコードは、Unix系OSにあるwhichコマンドをGoで実装してみたものです。PATH環境変数のパス一覧を取得してきて、それをfilepath.SplitList()で個々のパスに分割します。その後、各パスの下に最初の引数で指定された実行ファイルがあるかどうかをチェックしています。

```
package main

import (
	"fmt"
	"os"
	"path/filepath"
)

func main() {
	if len(os.Args) == 1 {
		fmt.Printf("%s [exec file name]", os.Args[0])
		os.Exit(1)
	}
	for _, path := range filepath.SplitList(os.Getenv("PATH")) {
		execpath := filepath.Join(path, os.Args[1])
		_, err := os.Stat(execpath)
		if !os.IsNotExist(err) {
			fmt.Println(execpath)
			return
		}
```

```
    }
    os.Exit(1)
}
```

9.5.4 パスのクリーン化

パス表記の文字列をきれいに整えたいことがあります。filepath.Clean()関数を使うと、重複したセパレータを除去したり、上に行ったり下に降りたりを考慮して/abc/../def/からabc/..の部分を削除したり、現在のパス「.」を削除したりすることが可能です。

絶対パスに変換するfilepath.Abs()や、基準のパスから相対パスを算出するfilepath.Rel()といった関数も、パス表記の整形に使えます。

```go
package main

import (
    "fmt"
    "path/filepath"
)

func main() {
    // パスをそのままクリーンにする
    fmt.Println(filepath.Clean("./path/filepath/../path.go"))
    // path/path.go

    // パスを絶対パスに整形
    abspath, _ := filepath.Abs("path/filepath/path_unix.go")
    fmt.Println(abspath)
    // /usr/local/go/src/path/filepath/path_unix.go

    // パスを相対パスに整形
    relpath, _ := filepath.Rel("/usr/local/go/src",
                               "/usr/local/go/src/path/filepath/path.go")
    fmt.Println(relpath)
    // path/filepath/path.go
}
```

パス中のシンボリックリンクを展開したうえでClean()をかけた状態のパスを返してくれる、filepath.EvalSymlinks()という関数もあります（osパッケージを駆使して自分で同じ処理を書いてみるとよい練習になるかもしれません）。

9.5.5 環境変数などの展開

パス文字列のクリーン化に使う関数では、環境変数の展開や、POSIX系OSのシェルでホームパスを表す~（チルダ）の展開はできません。

環境変数については、osパッケージのExpandEnv()を使って展開できます。

```go
path := os.ExpandEnv("${GOPATH}/src/github.com/shibukawa/tobubus")
fmt.Println(path)
// /Users/shibu/gopath/src/github.com/shibukawa/tobubus
```

~については少し工夫がいります。~がホームを表すのはOSではなくてシェルが提供する機能なので、プログラム内では特別なハンドリングが必要です。

ホームディレクトリの取得は、Go 1.12からはos.UserHomeDir()が追加されて、これで取得できます。

```
fmt.Println(os.UserHomeDir())
```

それまでのバージョンでは次のようにしてos/userパッケージで取得していました。ただし、これで取得する値は、ログイン直後の作業フォルダであって、ユーザーが意図を持って$HOME環境変数を変更していた場合にはそれが無視されてしまうため、環境変数経由で取得する方が適切ということで、新しい関数が導入されました。

```
my, err := user.Current()
if err != nil {
    panic(err)
}
fmt.Println(my.HomeDir)
```

この取得した値に、~を事前に置換しておくとよいでしょう。

以上の知見をまとめて、~も環境変数も展開したうえでパスをクリーン化するコードは次のようになります。

```
func Clean2(path string) string {
    if len(path) > 1 && path[0:2] == "~/" {
        my, err := user.Current()
        if err != nil {
            panic(err)
        }
        path = my.HomeDir + path[1:]
    }
    path = os.ExpandEnv(path)
    return filepath.Clean(path)
}
```

設定ファイル置き場

マルチプラットフォームのアプリケーションを作成しようとすると、OSごとに設定ファイルをどこに書けばよいのか迷うことがあります。

Windows、Linux、macOSの情報が横断的にそろっているページとして、筆者はQtのQStandardPathsクラスのドキュメントをよく参考にしています。

- https://doc.qt.io/qt-6/qstandardpaths.html

筆者が作成した、アプリケーションの設定ファイルに特化したパッケージもあります。

- https://github.com/shibukawa/configdir

LinuxなどはFilesystem Hierarchy Standard（FHS）と呼ばれる、Linux Foundationが管理するフォルダ構成がデファクトスタンダードで、サービスの設定ファイルの置き場は伝統的にこちらが参照され、/etc、/opt、/varなどに置かれることがよくあります。一方でユーザー権限で動作するようなツール群の場合はfreedesktop.orgが管理するXDG Base Directory Specificationも使われます。

アプリケーションの設定では、まずユーザーごとの設定ファイルを探し、なければユーザー共通の設定ファイルを読み込む、という2段階の方法をよく使います。あるいは、ひとまず両方の設定を読み込んで、共通の項目に対する設定があればユーザーの設定を優先して使用します。アプリケーションが作成するプロジェクトフォルダの設定については、現在いるパスから親フォルダにたどっていき、特定のファイルを探すという方法がよく使われます。

これらの設定ファイルを扱う処理を書くときも、本章で紹介しているファイルとディレクトリ操作の関数を組み合わせていけばいいでしょう。

9.5.6 ファイル名のパターンにマッチするファイルの抽出

Go言語でファイル名をパターンで探すのに使える関数は2つあります。1つめは、パターンと指定したファイル名が同じかどうか調べる`filepath.Match()`関数です。パターンとしては、1文字の任意の文字にマッチするワイルドカード（?）と、ゼロ文字以上の文字にマッチするワイルドカード（*）が使えるほか、マッチする文字範囲（[0-9]）や、マッチしない文字範囲（[^a]）も指定できます。

```
fmt.Println(filepath.Match("image-*.png", "image-100.png"))
```

2つめは`Glob()`関数です。`filepath.Match()`は`true`／`flase`でマッチしたかどうかを返す関数ですが、`Glob()`関数を使うと、ルールに合致するファイル名の一覧を取得できます。

```
files, err := filepath.Glob("./*.png")
if err != nil {
    panic(err)
}
fmt.Println(files)
```

9.5.7 ディレクトリのトラバース

本章の中で、ディレクトリ内部の要素の情報を集めるのに、`os.File`の`Readdir()`メソッドか`Readdirnames()`メソッドを使う方法を紹介しました。これらの関数を使って、ディレクトリ内部にあるディレクトリの中まで探索していこうとすると、関数を再帰的に何度も呼び出すことになります。

ディレクトリのような木構造をすべてたどることを、コンピューター用語では**トラバース**といいます。`filepath`パッケージには、ディレクトリのトラバースに便利な`filepath.Walk()`という関数もあります。この関数は、ディレクトリの木構造を深さ優先探索でたどります。

`filepath.Walk()`関数には、探索を開始するパス（`root`）と、トラバース中に各ファイルやディレクトリで呼び出されてほしい関数とを渡します。この関数は、`filepath.Walk()`がディレクトリツリーをトラバースしていってファイルやディレクトリに行きつくたびに、そのファイルやディレクトリのパス（探索を開始するrootを含めたパス）と、本章ですでに紹介したos.FileInfoを引数として呼び出されます（このような関数のことを**コールバック関数**と呼びます）。

具体的なコードで説明しましょう。次の例は、指定したディレクトリ以下を探索して画像ファイルの名前を集めてくるというコードです。この例には、ディレクトリのトラバースでよく使われるイディオムがいろいろ入っています（図9.2）。

```
package main

import (
    "fmt"
    "os"
    "path/filepath"
    "strings"
)

var imageSuffix = map[string]bool{
    ".jpg":  true,
    ".jpeg": true,
    ".png":  true,
    ".webp": true,
    ".gif":  true,
    ".tiff": true,
    ".eps":  true,
}

func main() {
    if len(os.Args) == 1 {
        fmt.Printf(`Find images

Usage:
    %s [path to find]
`, os.Args[0])
        return
    }
    root := os.Args[1]

    err := filepath.Walk(root,
        func(path string, info os.FileInfo, err error) error {
            if info.IsDir() {
                if info.Name() == "_build" {
                    return filepath.SkipDir
                }
                return nil
            }
            ext := strings.ToLower(filepath.Ext(info.Name()))
            if imageSuffix[ext] {
                rel, err := filepath.Rel(root, path)
                if err != nil {
                    return nil
                }
                fmt.Printf("%s\n", rel)
            }
            return nil
        })
    if err != nil {
        fmt.Println(1, err)
    }
}
```

このコードではファイル名を収集するので、ディレクトリにたどりついたときには何もしません。そこで、コールバック関数の先頭にある次の処理でその意図を明確にしています。

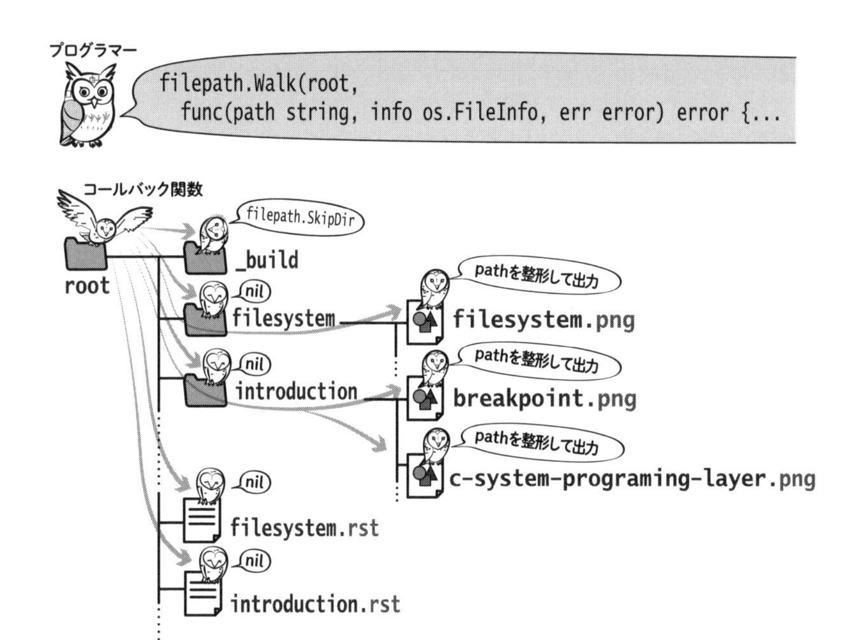

▶図9.2 ディレクトリのトラバース

```
if info.IsDir() {
    // (中略)
    return nil
}
```

上記で略としている部分は、実際のコードでは次のようになっています。

```
if info.Name() == "_build" {
    return filepath.SkipDir
}
```

これは、_buildという名前のフォルダのトラバースをスキップするために入れている処理です。筆者が執筆で使っているSphinxというツールでは、生成したHTMLやPDFを_buildフォルダに出力するので、そのディレクトリより下のトラバースをスキップするためにreturn filepath.SkipDirしています。

対象がディレクトリでなかった場合には、filepath.Extで拡張子を取り出して、それを参考に画像ファイルかどうかを判断します（画像ファイルとみなす拡張子はあらかじめ定義してあります）。画像ファイルだった場合にはパス名を表示するのですが、コールバック関数に渡るパス名には探索を開始するパスも含まれているので、9.5.4「パスのクリーン化」で紹介したfilepath.Rel()を利用して表記が煩雑にならないようにしています。

```
rel, err := filepath.Rel(root, path)
```

今回のような情報収集のときは、パス表記が冗長にならないように、こうした処理を入れる必要があります。一方、ファイルの内容を読み込むような場合にはpathをそのままos.Open()に渡せるので、便利な仕様だといえます。

コールバック関数がfilepath.SkipDir以外のエラーを返すと、即座にトラバースが中断され、filepath.Walk()の返り値として返ってきます。これをログに出すなりして出力すれば、求める処理が完成します。

実行結果は次のとおりです。

```
container/container-0.png
container/container-1.png
container/container-2.png
container/container-3.png
debugger/hardware_breakpoint.png
examples_book/chapter03/Lenna.png
filesystem/filesystem.png
filesystem2/walker.png
filesystem2/watcher.png
filesystem3/async.png
filesystem3/figure1.gif
filesystem3/flock.png
filesystem3/fuse.png
filesystem3/linuxiomodel.png
filesystem3/lockfileex.png
filesystem3/sync.png
introduction/breakpoint-2022.png
（省略）
```

9.6 本章のまとめと次章予告

OSが内部で行っているファイルシステムの管理はとても高度なものです。オペレーティングシステムやLinuxカーネル関連の書籍は何冊も出ているので、より詳細に知りたい方はそちらを参照するとよいでしょう[†14]。

アプリケーションのほうは、OSが水面下で努力しているおかげで、極めてシンプルな関数でファイル操作を行えます。少し細かい操作をしようとすると、OSごとの差を気にしなければならない場面もありますが、多少面倒とはいえ決して難しくはありません。GitHubなどを探してみれば、OSごとの差を吸収するコードが出てくることもあります。

次章では、OSパッケージだけでは実現できない、少し高度なファイル操作を紹介します。

---

†14　書籍化もされていないような新しいファイルシステムやジャーナリングの仕組みを詳しく解説した資料として、技術評論社のSoftware Design 2017年2月号の第二特集に掲載されている青田直大さんによるLinuxのファイルシステムの紹介も参考になるでしょう。

第10章

ファイルシステムの最深部を扱うGo言語の関数

前章では、ファイルシステムの概要と、標準ライブラリで扱える範囲のファイル操作を紹介しました。

本章では、アプリケーションから見たファイルシステムまわりの最深部をたどっていきます。扱う話題は次の6つです。

- ファイルの変更監視
- ファイルロック
- ファイルのメモリへのマッピング
- 同期・非同期とブロッキング・ノンブロッキング
- select属のシステムコールによるI/O多重化
- FUSEを使った自作のファイルシステムの作成

10.1 ファイルの変更監視（`syscall.Inotify*`）

変更があったローカルのファイルをエディタで再読み込みできるようにしたり、ソースコードに変更があったときに自動的にコンパイルしたり、ファイルに対する変更をプログラムで監視したいことがあります。開発言語や環境によらず、プログラムでファイルを監視する方法には、次の2種類があります[†1]。

- 監視したいファイルをOS側に通知しておいて、変更があったら教えてもらう（パッシブな方式）
- タイマーなどで定期的にフォルダを走査し、`os.Stat()`などを使って変更を探しに行く（アクティブな方式）

Go言語の標準ライブラリではファイルの監視を簡単に行う機能は提供されていま

---

†1　たとえば、Node.jsではこれら2種類の手法に対応するAPIがそれぞれ用意されていますが、アクティブ方式のためのAPIは非推奨になっています（参考：「てっく煮ブログ：Node.jsのfs.watch()とfs.watchFile()の違い」 `http://tech.nitoyon.com/ja/blog/2013/10/02/node-watch-impl/`）。

せん。ゼロから実装するのであれば、コードが短くわかりやすいのはアクティブな方式です。しかし、アクティブな方式では監視対象が増えるとCPU負荷やIO負荷が上がり、ノートパソコンで実行しているとバッテリーがどんどん消耗します。

パッシブな方式については、ファイルの変更検知が各OSでシステムコールやAPIとして提供されています。しかし、環境ごとのコードの差は大きくなります。

たとえば、Linuxでは`inotify_init()`関数でファイルディスクリプタが取得でき、`inotify_add_watch()`と`inotify_rm_watch()`で監視対象を追加したり外したりします。これはファイルディスクリプタなので、通常の`read()`で変更情報を読み込んだり、`close()`で終了させます。

それぞれの環境ごとに実装しようとすると長くなるため、ここではサードパーティーのパッケージである`gopkg.in/fsnotify.v1`[†2]を利用したパッシブな方式の例を説明します。

`fsnotify`はサードパーティー製のパッケージなので、以下のようにしてライブラリをインストールしてください。

```
$ go get gopkg.in/fsnotify/fsnotify.v1 ⏎
```

なお、`fsnotify`以外にも同じ機能を提供するライブラリはあります[†3]。本章で`fsnotify`を選んだのは、APIが使いやすく複数ディレクトリの監視がやりやすく、しかも1つのパッケージでマルチプラットフォームが実現できるからです。

`fsnotify`ライブラリを使ったコード例を以下に示します。監視対象のファイルの変更を4回検知したらプログラムを終了するという動作のサンプルです（図10.1）。

```go
package main

import (
    "gopkg.in/fsnotify/fsnotify.v1"
    "log"
)

func main() {
    counter := 0
    watcher, err := fsnotify.NewWatcher()
    if err != nil {
        panic(err)
    }
    defer watcher.Close()

    done := make(chan bool)
    go func() {
        for {
            select {
            case event := <-watcher.Events:
                log.Println("event:", event)
```

†2 https://gopkg.in/fsnotify.v1

†3 https://github.com/rjeczalik/notifyや、Goの実験的パッケージが入ったリポジトリ（https://github.com/golang/exp/）にあるWindows、macOS、その他のPOSIX系OS向けのライブラリなどです。

```
            if event.Op & fsnotify.Create == fsnotify.Create {
                log.Println("created file:", event.Name)
                counter++
            } else if event.Op & fsnotify.Write == fsnotify.Write {
                log.Println("modified file:", event.Name)
                counter++
            } else if event.Op & fsnotify.Remove == fsnotify.Remove {
                log.Println("removed file:", event.Name)
                counter++
            } else if event.Op & fsnotify.Rename == fsnotify.Rename {
                log.Println("renamed file:", event.Name)
                counter++
            } else if event.Op & fsnotify.Chmod == fsnotify.Chmod {
                log.Println("chmod file:", event.Name)
                counter++
            }
        case err := <-watcher.Errors:
            log.Println("error:", err)
        }
        if counter > 3 {
            done<-true
        }
    }
}()

err = watcher.Add(".")
if err != nil {
    log.Fatal(err)
}
<-done
}
```

まず、fsnotify.NewWatcher()で監視用のインスタンスを生成しています。その後、watcher.Add()メソッドを必要なだけ呼び出して監視対象フォルダを追加します。

watcher.Eventsが、変更イベントが入るチャネルです。forループの中で、このチャネルからイベントを何度も取り出しています。

case event := <-watcher.Events:の節で、ブロッキングしてイベントを待っています。イベントには、変更のステータスがビットフラグとして格納されているので、ビット演算をして、編集されたのか削除されたのかの区別をつけています。4回変更を検知したら、doneチャネルのブロックを解除し、プログラムを終了します。

このすっきりしたコードの裏側では、Linuxの場合はinotify系API、BSD系OSの場合はkqueue、Windowsの場合はReadDirectoryChangesWをfsnotifyライブラリが内部で使い分けてくれるので、ファイルの変更が効率よく検知できます。

10.2 ファイルのロック（syscall.Flock()）

ファイルのロックは、複数のプロセス間で同じリソースを同時に変更しないようにするために「いま使用していますよ」と他のプロセスに伝える手法のひとつです。

ファイルロックのもっとも単純な方法は、リソースが使用中であることをファイル（**ロックファイル**）によって示すというものでしょう。たとえば、古参のプログラマーにはおなじみのCGI（かつて動的なウェブサイトの実現手段としてメジャーだった仕組み）では、たいていロックファイルが利用されていました。

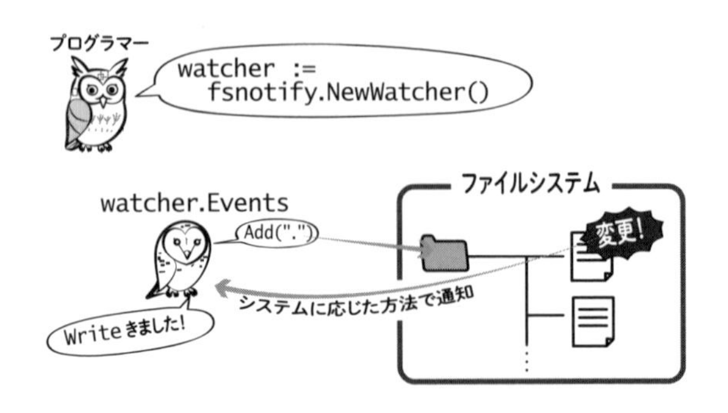

▶図10.1 ファイルの変更監視

ロックファイルはポータブルな仕組みですが、確実性という面では劣ります[†4]。より確実なのは、ファイルロックのためのシステムコールを利用して、すでに存在するファイルに対してロックをかける方法です。このシステムコールによってロックをかけられたファイルに対し、他のプロセスがロックをかけようとすると、ブロックします。

Go言語では、POSIX系OSの場合、このロックのための`syscall.Flock()`というシステムコールが利用できます。ただし、`syscall.Flock()`によるロック状態は、通常のファイル入出力のためのシステムコールによっては確認されません。そのため、ロックをまじめに確認しないプロセスが1つでもあると、自由に上書きされてしまう可能性があります。このような強制力のないロックのことを、**アドバイザリーロック**（**勧告ロック**）と呼びます（図10.2）。

POSIX系OSで使えるけどPOSIXではないflock()

本節で紹介している`flock()`はPOSIXで規定されたAPIではありませんが、BSD系OS、Linux、macOS、Solaris、AIXで使用できるため、多くのPOSIX系でカバーされています。POSIXで規定されているのは、`fcntl()`で、POSIXのオプションであるX/Open System Interfaceでは`lockf()`というシステムコールが規定されています（Linuxでは、`lockf()`は`fcntl()`へのエイリアスとなっています[†5]）。

`fcntl`システムコールは、ファイルディスクリプタのメタデータを操作するシステムコールで、多くのタスクが行えます[†6]。`fcntl`システムコールを使えば、強制力のないアドバイザリーロックや、強制ロック、範囲指定ロックなどが行えます。

---

†4 「とほほのCGI入門」ファイルのロックに関する基礎知識： https://www.tohoho-web.com/wwwcgi8.htm

†5 https://linuxjm.osdn.jp/html/LDP_man-pages/man3/lockf.3.html

†6 https://linuxjm.osdn.jp/html/LDP_man-pages/man2/fcntl.2.html

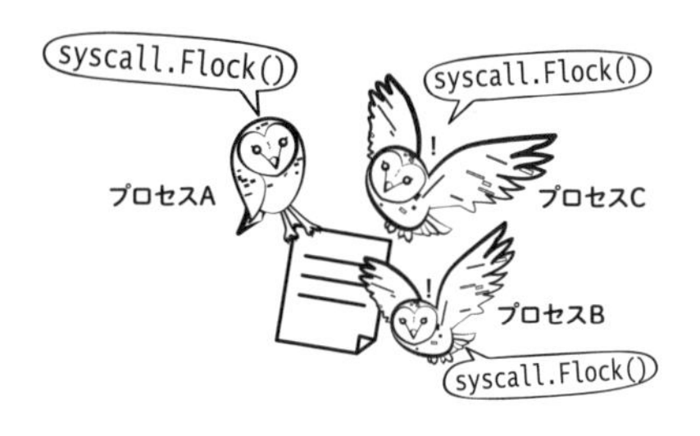

▶図10.2 POSIX系OSのsyscall.Flock()（アドバイザリーロック）

このsyscall.Flock()によるロックは、Windowsでは利用できません。Windowsでは、ファイルロックにLockFileEx()という関数を使います（図10.3）。こちらは、syscall.Flock()とは違い、他のプロセスもブロックする**強制ロック**です。（ちなみに、GoだけでなくJavaやPHPでも、ファイルロックのためのAPIについてはPOSIXとWindowsとで同じ違いがあります。）

▶図10.3 WindowsのLockFileEx()（強制ロック）

10.2.1 syscall.Flock()によるPOSIX系OSでのファイルロック

まずはPOSIX系OSでsyscall.Flock()システムコールを使ってファイルをロックする方法を見ていきましょう。以下のコードは、Go言語本体のコード[†7]から一部を拝借してシンプルにしたものです。

```
//go:build unix

package filelock

import (
	"io/fs"
```

[†7] https://github.com/golang/go/blob/go1.17/src/cmd/go/internal/lockedfile/internal/filelock/filelock_unix.go

```
    "syscall"
)

type lockType int16

const (
    readLock  lockType = syscall.LOCK_SH
    writeLock lockType = syscall.LOCK_EX
)

func lock(f File, lt lockType) (err error) {
    for {
        err = syscall.Flock(int(f.Fd()), int(lt))
        if err != syscall.EINTR {
            break
        }
    }
    return err
}

func unlock(f File) error {
    return lock(f, syscall.LOCK_UN)
}
```

syscall.Flock()は引数を2つ取ります。1つは、ロックしたい対象のファイルのディスクリプタです。もう1つは、ロックのモードを指示するフラグです。フラグには表10.1の4種類があります（上記のコードでは排他ロックとロックの解除のみを使っています）。

▶表10.1　syscall.Flock()のモードフラグ

フラグ	説明
LOCK_SH	共有ロック。他のプロセスからも共有ロックなら可能だが、排他ロックは同時には行えない
LOCK_EX	排他ロック。他のプロセスからは共有ロックも排他ロックも行えない
LOCK_UN	ロック解除。ファイルをクローズしても解除になる
LOCK_NB	ノンブロッキングモード

ファイルのようなリソースのロックには、**共有ロック**と**排他ロック**という区別があります。共有ロックは、複数のプロセスから同じリソースに対していくつも同時にかけられます。一方、排他ロックでは他のプロセスからの共有ロックがブロックされます。この区別により、「読み込み（共有ロック）は並行アクセスを許すが、書き込み（排他ロック）は1プロセスのみ許可する」、といったことが可能です。

syscall.Flock()によるロックでは、すでにロックされているファイルに対してロックをかけようとすると、最初のロックが外れるまでずっと待たされます。そのため、定期的に何度もアクセスしてロックが取得できるかトライする、といったことができません。これを可能にするのが**ノンブロッキングモード**です（10.4節で少し詳しく説明します）。

ただ、ノンブロッキングモードはスレッドの利用が大掛かりになってしまう言語だと必要になりますが、並行処理が簡単に書けるGo言語の場合はブロッキングモードだけが用意されることもよくあります。

10.2.2 LockFileEx()によるWindowsでのファイルロック

次は、WindowsのLockFileEx()によるファイルロックの使い方です。

```
package main

import (
    "sync"
    "syscall"
    "unsafe"
)

var (
    modkernel32      = syscall.NewLazyDLL("kernel32.dll")
    procLockFileEx   = modkernel32.NewProc("LockFileEx")
    procUnlockFileEx = modkernel32.NewProc("UnlockFileEx")
)

type FileLock struct {
    m  sync.Mutex
    fd syscall.Handle
}

func NewFileLock(filename string) *FileLock {
    if filename == "" {
        panic("filename needed")
    }
    fd, err := syscall.CreateFile(
        &(syscall.StringToUTF16(filename)[0]),
        syscall.GENERIC_READ|syscall.GENERIC_WRITE,
        syscall.FILE_SHARE_READ|syscall.FILE_SHARE_WRITE,
        nil,
        syscall.OPEN_ALWAYS,
        syscall.FILE_ATTRIBUTE_NORMAL,
        0)
    if err != nil {
        panic(err)
    }
    return &FileLock{fd: fd}
}

func (m *FileLock) Lock() {
    m.m.Lock()
    var ol syscall.Overlapped
    r1, _, e1 := syscall.Syscall6(
        procLockFileEx.Addr(),
        6,
        uintptr(m.fd),
        uintptr(LOCKFILE_EXCLUSIVE_LOCK),
        uintptr(0),
        uintptr(1),
        uintptr(0),
        uintptr(unsafe.Pointer(ol)))
    if r1 == 0 {
        if e1 != 0 {
            panic(error(e1))
        } else {
            panic(syscall.EINVAL)
        }
    }
}

func (m *FileLock) Unlock() {
    var ol syscall.Overlapped
    r1, _, e1 := syscall.Syscall6(
        procUnlockFileEx.Addr(),
        5,
        uintptr(m.fd),
        uintptr(0),
        uintptr(1),
        uintptr(0),
        uintptr(unsafe.Pointer(ol)),
        0)
```

```
    if r1 == 0 {
        if e1 != 0 {
            panic(error(e1))
        } else {
            panic(syscall.EINVAL)
        }
    }
    m.m.Unlock()
}
```

LockFileEx()でも、排他ロックと共有ロックをフラグで使い分けます。上記の例では、排他ロックのためのオプション（LOCKFILE_EXCLUSIVE_LOCK）を指定しています。このオプションを渡さないと共有ロックモードになります。

Windowsでは、ロックの解除はUnlockFileEx()という別のAPIになっています。上記のコードでは使っていませんが、ロックするファイルの範囲を指定することもできます。

10.2.3 FileLock構造体の使い方

上記で示したPOSIX系とWindowsのそれぞれのファイルロックのサンプルコードは、同じAPIをそれぞれの環境用に実装したものです。これらのコードで定義したFileLock構造体は、下記のような使い方で利用します。

```
package main

import (
    "fmt"
    "time"
)

func main() {
    l := NewFileLock("main.go")
    fmt.Println("try  locking...")
    l.Lock()
    fmt.Println("locked!")
    time.Sleep(10 * time.Second)
    l.Unlock()
    fmt.Println("unlock")
}
```

このコードを実行すると、指定したファイル（上記の例ではmain.goそのもの）のロックを取得して10秒後に解放します。10秒以内に他のコンソールから同じプログラムを実行すると、最初のプロセスが終了するまで、他のプロセスが待たされることがわかります。

Go言語でマルチプラットフォームを実現するための手段

Go言語には、マルチプラットフォームを実現する方法が、大きく分けて2つあります。

1つめは、**Build Constraints**と呼ばれるもので、ビルド対象のプラットフォームを指定する方法です。具体的には、コード先頭に//go:buildに続けてビルド対象のプラットフォームを列挙したり、ファイル名に_windows.goのようなサフィックスを付けます。上記のコード例では、POSIX用には//go:build unixを指定しています。対象をWindowsに限定する場合は、ファイル名にサフィックスを付けるのが一般的です（そのため上記のWindows用のコードには//go:buildを指定していません）。unixはLinuxやFreeBSD、macOSをまとめて指定できるように1.19で追加されましたが、_unix.goというファイル名はすでに広く使われており後方互換性のためにコメントだけでしか使えません。Go 1.17以前は// +buildという形式でした。

もう1つの手段は、runtime.GOOS定数を使って実行時に処理を分岐するという方法です。ただし、この方法は、今回のようにAPI自体がプラットフォームによって異なる場合にはリンクエラーが発生してしまいます。そのため、上記のコードでは前者の手段を使っています。

10.3 ファイルのメモリへのマッピング（syscall.Mmap()）

これまでの説明でファイルを読み込むときは、os.Fileを使っていました。この構造体はio.Seekerインタフェースを満たしており、ランダムアクセスできますが、カセットテープの頭出しのようにいちいち読み込み位置を移動しなければなりません。

そこで登場するのがsyscall.Mmap()システムコールです。このシステムコールを使うと、ファイルの中身をそのままメモリ上に展開できますし、メモリ上で書き換えた内容をそのままファイルに書き込むこともできます。マッピングという名前のとおり、ファイルとメモリの内容を同期させます。メモリマップドファイルとも呼ばれます。WindowsでもCreateFileMapping()というAPIと、MapViewOfFile()というAPIの組で同じことが実現できます。

syscall.Mmap()をラップした、クロスプラットフォームで使えるパッケージも何種類かあります。なかでもシンプルなのは、Go言語の実験的パッケージのひとつであるmmap[†8]です。このパッケージでは、1バイト単位にランダムアクセスするためのAt()メソッドや、ブロック単位で読み出すReadAt()メソッドなどが提供されています。後者のメソッドをサポートしているため、このパッケージは、第3章で登場したio.ReaderAtインタフェースを満たしています。

本節で使うのは、より柔軟でPOSIXに近いgithub.com/edsrzf/mmap-go[†9]パッケージです。こちらのパッケージ（mmap-go）は、マッピングしたメモリを表すスライスをそのまま返すので、Go言語の文法を自由に使ってデータにアクセスできます。

まずは次のようにしてパッケージを有効にしてください。

```
$ go get github.com/edsrzf/mmap-go ⏎
```

下記は、ファイルをメモリにマッピングしてから修正してファイルに書き戻す、というサンプルです。最後に、元データとメモリの内容、それに最初に元データを格納したファイルの内容を読み込んで出力しています。

---

†8 https://github.com/golang/exp/tree/master/mmap

†9 https://github.com/edsrzf/mmap-go

```
package main

import (
    "os"
    "io/ioutil"
    "path/filepath"
    "fmt"

    "github.com/edsrzf/mmap-go"
)

func main() {
    // テストデータを書き込み
    var testData = []byte("0123456789ABCDEF")
    var testPath = filepath.Join(os.TempDir(), "testdata")
    err := ioutil.WriteFile(testPath, testData, 0644)
    if err != nil {
        panic(err)
    }

    // メモリにマッピング
    // mは[]byteのエイリアスなので添字アクセス可能
    f, err := os.OpenFile(testPath, os.O_RDWR, 0644)
    if err != nil {
        panic(err)
    }
    defer f.Close()
    m, err := mmap.Map(f, mmap.RDWR, 0)
    if err != nil {
        panic(err)
    }
    defer m.Unmap()

    // メモリ上のデータを修正して書き込む
    m[9] = 'X'
    m.Flush()

    // 読み込んでみる
    fileData, err := ioutil.ReadAll(f)
    if err != nil {
        panic(err)
    }
    fmt.Printf("original: %s\n", testData)
    fmt.Printf("mmap:     %s\n", m)
    fmt.Printf("file:     %s\n", fileData)
}
```

このmmap-goパッケージには、次のような関数が用意されています。

- mmap.Map()：指定したファイルの内容をメモリ上に展開
- mmap.Unmap()：メモリ上に展開された内容を削除して閉じる
- mmap.Flush()：書きかけの内容をファイルに保存する
- mmap.Lock()：開いているメモリ領域をロックする
- mmap.Unlock()：メモリ領域をアンロックする

上記の例では、まずファイルを読み書きフラグ付きでos.OpenFileによってオープンし、その結果をmmap.Map()関数に渡して読み書きモードでメモリ上に展開し、そこで内容を書き換え（数字の9のところをXに書き換え）、Flush()メソッドを使ってそれをファイルに書き戻しています。最終的なファイルが書き換わるので、最後にioutil.ReadAll()で読み込んだ内容も元データとは異なります。実行結果を下記に示します。

```
original: 0123456789ABCDEF
mmap:     012345678XABCDEF
file:     012345678XABCDEF
```

C言語のmmap()システムコールには、ファイルを読み込む位置とサイズも指定しなければなりませんが、mmap-goではオフセットとして先頭が、サイズとして最大の長さがデフォルトで指定されるので、mmap.Map()関数により1つめの引数に指定されたファイルの全内容がメモリにマップされます。オフセットとサイズを調整して一部だけを読み込みたい場合は、本来のmmap()システムコールに近い挙動のmmap.MapRegion()を使ってください。

mmap.Map()関数の3つめの引数は、特殊なフラグです。このフラグにmmap.ANONを渡すと、ファイルをマッピングせずに、メモリ領域だけを確保します。これは第16章「Go言語のメモリ管理」で再度登場します。

mmap.Map()関数の2つめの引数には、メモリ領域に対して許可する操作を設定します。許可したい操作に応じて次のような値を指定します。

- mmap.RDONLY：読み込み専用
- mmap.RDWR：読み書き可能
- mmap.EXEC：実行可能にする
- mmap.COPY：コピーオンライト

このうち、上の3つは見てすぐにわかるでしょう。コピーオンライトがちょっとわかりにくいかもしれません。

上記のコードで、mmap.Map()の第二引数をmmap.COPYにして試してみましょう。

```
original: 0123456789ABCDEF
mmap:     012345678XABCDEF
file:     0123456789ABCDEF
```

コピーオンライト時は、単に読み込みだけで使用されていた場合に、通常どおりメモリ領域にファイルをマッピングします。複数のプロセスが同じファイルをマッピングしていたとすると、カーネル上は1つ分のみメモリ領域が使用され、それ以上のメモリは消費しません。しかし、その領域内でメモリ書き換えが発生するとその領域がまるごとコピーされます。そのため、元のファイルには変更が反映されません。不思議な挙動ですが、書き換えが発生するまでは複数バリエーションの状態を保持する必要がないので、メモリを節約できます。

10.3.1 mmapの実行速度

通常の`File.Read()`メソッドのシステムコールと比べて、mmapのほうが実行速度が出そうですが、実はケースバイケースです[†10]。前から順番に読み込んで逐次処理するのであれば、通常の処理の`File.Read()`でも十分に速いでしょう。データベースのファイルなど、全部を一度にメモリ上に読み込んで処理する必要があって、そのうえでランダムアクセスが必要なケースでは、mmapのほうが有利なこともあり、使いやすいと思います。また、ファイル全体の読み込みを指定しても、すべてをその場で読み込むわけではなく、アクセスがあるところを先に読み込むなどの最適化もカーネルが行います。しかし、一度に多くのメモリを確保しなければならないため、ファイルサイズが大きくなるとI/O待ちが長くなる可能性があります。もちろん、コピーオンライト機能を使う場合や、確保したメモリの領域にアセンブリ命令が格納されていて実行を許可する必要がある場合には、mmap一択です。

mmapは、メモリ共有の仕組みとしても使えます。ファイルI/O以外の話なので、16.1.3「実行時の動的なメモリ確保：ヒープ」で改めて取り上げます。

10.4 同期・非同期／ブロッキング・ノンブロッキング

すでに何度か紹介しましたが、ファイルI/OもネットワークI/Oも、CPU内部の処理に比べると劇的に遅いタスクです[†11]。そのため、これらのデータ入出力が関係するプログラミングにおいては、「重い処理」に引きずられてプログラム全体が遅くならないようにする仕組みが必要になります。

そのための仕組みを、OSのシステムコールにおいて整備するためのモデルとなるのが、**同期処理**と**非同期処理**、そして**ブロッキング処理**と**ノンブロッキング処理**という分類です（図10.4[†12]）。

同期処理と非同期処理は、ここでは実データを取りに行くのか、通知をもらうのかで区別されます。

- 同期処理：OSにI/Oタスクを投げて、入出力の準備ができたらアプリケーションに処理が返ってくる

---

†10　この話題は、奥一穂さんによる次のブログ記事でも取り上げられています。「mmapのほうがreadより速いという迷信について」 `https://kazuhooku.hatenadiary.org/entry/20131010/1381403041`

†11　もちろん、ソケット通信の中でもUnixドメインソケットは高速ですし、ファイルもすべてバッファに載っていれば高速ですが、これらは例外です。

†12　この分類はIBM developerWorksの "Boost application performance using asynchronous I/O"（`https://developer.ibm.com/articles/l-async/`）で紹介されているものです。日本語の解説記事としては、松本亮介さんのブログエントリー「非同期I/OやノンブロッキングI/OおよびI/Oの多重化について」（`http://blog.matsumoto-r.jp/?p=2030`）が参考になるでしょう。ただし、この分類は四象限にするために無理している（特に同期・非同期の用語の使い方）ところがあるので注意してください。

- 非同期処理：OSにI/Oタスクを投げて、入出力の準備ができたら通知をもらう

ブロッキング処理とノンブロッキング処理は、タスクの結果の受け取り方によって区別されます。なお、下記でわざわざ結果の「準備」と言っているのは、小さいタスクであれば完了と同義ですが、大きいタスクだとたとえば「`io.Reader`の`Read()`で渡したバッファがいっぱいになったら返ってくる」といった場合もあり、それも含むからです。

- ブロッキング処理：お願いしたI/Oタスクの結果の準備ができるまで待つ（自分は停止）
- ノンブロッキング処理：お願いしたI/Oタスクの結果の準備ができるのを待たない（自分は停止しない）

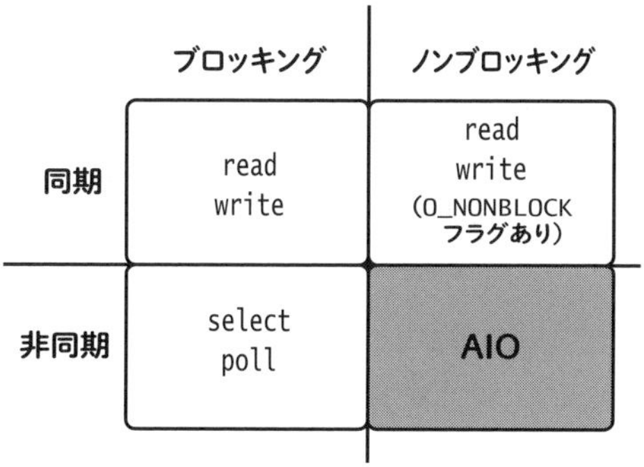

	ブロッキング	ノンブロッキング
同期	read write	read write (O_NONBLOCK フラグあり)
非同期	select poll	AIO

▶図10.4　同期・非同期／ブロッキング・ノンブロッキングに基づくシステムコールの分類

OSのシステムコールも、同期処理か非同期処理か、ブロッキング処理かノンブロッキング処理かによって、全部で図10.4のような4つの種類に分けることが可能です。

なお、図10.4のようなシステムコールの分類は、「シングルスレッドで動作するプログラム」で「効率よくI/Oをさばくため」の指標なので、クライアント側がマルチプロセスやマルチスレッドで動作するときのことはひとまず忘れてください。

10.4.1 同期・ブロッキング処理

同期・ブロッキング処理は、読み込み・書き込み処理が完了するまでの間、何もせずに待ちます。重い処理があると、そこですべての処理が止まってしまいます。実行時のパフォーマンスは良くないのですが、コードはもっともシンプルで理解しやすいという特徴があります（図10.5左）。

10.4.2 同期・ノンブロッキング処理

ファイルオープン時にノンブロッキングのフラグを付与することで実現できます。APIを呼ぶと、即座に「まだ完了していないか」どうかのフラグと、現在準備ができているデータが得られます。クライアントが完了を知る必要があるときは、完了が返ってくるまで何度もAPIを呼びます（図10.5右）。これをポーリングと呼びます。

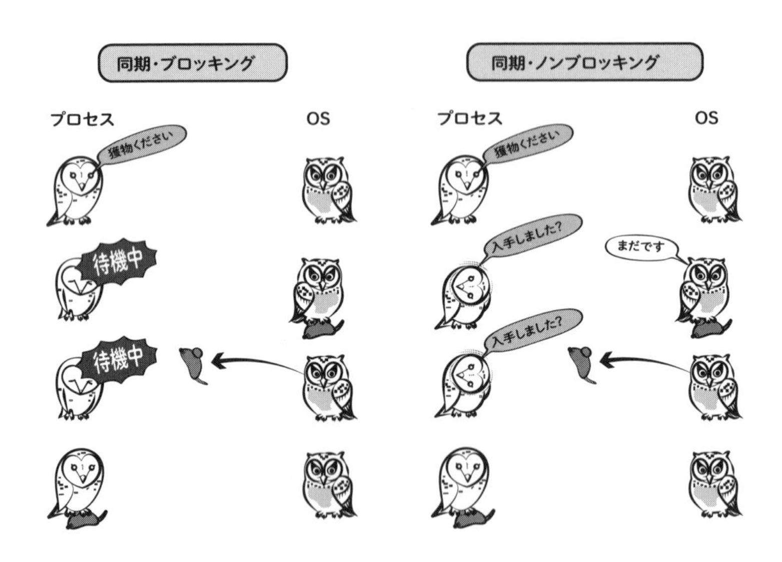

▶図10.5　同期・ノンブロッキング処理

10.4.3 非同期・ブロッキング処理

非同期・ブロッキングは、I/O多重化（I/Oマルチプレクサー）とも呼ばれます。準備が完了したものがあれば通知してもらう、というイベント駆動モデルです（図10.6左）。そのための通知には、10.5節で説明するselect属と呼ばれるシステムコールを使います。POSIX共通のAPIは`select`と`poll`のシステムコールですが、実行効率に難があるため、移植性が落ちても各OSで効率のよい方法（Linuxのepoll†13、BSD系OSのkqueue、WindowsのI/O Completion Port）が使われます。

Go言語でI/O多重化を実現する方法は次節で紹介します。

10.4.4 非同期・ノンブロッキング処理

メインプロセスのスレッドとは完全に別のスレッドでタスクを行い、完了したらその通知だけを受け取るという処理です（図10.6右）。APIとしては、POSIXのAPIで

†13　ただし、epollはファイル入出力には使えません。`https://stackoverflow.com/questions/8057892/epoll-on-regular-files`

定義されている非同期I/O（aio_*）インタフェースが有名です。

ただし、現在のaio_*はLinuxではユーザー空間でスレッドを使って実装されており、実装が成熟していない[†14]とmanページに書かれています。これとは別にLinuxカーネルレベルAIO[†15]というものもありますが、これもあまり使われていません。Go言語のsyscallパッケージでも機能が提供されていません。

Node.jsでも、Linuxの非同期IOの採用が何度か検討されましたが、「2016年でもまだ安定していない」「Linux作者のリーナスも興味がなく、改善される見込みがない」などのいくつかの理由によって却下されています[†16]。高速な性能が売りのNginxも、当初は非同期IOを使っていましたが、マルチスレッドを使うことでスループットがさらに9倍になったと報告されています[†17]。

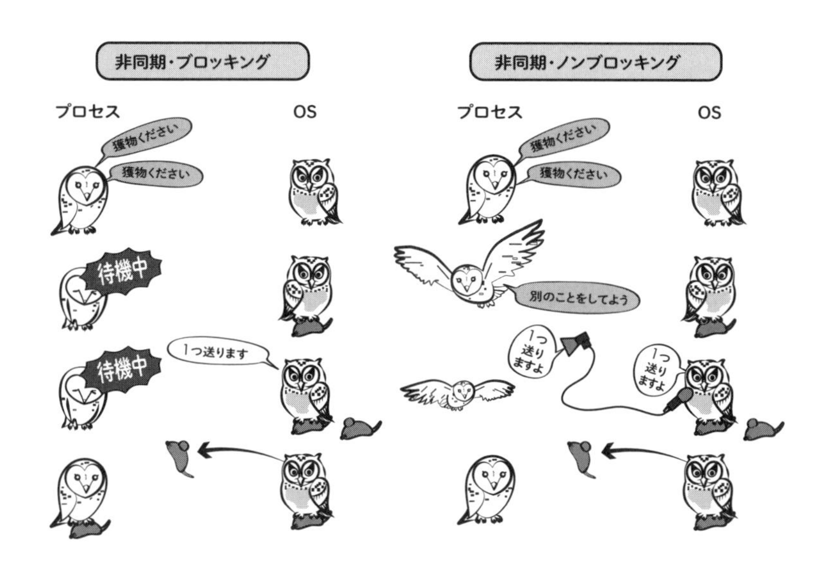

▶図10.6　非同期・ノンブロッキング

しかし、非同期IOのAPIも進化しています。Linuxでは、今までの非同期IOの欠点を解消したio_uring[†18]が2019年のLinux 5.1に搭載されました。5.8.2項で紹介したように、io_uringはアプリケーションとカーネルが2つのキューを使ってやり取りを行います。アプリケーションが命令送信用のキューにリクエストを送れば、別の

†14 https://linuxjm.osdn.jp/html/LDP_man-pages/man7/aio.7.html

†15 https://www.oreilly.co.jp/community/blog/2010/09/buffer-cache-and-aio-part3.html

†16 https://github.com/libuv/libuv/issues/461

†17 https://www.nginx.com/blog/thread-pools-boost-performance-9x/

†18 https://lwn.net/Articles/810414/

キューから結果が受け取れます。システムコール呼び出しの待ち時間のロスなく、送受信が行えます。また、アプリケーションとカーネルの間のメモリのコピーも少なくて済みます。

10.4.5 Go言語でさまざまなI/Oモデルを扱う手法

並行処理が得意なGo言語ですが、ベースとなるファイルI/OやネットワークI/Oは、シンプルな同期・ブロッキングインタフェースになっています。同期・ブロッキングのAPIを並行処理するだけでも、重い処理で全体が止まることがなくなるため効率が改善できます。

もちろん、Go言語のプログラムで同期・非同期、ブロッキング・ノンブロッキングのモデルを使いこなすことに意味がないわけではありません。Go言語で同期・ブロッキング以外のI/Oモデルを実現するには、ベースの言語機能（goroutine、チャネル、select）をアプリケーションで組み合わせます（第4章も参照）。

- goroutineをたくさん実行し、それぞれに同期・ブロッキングI/Oを担当させると、**非同期・ノンブロッキング**となる
- goroutineで並行化させたI/Oの入出力でチャネルを使うことで、他のgoroutineとやり取りする箇所のみの同期ができる
- このチャネルにバッファがあれば、書き込み側も**ノンブロッキング**となる
- これらのチャネルで`select`構文を使うことで**非同期・ブロッキングのI/O多重化**ができる
- `select`構文に`default`節があると、読み込みを**ノンブロッキング**で行えるようになり、非同期IO化ができる

このように、基本シンタックスの組み合わせで、同期で実装したコードをラップし、さまざまなI/Oのスタイルを実現できる点がGo言語の強みです。他の言語だと、非同期をあとから足そうとするとプログラムの多くの箇所で修正が必要になることがあります。特に、次節で扱う非同期・ブロッキングの追加では、プログラムが構造から変わってくることすらあります。

NOTE 非同期やノンブロッキングを扱う場合でも、それらを統括するメインロジック・メインループは基本的に逐次処理となるでしょう。Go言語では基本構文だけで非同期やノンブロッキングをまとめあげることができ、それがGo言語プログラマー間では見慣れたイディオムとして知識共有されているためコードが読みやすいという利点もあります。

10.5 select属のシステムコールによるI/O多重化

前節で説明したように、非同期・ブロッキングは1スレッドでたくさんの入出力を効率よく扱うための手法であり、I/O多重化とも呼ばれます。それを効率よく実現す

るAPIのことを、本書では**select属**と総称します[19]。

前述のように、並行処理を使えば小さい規模のI/Oの効率化は十分に行えますが、select属はC10K問題と呼ばれる、万の単位の入出力を効率よく扱うための手法として有効です。ネットワークについては、すでにselect属のシステムコールがGo言語のランタイム内部に組み込まれており、サーバーを実装したときに効率よくスケジューラーが働くようになっています。本章で説明したファイルシステムの監視などたくさんのファイルを同時に扱うときに使えます。

POSIXには、select属のシステムコールとして、`select`と`poll`があります。しかし、`select`は、扱うディスクリプタの数が増えたときの性能に問題があります。`poll`も、多少はましですが、移植性に欠けます。select属のAPIを使う目的は、大量のI/Oをさばくときのパフォーマンスを向上させることなので、中途半端なAPIでは使う意味がありません。そのため、パフォーマンスも移植性も落ちる`poll`に相当するものは、Go言語の`syscall`パッケージにも含まれていません。

現在では、多重I/Oを実現する場合、各OSが提供している効率のよいシステムコールを使うのが定石となっています。表10.2に、Go言語の`runtime`パッケージ内で利用されているselect属のAPIをまとめます。

▶表10.2 Go言語のruntimeパッケージで利用されるselect属

種類	Go言語のランタイム使用OS
select	使われず
poll	使われず（Goもサポートせず）
epoll [20]	Linux
kqueue [21]	BSD系OS（macOSも含む）
Event Ports [22]	Solaris
I/O Completion Port [23]	Windows
サポートせず	Plan 9

以下は、これらのselect属のAPIのうち、macOSのkqueueの使い方を示すサンプルコードです[24]。`./test`フォルダ内の変更を監視してイベントを待つという動作を実装したものです。

[19] select属という総称は、関将俊さんによる用語です。

[20] https://github.com/golang/go/blob/release-branch.go1.17/src/runtime/netpoll_epoll.go

[21] https://github.com/golang/go/blob/release-branch.go1.17/src/runtime/netpoll_kqueue.go

[22] https://github.com/golang/go/blob/release-branch.go1.17/src/runtime/netpoll_solaris.go

[23] https://github.com/golang/go/blob/release-branch.go1.17/src/runtime/netpoll_windows.go

[24] 参考：https://gist.github.com/nbari/386af0fa667ae03daf3fbc80e3838ab0

```
package main

import (
    "fmt"
    "syscall"
)

func main() {
    kq, err := syscall.Kqueue()
    if err != nil {
        panic(err)
    }
    // 監視対象のファイルディスクリプタを取得
    fd, err := syscall.Open("./test", syscall.O_RDONLY, 0)
    if err != nil {
        panic(err)
    }
    // 監視したいイベントの構造体を作成
    ev1 := syscall.Kevent_t{
        Ident:  uint64(fd),
        Filter: syscall.EVFILT_VNODE,
        Flags:  syscall.EV_ADD | syscall.EV_ENABLE | syscall.EV_ONESHOT,
        Fflags: syscall.NOTE_DELETE | syscall.NOTE_WRITE,
        Data:   0,
        Udata:  nil,
    }
    // イベント待ちの無限ループ
    for {
        // kevent作成
        events := make([]syscall.Kevent_t, 10)
        nev, err := syscall.Kevent(kq, []syscall.Kevent_t{ev1}, events, nil)
        if err != nil {
            panic(err)
        }
        // イベントを確認
        for i := 0; i < nev; i++ {
            fmt.Printf("Event [%d] -> %+v\n", i, events[i])
        }
    }
}
```

上記のコードでは、監視対象のイベント詳細が格納された構造体（syscall.Kevent_t）を作り、それをsyscall.Kevent()に渡しています。すると、発生したイベントのリストがsyscall.Kevent()の3つめの引数に入ります。syscall.Kevent()の4つめの引数は、その際のタイムアウトで、タイムアウトを設定しなければ結果が返ってくるまでブロックし続けます。これにより、非同期・ブロッキングのイベント待ち処理が実現できます。

逆に、下記のようにタイムアウトをゼロにすれば即座に処理が返ってくるため、ノンブロッキングAPIとして使うことも可能です。

```
timeout := syscall.Timespec{
    Sec:  0,
    Nsec: 0,
}

// （中略）

nev, err := syscall.Kevent(kq, []syscall.Kevent_t{ev1}, events, &timeout)
```

なお、epollはネットワークには利用できるものの、通常のファイルには使えなかったりします。これらの機能を使うには、OSごとにチューニングする必要があるでしょう。なるべく多くの例を紹介したいところですが、環境も、サポートされるイベントやオプションの種類も膨大なので、本書ではイメージだけを伝えるにとどめました。Goのランタイムを読んでもよいですが、具体的なコードを見たいのであれば、evio[†25]という、Goの標準ライブラリよりも高速な、ネットワーク特化のイベントループのライブラリがあります。こちらの`internal`ディレクトリ以下で、`kqueue`と`epoll`を活用したコードを見ることができます。

第4章「低レベルアクセスへの入口3：チャネル」では、チャネルと一緒に使う`select`構文を紹介しました。OSの場合には、ブロックしうる複数のI/Oシステムコールをまとめて登録し、準備ができたものを教えてもらうのが`select()`の役割です。Go言語の`select`文も、名前が同じことからもわかるように、この点についてはOSが提供する`select()`システムコールとまさに同じです[†26]。

10.6 FUSEを使った自作のファイルシステムの作成

ファイルシステムに関するトピックの集大成として、ファイルシステムをGoで自作してみます。本節では、Amazon Web Service（AWS）のS3やGoogle Cloud Platform（GCP）のStorage、Microsoft AzureのBlob Storageをマウントしてローカルフォルダにあるかのように見せる、読み込み専用のファイルシステムを作成してみます。

新しいファイルシステムの作成には、本来であればOSごとにモジュールやデバイスドライバの作成が必要ですが、ここではFUSE（Filesystem in Userspace）というインタフェースを使って、より手軽にユーザーランドで動作するファイルシステムを作成します。前章で紹介したように、ファイルなどの操作は、ストレージがどのようなフォーマットで初期化されているかどうかにかかわらず、抽象化されたAPIであるシステムコール経由で操作可能です。FUSEでは、このシステムコールを、ユーザーランド上で動作しているプロセスに転送します。実際のファイル操作は、カーネル内部ではなくユーザーランドで行われていますが、ファイルを操作するアプリケーションからは、まるで本物のファイルシステムがあるかのように見えます。

GoでFUSEを取り扱うライブラリは多数ありますが、本節ではWindowsを含む多くのプラットフォームに対応していてAPIも簡便な`github.com/billziss-gh/cgofuse`を利用します。このライブラリを利用するには、OS側で中継するライブラリとして、Linuxであればlibfuse[†27]、macOSであればFUSE for macOS[†28]、Windows

---

†25 `https://github.com/tidwall/evio`

†26 GoCon2017で`select`について発表した小泉守義さんによると、Goの内部実装もLinuxカーネルと似ているとのことです（「Goをカンストさせる話」`https://www.slideshare.net/moriyoshi/go-73631497`）。

†27 たいていのLinuxディストリビューションで`libfuse-dev`というパッケージが提供されていると思います。

†28 `https://osxfuse.github.io/`

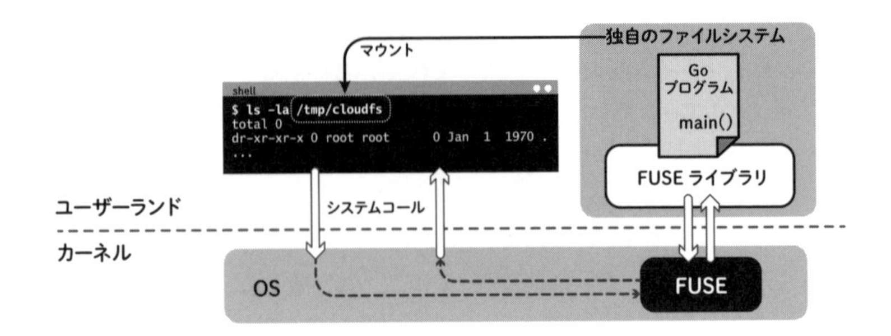

▶ 図10.7　独自のファイルシステムをユーザーランドで作成できるFUSE

であればGoライブラリの作者自身が作っているWindows File System Proxy†29が必要になります。また、C言語のコードをGoから呼び出すCgoという仕組みがビルドできるように、Cコンパイラも必要になります。

このライブラリでファイルシステムを実装する際は、`Open()`や`Read()`などの33通りのシステムコールに対応するコードを、`FileSystemInterface`インタフェースのメソッドとして定義します。実際には、`fuse.FileSystemBase`という構造体を埋め込むことにより、少数のメソッドを定義するだけでファイルシステムが作れます†30。

10.6.1 クラウドのストレージサービスへのアクセス

クラウドサービスへのアクセスには、複数のクラウドサービスに対応しているGo Cloud Development Kit†31を利用します。これを使うと、`s3://`バケット名や`gs://`バケット名や`azblob://`バケット名のようにURLのスキームを変えるだけで各種のクラウドサービスにアクセスできます。ファイル読み込みだけであれば、次のようにして簡単に`io.ReadCloser`インタフェースを満たすオブジェクトが取得できます。

```
import (
    "gocloud.dev/blob"
    _ "gocloud.dev/blob/gcsblob"
)

bucket, _ := blob.OpenBucket(ctx, "gs://my-bucket")
defer bucket.Close()
reader, err := bucket.NewReader(ctx, "my-file", nil)
defer reader.Close()
```

†29　http://www.secfs.net/winfsp/
†30　ライブラリのサンプルとして同梱されているhellofsでは、この方法でOpen()、Read()、Getattr()、Readdir()だけを定義しています。
†31　https://gocloud.dev/

本節の例を試すには、クラウドサービスのストレージのバケットが必要です。クラウドサービスによって手順は多少異なりますが、だいたい以下の手順で準備できると思います。

1. クラウドサービスのアカウントを作る
2. サンプルアプリケーション用にプロジェクトを作る
3. 管理コンソールで各ストレージサービスを開き、バケットを作成する
4. 実行するプログラムに設定するサービスアカウントを作り、バケットへの読み込み権限を設定する
5. サービスアカウントのクレデンシャルのファイルをダウンロードしておく

バケットのオプションは、本節の用途ではシンプルな設定でかまいません。たとえばGCPのStorageであれば、ロケーションタイプを「リージョン」、場所を「asia-northeast1 (東京)」(もしくは大阪などの居住地に近いところ)、ストレージクラスを「スタンダード」、アクセス制御を「均一」とすればよいでしょう。

アカウントを作る際は、サービスへのアクセス権限として、ストレージの読み込み権限を付与してください。最後にキーをJSON形式でダウンロードしてローカルに保存し、そのファイルへのパスを環境変数に設定しておきます。GCPであれば以下のようにすればよいでしょう。

```
export GOOGLE_APPLICATION_CREDENTIALS=./go-sys-prog-251114-2b26afbaebe7.json
```

10.6.2 ファイルシステム作成の最初の一歩

ファイルシステムの基本骨格は以下のように書けます。

```go
package main

import (
	"context"
	"fmt"
	"os"

	"github.com/billziss-gh/cgofuse/fuse"
	"gocloud.dev/blob"
	_ "gocloud.dev/blob/azureblob"
	_ "gocloud.dev/blob/gcsblob"
	_ "gocloud.dev/blob/s3blob"
)

type CloudFileSystem struct {
	fuse.FileSystemBase
	bucket *blob.Bucket
}
```

`FileSystemInterface`インタフェースを満たす構造体を、雛形`fuse.FileSystemBase`を埋め込んで定義しています。この構造体は、それ以外に、クラウドサービスにアクセスするためのハンドラを保持します。

`main()`関数は次のようになります。コマンドライン引数を解析して、1つめの引

数をバケットのパス、2つめの引数をマウントするフォルダのパスとし、ファイルシステムのインスタンスを作っています。

```
func main() {
    ctx := context.Background()
    if len(os.Args) < 3 {
        fmt.Printf("%s [bucket-path] [mount-point] etc...", os.Args[0])
        os.Exit(1)
    }
    b, err := blob.OpenBucket(ctx, os.Args[1])
    if err != nil {
        fmt.Println(err)
        os.Exit(1)
    }
    defer b.Close()
    cf := &CloudFileSystem{bucket: b}
    host := fuse.NewFileSystemHost(cf)
    host.Mount(os.Args[2], os.Args[3:])
}
```

実行するには次のように実行します。

```
# マウント先のフォルダを作成
$ mkdir -p /tmp/cloudfs ↵

# バケットのパスとマウント先のパスを設定して実行
$ ./cloudfs gs://cloudfs-bucket /tmp/cloudfs ↵
```

なお、cgofuseの機能として、末尾に-dを付けると詳細なデバッグ出力が得られます。実際にファイルシステムを作成する際は、このデバッグ出力を見ながらどのメソッドを埋める必要があるかを確認していくようになるでしょう。

10.6.3 ディレクトリ内の一覧を取得できるようにする

上記のプログラムを実行してオリジナルのファイルシステムをマウントできたら、ファイルシステムに対する操作を実行してみましょう。現状では次のようにエラーが出力されるはずです。

```
$ ls /tmp/cloudfs ↵
ls: cannot access '/tmp/cloudfs': Function not implemented
```

ファイルシステムの実行側でもエラーが出ています。詳細なデバッグ出力を有効にしていれば次のようなログが出力されるはずです。これによると、getattrメソッドが実装されていなかったのでエラーになっているようです。

```
getattr /
   unique: 3, error: -38 (Function not implemented), outsize: 16
```

欠けているメソッドを追加していきましょう。Getattr()は、引数で渡ってきたファイルのstatを通じて呼び出し元にファイルの属性を返すというメソッドです。ここでは、クラウド側の属性取得のAPIを呼び、ディレクトリであればS_IFDIRフラグを、通常のファイルであればS_IFREGフラグをModeに設定するようにします。その判定は、末尾に"/"が付いた名前のエンティティが存在するかどうかで行います。クラウドサービス側のパス表記のルール（先頭に"/"が付いてない）と、FUSE側のパス表記のルール（先頭に"/"が付いている）に差があるので、strings.TrimLeft()などを使ってこの違いを吸収する必要があります。

```
func (cf *CloudFileSystem) Getattr(path string,
    stat *fuse.Stat_t, fh uint64) (errc int) {
    if path == "/" {
        stat.Mode = fuse.S_IFDIR | 0555
        return 0
    }
    ctx := context.Background()
    name := strings.TrimLeft(path, "/")
    a, err := cf.bucket.Attributes(ctx, name)
    if err != nil {
        _, err := cf.bucket.Attributes(ctx, name+"/")
        if err != nil {
            return -fuse.ENOENT
        }
        stat.Mode = fuse.S_IFDIR | 0555
    } else {
        stat.Mode = fuse.S_IFREG | 0444
        stat.Size = a.Size
        stat.Mtim = fuse.NewTimespec(a.ModTime)
    }
    stat.Nlink = 1
    return 0
}
```

この状態で再び実行してみると、今度はreaddirが未実装というエラーが出るので、次はReaddir()を実装しましょう。こちらは、クラウドサービス側にファイル一覧を問い合わせて、fill()という引数に渡されたコールバック関数にファイルの名前を渡すようにします。クラウドサービスからは毎回フルパスでリストが返ってくるので、最後の部分だけを切り出すようにします。

```
func (cf *CloudFileSystem) Readdir(path string,
    fill func(name string, stat *fuse.Stat_t, ofst int64) bool,
        ofst int64, fh uint64) (errc int) {
    ctx := context.Background()
    fill(".", nil, 0)
    fill("..", nil, 0)
    prefix := strings.TrimLeft(path, "/")
    if prefix != "" {
        prefix = prefix + "/"
    }
    i := cf.bucket.List(&blob.ListOptions{
        Prefix:    prefix,
        Delimiter: "/",
    })
    for {
        o, err := i.Next(ctx)
        if err != nil {
            break
        }
        key := o.Key[len(prefix):]
        if len(key) == 0 {
            continue
        }
        fill(strings.TrimRight(key, "/"), nil, 0)
    }
    return 0
}
```

これでlsでファイル一覧が取得できるようになります。

```
$ ls -la /tmp/cloudfs ⏎
total 0
dr-xr-xr-x 0 root root      0 Jan  1  1970 .
drwxrwxrwt 1 root root   1310 Feb 18 10:09 ..
-r--r--r-- 1 root root 377525 Feb 16 22:06 a.png
dr-xr-xr-x 1 root root      0 Jan  1  1970 parent
```

10.6.4 ファイルの読み込み

ディレクトリ内の一覧を取得できるだけでファイルへのアクセスができなければ意味がありません。ここではRead()だけを実装して読み込みができるようにしてみます。

Read()には、ファイルのパス以外に、バッファ、オフセット、ファイルハンドルなどが渡されてきます。クラウドサービス側で範囲付きのio.ReadCloserをbucket.NewRangeReaderにより取得し、それを使ってバッファに書き込めば、読み込みができます。

```
func (cf *CloudFileSystem) Read(path string,
    buff []byte, ofst int64, fh uint64) (n int) {
    name := strings.TrimLeft(path, "/")
    ctx := context.Background()
    reader, err := cf.bucket.NewRangeReader(
        ctx, name, ofst, int64(len(buff)), nil)
    if err != nil {
        return
    }
    defer reader.Close()
    n, _ = reader.Read(buff)
    return
}
```

これだけでファイルへのアクセスができるようになります。ファイルの種別の取得、ファイルのコピーなどが可能です。

```
$ file /tmp/cloudfs/a.png ⏎
/tmp/cloudfs/a.png: PNG image data, 1163 x 834, 8-bit/color RGB, non-interlaced
```

10.6.5 実用的なファイルシステムを実装するには

本節で紹介したナイーブなファイルシステムの実装例は、コードのシンプルさを優先したので、かなり動作速度が遅いものです。実際、Read()ではシステムコールのたびに読み込みのためのio.ReadCloserを取得しています。Read()に渡されるバッファは130KBほどなので、300KB程度の画像ファイルを読み込むのにも3分割されてしまいます。Open()を実装してファイルハンドラの識別子を発行できれば、連続したreadシステムコールの場合には同じio.ReadCloserを使い回すようにすることで、ファイルコピーの速度を格段に向上できるでしょう。また、各クラウドサービスはファイルの内容から計算したハッシュ値を持っているので、一度ダウンロードした内容をキャッシュしておき、変更がなければ2回め以降はローカルから返すといった工夫も可能です。このようにOS側（ファイルシステム実装側）の気持ちに立って改善策を考えていくと、システムコールの少ないパラメータ数でもOS側で工夫する余地がかなりあることがわかります。

10.7 本章のまとめと次章予告

本章では、アプリケーションから見たファイルシステムまわりの最深部をたどりました。また、最後にはファイルシステムの作成を通じて、カーネル側の気持ちが少し垣間見えたと思います。

正直なところ、Go言語は基本のパフォーマンスが高いため、ファイルロックを別にすればそこまでのパフォーマンスチューニングが必要になることはあまりありません。筆者も、C言語で書かれたコードをGo言語に移植したときに、同じシステムコールを利用した程度です。しかし、Go言語であれば、いざ必要になったときでもC言語による拡張ライブラリなどを実装せずにそこそこのコード量でこれらの機能が使えるという安心感はあります。

ファイルシステムの作成することができると、ウェブサービスから得られる情報を、たとえばJSONやCSVのファイルとして見せるようなインタフェースも実現できます。前章で紹介した`/proc`ではカーネルの内部の情報をファイルシステムとして見せていました。こうすることで、Go以外の、たとえばシェルスクリプトなどの他の言語との連携も行いやすくなります。

次は、そのシェルスクリプトにも関係するコマンドシェルまわりの話を紹介していきます。

第11章

コマンドシェル101

アプリケーションを使うだけではあまり意識しないのに、ソフトウェア開発や運用に携わると急に「シェル」が出てきます。「これがシェルです」といった形で学んだ機会がなく、なんとなく使っている方も多いかもしれません。本章ではコマンドシェル101（「101」は初級コースを表します）と題して、シェルの役割と仕組みや、シェルとあわせて頻繁に登場する環境変数について学びます。

11.1 シェルとは何か

「シェル」と聞いて思い出すソフトウェアはなんでしょうか？ bashやzsh、fishといった、「キーボードで命令を入れて、ファイルの処理やコマンドの実行をする画面」でしょうか？ しかし、タスクバーやスタートメニュー、それにファイルやアイコンが置かれるデスクトップと呼ばれる場所があるWindowsのGUI画面も、シェルと呼ばれることがあります。筆者が初めてシェルという言葉を知ったのは「DOSシェル」と呼ばれるソフトウェアでした。これは、テキストベースのインタフェース上に構築されたグラフィカルな画面[†1]を持ち、ファイル操作のための機能が提供されていました。

シェルの定義は、ユーザーがコンピューターを操作するために使う接点となるシステムにおいてコンピューターシステムの外側の「殻（shell）」です。WindowsでいえばExplorer、macOSでいえばFinderも「シェル」です。駅の券売機や飲食店のテーブルにあるタブレットの注文端末で使われている、「お客さんが操作する画面以外に切り替えられないモード」（キオスクモード）のWindowsやAndroidで起動されるアプリケーションも「シェル」です。

スクリプト言語によっては、「命令をキーボードで入力して逐次実行するモード」があり、これがシェルと呼ばれることもあります。PythonやNode.jsを引数なしで

†1　CUI（キャラクターユーザーインタフェース）、GUI（グラフィカルユーザーインタフェース）とも異なるもので、TUI（テキストベースユーザーインタフェース）と呼ばれます。

実行したり、Rubyに付属するirbコマンドを実行すると、このモードになります。このモードには、シェルという名前のほか、REPL（Read-Eval-Print Loop）、インタラクティブセッション、インタラクティブシェルといった呼び方もあります。

このようにさまざまな形態のシェルがありますが、本書ではユーザーがテキスト画面で入力してコマンドを起動する、いわゆる「コマンドシェル」について説明します。

11.1.1 コマンドシェル

開発者としてよく目にするのは、CUIのプログラムランチャーとしての「コマンドシェル」でしょう。「外部コマンドを実行するためにシェルを利用する」、「シェルを`/bin/false`にして、ログインできないシステムユーザーを作る」といった文脈に登場するのは、このコマンドシェルです。

現代のOSは、第9章や第10章で説明したファイルシステムにより大量のファイルを操作します。こうした操作には、ファイル自体の管理（移動、名前の変更、削除、コピーなど）はもちろん、ファイルの書き換えや読み込みを利用するアプリケーションの起動もあります。コマンドシェルは、まさにOSの一部として、ファイルからソフトウェアを起動したり、データをファイルからソフトウェアに渡したり、ファイルを整理したり、ソフトウェアを使役しつつファイルを加工させたりする役割を担います。

なおUnix系OSのシェルでは、ファイル加工などの各種の操作に対してそれぞれ小さなユーティリティとして機能するプログラムがあり、コマンドシェルはそれらを起動するだけなので、シェル本体の機能は比較的シンプルです。一方、MS-DOSのCOMMAND.COMという名前のコマンドシェルは、そのような機能の多くを自身で持っています。

11.1.2 シェルがないシステム

シェルが「ユーザーとシステムの接点」なら、システムには必ずユーザーがいるはずなので、どのようなシステムにもシェルも必ずあるはずでしょうか？

実はそうとも言い切れません。そもそもCUIのシェルやGUIのランチャーアプリケーションの仕事は「プログラムを選択して起動すること」です。もし、そのシステムで起動すべきアプリケーションが決まっているのであれば、シェルは不要です。実際、飲食店などでお客さんとお店の対話デバイスとし設置されているタブレットや、情報を流すデバイスとして利用されるデジタルサイネージでは、特定のアプリケーションのみが起動するように設定されています（ただし一般には各OSが提供する「キオスクモード」を使い、これは特定のアプリケーションがシェルとなっているので、シェルがまったくないシステムというわけではありません）。

「シェルがない」ことを積極的に売りにしているシステムもあります。「Distroless」

と呼ばれるコンテナイメージです[2]。Debian Linuxベースですが、シェルがないので、セキュリティホールをついてシステムに侵入されることがありません。攻撃者はたいていサーバーにログインし、ウェブサイトを書き換えてXSSでセッションの鍵をこっそり転送するようにセキュリティホールを仕込んだり、ログファイルやデータベースを覗き見たり、さらに奥のサーバーに入り込もうとします。シェルがなくログインできなければ、それ以上の悪さはできません[3]。なお、シェルがないのでaptなどのパッケージマネージャもありませんが、デバッグビルド時にはシェルが使えるのでエスパーに目覚めなくてもトラブルシュートは可能になっています。

また、OSが提供するような機能をライブラリとして提供し、組み込みアプリケーション開発のようにハードウェア上でOSいらずでアプリケーションを起動できるようにした「ユニカーネル」と呼ばれるアーキテクチャ[4]でもシェルを排除できます。Goのアプリケーションに対応したユニカーネルもいくつかあります。

11.2 シェルの利用形態

シェルの利用形態として一般的なのは、シェル自体が持つ機能（内部コマンド）や外部コマンド（プログラムなど）を端末エミュレータと呼ばれるソフトウェアから起動し、それによりファイルの整理や加工といったコンピューター上での作業を実行するというものでしょう。しかし、シェルが利用されるケースはそれ以外にもあります。端末エミュレータやGUIからシェルスクリプトという形で実行したり、プログラムから外部プロセスとして起動したりする場合です（表11.1）。

▶表11.1 シェルが利用されるケース

実行モード	ユーザー操作	起動方法	結果表示
端末エミュレータ上でコマンドを入力	あり	端末エミュレータを実行（デフォルトで登録されたシェルが起動）	端末エミュレータ上に表示される
シェルスクリプト	なし	端末エミュレータから起動	端末エミュレータ上に表示される
シェルスクリプト	なし	GUIから起動	見られない（Windowsは設定可能）
プログラムからの外部プロセス起動	なし	シェル付きで外部プロセス起動のAPIを呼ぶ	親プロセスに流す（あるいは親プロセスがつながっている擬似端末に流す）

[2] https://github.com/GoogleContainerTools/distroless

[3] もちろん、シェルを使わないウェブサービス上のXSSなどはありうるので、脅威がゼロになるわけではありません。

[4] http://unikernel.org/projects/

11.2.1 端末エミュレータからコマンドを実行

Unix系OSでbashが動いている画面や、macOSのTerminalプログラムの画面、あるいはWindowsのcmd.exeやPowerShellなどが動いている画面（俗に「黒い画面」と呼ばれることもありますが環境によっては白い画面のこともあります）は、**擬似端末**（Pseudo Terminal）と呼ばれることがあります。もう少し正確に言うと、これらGUI上で動くソフトウェアは**端末アプリケーション**や**端末エミュレータ**と呼ばれ、これらとシェルとの間のやり取りを可能にするために用意されるOS側のデバイス（POSIXではファイルとして抽象化されています）が擬似端末です。

「シェルはユーザーとコンピューターの接点」という定義を真に受けると、まるで擬似端末がシェルそのものであるかのように見えるかもしれません。しかし、上記のように擬似端末は端末エミュレータでシェルに接続するときに使われる仕組みであり、シェルそのものではありません。擬似端末は、もともとユーザーがコンピューターを操作するためのハードウェアとして用意された「端末」の役割をソフトウェアで実現するための仕組みなので、入出力を素通しするだけのソフトウェアです。その入力を解釈してコンピューターに指示を出すのがシェルというわけです（図11.1）。

▶図11.1　擬似端末、端末エミュレータ、シェル

GUIを持たないサーバーではログイン後すぐにCUIのシェルが起動しますが、それを表示するシステムとしてgettyと呼ばれる擬似端末のプログラムがまず起動し、これが画面表示やキーボード入力を処理します。

GUIのOSの場合は、まずデスクトップが表示されます。前述したとおり、これもある意味では「シェル」で、ファイルやプログラムの起動を担いますが、さらにウインドウの中で動くCUIのシェルも起動できます。Windowsであれば、コマンドプロンプトやPowerShellの実行を指示すると、`conhost.exe`やWindows Terminalといった端末エミュレータが起動し、その中でコマンドプロンプトやPowerShell、WSLのbashといったシェルが起動します。macOSであれば、TerminalやiTerm2といったアプリケーションが端末エミュレータで、その中でzshなどのシェルが起動します。

11.2.2 シェルスクリプト

シェルの利用形態としてはシェルスクリプトもあります。「毎日作られるログファイルを、特定のフォルダからサーバー上にフォルダを作ってコピーして保存しながら、エラーがあったらその行だけを取り出してきて中身を観察して…」といった具合に、いくつかの細かいタスクをこなすコマンドを組み合わせて定型の仕事をしたい場合、それらを毎回シェルで人間が実行するのは大変です。繰り返しに伴うミスも起きやすくなるでしょう。そこで実行したいコマンドをテキストファイルに並べておき、それをシェルに読み込ませて実行できるようにしたものが、シェルスクリプトです。たとえば以下は、Linuxや macOS上の bashで "hello world" と表示するシェルスクリプトの例です。

```
#! /bin/bash

set -x
set -e

echo "hello world"
```

上記で「#!」から始まる先頭の行はシェバング（shebang）と呼ばれます。コマンドが並んだテキストファイルに実行フラグが付いていて、シェバングが指定されている場合、そこで指定されたシェルのプログラム（この場合は/bin/bash）が実行に使われます。set -xおよびset -eはbashの実行オプションをシェルスクリプトの中で指定する方法で、それぞれ「これから実行するコマンドを画面に表示」および「プログラムがエラーを返したときにシェルスクリプトの実行を中断」という動作を実現できます。

シェルスクリプトをシェルから呼び出す（GUIからダブルクリックなどで起動もできます）と、シェバングに指定されたシェルが起動し、テキストファイルに書かれているプログラムが逐次実行されていきます。上記の例は文字列を表示するだけなので、その場合はユーザーからの入力を待たず、淡々とタスクをこなして終了します。

変数に値を格納して使ったり、ちょっとしたループや条件分岐などを駆使したりして、それなりに複雑なタスクも実現できます。ただし、そうした処理の書き方はシェルのプログラムによって異なります。同じUnix系OSでも、POSIX準拠のshや、より高機能なbashのほか、bashの上位互換でさらに高機能なzsh（macOSデフォルト）、tcsh（BSD系OSでよく使われる）、ash（BusyBoxに組み込まれている）、独自性が強く一部のユーザーに人気が高いfishなどさまざまな種類のシェルがあり、処理の書き方もそれぞれ異なります。ポータビリティの高いシェルスクリプトにしたければ、それぞれのシェルでのみ提供されている高度な機能などが使えなくなるので注意が必要です。

なお、シェバングにはシェル以外のプログラムも指定できます。PythonやRubyを指定すれば、それぞれの言語でコマンドを書けます。macOSでよく利用される

cocoapodやHomebrewといったプログラムも、この方法でRubyで作成されたスクリプトが実行されています。

Windowsにも、シェルスクリプトと同じくテキストファイルに書かれたコマンドをコマンドプロンプトで実行する仕組み（バッチファイル）や、PowerShellが実行するスクリプトがあります。こちらはシェバングではなく拡張子で実行に使われるプログラムが変わります。`.bat`や`.cmd`であればコマンドプロンプトが、`.ps1`であればPowerShellのスクリプトです。

11.2.3 プログラムからの外部プロセス起動

外部コマンドを起動する方式は、プログラミング言語やそのAPIごとに2つあります。

- **シェル経由のコマンド実行**：いったんシェルを呼び出し、シェルがコマンドを呼び出す
- **親プロセスから子プロセスを直接起動**：親プロセスの直接の子が実行先のプロセスとなる（プロセスについては第12章で説明します）

シェル経由でコマンドを実行する場合、コマンドライン引数の分解などもシェルがすべてやってくれます。そのため、起動したいコマンドをパラメータ込みで丸ごと単一の文字列として渡して実行するのが一般的です。一方、シェルを経由せずに直接コマンドを実行する場合、コマンドをPATHから探索するといった機能は多くのライブラリで提供されているものの、引数の分解のようなタスクについてはすべて呼び出し側のプログラムで行い、展開された引数を文字列の配列などとして渡す必要があります。

C言語では、標準ライブラリの`system()`はシェル経由でのコマンド実行、POSIXの`unistd.h`にある`exec()`ファミリーはシェルを経由しない外部コマンド実行です。Pythonの`subprocess.run()`やPHPの`proc_open()`には、シェルを経由するかどうかのフラグがあります。

RubyやDockerでは、コマンドを文字列で渡すか配列で渡すかで、シェル経由かシェルを経由しないかの動作が変わります。たとえばDockerイメージで次のような設定をすると、シェル経由で`./myprog`が起動されます（そのためシェルがないDistrolessでこのような設定をするとエラーになります）。

```
ENTRYPOINT "./myprog hello world"
```

Goの`os/exec`は、シェルを経由しない実行のみをサポートしています。シェル経由の実行をエミュレーションするには次のようにします。

```
var cmd *exec.Cmd
if runtime.GOOS == "windows" {
    cmd = exec.Command("cmd.exe", "/C", "timeout 5")
} else {
```

```
    cmd = exec.Command(os.Getenv("SHELL"), "-c", "sleep 5")
}
cmd.Run()
```

11.3 POSIX、SUS、LSB、BusyBox

現代の多くのOSが準拠、もしくはおおむね適合している標準規格として、1988年にIEEEで最初に策定された**POSIX**があります。POSIXの最初のバージョンはISO規格でもあります。さらに、POSIXという用語は、「UNIX」と名乗るために必要なSingle UNIX Specification（**SUS**）と呼ばれる規格の別名でもあります。CUIのシェルにとって重要な機能として、同じ作業を繰り返し行うためにシェルコマンドを並べたシェルスクリプトがありますが、そのために必要なプログラミング言語のような変数、条件分岐、繰り返しなどの仕様もSUSで定義されています。

POSIXで規定されている内容には以下のようなものがあります。本章に関係するのは、上記のうち2つめのユーティリティまわりの仕様です。

- 標準準拠のシステムで提供されるべきC言語のヘッダーファイルの一覧
- シェルのコマンド（ユーティリティ）、および、シェルの言語仕様
- OSとのやり取りに利用するシステムコールやライブラリ関数の定義（これについては第5章「システムコール」で説明しました）

POSIXの最新の仕様は以下のURLで閲覧できます。

- `https://pubs.opengroup.org/onlinepubs/9699919799/`

上記のURLを開くと、3つのフレームが表示されます（図11.2）。左上の「INDEX」とあるフレームで［Shell & Utilities］を選択し、その下のフレームに表示されるメニューから［4. Utilities］を選択すると、`cd`や`ls`、`cat`といったUnix系OSを使っている方にとっては見慣れたコマンドの一覧が表示されるでしょう。これらが「POSIX準拠」を名乗るのに必要なコマンドです。また、やはり下のフレームの［2. Shell Command Language］というメニューからは、文字列の規則や変数展開、リダイレクトやパイプといったシェル上で実現できる操作についての仕様が参照できます。なお、これらを実装したものは、GNU実装のソフトウェア群が「coreutils」というパッケージであることから、この名前で呼ばれることもあります[†5]。

これらに完全に準拠したOSは「UNIX」を名乗れます。たとえばmacOSは、10.5 Leopardから11 Big Surまでが「UNIX 03」というバージョンに適合していると登録されています。一方、オープンソースで人気のパーソナルコンピューター向けのFreeBSDとLinuxは認証試験を受けておらず、この意味ではUNIXを名乗れません。

---

†5 coreutilsのコマンドの実装については次の図解サイトが勉強になります。`https://www.maizure.org/projects/decoded-gnu-coreutils/index.html`

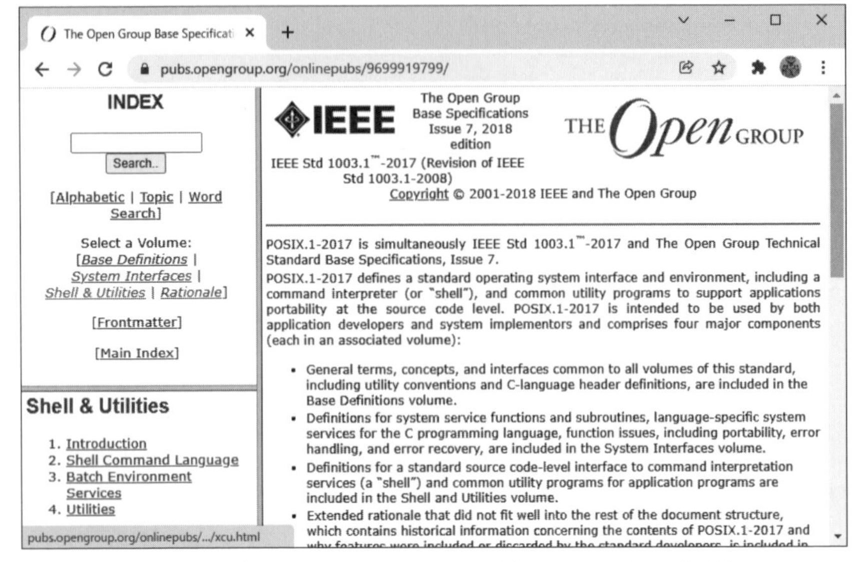

▶図11.2　「The Open Group Base Specifications」のウェブサイト

ただし、どちらもSUSとの互換性を上げる活動は続けられています。またシェルについては、これらの要件をほぼ満たした上でそれにいろいろな拡張を加えているbashやzshなどは「POSIX互換シェル」と呼ばれることがあります。

UNIXを名乗れないLinuxですが、SUSをベースにしながら利便性を意識してGUIまわりのパッケージやファイルシステムの構成、プリンターサポートまわりなどを加えたISO規格として、**LSB**（Linux Standard Base）というものがあります。本書の読者の多くにとって一番関心が高い（お仕事などに近い）のは、おそらくこのLSBでしょう。LSBでは、SUSの定義するユーティリティのサブセットにGUIまわりのパッケージも足されています。LinuxディストリビューションのDebianは、政治的な理由もあり2015年ごろからLSBから距離を置いていますが、それでもファイルシステムの構造やベースとして提供されているライブラリなどには引き続き共通点が数多くあります。

POSIXやLSBは巨大な規格であることから、それらの小さいサブセットとして、**BusyBox**と呼ばれるソフトウェアもあります。多くのPOSIX系OSでは各コマンドが独立したプログラムとして提供されていますが、BusyBoxでは1つの実行プログラム中に複数のUNIXのコマンドが実装されています。

- `https://www.busybox.net/`

LinuxディストリビューションではファイルサイズのI小ささを意識して作られているAlpineがBusyBoxをコアとして使っています。次のコマンドで利用可能なコマンド群が閲覧できます。

```
% docker run --rm -it alpine busybox ↵
```

POSIX規約に合わせた行儀のよいユーティリティプログラムの実装

POSIXはシェルだけではなく、ユーティリティプログラムの規約についても定めています。ユーティリティプログラムというのはいわゆるCLIプログラムのことで、もちろんGoでも実装できます。POSIXの規約に従って実装されたユーティリティプログラムは、使う側からすれば行儀のよいプログラムだと言えるでしょう。ユーティリティプログラムについてのPOSIXの規約には以下のようなものがあります[†6]。

- 入力ファイルを引数として渡す（フラグではなく）
- 入力ファイルがなかった場合は標準入力を読み込む
- 入力ファイルが「-」でも標準入力を読み込む

ここまでの話を整理しましょう。まず、シェルの内部コマンドとしては次のコマンドが用意されています。

```
alias, bg, cd, command, false, fc, fg, getopts, hash, jobs,
kill, newgrp, pwd, read, true, umask, unalias, wait
```

内部コマンド以外のコマンドの中で、SUS、LSB、BusyBoxの最大公約数をとったものが次のコマンドです。OS管理コマンドなどを除外した、最低限のシェルの機能が見えてくるでしょう。

```
[, awk, basename, bc, cat, chgrp, chmod, chown, cksum, cmp, comm, cp,
crontab, cut, date, dd, df, diff, dirname, du, echo, ed, env, expand,
expr, find, fold, fuser, grep, head, id, ln, logger, ls, mkdir, mkfifo,
more, mv, nice, nl, nohup, od, printf, ps, renice, rm, rmdir, sed, sh,
sleep, sort, split, strings, stty, tail, tee, touch, unexpand, uniq, wc,
xargs, zcat
```

カテゴリーをまたがる機能もありますが、おおまかには、ファイルの管理（コピー、削除、ディレクトリ作成、シンボリックリンク作成、ファイルリスト取得、権限制御)、ファイルの表示（検索、先頭や末尾の表示)、ファイルの加工（置換、編集、ソート、分割、重複削除、タブスペース変換、文字カウント、圧縮ファイルの展開)、実行中のプロセスへの命令（プロセス一覧取得、優先度変更、終了）などがCUIのシェルの最低限の機能ということがわかります。

なお、WindowsのコマンドプロンプトやPowerShellはPOSIX互換シェルではない

[†6] これをGoのコードとして実装した例が「Carpe Diem：GoのCLIで標準入力とファイル読み込みの両方に対応する」 `https://christina04.hatenablog.com/entry/go-cli-interface` で紹介されているので参考にしてください。

ので、コマンド体系などは本項で説明したものとは大きく異なります。とはいえ、実行できる操作はこれらとよく似ています。

11.4 環境変数

環境変数は、「ユーザーごとの固有の設定」が含まれた配列です。この配列には**キー=値**という形式の文字列として値が格納されます。環境変数は、シェルから子プロセスに、まとまった情報を渡す手段として提供されています。最初に起動したプロセスやバッチファイルから、起動されるすべての子プロセスに伝搬されるので、途中でバケツリレーで渡す必要がありません。その意味ではグローバル変数に近い使い方だといえるでしょう（ただし、設定したプロセスの親には伝搬しないので、その点ではグローバル変数とは異なります）。

環境変数には、ユーザー名やホームディレクトリ、言語設定といったカレントのユーザーに関する情報のほか、実行ファイルのパス、プログラム用の設定など、さまざまな情報が含まれます。現在のシェルが持っている環境変数は、LinuxやmacOSであればenvコマンド、Windowsであればsetコマンドで表示できます。

```
$ env ⏎
HOSTNAME=0ba935e0defe
PWD=/
HOME=/root
TERM=xterm
SHLVL=1
PATH=/usr/local/sbin:/usr/local/bin:/usr/sbin:/usr/bin:/sbin:/bin
_=/usr/bin/env
```

環境変数はシェルから暗黙のうちに渡されるので、シェルからプログラムを起動する際の情報伝達の手段として、プログラムの挙動を外から制御する用途でよく使われます。たとえばHTTP_PROXYという名前の環境変数があると、GoのランタイムライブラリやPythonなど多くのプログラムでHTTPアクセスのときに指定されたプロキシを利用します[†7]。

環境変数は、かつてはウェブアプリケーションと切っても切れない関係にありました。古のCGIでは、クライアントからのリクエストヘッダー情報やGETメソッドのクエリー、サーバー情報が環境変数としてプログラムに渡されました。最近では、本番環境と開発環境とのモード切り替えに環境変数を使うのが良い方法とされています。これは、クラウドサービスを使ってサーバープログラムやバッチ処理を起動する場合に、クラウド側の設定で環境変数を渡せるからです。クラウド時代のアプリケーション設計の方法論として知られる “The Twelve Factor App” [†8]にも「設定の変更はす

---

†7 プログラムによってはhttp_proxyしか認識しないものがあるので、HTTP_PROXYとhttp_proxy、さらにはHTTPS向けにHTTPS_PROXYとhttps_proxyの4つの環境変数を定義するのが安全です。また、Gitやnpmコマンドなど、それぞれ専用の設定が必要なツールもあります。

†8 https://12factor.net/

べて環境変数で行えるようにすべき」と示されています。また、コンテナ（第19章参照）を使ったウェブサービスでは、サーバーに固有の情報やクレデンシャルを環境変数で渡します。コマンドライン引数で大切な鍵情報を渡すとなると、実行時のログとして残ってしまうおそれがあるため[†9]、環境変数が重宝されます。

▶図11.3　クラウドのサービスに環境変数を設定

ただしDockerの場合には注意が必要です。これは、シェル上の`docker`コマンドはただのリモコンで、管理者権限で動作する実態（デーモン）との間には親子関係がないので、「親から子のプロセスには自動で伝搬していく」という環境変数の性質がうまく使えないからです。そこで、`docker`コマンドの引数経由で環境変数をデーモンに渡し、デーモンからコンテナに渡します。

11.4.1 Goプログラム内での環境変数の取得

環境変数をGoのプログラムの中から参照して利用するための関数群は`os`パッケージで提供されています。

表11.2に示すAPIは全環境で使えます。

---

†9　「外部には公開しないが、ログにセキュリティ情報が表示されていて社内で閲覧できるようになっていた」というセキュリティのインシデントがたまに発生しています。

▶表11.2 環境変数のAPI

os.Environ()	文字列のリストで全取得
os.ExpandEnv()	環境変数が埋め込まれた文字列を展開(環境変数を使う)
os.Expand()	環境変数が埋め込まれた文字列を展開(値のマップは自前)
os.Setenv()	キーに対する値を設定
os.LookupEnv()	キーに対する値を取得(有無をboolで返す)
os.Getenv()	キーに対する値を取得
os.Unsetenv()	指定されたキーを削除する
os.Clearenv()	全部クリアする

環境変数は、キー=値という形式の文字列の配列ですが、Go言語内部では、このままの形式の配列と、これをマップ型にマッピングしたものを両方持っています。

少し特殊で他の言語であまり見かけない機能として、os.ExpandEnv()があります。これは、環境変数をそのまま使うのではなく、GOBIN=${HOME}/binのようにして他の環境変数を組み合わせた文字列が欲しい場合に使います。

```
package main

import (
    "fmt"
    "os"
)

func main() {
    fmt.Println(os.ExpandEnv("${HOME}/gobin"))
}
```

11.4.2 .envファイル

Ruby on Railsが発明して多くの言語やツールに導入されたアイディアのひとつに「.envファイル」があります。これは「アプリケーションの実行時に設定されているべき環境変数を.envという名前のファイルに記述し、アプリケーションがそれを自分で読み込んで処理する」という仕組みです。Ruby on Railsでは、この仕組みを使ってローカルの開発環境、ステージング環境、本番環境など、環境ごとの設定の違いをまとめて管理できるようにしています。

.envファイルは環境変数に似ていますが、アプリケーションごとに対応が必要です。そこで、前項で紹介したGoのosパッケージを利用して、どんなコマンドでも「.envファイルに指定された環境変数を読み込むアプリケーションにする」ようなコマンドラッパー[†10]を簡単に実装してみましょう。Goはクロスコンパイルで活用しや

[†10] Linuxなどのtimeコマンドは、引数で指定されたコマンドを実行し、その実行時間のログを表示します。このような「実行したいコマンドを引数で受けて実行しつつ、いろいろな付加価値を提供する」コマンドをコマンドラッパーと呼びます。

すいため、このようなコマンドラッパーの実装にも適しています。比較的少ないコード量で実装できるので、Goを学ぶ題材としても優れています（コード中に出てくるexec.Commandについては、12.5節で説明します）。

```
package main

import (
	"flag"
	"fmt"
	"os"
	"os/exec"

	"github.com/joho/godotenv"
)

func main() {
	filename := flag.String("e", ".env", ".env file name to read")
	flag.Parse()
	cmdName := flag.Arg(0)
	args := flag.Args()[1:]
	flag.Args()

	cmd := exec.Command(cmdName, args...)

	envs := os.Environ()
	dotenvs, _ := godotenv.Read(*filename)
	for key, value := range dotenvs {
		envs = append(envs, key+"="+value)
	}
	cmd.Env = envs
	o, err := cmd.CombinedOutput()
	fmt.Println(string(o))
	if err != nil {
		fmt.Println(err)
		os.Exit(1)
	}
}
```

上記のプログラムをdotenvという名前で保存し、好きなコマンドを指定して実行すれば、そのコマンドで.envファイルに書かれた内容を環境変数として利用できます。次のような「環境変数を表示する」だけの単機能のコマンド（シェルスクリプト）で試してみましょう[†11]。このシェルスクリプトはmy-printenvのような名前で保存しているとします。

```
#!/bin/sh

printenv
```

あらかじめ.envファイルを用意して好きな環境変数を指定しておいてください。

```
HELLO=WORLD
```

次のように実行すると、上記の.envファイルに書かれた環境変数が上記の表示されていることがわかるでしょう。

[†11] 設定されている環境変数を確認するにはprintenv（Windowsであればset）というシェルコマンドが使えますが、シェルによっては内蔵コマンドになっていて直接呼べない場合があるので、ここではシェルスクリプトにして実行フラグを立てておきます。

```
$ dotenv ./my-printenv ↵
```

11.4.3 WSL2の環境変数

Windows上でLinuxが動く、WSL（Windows Subsystem for Linux）という仕組みがあります。その最新版のWSL2では、WindowsとLinuxがシームレスに連携できるようになっています。内部の仕組みとしては2つの独立したOS環境です。

- Windows側から、WSL2側のファイルシステムが`\\wsl$\`以下でアクセスできるようになっている（裏はネットワークファイルシステム）
- Linux側から、Windowsのファイルシステムが`/mnt/c`以下でアクセスできるようになっている（裏はネットワークファイルシステム）
- Linuxで起動したウェブサービスはWindowsのブラウザから`localhost`でアクセスするときにLinux内にフォワードしてアクセスできる
- Linuxからは「Windowsで見えている搭載メモリの50%（ただし最大8GB）があるハードウェア」に見えており、アプリケーションからメモリを要求されるとWindowsからメモリをもらったり、逆に不要なメモリを返したりできる
- LinuxのGUIアプリケーションもWindowsアプリケーションと同様にWindowsデスクトップに表示される（裏はリモートデスクトップ経由）

仮想PCだと、固定されたメモリ空間を割り当て、ブリッジネットワークでホストからアクセスして、独立した環境として扱うことが多いのですが、WSL2ではアプリケーションが必要なメモリだけを消費するなど、さまざまな工夫でOSの壁を意識せず、「まるで1つのOS環境である」ように見せています[†12]。

WindowsからWSL、WSLからWindowsへと環境変数を伝播させることもできます[†13]。特にPATH環境変数はデフォルトでWSL2に渡され、これによりWindowsのコンソールで使えるコマンドがLinux上で使えたり、逆にWindowsからLinuxのコマンドを（`wsl`コマンド経由で）呼び出したりできます。

PATH以外の伝播させたい環境変数は、WSLENVという環境変数で設定できます。伝播させたい環境変数の名前をコロン区切りで列挙することで、それらがどちら方向にも伝播されるようになります（ここで明示的に設定した環境変数と、以外は伝搬されません）。WSL2は仮想マシンで、独立した環境ではありますが、シェルコマンド同士が環境変数を相互にやり取りできるようにすることで、単なる仮想PCよりもはるかに使い勝手の良い一体感のあるサブシステムを作り出していると言えます。

以下は、Windows上で`set`コマンドを使って環境変数MSGを設定したあと、Ubuntu

---

†12 詳しくは筆者が書いたSoftware Design 2021年7月号（技術評論社）の特集の「WSL 2本格入門」を参照してください。

†13 https://devblogs.microsoft.com/commandline/share-environment-vars-between-wsl-and-windows/

を起動して環境変数を確認しているようすです。

```
> set MSG="hello software design" ⏎
> set WSLENV=MSG ⏎
> ubuntu ⏎
Welcome to Ubuntu 20.04.2 LTS (GNU/Linux 5.10.16.3-microsoft-standard-WSL2 x86_64)
（中略）
$ env ⏎
SHELL=/bin/bash
WSL_DISTRO_NAME=Ubuntu
MSG="hello software design"
NAME=LAPTOP-MM4JT0DC
（中略）
WSLENV=MSG
HOSTTYPE=x86_64
_=/usr/bin/env
```

WindowsとLinuxとで環境変数をやり取りする場合、パス情報が書き込まれるものには注意が必要です。Windowsの規則で書かれたパスをLinuxのアプリケーションに食わせると腹を下すことがあるからです。そのため、「環境変数の中身の情報がパスかどうか」を伝えるメタ情報が設定できるようになっています。このメタ情報は、WSLENVに列挙する環境変数名の後ろにフラグとして付与します。

▶表11.3 環境変数の中身の情報がパスかどうかを伝えるメタ情報

フラグ	効果
/p	環境変数の中身がパス
/l	環境変数の中身がパスのリスト（Windowsではセミコロン、WSLではコロン区切り）
/u	WindowsからWSLを呼ぶときだけ伝搬する
/w	WSLからWindowsを呼ぶときだけ伝搬する

11.5 シェルがコマンドを起動するまで

シェルと環境変数について一通り紹介したところで、Goによる実装例を通じてシェルの動作を見ていきましょう。一通りの機能を備えた完成品は、筆者のGitHubリポジトリ[†14]で公開しています。以降の説明では、完成品のコードそのものではなく、POSIX互換シェルがコマンドを実行するまでの次の各ステップについて説明のための擬似コードを紹介していきます。

1. ユーザーの入力を受け付ける
2. 入力されたテキストの分解
3. コマンドと引数の前処理
4. 実行ファイルの探索
5. ワイルドカードの展開
6. プロセスの起動

[†14] https://github.com/shibukawa/tish

11.5.1 ユーザーの入力を受け付ける

シェルは、起動すると「ユーザーの入力受け付ける状態である」ことをプロンプトによって示します。そして「ユーザーがやりたいこと」を文字列の形で受け取ります。

この動作をGoでもっともシンプルに実装するには、fmt.Scanf()などで単一の文字列として受け取ればいいでしょう。ただ、行単位でテキストを取得するだけでなく、入力されたコマンドの履歴の管理機能や、テキスト補完などの機能を備えたサードパーティー製の便利なライブラリがいくつかあります。ここではそのようなライブラリのひとつとしてgithub.com/peterh/linerを使います。骨格となる構造は次のようなものになるでしょう。ループの中でユーザーの入力を受け付け、EOF記号（WindowsではCtrl+Z、Unix系OSではCtrl+D）の入力がきたらプログラムを終了するようにしています。

```
import (
    "github.com/peterh/liner"
)

func main() {
    line := liner.NewLiner()
    line.SetCtrlCAborts(true)
    for {
        if cmd, err := line.Prompt(" "); err == nil {
            if cmd == "" {
                continue
            }
            // ここでコマンドを処理する
        } else if errors.Is(err, io.EOF) {
            break
        } else if err == liner.ErrPromptAborted {
            log.Print("Aborted")
            break
        } else {
            log.Print("Error reading line: ", err)
        }
    }
}
```

11.5.2 入力されたテキストの分解

ユーザーによって入力されて文字列を、コマンドや引数といった単位の「文字列のリスト」に分解します。ユーザーによるシェルへの入力は、基本的には1つ以上のスペースで区切られた文字列なので、正規表現で簡単にパースできそうです。

```
func main() {
r := regexp.MustCompile(`\s+`)
tokens := r.Split(`echo hello`, -1)
for i, t := range tokens {
    fmt.Println(i, t)
}
```

しかし現実のシェルでは、ダブルクオートやバッククオートの中など、空白文字も許容されています。そのためプログラミング言語を実装する際の構文解析と同じような処理が必要になります[†15]。ここではGoogle製の既成ライブラリである`github.com/google/shlex`というパッケージを利用します[†16]。このライブラリには文字列を`io.Reader`の形式で渡し、ループの中で`Next()`メソッドを使って取り出していきます。

```
import (
    "github.com/google/shlex"
)

func parseCmd(cmdStr) (cmd string, args []string, err error) {
    l := shlex.NewLexer(strings.NewReader(cmdStr))
    cmd, err = l.Next()
    if err != nil {
        return
    }
    for ; token, err := l.Next(); err != nil {
        args = append(args, token)
    }
    return
}
```

なお、これで取り出せるのは「単語のリスト」でしかありません。現実のシェルにはパイプ（`|`）やリダイレクト（`>`）で複数のコマンドを1行のテキストに書けます。本格的なシェルを実装するには、単語リストを下記のような記号で区切られた「複数のコマンドのグループ」に分けるといった処理も必要になるでしょう。

```
| ; || && < > >> 2> 2>> &> &>>
```

11.5.3 コマンドと引数の前処理

シェルがコマンドを起動するときは、いくつかの前処理を行ってから実際のプログラムを起動します。たとえば、シェルに対して`echo "hello ${USER}"`という一連の文字列を渡したとします。

```
$ echo "hello ${USER}" ↵
hello wzz
```

シェルはまず、入力された文字列をコマンドと引数に分解します。この例では1つのコマンドと1つの引数だけです。

- コマンド：`echo`
- 引数：`"hello ${USER}"`

[†15] Thorsten Ball, "Writing An Interpreter In Go" `interpreterbook.com`, 2018（[邦訳] 設樂洋爾 訳『Go言語でつくるインタプリタ』、オライリー・ジャパン、ISBN 978-4873118222、2018年）などの書籍を参考にしてください。

[†16] もともとはPythonの標準ライブラリにあるモジュールで、Goだけでなく他の言語にも数多く移植されています。ちなみに、Pythonはもともと教育用言語ABCの文法をもとに、C言語とシェルの間を狙って実装された、分散OSのためのシェルでした。

そのうえで、引数やコマンドの中に変数があれば、それらを実際のデータと置き換えます。今の例では引数にUSERという環境変数があるので、それを実際の値と置き換えます。こうした処理をGoで書くには、前述のos.Expand()などが使えます。USER=wzzだとすれば、結果的に次のようになるでしょう。

- コマンド：echo
- 引数："hello wzz"

さらに実用的なシェルでは、あるコマンドの引数で別のコマンドをバッククオート（`）や「$(...)」で囲むことにより、その部分を「別のコマンドを実行した結果の文字列」で置き換えてコマンドを実行するという機能もあります。こうした機能の実装にも挑戦してみてください。

11.5.4 実行ファイルの探索

次はコマンドのパスを探します。先頭がピリオド（.）の場合は現在のパスからの相対位置、先頭がスラッシュ（/）の場合は絶対パスです。Windowsの場合はドライブレター（C:\）やコンピューター名から指定（\\(コンピューター名)\）の場合もあります。

しかし、相対パスや絶対パスでコマンドのありかを具体的に明示しないとプログラムが利用できないようでは不便です。そこで、どのCUIのシェルも、名前だけ入れれば実行ファイルを探して実行する機構を持ちます。この機構は次のコマンドを実行するのと同じです（zshではecho: shell built-in commandと表示されるかもしれません）。

```
$ which echo ⏎
/bin/echo
```

コマンドのありかを探す仕組みでは、bashなどのUnix系のシェルの場合にはPATH環境変数を使います。この環境変数にはコロン区切りでいくつかのパス名が入っているので、それらを前のパスから順番に取り出し、該当する実行ファイルがないか探索するというシンプルな動作です。PATH変数が次のような内容だったとすると、まずは/usr/local/bin、次に/usr/local/sbinという具合に探索をかけていきます。もしコマンドが見つり、なおかつ実行フラグが立っていれば、それを実行します。最後のパスにもコマンドが見つからない場合は、command not foundといったエラーを表示します。

```
PATH=/usr/local/bin:/usr/local/sbin:/usr/local/bin:/usr/sbin:/usr/bin:/sbin:/bin
```

最近のシェルはコマンド名を補完する機能も備えています。入力の途中でTabキーなどをタイプすると、各パスの中で先頭一致するコマンド名を探してきて、候補の中で一致するところまで自動でコマンド名をタイプしてくれるという機能です。

Windowsの場合は、PATH環境変数に加えてPATHEXT環境変数も利用します。Windowsでは「コマンドを実行可能かどうか」が拡張子で判断されますが、このPATHEXT環境変数には実行可能な拡張子のリストが入っています。PATHの中を探索すると同時に、PATHEXTも参照し、指定されている拡張子の実行ファイルを探して実行します。

WSL2の場合には、前述したように、デフォルトでWindowsで定義されているPATH環境変数がWSL2の中でも有効になります。拡張子の補完まではしてくれませんが、`calc.exe`とタイプするとWindowsのメモ帳が起動します。ただ、WSL2とWindowsの間では同じローカルマシンでも実際にはネットワークドライブとして双方のファイルシステムへのアクセスを実現しているので、通常のフォルダへのアクセスよりも低速になることに注意点が必要です。コード補完では大量のファイル探索が実行されるので、どうしても応答時間が長くなります。もしWindowsのPATHがLinux側に影響しないようにしたい場合は、オフにしたいディストリビューションのディスクに`/etc/wsl.conf`という設定ファイルを置き、次の内容を記述します。必要なフォルダだけを自分でPATHに追加するとよいでしょう。

```
[interop]
appendWindowsPath = false
```

NOTE 実行プログラムをインストールしたときに、シェルからコマンド名だけで実行できるようにインストール先を「PATH環境変数」に追加することを、「パスを通す」と表現することがあります。これはおそらく日本語でのみ通用する表現であり、そのまま英語に直訳しても通じない場合が多いでしょう。

11.5.5 ワイルドカードの展開

フォルダ中で名前の末尾が同じファイルを一括で取得したい場合などに使える「*」などのワイルドカードも、シェルが提供する機能です。ユーザーの入力にワイルドカードが含まれる場合、シェルはその文字列をマッチしたファイル名などのリストに置き換えます。

```
# ワイルドカードを指定して実行
$ cp *.txt dest ↵

# 実際にプログラムに渡される引数
$ cp a.txt b.txt c.txt dest ↵
```

Goによる実装では、`path/filepath`か`io/fs`の`Glob()`関数を使うことで、「*」「?」「[]」などの展開ができます。ちょっとした注意点として、`Glob()`関数でマッチさせる前にパスを絶対パスにしておきましょう。さもないと、作業フォルダが現在のシェル自身の作業フォルダとずれている場合に、相対パスでマッチするファイルが変わってしまいます。

```
func expandPath(dir, workDir string) string {
    if filepath.IsAbs(path) {
        return path
    }
    return filepath.Join(workDir, path)
}

func expandWildcard(arg, workDir string) ([]string, error) {
    if !strings.ContainsAny(arg, "*?[") {
        return []string{arg}, nil
    }
    files, err := filepath.Glob(expandPath(arg, workDir))
    if len(files) == 0 {
        return nil, ErrWildcardNoMatchError
    }
    return files, err
}
```

なお、Unix系OSのシェルの多くではワイルドカードをシェルが展開してくれて、引数には複数のファイルが渡されてきます。一方、Windowsのシェルはワイルドカードの展開をやってくれないので、自分で展開する必要があります。

11.5.6 プロセスの起動とコマンド同士の連携

シェルがコマンドを実行するときの最後の仕事はプロセスの起動です。プロセスとは何かの詳しい説明や、プロセスを起動するライブラリの具体的な使用方法については、第12章の中で改めて詳しく説明します。また、それがプロセスが起動されるときにシステムで何が起こるかについては、メモリ管理について説明したあと、第17章で見ていきます。ここではパイプとリダイレクトについてのみ紹介します。

シェルであるからには、単にコマンドを実行するだけでなく、コマンド同士の連携機能も必要です。たとえばユーザーの入力にパイプ（|）があれば、その前にあるコマンドの標準出力の結果を、その後ろにあるコマンドの標準入力に直接流し込むという指定になります。この動作をGoで実現するには、`io.Pipe()`で作られる`io.Reader`と`io.Writer`を、それぞれのコマンドのインスタンスに設定すればいいでしょう。

```
reader, writer := io.Pipe()
c1.Stdout = writer
c2.Stdin = reader

var wg sync.WaitGroup
wg.Add(2)

go func() {
    c1.Start()
    c1.Wait()
    writer.Close()
    wg.Done()
}()
go func() {
    c2.Start()
    c2.Wait()
    wg.Done()
}()
wg.Wait()
```

標準出力を「>」などでリダイレクトする場合には、ファイルを開いて標準出力に接続します。> FILEという形式であれば上書きなので、ファイルのオブジェクトのモードにO_TRUNCフラグを付けます。>> FILEという形式であればO_APPENDを付けます。

```
flag := os.O_CREATE | os.O_WRONLY
if append {
    flag += os.O_APPEND
} else {
    flag += os.O_TRUNC
}
f, err := os.OpenFile(p.Shell.ExpandPath(path), flag, 0o777)
defer f.Close()
if err != nil {
    return err
}
c.Stdout = f
c.Start()
c.Wait()
```

11.6 Unix哲学とシェル

UNIXというシステムは小さなユーティリティを組み合わせて多くの仕事を行うように設計されています。その設計の背後にある考え方を称して「Unix哲学」と呼ぶことがあります。Unix哲学についてはさまざまな言葉で語られていますが、ここではその一つとして、パイプという機構の発明者であるDoug McIlroyの言葉を紹介します("A Quarter Century of Unix"[†17]という書籍で紹介されているものです)。

> This is the Unix philosophy: Write programs that do one thing and do it well. Write programs to work together. Write programs to handle text streams, because that is a universal interface.
> (参考訳)これがUnix哲学です。一つのことだけをうまく行うプログラムをいくつも作成しましょう。互いに強調して動作するプログラムをいくつも作成しましょう。テキストストリームを扱うプログラムをいくつも作りましょう。なぜならテキストストリームはユニバーサルなインタフェースだからです。

シェルは、このUnix哲学を支える立役者でもあります。一例として、Unix系OSのシェルで「本書の原稿(.rstという拡張子のファイルにテキストで書かれています)から“unix”という文字列を含む行の数」をカウントしてみましょう。次のように、まずcatコマンドでファイルの中身をダンプし、grepコマンドで該当のテキストを含む行のみを取り出し、最後にwcコマンドでそれらの数を出力することで実現できます。

†17 Peter H. Salus, “A Quarter Century of Unix”, Addison-Wesley Professional, 1994([邦訳] QUIPU LLC 訳『UNIXの1/4世紀』、アスキー、ISBN 978-4756136596、2000年)

```
$ cat *.rst | grep unix | wc -l ⏎
```

シェルは、これら複数のコマンドの組み合わせを指示するコーディネーターとして機能します。上記のように複数のコマンドをパイプ（「|」）でつなげてシェルで実行すると、「入力からデータを受け取り、出力に流す」ファイルハンドルを1セット作成します。そして、入力側のファイルハンドルを「先に実行しているコマンドの標準出力」に、出力側を「パイプの後ろに記述されたコマンドの標準入力」に接続します。このように組み替えを行うことで、標準出力に出した結果が他のプログラムに流れていくようになります。

NOTE Unix哲学はGoにも影響を与えています[†18]。第2章と第3章で説明したGoの`io.Writer`と`io.Reader`を思い出してください。これらのインタフェースに対して処理を書くことで、プログラム内で柔軟にロジックを組み合わせられるようになります。次節で紹介しますが、Goの中では起動したプロセスの入出力は`io.Writer`と`io.Reader`になります。そのため、これらのインタフェースを使ってコードを書くことは、Unix哲学にのっとってプログラムを作成することは、本質的に同じです。

11.7 まとめ

本章では、主にCUIのシェルと、そのシェルが扱う要素としての環境変数について取り上げました。シェルの主な仕事はファイルを操作したり加工したりするためのプログラムの起動です。シェルはコマンド起動時に「一方のプログラムの出力を他のプログラムの入力に渡す」といった役割も担い、複数のコマンドが協調して動けるようにします。小さいツール群を組み合わせて大きな仕事を成し遂げるUnix哲学の実現にはこのような機能を持ったシェルが必要不可欠です。

さらに本章ではGoの実装を通じてシェルがコマンドを実行する際のおおまかな動作についても解説しました。普段からシェルを見慣れている人もいると思いますが、自分で実装してみることで、シェルそのものや高度な使い方を知るきっかけになるでしょう。

次章では、本章でも何度も登場した「プロセス」について、改めてきちんと説明します。

†18　そもそもUnixとGoは作者も同じです。

第12章

プロセスの役割とGo言語による操作

オペレーティングシステムが実行ファイルを読み込んで実行するには、そのためのリソース（メモリやCPUなど）を用意しなければなりません。そのようなリソースをまとめたプログラムの実行単位が**プロセス**です。プロセスは、オペレーティングシステムが実行ファイルを読み込んで実行するときに新しく作られます。

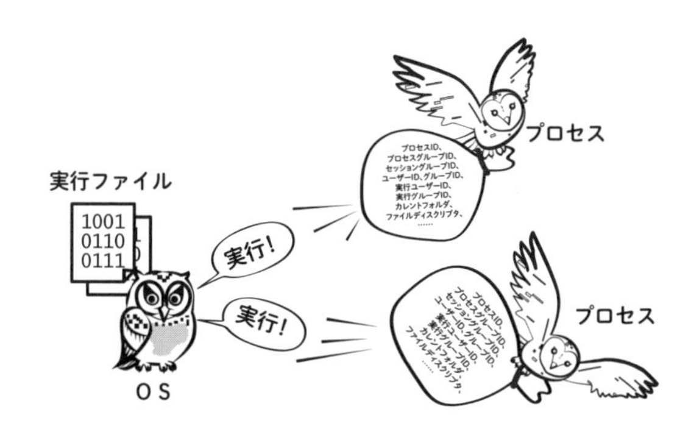

▶図12.1　OSが実行ファイルを読み込んで実行するとき、プロセスが新しく作られる

本章と次の第13章ではプロセスについて見ていきます。本章で扱うのは次の内容です。

- Go言語から見たプロセス
- プロセスの情報にアクセスする外部ライブラリ
- OSから見たプロセス
- Go言語のプログラムから、他のプロセスを実行したり属性を変更したりする方法

本書でこれまで登場したプロセス

プロセスはコンピューターシステムの中心となる概念なので、その存在をまったく無視してシステムに関するプログラムを書くことはできません。本書でも、これまでの各章で、プロセスに関する話題を小出しにしてきました。本書のどんな場面にプロセスが出てきたか、ここで思い出してみましょう。

- **ファイルディスクリプタとプロセス**
  第2章「低レベルアクセスへの入口1：io.Writer」では、外部との入出力を汎用化するための仕組みとして、ファイルディスクリプタについて触れました。カーネルは、新しくプロセスを作るたびに、各プロセスでどういった入出力が行われるかの管理テーブルを作ります。そのインデックス値がファイルディスクリプタです。
- **入出力とプロセス**
  これまで本書では、Go言語でファイルやソケット、標準入出力、標準エラー出力といった外部との入出力を行う方法をたくさん見てきました。ソケットを使った入出力については第6章から第8章、ファイルの入出力については第9章と第10章で触れました。`io.Reader`や`io.Writer`といったインタフェースは、プロセスが外部との入出力に使います。それらのインタフェースの裏に、ファイルやソケットや標準入出力、標準エラー出力があります。
- **プロセスと外界のやり取りはシステムコール経由**
  第5章「システムコール」では、システムコールについて触れました。プロセスはとってもシャイで、自分から他のプロセスに「データをくれ」とか「これを処理しておいて」とは言えないので、やり取りはすべてシステムコールを介してOS経由で行います。ファイルやソケットからのデータ読み込みも、現在の時刻の取得も、すべてシステムコール経由です。プロセスが自分の力でできるのは、単純な数値計算ぐらいです。
- **シェルから起動されるプロセス**
  第11章「コマンドシェル101」では、プロセスを起動するランチャープログラムとしてのシェルを紹介しました。シェルは実行パスからプログラムを特定して引数をパースし、さらに環境変数を暗黙に渡してプロセスを起動します。

12.1 プロセスに含まれるもの（Go言語視点）

プロセスにはプログラムの実行に必要なものや、外部プロセスとの入出力に必要なものまで、いろいろな情報が含まれています。

- 実行ファイルパス
- プロセスID
- プロセスグループID、セッショングループID
- ユーザーID、グループID
- 実効ユーザーID、実効グループID
- カレントフォルダ
- ファイルディスクリプタ

Go言語の関数を使って、これらの情報にアクセスしてみましょう。

12.1.1 実行ファイル名

プロセスは何かしらのプログラムをメモリにロードし、それに対して実行するという形で起動されます。シェルに渡された実行ファイルのパスは、引数リストの0番めとして取得できます。実行ファイルは全章で説明した通り、PATH環境変数で指定されたフォルダのリストの中から探索して最終的に実行されますが、そのパスを返すos.Executable()が、Go 1.8から提供されています。この関数を実行すると、現在起動中のプログラムの絶対パスが文字列で返ってきます。

```
package main

import (
    "fmt"
    "os"
)

func main() {
    path, _ := os.Executable()
    fmt.Printf("実行ファイル名: %s\n", os.Args[0])
    fmt.Printf("実行ファイルパス: %s\n", path)
}
```

たとえば、/opt/local/bin以下にmyprogramというプログラムがあって、myprogramという名前でシェルから起動したとすると、それぞれの返り値は次のようになります。

▶表12.1　実行ファイルのパス

取得元	返り値
os.Args[0]	"myprogram"
os.Executable()	"/opt/local/bin/myprogram"

BusyBox

実行ファイル名やパスを利用したテクニックがいくつかあるので、1つだけここで紹介しましょう（他の例については17.3「実行ファイルのメモリ配置」で説明します）。

BusyBoxというOSのユーティリティがあります。これは、軽量のコンテナ用のAlpine LinuxというOSイメージで使われているもので、POSIXで規定されている各種プログラム類が1つの実行ファイルに詰め込まれています。このBusyBoxでは、シンボリックリンクやハードリンクを使ってコマンド名の数だけリンクを作り、その起動したリンクの名前をもとにモードを切り替えて、たくさんのプログラムの役割を1つで果たせるようになっています。

試しに、上記のサンプルコードをシンボリックリンクで別名を用意して実行してみると、os.Args[0]も、os.Executable()も、本体の名前ではなく、リンクの名前が返ってきます。

Goの場合は、ランタイムもリンクされた単一のバイナリファイルになるため、比較的バイナリサイズが大きめです。複数のバイナリファイルを提供する必要があり、ストレージサイズがシビアな環境の場合は、このBusyBoxで使われているテクニックを応用すると、ストレージサイズが節約できるでしょう。

12.1.2 プロセスID

プロセスには必ず、プロセスごとにユニークな識別子があります。それが**プロセスID**です。Go言語では、`os.Getpid()`を使って現在のプロセスのプロセスIDを取得できます。

また、ほとんどのプロセスはすでに存在している別のプロセスから作成された子プロセスとなっているので、親のプロセスIDを知りたい場合もあります。親のプロセスIDは`os.Getppid()`で取得できます。

```
package main

import (
	"fmt"
	"os"
)

func main() {
	fmt.Printf("プロセスID: %d\n", os.Getpid())
	fmt.Printf("親プロセスID: %d\n", os.Getppid())
}
```

プロセスIDは、Windowsならタスクマネージャ（デフォルトではオフになっているので表示メニューからPIDを追加する必要があります）、macOSならアクティビティモニター、POSIX系OSであれば`ps`コマンドで出てくるものと同じです。

12.1.3 プロセスグループとセッショングループ

プロセスには親子関係があることを紹介しましたが、プロセス間の関係は親子だけではありません。

プロセスを束ねたグループというものがあり、プロセスはそのグループを示すID情報を持っています。次のようにパイプ（|）でつなげて実行された仲間が、1つの**プロセスグループ**（別名ジョブ）になります。

```
$ cat sample.go | echo ⏎
```

上記の例では、`cat`コマンドと`echo`コマンドが同じプロセスグループになります。プロセスグループに対するIDは、Linuxの場合、グループ内に含まれるコマンドの代表のプロセスIDになっています。

プロセスグループと似た概念として、**セッショングループ**があります。同じターミナルから起動したアプリケーションであれば、同じセッショングループになります。

同じキーボードにつながって同じ端末に出力するプロセスも同じセッショングループとなります。

プロセスグループとセッショングループのIDをGo言語で見るには次のようにします。

```go
package main

import (
    "fmt"
    "os"
    "syscall"
)

func main() {
    sid, _ := syscall.Getsid(os.Getpid())
    fmt.Fprintf(os.Stderr, "グループID: %d セッションID: %d\n",
                syscall.Getpgrp(), sid)
}
```

Windowsは、プロセスグループとセッショングループに対応する情報を持っていません。Solarisのプロセスグループ取得はなぜかテスト用のスタブとして実装されており[†1]、標準ライブラリには実装されていません。OSごとのプロセスグループのAPI実装状況を表12.2に、セッショングループのAPI実装状況を表12.3に示します。

▶表12.2　プロセスグループのAPI実装状況

OS	プロセスグループ取得 syscall.Getpgrp()	指定プロセスのプロセスグループ取得 syscall.Getpgid()	指定プロセスのプロセスグループ設定 syscall.Setpgid()
Linux / BSD系	○	○	○
Solaris			○
Windows / Plan9			

▶表12.3　セッショングループのAPI実装状況

OS	指定プロセスのセッショングループ取得 syscall.Getsid()	指定プロセスのセッショングループ設定 syscall.Setsid()
Linux / BSD系	○	○
Solaris	○	○
Windows / Plan9		

12.1.4 ユーザーIDとグループID

プロセスは誰かしらの**ユーザー権限**で動作します。また、ユーザーはいくつかの**グループ**に所属しています（名前が紛らわしいのですが、このグループは先ほどのプロ

[†1] https://github.com/golang/go/blob/release-branch.go1.17/src/syscall/exec_solaris_test.go

セスグループとは別の概念です)。ユーザーは、メインのグループには1つだけしか所属できませんが、サブのグループには複数入れます。

ユーザーとグループの権限は、ファイルシステムの読み書きの権限を制限するのに使われます。9.2.3項で紹介したように、権限を表す符号の「0644」や「0777」は所有者、同一グループ、その他のユーザーの読み書き実行の権限をまとめたものです。どの権限が付与されるかはユーザーとグループで決定されます。ユーザーIDとグループID、サブグループを表示するには次のようにします。

```
package main

import (
    "fmt"
    "os"
)

func main() {
    fmt.Printf("ユーザーID: %d\n", os.Getuid())
    fmt.Printf("グループID: %d\n", os.Getgid())
    groups, _ := os.Getgroups()
    fmt.Printf("サブグループID: %v\n", groups)
}
```

子プロセスを起動すると、その子プロセスは親プロセスのユーザーIDとグループIDを引き継ぎます。

Windowsでは、POSIXのグループとは多少異なる、システムのセキュリティに関するデータベースのID(セキュリティID)で権限の管理を行っています。`GetTokenInformation`[†2]というAPIで詳細情報が取得できますが、これに相当する関数はGo言語では実装されていません。

また、他のOSでも、ファイル以外の読み書きの権限管理には別の仕組みが用意されています。macOSの場合、10.5のLeopardからはApple Open Directory[†3]という仕組みを利用していて、こちらでOSの権限管理を行っています。GUIのシステム環境設定のユーザーやグループ、あるいは`dscl`コマンドによる管理が行われます。

ユーザーIDとグループIDをGo言語のプログラムで設定する手段については、一部のOS向けに`syscall`パッケージが提供されています。Linuxは他のOSと違い、「プロセスではなく現在のスレッドにしか効果がない」という理由で、Go 1.4[†4]からエラーを返す実装になっています(`Setgroups()`も同じ理由で無効になると類推できますが、こちらはそのままとなっています)。

表12.4と表12.5に、ユーザーIDとグループIDのAPIについて各OSでの実装状況をまとめます。

---

†2 https://docs.microsoft.com/en-us/windows/win32/api/securitybaseapi/nf-securitybaseapi-gettokeninformation

†3 https://en.wikipedia.org/wiki/Apple_Open_Directory

†4 https://go.dev/doc/go1.4#minor_library_changes

▶表12.4 ユーザーID、グループIDのAPI実装状況

OS	ユーザーID取得 os.Getuid()	ユーザーID設定 syscall.Setuid()	グループID取得 os.Getgid()	グループID設定 syscall.Setgid()
BSD系/Solaris	○	○	○	○
Linux	○	エラーを返す	○	エラーを返す
Windows	定数値（-1）を返す		定数値（-1）を返す	
Plan9	定数値（-1）を返す		定数値（-1）を返す	

▶表12.5 補助グループID一覧のAPI実装状況

OS	補助グループID一覧取得 os.Getgroups()	補助グループID一覧設定 syscall.Setgroups()
BSD系 / Solaris	○	○
Linux	○	○
Windows	エラーを返す	
Plan9	長さゼロの配列を返す	

12.1.5 実効ユーザーIDと実効グループID

プロセスのユーザーのIDやグループIDは、通常は親プロセスのものを引き継ぎます。しかしPOSIX系OSでは、SUID、SGIDフラグを付与することで、実行ファイルに設定された所有者（**実効ユーザーID**）と所有グループ（**実効グループID**）でプロセスが実行されるようになります[†5]。これらのフラグがないときは、実効ユーザーIDも実効グループIDも、元のユーザーIDとグループIDと同じです。これらのフラグが付与されているときは、ユーザーIDとグループIDはそのままですが、実効ユーザーIDと実効グループIDが変更されます。

実効ユーザーIDと実効グループIDも、次のようにしてGo言語で取得できます。

```
package main

import (
    "fmt"
    "os"
)

func main() {
    fmt.Printf("ユーザーID: %d\n", os.Getuid())
    fmt.Printf("グループID: %d\n", os.Getgid())
    fmt.Printf("実効ユーザーID: %d\n", os.Geteuid())
    fmt.Printf("実効グループID: %d\n", os.Getegid())
}
```

このコードをそのまま実行しても、ユーザーIDと実効ユーザーID、グループIDと実効グループIDには特に変化がないことがわかります。次の実行例は筆者のmacOS

[†5] このあたりの概念は、ITmediaエンタープライズの「UNIX処方箋：SUIDとは（https://www.itmedia.co.jp/enterprise/articles/0804/08/news014.html）」によくまとまっています。

上での結果です（OSによってはグループIDの桁がだいぶ小さいことがあります）。

```
# 実行ファイルを作る
$ go build -o uid uid.go ⏎

# そのまま実行してみる
$ ./uid ⏎
ユーザーID: 755476792
グループID: 1522739515
実効ユーザーID: 755476792
実効グループID: 1522739515
```

今度はSUIDを付けて実行してみましょう（macOSでは、フラグの付与とオーナーの変更にsudoが必要です）。実効ユーザーが変わっていることが確認できます。

```
# SUIDフラグを付ける
$ sudo chmod u+s uid ⏎

# オーナーを別のユーザーに変える
$ sudo chown test uid ⏎

# 再実行してみる
$ ./uid ⏎
ユーザーID: 755476792
グループID: 1522739515
実効ユーザーID: 507
実効グループID: 1522739515
```

POSIX系OSでは、**ケーパビリティ**（capability）という、権限だけを付与する仕組みが提案されました。それまで、root（管理者）権限が必要な情報の設定・取得を行うツールでは、SUIDを付けてrootユーザーの所有にしたプログラムを用意し、通常のユーザー権限からも利用可能にする、といったことが行われてきました。しかし、これでは与えられる権限が大きすぎるため、ツールにセキュリティホールがあって任意のプログラムの実行ができると、root権限を得るための踏み台として悪用されて被害を拡大してしまいます。ケーパビリティは、rootユーザーのみが利用できた権限を細かく分け、必要なツールに必要なだけの権限を与える仕組みであり、そうしたリスクを減らします。Linuxでは2.4から、FreeBSDでは9.0からケーパビリティが導入されました[†6]。

実効ユーザーIDや実効グループIDも、ファイルシステム上のリソースのアクセス権の制御に限定すれば便利ですし、今後はそれ以外の用途は減ってくると思われます。各OSにおける実効ユーザーIDと実効グループIDのAPI実装状況を表12.6にまとめます。

---

†6 IPA「情報セキュリティ技術動向調査（2011年下期）」 https://www.ipa.go.jp/security/fy23/reports/tech1-tg/b_01.html

▶ 表12.6　実効ユーザーID、実効グループIDのAPI実装状況

OS	実効ユーザーID取得 os.Geteuid()	実効ユーザーID設定 syscall.Seteuid()	実効グループID取得 os.Getegid()	実効グループID設定 syscall.Setegid()
BSD系 / Solaris	○	○	○	○
Linux	○		○	
Windows / Plan9	定数値（-1）を返す		定数値（-1）を返す	

12.1.6 作業フォルダ

現在の**作業フォルダ**もプロセスにおける大事な実行環境のひとつです。作業フォルダは、次のように`os.Getwd()`関数を使って取得できます。作業フォルダはプロセスの中で1つだけ持つことができます[†7]。マルチスレッドで動作するプログラムを作成しても、スレッドごとに別の作業フォルダを設定することはできません。

```
package main

import (
	"fmt"
	"os"
)

func main() {
	wd, _ := os.Getwd()
	fmt.Println(wd)
}
```

表12.7に、各OSにおける作業フォルダのAPI実装状況を示します。

▶ 表12.7　作業フォルダのAPI実装状況

OS	作業フォルダ取得 os.Getwd()
全OS	○

12.1.7 ファイルディスクリプタ

ファイルディスクリプタは、第2章「低レベルアクセスへの入口1：io.Writer」で紹介したように、ファイルやソケットなどを抽象化した仕組みです。どのリソースも「ファイル」として扱えます。プロセスは、これらのリソースを**ファイルディスクリプタ**と呼ばれる識別子で識別します。カーネルはプロセスごとに、プロセスが関与しているファイル情報のリストを持っています（Linuxの場合、各要素は`file`構造体です）。ファイルディスクリプタはこのリストのインデックス値です。

OSがプロセスを起動した時点で、すでに3つのファイルがオープンされています。それぞれ、標準入力、標準出力、標準エラー出力に対応するファイルです。

---

†7　https://linux.die.net/man/7/pthreads

Go言語には、すでにオープン済みのファイルディスクリプタの数値を`io.ReadWriter`インタフェースでラップする、`os.NewFile()`という関数があります。Go言語での標準入出力の初期化は下記のようになっています。

```
Stdin  = os.NewFile(0, "/dev/stdin")
Stdout = os.NewFile(1, "/dev/stdout")
Stderr = os.NewFile(2, "/dev/stderr")
```

子プロセスを起動したときに、他のプロセスの標準入力にデータを流し込んだり、他のプロセスが出力する標準出力や標準エラー出力の内容を読み込むこともできます。

12.2 プロセスの入出力

プロセスには入力があって、プログラムがそれを処理し、最後に出力を行います。その意味では、プロセスはGo言語や他の言語の「関数」や「サブルーチン」のようなものだともいえます。

すべてのプロセスは、次の3つの入出力データを持っています。

- 入力：コマンドライン引数
- 入力：環境変数
- 出力：終了コード

プログラムによっては、実行中にファイルや標準入出力の読み書きをしたり、ソケット通信などもできますが、この3つのデータは必ずどのプロセスにも含まれています。

このうち、環境変数は前章で説明済みです。

12.2.1 コマンドライン引数

コマンドライン引数は、プログラムに設定を与える一般的な手法として使われています。Go言語では、`os.Args`引数の文字列の配列として、コマンドライン引数が格納されています。

この配列をプログラムで直接利用してもいいのですが、通常は「オプションパーザー」と呼ばれる種類のライブラリを利用してパースします。コマンドライン引数には、`-o ファイル名`のような組み合わせのオプションがあったり、`-o=ファイル名`と`--output ファイル名`のような等価な表現があったり、自分で実装するとなると面倒なルールがたくさんあります。オプションパーザーはそのような複雑なルールの解釈とバリデーションを引き受けてくれるライブラリです。

オプションパーザーとして代表的なライブラリは標準の`flag`パッケージです。これ以外にも、多くのパッケージがあります[†8]。

---

†8　オプションパーザーの数々：https://github.com/avelino/awesome-go#standard-cli

12.2.2 終了コードと$?・ERRORLEVEL

終了コードは、子プロセスから返り値として親プロセスへ渡す非負の整数です。Go言語では、プロセス終了時にos.Exit()関数の引数として終了コードを渡せます。

```
package main

import (
    "os"
)

func main() {
    os.Exit(1)
}
```

終了コードは、正常終了時は0で、失敗があったときに1以上を返すのが一般的な慣習となっています。安心して使える数値の上限については諸説ありますが、Windowsではおそらく32ビットの数値の範囲で使えます。POSIX系OSでは、子プロセスの終了を待つシステムコールが5種類あります（wait、waitpid、waitid、wait3、wait4）が、このうちwaitidを使えば32ビットの範囲で扱えるはずです。それ以外の関数は、シグナル受信状態とセットで同じ数値の中にまとめられて返され、そのときに8ビットの範囲に丸められてしまうため、255までしか使えません。

- wait：子プロセスどれか（選択できない）の終了を待つ
- waitpid：指定されたプロセスIDを持つ子プロセスの終了を待つ
- waitid：プロセスグループ内といった柔軟なプロセス指定ができ、32ビット対応

シェルやPythonなどを親プロセスにして筆者が試した限りでは256以上は扱えなかったので、ポータビリティを考えると255までにしておくのが無難でしょう。

なお、wait3とwait4はBSD系OS由来の関数で、子プロセスのメトリックも返す高機能関数になっています。ただし、Linuxのmanページによると将来は削除される予定になっていますし、この関数はPOSIXの規格外の関数です。Go言語ではwait4を使っています。

多くの言語などでは0が正常終了以上の意味を持っていませんが、bashでは表12.8のようにいくつか特別な意味を設定しています[†9]。

この中の128は、そもそも静的に型を取るGoのos.Exit()では発生しえないものになります。Goで作るのは内蔵コマンドではないのでこのルールと関連があるかどうかはわかりませんが、標準ライブラリのflagパッケージはデフォルトで間違ったコマンドライン引数を渡されると2を返して終了します[†10]。

なお、シェルで直前に実行したコマンドの終了ステータスは、$?（Unix系シェル）やERRORLEVEL（Windowsのバッチファイル）というシェルの変数で取得できます。

---

†9 https://tldp.org/LDP/abs/html/exitcodes.html

†10 https://pkg.go.dev/flag#ErrorHandling

▶表12.8 Exitのステータスコード

終了ステータス	意味
0	正常終了
1	一般的なエラー
2	シェルの内蔵機能を間違って利用
126	コマンドが実行できない。実行権限がないか、実行ファイルではない
127	コマンドが見つからない。$PATHの問題か、コマンド名のタイプミス
128	exitに整数以外の不正な値を渡した
128+n	シグナルnで終了。たとえばCtrl+CはSIGINT(2)なので、130
255	範囲外の終了ステータス

PowerShellでも、「終了コードが0のときにはTrue、非0のときにはFalse」となる特別なbool値`$?`や、返り値の数値がそのまま格納される変数`$LastExitCode`があります。これらは環境変数ではありませんが、大切なシェルの変数です。これらの変数を使って条件分岐を行うことで、実行環境の違いを吸収する柔軟なシェルスクリプトやバッチファイルが作成できます。

```
$ false ↵
$ echo $? ↵
1
$ true ↵
$ echo $? ↵
0
```

12.3 自分以外のプロセスの名前や資源情報の取得

タスクマネージャのようなツールでは、プロセスIDと一緒にアプリケーション名が表示されています。しかし、あるプロセスIDが何者なのかを知る方法は標準APIにありません。

Linuxの場合、`/proc`ディレクトリの情報が取得できます[†11]。このディレクトリは、カーネル内部の情報をファイルシステムとして表示したものです。GNU系の`ps`コマンドは、このディレクトリをパースして情報を得ています。以下に示すように、`/proc/プロセスID/cmdline`というテキストファイルの中にコマンドの引数が格納されているように見えます。

```
$ cat /proc/2862/cmdline ↵
bash
```

†11 FreeBSDではデフォルトではマウントされていません。`https://en.wikipedia.org/wiki/Procfs`

macOSの場合は、オープンソースになっているdarwin用のpsコマンド[†12]の中でsysctlシステムコールを使っています。このシステムコールはLinuxにも存在していますが、カーネルの中の情報を取り出すシステムコールという性格上、OSごとに互換性はありません。

Windowsの場合はGetModuleBaseName()を使います[†13]。

このあたりはプロセスモニターのようなツールを実装するときには便利ですが、現時点で多くの機能がまとまっていてクロスプラットフォームで使えるのが、@r_rudiさん作の**gopsutil**[†14]です。このパッケージを使ったサンプルを以下に紹介します。

```
package main

import (
    "fmt"
    "os"

    "github.com/shirou/gopsutil/process"
)

func main() {
    p, _ := process.NewProcess(int32(os.Getppid()))
    name, _ := p.Name()
    cmd, _ := p.Cmdline()
    fmt.Printf("parent pid: %d name: '%s' cmd: '%s'\n", p.Pid, name, cmd)
}
```

上記のサンプルでは、プロセスの実行で使われた実行ファイル名と、実行時のプロセスの引数情報を表示しています。これ以外にも、ホストのOS情報、CPU情報、プロセス情報、ストレージ情報など、数多くの情報が取得できます。

12.4 OSから見たプロセス

プロセスから見た世界と比べると、OSから見た世界のほうが、やっていることが少し複雑です。

OSから見たプロセスは、CPU時間を消費してあらかじめ用意してあったプログラムに従って動く「タスク」です。OSの仕事は、たくさんあるプロセスに効率よく仕事をさせることです。

Linuxではプロセスごとにtask_struct型の**プロセスディスクリプタ**と呼ばれる構造体を持っています。プロセスを構成するすべての要素は、この構造体に含まれています。基本的にはプロセスから見た各種属性と同じ内容ですが、それには含まれていない要素もいくつかあります。

第5章「システムコール」では、現代のOS上のプロセスは自分の仕事だけに集中

---

†12 macOSのPSコマンドのソース：https://opensource.apple.com/source/adv_cmds/adv_cmds-158/ps/ps.c

†13 https://docs.microsoft.com/en-us/windows/win32/api/psapi/nf-psapi-getmodulebasenamea

†14 https://github.com/shirou/gopsutil

し、他のプロセスに干渉できないようになっていると紹介しました。プロセスは、いわば水槽の中の魚のようなものです（図12.2）。自分の水槽の中だけで自由に泳ぎ回れます。プロセスが知れる自分の情報は魚の情報だけですが、OS側にはこの水槽の定義も含まれます。

▶ 図12.2　プロセスは水槽の中の魚のようなもの

たとえば、プロセスはファイルシステムに関するコンテキストとして「カレントフォルダ」を持っていると説明しましたが、ルートディレクトリがどこかもプロセスごとに設定できます。どこからどこまでが自分のメモリ領域かを定義する、メモリブロックの情報もあります。スタック領域がどこにあり、プログラムが静的に確保するデータや、動的に確保するデータがどのようにレイアウトされるかもOSが持つプロセス情報の中にあります。

ファイルディスクリプタも、プロセス視点だと単なる一次元の配列（のインデックス値）に見えますが、ファイルはプロセス間で共有されることがあります。OSではマスターとなるファイルのリストを持っており、参照カウントで参照数をカウントしています。

12.5 Goプログラムからのプロセスの起動

Go言語のプログラムから他のプロセスを扱うときは、プロセスを表す構造体を利用します。そのための構造体には次の2種類があります。

- osパッケージの`os.Process`：低レベルな構造体
- `os/exec`パッケージの`exec.Cmd`：少し高機能な構造体。内部で`os.Process`を持つ

まず高機能で実用的な`exec.Cmd`の使い方を説明し、そのあとで低レベルな`os.Process`を紹介します。

12.5.1 exec.Cmdによるプロセスの起動

exec.Cmd構造体は次の2つの関数で作ることができます。

- exec.Command(名前, 引数...)
- exec.CommandContext(コンテキスト, 名前, 引数...)

両者の違いは、引数として**コンテキスト**を取れるかどうかです。コンテキストは、依存関係が複雑なときでもタイムアウトやキャンセルをきちんと行うための仕組みで、Go 1.7から標準で利用できるようになりました。exec.CommandContextに渡されたコンテキストがプロセスの終了前にタイムアウトやキャンセルされると、プロセスがos.Process.Kill()メソッドを使って強制終了されます。

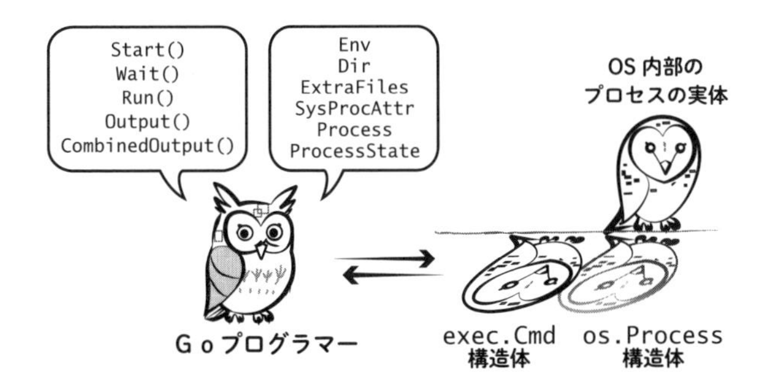

▶図12.3 OSのプロセスはexec.Cmd構造体として利用できる

以降の説明ではコンテキストを利用しないexec.Command()を使います。まずは次のサンプルプログラムでexec.Cmd構造体の使い方を見てみましょう。

```
package main

import (
    "fmt"
    "os"
    "os/exec"
)

func main() {
    if len(os.Args) == 1 {
        return
    }
    cmd := exec.Command(os.Args[1], os.Args[2:]...)
    err := cmd.Run()
    if err != nil {
        panic(err)
    }
    state := cmd.ProcessState
    fmt.Printf("%s\n", state.String())
    fmt.Printf("  Pid: %d\n", state.Pid())
    fmt.Printf("  System: %v\n", state.SystemTime())
    fmt.Printf("  User: %v\n", state.UserTime())
}
```

上記は、引数として外部プログラムを指定すると、その外部プログラムの実行にかかった時間を表示するプログラムです。UNIX系のOSに備わっているtimeコマンドと似た動作ですが、実処理時間は表示せず、システム時間（カーネル内で行われた処理の時間）とユーザー時間（プロセス内で消費された時間）を表示します。

実行結果を下記に示します。

```
$ go run time.go sleep 1 ↲
exit status 0
 Pid: 42442
 System: 1.638ms
 User: 580μ s
```

上記のサンプルプログラムでは、引数として渡された外部プログラムを指定してexec.Command()を呼び出し、そのプロセスを表すexec.Cmd構造体のRun()メソッドを呼び出しています。exec.Cmdには、プロセスの実行を制御するメソッドとして、Run()だけでなく表12.9のようなものが用意されています。

▶表12.9　exec.Cmdの実行制御用メソッド

メソッド	説明
Start() error	実行を開始する
Wait() error	終了を待つ
Run() error	Start()＋Wait()
Output() ([]byte, error)	Run()実行後に標準出力の結果を返す
CombinedOutput() ([]byte, error)	Run()実行後に標準出力、標準エラー出力の結果を返す

さらに上記のサンプルプログラムでは、実行した外部プログラムの実行にかかった時間を表示するために、ProcessStateというexec.Cmd構造体のメンバーを利用しています。

```
state := cmd.ProcessState
fmt.Printf("%s\n", state.String())
fmt.Printf("  Pid: %d\n", state.Pid())
fmt.Printf("  Exited: %v\n", state.Exited())
fmt.Printf("  Success: %v\n", state.Success())
fmt.Printf("  System: %v\n", state.SystemTime())
fmt.Printf("  User: %v\n", state.UserTime())
```

この構造体メンバーは外部プログラムに対応するプロセスの終了ステータスを表しており、ほかにも表12.10のようなメンバーメソッドが提供されています。

▶表12.10 os.ProcessStateの状態取得メソッド

変数/メソッド	説明
String() string	終了コードと状態を文字列で返す
Pid() int	プロセスID
Exited() bool	終了しているかどうか
Success() bool	正常終了かどうか？
ExitCode() int†15	終了コード
カーネル内で消費された時間	SystemTime() time.Duration
ユーザーランドで消費された時間	UserTime() time.Duration

なお、消費された時間は実際の経過時間（**ウォールクロック時間**）ではありません。スリープした時間はカウントされませんし、マルチスレッドで8コアの性能を100%引き出せばユーザーランドでは8倍速で時間がカウントされます。

exec.Cmd構造体では、構造体の作成から実行までの間にプロセスの実行に関する情報を変更するためのメンバーも提供されています（表12.11）。

▶表12.11 プロセスの実行に関する情報を変更するためのexec.Cmdのフィールド

変数	種類	説明
Env []string	入力	環境変数。セットされないときは親プロセスを引き継ぐ
Dir string	入力	実行時のディレクトリ。セットされないと親プロセスと同じ
ExtraFiles []*os.File	入力	子プロセスに追加で渡すファイル。3以降のファイルディスクリプタで参照できる。追加のファイルは、子プロセスからはos.NewFile()を使って開ける
SysProcAttr *syscall.SysProcAttr	入力	OS固有の設定

よく使うのはEnvとDirあたりでしょう。環境変数については、exec.Cmd構造体のメンバーで設定せずに親プロセス内でos.Setenv()してからexec.Command()を実行しても子プロセスに情報を伝達できます。

exec.Cmd構造体には、Sys()というメンバーもあります。これはsyscall.WaitStatusのオブジェクトを返し、このオブジェクトはExitStatus()という終了ステータスコードを返すメソッドを持っています。さらに、POSIX系OS限定ですが、シグナルを受信したかどうかの情報も持っています。

また、より低レベルな構造体であるos.Processのインスタンスも、Processというexec.Cmd構造体のメンバーとして利用可能です。

†15 Go 1.12で追加されました。

12.5.2 リアルタイムな入出力

実行制御のメソッドのうち、Output()とCombinedOutput()は、子プロセスが出力した内容を返します。プログラムが一瞬で完了する場合にはこれでも問題はありませんが、数十秒以上かかるコマンドを実行して途中経過がわからないのは不親切です。

実行を開始する前に表12.12に示すメソッドを使うことで、子プロセスとリアルタイムに通信を行うためのパイプが取得できます（図12.4）。このパイプはexec.Cmd構造体が子プロセス終了時に閉じるため、呼び出し側では閉じる必要はありません。なお、一度プロセスの実行をスタートするとこれらのメソッドの呼び出しはエラーになるので注意してください。

▶表12.12　exec.Cmdとリアルタイムの入出力を行うためのメソッド

メソッド	説明
StdinPipe() (io.WriteCloser, error)	子プロセスの標準入力につながるパイプを取得
StdoutPipe() (io.ReadCloser, error)	子プロセスの標準出力につながるパイプを取得
StderrPipe() (io.ReadCloser, error)	子プロセスの標準エラー出力につながるパイプを取得

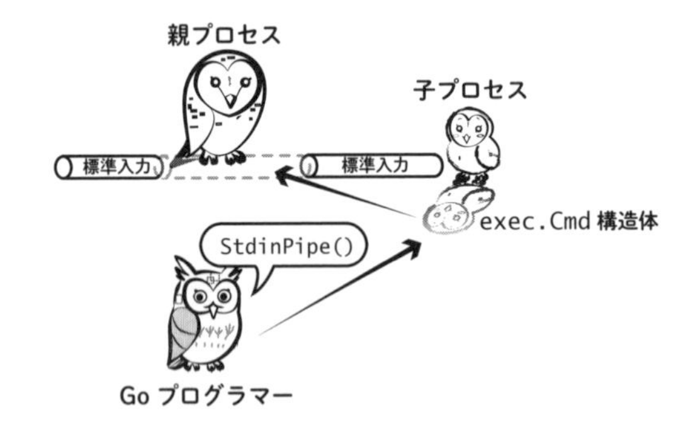

▶図12.4　StdinPipeで子プロセスの標準入力へとつながるパイプを作れる

実験してみる前に、1秒に1つずつ数値を出力するプログラムを子プロセス用に作ってみましょう。

```
package main

import (
    "fmt"
    "time"
)

func main() {
    for i := 0; i < 10; i++ {
```

```
        fmt.Println(i)
        time.Sleep(time.Second)
    }
}
```

次のようにビルドします。

```
# Windows
$ go build -o count.exe count.go ↵

# Windows以外
$ go build -o count count.go ↵
```

このcountプログラムを起動し、標準出力に(stdout)というプリフィックスを付けつつリアルタイムでリダイレクトするサンプルを下記に示します。

```
package main

import (
    "bufio"
    "fmt"
    "os/exec"
)

func main() {
    count := exec.Command("./count")
    stdout, _ := count.StdoutPipe()
    go func() {
        scanner := bufio.NewScanner(stdout)
        for scanner.Scan() {
            fmt.Printf("(stdout) %s\n", scanner.Text())
        }
    }()
    err := count.Run()
    if err != nil {
        panic(err)
    }
}
```

標準出力と標準エラー出力を同時にダンプするときは、sync.Mutexなどを使って同時に書き込まないようにしたほうがよいでしょう。

12.5.3 os.Processによるプロセスの起動・操作

os.Processは低レベルなAPIです。指定したコマンドを実行できるほか、すでに起動中のプロセスのIDを指定して作成できます。

- os.StartProcess(コマンド, 引数, オプション)
- os.FindProcess(プロセスID)

os.StartProcess()を使って実行ファイルを指定する場合は、exec.Command()と異なり、PATH環境変数を見て実行ファイルを探すことはしません。そのため、絶対パスや相対パスなどで実行ファイルを直接指定する必要があります。exec.Command()の場合には、内部で使っているexec.LookPath()を使うことで、探索して実行が可能です。

os.StartProcess()を使うときは、Wait()メソッドを呼び出すことで、子プロセスが終了するのを待てます。`Wait()`メソッドは、`os.ProcessState`構造体のインスタンスを返すので、これを使って終了状態を取ることができます。

一方、`os.FindProcess()`を使って実行中のプロセスにアタッチして作った`os.Process`オブジェクトは、`Wait()`メソッドを呼び出すことができず、終了状態を取得できません。`Kill()`メソッドを呼ぶか、第13章「シグナルによるプロセス間の通信」で説明するシグナルを送る以外、できることはありません。

`os.Process`のインスタンスは`exec.Cmd`にも含まれています。したがって、`exec.Command()`で作ったプロセスに対しても、`Kill()`メソッドを呼んだりシグナルを送ったりできます。

12.6 プロセスに関する便利なGo言語のライブラリ

12.6.1 プロセスの出力に色づけをする

プロセスから擬似端末経由で文字列を出力する場合に、出力文字列の色を変えたいときがあります。そのためには**ANSIエスケープシーケンス**という仕組みを使います。

擬似端末への文字列出力時のエスケープシーケンスは、WindowsとPOSIX系OSでは互換性がない部分のひとつです。Go言語の標準ライブラリでも、デフォルトではエスケープシーケンスの互換性の面倒は見てくれません。そのため、ライブラリによっては、環境に応じて自前でエスケープシーケンスを出し分けています。そのようなライブラリの一例としては、プログレスバーライブラリの`github.com/cheggaaa/pb`が挙げられます。

- `https://github.com/cheggaaa/pb`

エスケープシーケンスの環境差を吸収するために数多くのライブラリのバックエンドで使われている仕組みとして、mattnさん作の`go-colorable`というパッケージもあります。このパッケージは、POSIX系OSのエスケープシーケンスが出力されるときに、Windows環境ではWindows用のエスケープシーケンスに変換するフィルターとして動作します。

- `https://github.com/mattn/go-colorable`

エスケープシーケンスは、擬似端末への出力では意味がありますが、リダイレクトでファイルに結果を保存するときには不要な情報です。行儀のよいアプリケーションでは、自分の標準出力がつながっている先が擬似端末かどうかを判定し、エスケープシーケンスを出し分けるのがよいでしょう[16]。その判断には`isatty()`というC言語の関数が使われますが、この関数の内部ではファイルディスクリプタの詳細情報を取得する`ioctl()`というシステムコールが使われていて、擬似端末情報を取得できるかどうかで判定しています。Go言語実装としては、やはりmattnさん作の`go-isatty`というパッケージがあります。

- https://github.com/mattn/go-isatty

`go-colorable`と`go-isatty`を利用したサンプルを見てみましょう。下記のコードは、接続先がターミナルのときはエスケープシーケンスを表示し、そうでないときはエスケープシーケンスを除外するフィルター（`colorable.NonColorable`）を使い分ける例です。このコードを実行すると古い昔のソフトウェアの名前[17]を表示しますが、リダイレクトしてファイルに落とすとエスケープシーケンスが出力されないことが確認できます。

```
package main

import (
    "fmt"
    "io"
    "os"

    "github.com/mattn/go-colorable"
    "github.com/mattn/go-isatty"
)

var data = "\033[34m\033[47m\033[4mB\033[31me\n\033[24m\033[30mOS\033[49m\033[m\n"

func main() {
    var stdOut io.Writer
    if isatty.IsTerminal(os.Stdout.Fd()) {
        stdOut = colorable.NewColorableStdout()
    } else {
        stdOut = colorable.NewNonColorable(os.Stdout)
    }
    fmt.Fprintln(stdOut, data)
}
```

裏でこれらのライブラリも使いつつ、接続先が擬似端末のときだけ色づけを行う`github.com/fatih/color`パッケージも便利です[18]。

- https://github.com/fatih/color

---

[16] 松木雅幸ほか 著『みんなのGo』（技術評論社、ISBN 978-4774183923、2016年）では、これにプラスして、擬似端末では出力をバッファリングすることで高速化を行うことも用途のひとつとして挙げられています。

[17] 株式会社ACCESSの登録商標です。

[18] 色づけやカーソル移動に特化すれば、さらに高機能な`morikuni/aec`パッケージもあります。https://github.com/morikuni/aec

12.6.2 外部プロセスに対して自分が擬似端末だと詐称する

先ほどの例は、「自分がつながっている先が擬似端末かどうかでエスケープシーケンスを出力するかどうか決める」というものでした。Cmd.StdinPipe()を使うと、子プロセスにおけるisatty()で「端末ではない」と判定されてしまうため、行儀のよいプログラムで擬似端末への出力なのにエスケープシーケンスが抑制されてしまうことがあります。これでは、「複数の子プロセスを並行して実行し、その間に子プロセスの出力をバッファにためておいて、終了したらまとめて出力することで各プロセスの出力が混ざらないように制御したいが、色情報は残したい」といった用途のときに困ってしまいます。プログラムによっては--colorなどのオプションを使って色情報を強制出力できますが、そのような機能を提供していないプロセスのために、自分が擬似端末であると詐称する方法があります。

自分が擬似端末であると詐称するには、POSIX系OSではgithub.com/creack/ptyパッケージ[†19]、Windowsではgithub.com/iamacarpet/go-winptyパッケージ[†20]を使います。

それぞれのパッケージの使い方を紹介するために、下記のプログラムをcheckという名前でビルドしておいてください。このcheckプログラムを別のプログラムから読み込み、その際に上記のパッケージを使ってcheckプログラムが擬似端末につながっているものと思いこませてみます。

```
package main

import (
	"fmt"
	"io"
	"os"

	"github.com/mattn/go-colorable"
	"github.com/mattn/go-isatty"
)

func main() {
	var out io.Writer
	if isatty.IsTerminal(os.Stdout.Fd()) {
		out = colorable.NewColorableStdout()
	} else {
		out = colorable.NewNonColorable(os.Stdout)
	}
	if isatty.IsTerminal(os.Stdin.Fd()) {
		fmt.Fprintln(out, "stdin: terminal")
	} else {
		fmt.Println("stdin: pipe")
	}
	if isatty.IsTerminal(os.Stdout.Fd()) {
		fmt.Fprintln(out, "stdout: terminal")
	} else {
		fmt.Println("stdout: pipe")
	}
	if isatty.IsTerminal(os.Stderr.Fd()) {
		fmt.Fprintln(out, "stderr: terminal")
	} else {
```

†19 https://github.com/creack/pty

†20 https://github.com/iamacarpet/go-winpty

```
        fmt.Println("stderr: pipe")
    }
}
```

POSIX系OSでは下記のようにgithub.com/creack/ptyを使います。

```
package main

import (
    "io"
    "os"
    "os/exec"

    "github.com/creack/pty"
)

func main() {
    cmd := exec.Command("./check")
    stdpty, stdtty, _ := pty.Open()
    defer stdtty.Close()
    cmd.Stdin = stdpty
    cmd.Stdout = stdpty
    errpty, errtty, _ := pty.Open()
    defer errtty.Close()
    cmd.Stderr = errtty
    go func() {
        io.Copy(os.Stdout, stdpty)
    }()
    go func() {
        io.Copy(os.Stderr, errpty)
    }()
    err := cmd.Run()
    if err != nil {
        panic(err)
    }
}
```

このプログラムを実行すると、checkプログラムが擬似端末につながっていると判定されていることがわかります。

```
$ go run pty.go ⏎
stdin: terminal
stdout: terminal
stderr: terminal
```

Windowsでは、github.com/iamacarpet/go-winptyを利用します。このパッケージは、擬似端末をエミュレートするwinptyというソフトウェアのラッパーなので、次のリポジトリのreleasesからmsvc2015バイナリをダウンロードして実行フォルダと同じ場所にwinpty.dllとwinpty-agent.exeをおいてください。

- https://github.com/rprichard/winpty

そして、これらのファイルの場所を、下記のようにwinpty.Open()の第一引数に指定して使います（空白文字列を指定するとワークフォルダを探しに行きます）。

```
package main

import (
    "io"
    "os"
```

```
    "github.com/iamacarpet/go-winpty"
)

func main() {
    pty, err := winpty.Open("", "check.exe")
    if err != nil {
        panic(err)
    }
    defer pty.Close()
    go func() {
        io.Copy(os.Stdout, pty.StdOut)
    }()
    // press any key to exit
    buffer := make([]byte, 1)
    for {
        _, err = os.Stdin.Read(buffer)
        if err == io.EOF || buffer[0] == '\n' {
            break
        }
    }
}
```

注意点として、このパッケージでは擬似端末のような「終了しないコマンド」をサブコマンドとして実行することを前提としており、子プロセスの終了を待つメソッドが提供されていません。そのため、上記のコードではEnterが押されたら終了するようにしています。

上記のコードを実行すると次のような結果が表示されます。

```
$ go run winpty.go ⏎
stdin: terminal
stdout: terminal
stderr: terminal
```

winpty.Open()を見て「おや？」と思った方もいるかもしれません。他のライブラリのように引数の配列を受け取ることはできず、このメソッドには引数も含めたコマンドラインを指定する必要があります。これについては後述の内部実装のところで触れます。

OS固有のプロセス起動オプション

OS固有の設定はPOSIX系OSとWindowsで大きく異なります。また、POSIX系OSの中でも、LinuxとBSD系OSで多少の違いがあります。

共通のものとしては、子プロセスのルートディレクトリ（Chroot）、子プロセスのユーザーID、グループID、補助グループIDを含むCredential構造体、デバッガーAPIのptraceの有効化フラグ（Ptrace）、セッションIDやプロセスグループIDの初期化フラグ、擬似端末関連の設定、フォアグラウンド動作をさせるかどうかなどです。詳しくはリファレンス†21を参照してください。

Windowsでは、ウインドウを隠すかどうかのフラグ（HideWindow）が設定できます。

もっと低レベルのAPIのためのフラグもあります。Linuxはcloneとunshareというシステムコールで子プロセスを作ります。WindowsはCreateProcess()APIを使ってプロセスを作ります。これらのAPIのためのフラグ情報を持たせることもできます。

12.7 Go言語では触れることのない世界

Goでのプログラミングではあまり触れることがないプロセスの世界もあります。

12.7.1 fork()/exec()

C言語やスクリプト言語でシステムコールを呼ぶサンプルコードでは、高い頻度で`fork()`と`exec()`が登場します。これは**サブプロセス**を起動するためのPOSIX系OSのお作法です。

まず、**フォーク**（`fork()`）は現在のプロセスを2つに分身させます。2つの分身とも、`fork()`関数を呼び出した直後から実行が再開されます。唯一の違いは`fork()`関数の返り値で、これが子のプロセスIDか0かで、親か子のどちらの文脈で実行しているかが判断できます。以下のコードは、フォークしたプロセスのプロセスIDを見て条件分岐をするPythonの例です。

```
import os

pid = os.fork()
if pid == 0:
    # 子のプロセス
else:
    # 親のプロセス
```

そのあとは、`exec()`属のシステムコールを使います。よく使われるのが`execve()`という関数です。これは新しいプログラムを読み込んだうえで、親プロセスが用意したコマンドライン引数と環境変数を渡して実行を開始します。

フォークには、「複数のスレッドが存在しているときでも、`fork()`を呼び出したスレッド以外はコピーされない」という落とし穴があります。ロックしてトランザクションで守られたデータを修正しているスレッドがあったとすると、このロックをかけたスレッドが突如なくなって、ロックが外されなくなります。`fork()`と`exec()`の間では、例外などが発生するシステムコールも使えません†22。

Go言語のランタイムでは、多数のOSスレッドが、その時々の待ちタスクとなっているgoroutineにアタッチして実行されるようになっています。ガベージコレクタ、システムコールの待ちなど、多くのタスクを並列実行するために、たくさんのスレッドが利用されています。各処理がどのスレッドで実行されているかを把握する必要はありませんし、ブラックボックス化されているので実際のOSスレッドを制御する機能はほとんど提供されていません。そのため、Go言語のランタイムでは、`fork()`をカジュアルに利用するようなコードを気軽に動かすことはできません。

ただし、外部プロセスで実行される関数を使うときは、Go言語でも`fork()`と

---

†21 `syscall.SysProcAttr`: `https://pkg.go.dev/syscall#SysProcAttr`

†22 「革命の日々！：マルチスレッドプログラムはforkしたらexecするまでの間はasync-signal-safeな関数しか呼んではいけない」 `http://mkosaki.blog46.fc2.com/blog-entry-886.html`

execve()が利用されています。その際には、関数呼び出しによって親プロセス内で余計なスレッド切り替え処理が起きないようにしたり、Go言語独自のスタックメモリ管理だったものをOS標準のスタックメモリ管理に戻したりといった、細々とした調整が施されています。外部プロセスの起動では、fork()とexec()の呼び出しの間でできることが限られることから、この2つの呼び出しをまとめたsyscall.forkExec()関数が使われています。

Go 1.9からは、Linuxでamd64アーキテクチャの場合にのみ、CLONE_VFORKとCLONE_VMを付与したclone()システムコールを使っています。clone()システムコールは、プロセス以外にスレッドの起動にも使われる、プリミティブなLinuxのシステムコールです。CLONE_VMが付くとメモリコピーをしなくなり、プロセスの準備が高速になります。CLONE_VFORKが付くと、子プロセスが終了するか、新しくプログラムを起動するまでは親プロセスが停止します。この恩恵により、GitLab社ではサービスの速度が30倍高速になったそうです[†23]。

12.7.2 フォークと並行処理

フォークは、ネイティブスレッドが扱いやすい言語や、Go言語のようにスレッドの活用がランタイムに組み込まれている言語以外では、マルチコアCPUの性能向上を生かすうえで強力な武器となります。

スクリプト言語では、インタプリタ内部のデータの競合が起きないように**グローバルインタプリタロック**（GIL、Global Interpreter Lock）や**ジャイアントVMロック**（GVL、Giant VM Lock）と呼ばれる機構があり、同時に動けるスレッド数が厳しく制限されて複数コアの性能が生かせないケースがあります。このときにfork()で複数のプロセスを作り、ワーカーとして並行に実行させることがよくあります。たとえばPythonには、これを効率よく行うためのmultiprocessingパッケージがあります。Node.jsにもclusterモジュールがあります。ウェブサーバーのApacheでも、事前にフォークしておくことで並行で処理を行う**Prefork**が一番最初に導入され、広く使われています。

親子のプロセスが作られるときは、どちらかのプロセスでメモリを変更するまではメモリの実体をコピーしない「コピーオンライト」でメモリが共有されます（第10章「ファイルシステムの最深部を扱うGo言語の関数」のmmap()で少し紹介しました）。そのため、子プロセス生成時に瞬時にメモリ消費量が大きく増えることはありません。しかし、この仕様と言語のランタイムの相性が良くないことがあります。たとえば、Rubyにはガベージコレクタ用のフラグがObjectの内部構造体にあったことから、GCが走るタイミングでフラグの書き換えが発生して早期にメモリコピーが

---

†23　https://about.gitlab.com/2018/01/23/how-a-fix-in-go-19-sped-up-our-gitaly-service-by-30x/

発生してしまうという問題がありました。この動作はRuby 2.0から修正され、フラグの保存領域が別の領域に分離されてマルチコアでの動作が改善されました。

Pythonは参照カウントで不要なオブジェクトの判断を行っていますが、これもコピーを発生させてしまう要因となっていました。Instagramでは、このコピーオンライトの問題を回避するためにGCを停止させて処理速度を向上させる方法[†24]を紹介していましたが、サービスの成長が早く、その方法でも限界を迎えました。最終的には、PythonのGCから共有オブジェクトを隠すオプションをPython本体に追加してコピーオンライトを防いだことで、メモリの増加量が50%減少しました。この修正はPython 3.7に入りました[†25]。

12.7.3 デーモン化

デーモン（daemon）は、POSIX系のOSで動き続けるサーバープロセスなどのバックグラウンドプロセスを作るための機能です。普通のプログラムはシェルのプロセスの子になってしまうので、ログアウトしたりシェルを閉じたりするだけで終了してしまいます。そのような場合でも終了しないように、下記のような特別な細工が施されたプロセスがデーモンです。

- セッションID、グループIDを新しいものにして既存のセッションとグループから独立
- カレントのディレクトリはルートに移動
- フォークしてからブートプロセスのinitを親に設定し、実際の親はすぐに終了
- 標準入出力も起動時のものから切り離される（通常は`/dev/null`に設定される）

デーモンの作成では、セッションとグループから独立後に`fork()`を呼び出し、標準出力などを切り離すといった処理が必要になります。C言語ではプロセス関連のシステムコールを個別に呼び出してデーモン化させることもできますし、`daemon()`といった一発でデーモン化ができる関数も提供されています。

しかし、フォークが必要なところからもわかるとおり、Go言語自身ではデーモン化が積極的にサポートされていません。とはいえ、`syscall`以下の機能を駆使することでデーモン化は可能です。そのようなパッケージも探せばいくつも出てきます。現在では、通常のプログラムとして作ったうえで、launchctlやsystemd、daemontoolsといった仕組みで起動することによりデーモン化する方法が一般的でしょう。この方法であれば、管理方法も他の常駐プログラムと同じように扱えるというメリットもあります。

Windowsでは`golang.org/x/sys/windows/svc`パッケージを使ってWindows

[†24] https://instagram-engineering.com/dismissing-python-garbage-collection-at-instagram-4dca40b29172

[†25] https://instagram-engineering.com/copy-on-write-friendly-python-garbage-collection-ad6ed5233ddf

サービスを作れますが、nssmというツールを使うこともできます[†26]。

12.8 子プロセスの内部実装

Unix系のOSには次のようなシステムコールがあります。

- fork()
- vfork()
- rfork()（BSD）
- clone()（Linux）

fork()は親を複製して子プロセスを作ると紹介しました。コピーオンライトでメモリの実態はコピーしないとしても、メモリブロックの管理テーブルなどの資源はコピーしておく必要がありますし、共有されるファイルディスクリプタのテーブル、シグナルのテーブルなどコピーが必要なデータもあります。その後のコードで利用されないのであれば余計なタスクは減らしたほうが効率的です。vfork()はそのための代替手法の1つで、メモリブロックのコピーを行いません。その代わり、競合が起きないように、子プロセスが終了するかexec()を実行するまで親プロセスを停止させます。rfork()はBSD系OSで使えるシステムコールで、呼び出す側で各資源をコピーするかどうかを細かく条件設定できます。

Linuxカーネル内ではスレッド・プロセスをまとめてタスクという言葉で扱っていて、実際、スレッドとプロセスの実装上の差はほぼありません。スレッドは、親のプロセスと同じメモリ空間を共有するプロセスのように動作します。Linuxではこのようなメモリの共有もフラグで制御できる、より柔軟なclone()システムコールを内部で使っています。カーネル内部では、fork()もvfork()も、スレッド生成も、最終的にはclone()システムコールと同じロジックで処理されます。

なお、Go言語のsyscallパッケージでは、Linux上はclone()、他のPOSIX系OSではfork()を使います。

Windows上ではfork()に相当するAPIはサポートされていません。代わりにCreateProcess()というWindows APIを使います。CreateProcess()は実行ファイルからプログラムを読み込み、実行ファイル用のメインスレッドを作成して子プロセスを実行します。Goの内部実装のsyscall.forkExec()を1つで行う関数となっています。

CreateProcess()や、Windowsの実行ファイルのエントリーポイントであるWinMain()では、POSIX系OSとは異なり、引数を1つの文字列で扱います（POSIX系OSでは、コマンドライン引数（と環境変数）は1項目ごとに1つのC文字列（NULL

[†26] このあたりについては、「ASCII.jp：Windowsアプリをサービス化してサインイン前に起動！」（https://ascii.jp/elem/000/000/933/933079/index-2.html）や書籍『みんなのGo言語』の「2.5 がんばるよりもまわりのツールに頼る」の解説などが参考になるでしょう。

終端）としてプロセスに渡されます）。12.6.2「外部プロセスに対して自分が擬似端末だと詐称する」で紹介したgo-winptyも、このWindowsに忠実なAPIになっているので、Windowsだけで使えるsyscall.appendEscapeArg()を使ってスペースなどが含まれたパスをほぼ正しい文字列にまとめることができます。次のコードは、syscallパッケージ内のexec_windows.goで実際に使われているコードです。

```
func makeCmdLine(args []string) string {
	var b []byte
	for _, v := range args {
		if len(b) > 0 {
			b = append(b, ' ')
		}
		b = appendEscapeArg(b, v)
	}
	return string(b)
}
```

Windowsのコマンドライン引数の処理は各プログラムが行うため、コマンドによってエスケープの仕方が異なることがあります[†27]。ダブルクオーテーション（"）のエスケープも、\"とバックスラッシュを使う場合と、""とする場合とがあります。同じMicrosoft社製のプログラムでも、cmd.exeとPowerShellとでは異なるようです。その上で提供されているPOSIX環境の場合はさらに複雑です[†28]。

シェルでワイルドカード（?や*）を使ったときの動作も、POSIX系OSとWindowsとで動作が異なります。POSIX系OSでは、シェル側で展開を行い、マッチするファイルのリストがプログラム側に渡ってきますが、Windowsの場合はワイルドカードの文字列が渡されるため、呼び出されたプログラム側でワイルドカードを解釈してファイルを探し出す必要があります。これには、第9章「ファイルシステムの基礎とGo言語の標準パッケージ」で紹介した、パターンにマッチするファイル名を取得するパッケージが使えます。

12.9 本章のまとめと次章予告

本章では、プロセスが持つ情報を取得するGo言語の機能と、他のプロセスをGo言語のプログラムから起動する方法を紹介しました。単に起動するだけなら特に難しいことはありませんが、プロセスの起動オプションはたくさんあり、さまざまなケースに対応できるようになっています。

さらにちょっとした応用として、子プロセスの標準出力をリアルタイムで読み込む方法や、プロセスの出力に擬似端末上で色をつける方法、擬似端末につながっていると詐称する方法なども紹介しました。

---

†27 https://stackoverflow.com/questions/562038/escaping-double-quotes-in-batch-script/31413730#31413730

†28 CygwinやMSYSのコマンドは、プロセスがCygwinやMSYSのシステムコールから作られたかどうかでコマンドライン引数の文字列のパースの挙動を変えているそうです。

最後に、Go言語の話からちょっと外れて、プロセスのフォークと、それによる並行処理やデーモン化について簡単に説明しました。また、プロセスの内部実装についても概説しました。

次章は、プロセス間の通信に利用するシグナルについて紹介します。

第13章

シグナルによるプロセス間の通信

前章では、プログラムの実行単位であるプロセスについて紹介し、Go言語から外部プロセスを実行する方法などを見ました。本章では、プロセスに対して送られる**シグナル**と呼ばれる仕組みを説明します。

シグナルには、大きく2つの用途があります。

- **プロセス間通信**：カーネルが仲介して、あるプロセスから、別のプロセスに対してシグナルを送ることができる。自分自身に対してシグナルを送ることも可能
- **ソフトウェア割り込み**：システムで発生したイベントは、シグナルとしてプロセスに送られる。シグナルを受け取ったプロセスは、現在行っているタスクを中断して、あらかじめ登録しておいた登録ルーチンを実行する

これまでの説明で何度も登場したシステムコールは、ユーザー空間で動作しているプロセスからカーネル空間にはたらきかけるためのインタフェースでしたが、その逆方向がシグナルだと考えることもできます（図13.1）。

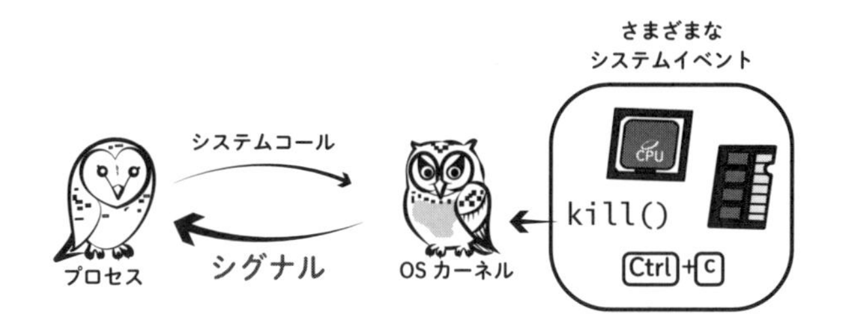

▶ 図13.1　シグナルはシステムコールの逆とも考えられる

実際、昔のシステムコールはソフトウェア割り込みとして実装されていたので、仕組み上もシグナルとシステムコールはかなり近いものだといえます。とはいえ、システムコールでは種類を表すIDを含めて最大7つほどの引数を指定できる（第5章「シ

ステムコール」参照）のに対し、ソフトウェア割り込みとしてのシグナルで送信できるのは種類だけです。また、システムコールを受け取るカーネルは常に起動していますが、シグナルを受け取るプロセスは一時停止していることもあるので、シグナルではそのあたりの挙動も考慮されています。具体的には、プロセスが停止中でも強制処理されるシグナルもあれば、再開されるまでキューイングされるシグナルもあります[†1]。

残念ながら、本章のコードのほとんどはWindowsでは動作しません。Windowsでは、プロセス間通信としてのシグナルはプロセスの強制終了のみが使え、それ以外だとCtrl+Cのフックぐらいしかできないので注意してください。

13.1 シグナルのライフサイクル

シグナルはさまざまなタイミングで発生（raise）します。0除算エラーや、メモリの範囲外アクセス（セグメント違反）は、CPUレベルで発生し、それを受けてカーネルがシグナルを生成します。アプリケーションプロセスで生成（generate）されるシグナルもあります。

生成されたシグナルは、対象となるプロセスに送信（send）されます。プロセスは、シグナルを受け取ると、現在の処理を中断して受け取ったシグナルの処理を行います。

プロセスは、受け取ったシグナルを無視するか、捕捉して処理（handle）します。デフォルトの処理は、無視か、プロセスの終了です。

プロセスがシグナルを受け取った場合の処理内容は、事前に登録してカスタマイズできます。プロセスを終了しない場合は、シグナルを受け取る前に行っていたタスクを継続します。

なお、プロセス側でシグナルをハンドルするコードが自由に書けるといっても、シグナルにはそれぞれ決められた役割があります。本来の役割からかけ離れた処理を実装すべきではありません。

13.2 シグナルの種類

シグナルにはすべてSIGから始まる名前が付いています。Unix系OSでは、次のコマンドを実行することで、すべてのシグナルを一覧できます[†2]。

```
# Linux
$ man 7 signal ↵

# macOS/BSD
$ man signal ↵
```

†1 百日半狂乱「SIGSTOPで停止したプロセスにSIGTERMを送ってもプロセスが死なない？」 https://doi-t.hatenablog.com/entry/2013/12/07/023638

†2 https://linuxjm.osdn.jp/html/LDP_man-pages/man7/signal.7.html

全部のシグナルを使うことはありませんので、本章ではアプリケーション開発の文脈で優先度が高いものから順番にいくつかを紹介します。

13.2.1 ハンドルできないシグナル

強制力を持ち、アプリケーションではハンドルできないシグナルがあります。

- SIGKILL：プロセスを強制終了
- SIGSTOP：プロセスを一時停止して、バックグラウンドジョブにする

これらのシグナルは、それぞれ「SIG」を除外した文字列（KILL、STOP）を`kill`コマンドにオプションとして指定することで、コマンドラインからプロセスに対して送信できます。

```
# プロセスIDを指定してSIGKILLシグナル送信
$ kill -KILL 35698 ⏎

# プロセス名を指定してSIGSTOPシグナル送信
$ pkill -STOP ./sample ⏎
```

SIGSTOPでは、ジョブがバックグラウンドに回っていったんターミナルが戻ってきて、別のプロセスを実行できるようになります。`fg`コマンドを使うと、再びフォアグラウンドジョブとして戻すことができます。

```
$ fg ./sample ⏎
```

13.2.2 サーバーアプリケーションでハンドルするシグナル

サーバーアプリケーション側で独自のハンドラを書くことが比較的多いシグナルとしては、次のようなものがあります。

- SIGTERM：`kill()`システムコールや`kill`コマンドがデフォルトで送信するシグナルで、プロセスを終了させるもの
- SIGHUP：通常は、後述するコンソールアプリケーション用のシグナルだが、「ターミナルを持たないデーモンでは絶対に受け取ることはない」ので、サーバーアプリケーションでは別の意味で使われる。具体的には、設定ファイルの再読み込みを外部から指示する用途で使われることがデファクトスタンダードとなっている

どちらもデフォルトの動作はプロセスの終了です。

13.2.3 コンソールアプリケーションでハンドルするシグナル

- SIGINT：ユーザーが`Ctrl+C`でプログラムを終了（ハンドルできるバージョンのSIGKILL）
- SIGQUIT：ユーザーが`Ctrl+\`でコアダンプを生成し終了
- SIGTSTP：ユーザーが`Ctrl+Z`で停止させ、バックグラウンド動作をさせる（ハンドルできるバージョンのSIGSTOP）

- SIGCONT：バックグラウンド動作から戻させる指令
- SIGWINCH：ウインドウサイズ変更
- SIGHUP：バックグラウンド動作になったり、プロセスが終了したりして、擬似ターミナルから切断されるときに呼ばれるシグナル

終了時にエスケープシーケンスを元に戻しておく場合や、バックグラウンド動作から戻るときに画面の状態を戻す場合などに、これらのシグナルに対するハンドラを用意します。

13.2.4 たまに使うかもしれない、その他のシグナル

- SIGUSR1とSIGUSR2：ユーザー定義のシグナル。アプリケーションが任意の用途で使える
- SIGPWR：外部電源が切断し、無停電電源装置（UPS）が使われたものの、バッテリー残量が低下してシステムを終了する必要があるときにOSから送信されるシグナル。実際に使えるかどうかはOSによって異なる

13.3 Go言語におけるシグナルの種類

Go言語ではsyscallパッケージ内でシグナルを定義しています。たとえば、syscall.SIGINTのように定義されています。なお、SIGINTとSIGKILLの2つに関してはosパッケージで次のようにエイリアスが設定されていて、全OSで使えることが保証されています。

```
var (
    Interrupt Signal = syscall.SIGINT
    Kill      Signal = syscall.SIGKILL
)
```

次のシグナルはPOSIX系OSで使えるシグナルの一覧です。

- **ハンドル不可・外部からのシグナルは無視**：SIGFPE、SIGSEGV、SIGBUSが該当。算術エラー、メモリ範囲外アクセス、その他のハードウェア例外を表す、致命度の高いシグナル。Go言語では、自分のコード中で発生した場合にはpanicに変換して処理される。外部から送付することはできず、ハンドラを定義しても呼ばれない
- **ハンドル不可**：SIGKILL、SIGSTOPが該当。Go言語に限らず、C言語でもハンドルできないシグナル
- **ハンドル可能・終了ステータス1**：SIGQUIT、SIGABRTが該当
- **ハンドル可能・パニック、レジスター覧表示、終了ステータス2**：SIGILL、SIGTRAP、SIGEMT、SIGSYSが該当
- **ハンドル可能・無視**：SIGPIPE、SIGALRM、SIGURG、SIGIO、SIGXCPU、SIGXFZ、SIGVTALRM、SIGWINCH、SIGINFO、SIGUSR1、SIGUSR2、SIGCHLD、SIGPROFが該当
- **ハンドル可能・OSデフォルト動作（macOSは無視）**：SIGTSTP、SIGCONT、SIGTTIN、SIGTTOUが該当

Windows環境では、SIGHUP、SIGINT、SIGQUIT、SIGILL、SIGTRAP、SIGABRT、

SIGBUS、SIGFPE、SIGKILL、SIGSEGV、SIGPIPE、SIGALRMだけがサポートされています。

13.4 シグナルのハンドラを書く

ここからは、実際にGo言語でシグナルを扱う方法を紹介します。C言語でsignal()やsigaction()のようなシステムコールを使う場合にはハンドラ関数を指定しますが、Go言語でのシグナルの扱いはそれとはだいぶ趣が異なります。

下記のコードは、指定時間待って、その間にSIGINTまたはSIGTSTPを受信したらコンソールに文字列を出力して終了するというものです。指定時間が経過しても終了します。

```
package main

import (
	"context"
	"fmt"
	"os/signal"
	"syscall"
	"time"
)

func main() {
	ctx := context.Background()
	sigctx, cancel := signal.NotifyContext(ctx, syscall.SIGINT, syscall.SIGTERM)
	defer cancel()
	toctx, cancel2 := context.WithTimeout(ctx, time.Second*5)
	defer cancel2()

	select {
	case <-sigctx.Done():
		fmt.Println("signal")
	case <-toctx.Done():
		fmt.Println("timeout")
	}
}
```

上記のコードではsignal.NotifyContext()という関数にハンドリングしたいシグナルの種類を渡しています。この関数は4.2.5「コンテキスト」で紹介したコンテキストを返します。このコンテキストはシグナルを受信したときにDone()となります。シグナルは主に終了の通知に使うため、多くの場合はこちらの利用で十分でしょう。

Go 1.15以前ではsignal.Notify()にチャネルを作成して渡して、そのチャネル経由で情報を受け取るAPIのみがありました。1回受信してプログラムを終了するケースではコンテキストが便利ですが、SIGHUPなど、繰り返し受け取るシグナルを扱うにはこちらのほうが良いでしょう。

```
package main

import (
	"fmt"
	"os"
	"os/signal"
	"syscall"
)
```

```
func main() {
    // サイズが1より大きいチャネルを作成
    signals := make(chan os.Signal, 1)
    // SIGINT (Ctrl+C) を受け取る
    signal.Notify(signals, syscall.SIGINT)

    // シグナルがくるまで待つ
    fmt.Println("Waiting SIGINT (CTRL+C)")
    <-signals
    fmt.Println("SIGINT arrived")
}
```

コンテナ時代とシグナル

現代のクラウドインフラでは、コンテナと呼ばれる仕組みの重要性が増しています。第19章で改めて説明しますが、コンテナはプロセスとともにOS環境も一緒にパッケージングして動作させるような仕組みです。その実行環境であるAWSのECSやKubernetes、あるいはローカルにインストールするDockerでは、外からタスクを終了させるとき、いずれもまずSIGTERMを送信してきます。コンテナで動作させようとするシステムは、これらシグナルを受け取ってきちんと終了処理をし切ってからプロセスを終了するように作ることが重要になるでしょう。

13.4.1 シグナルを無視する

シグナルを無視したい場合は`signal.Ignore()`を使います。シグナルの列挙の仕方は`signal.Notify()`に近いのですが、受け取るわけではないのでチャネルは不要です。

次のコードは、最初の10秒間だけCtrl+Cを無視します。

```
package main

import (
    "fmt"
    "os/signal"
    "syscall"
    "time"
)

func main() {
    // 最初の10秒はCtrl + Cで止まる
    fmt.Println("Accept Ctrl + C for 10 second")
    time.Sleep(time.Second * 10)

    // 可変長引数で任意の数のシグナルを設定可能
    signal.Ignore(syscall.SIGINT, syscall.SIGHUP)

    // 次の10秒はCtrl + Cを無視する
    fmt.Println("Ignore Ctrl + C for 10 second")
    time.Sleep(time.Second * 10)
}
```

13.4.2 シグナルのハンドラをデフォルトに戻す

あまり使うことはないかもしれませんが、シグナルのハンドラをデフォルトに戻すことができます。

```
signal.Reset(syscall.SIGINT, syscall.SIGHUP)
```

13.4.3 シグナルの送付を停止させる

これ以上シグナルを受け取らないようにすることもできます。終了処理を開始した直後に再度ハンドラが呼ばれないようにするためなどに使えるでしょう。

```
signal.Stop(signals)
```

これを呼び出すと、それ以降Notify()で指定したシグナルを受け取らなくなるわけではなく、デフォルトに戻るようです。Notify()でSIGINT（Ctrl+C）を指定していた場合、呼び出し後はブロックせずにデフォルトでプロセスを終了するようになります。

13.4.4 シグナルを他のプロセスに送る

他のプロセスにシグナルを送るには、第12章「プロセスの役割とGo言語による操作」で紹介したos.Process構造体を使います。この構造体のSignal()メソッドを使うことでシグナルを送信できます。さらに、Kill()という、SIGKILLを送信する専用のメソッドもあります。また、前章で紹介したexec.CmdのContext対応版であるexec.CommandContext()を使ってContextが外部からキャンセルされたりタイムアウトしたときにもSIGKILLが送信されます。

```
package main

import (
    "fmt"
    "os"
    "strconv"
)

func main() {
    if len(os.Args) < 2 {
        fmt.Printf("usage: %s [pid]\n", os.Args[0])
        return
    }
    // 第一引数で指定されたプロセスIDを数値に変換
    pid, err := strconv.Atoi(os.Args[1])
    if err != nil {
        panic(err)
    }
    process, err := os.FindProcess(pid)
    if err != nil {
        panic(err)
    }
    // シグナルを送る
    process.Signal(os.Kill)
    // Killの場合は次のショートカットも利用可能
    process.Kill()
}
```

os/execパッケージを使った高級なインタフェースでプロセスを起動した場合は、Processフィールドにos.Process構造体が格納されているので、この変数経由で送信できます。

```
cmd := exec.Command("child")
cmd.Start()

// シグナル送信
cmd.Process.Signal(os.Interrupt)
```

プロセスを外部から停止するお作法

Goの標準の機能ではSIGKILLがカジュアルに送信されますが、SIGKILLは受け取り側でハンドリングできず、強制的に終了させられるシグナルです。また、そのプロセスがさらに子プロセスを持っていた場合、それらのプロセスまでは終了せず、生き残り続けます。

プロセスを終了したい場合には、いきなりSIGKILLを送信するのではなく、まずSIGTERMを送信し、プログラム側に自分で終了処理を行わせるのが行儀のよい方法です。そして、もし一定の時間が経っても終了しなかった場合にSIGKILLを送信するようにします。たとえば`docker stop`コマンドなども、同様の方法でコンテナ内部のプロセスを終了させます。デフォルトでは10秒後にSIGKILLが送信されるようになっています。

なお、SIGSTOPで停止状態のプロセスはSIGKILL以外のシグナルには反応しません。その場合は、まずSIGCONTを送ってプロセスを起こし、その後にSIGTERMを行うと確実です[†3]。

13.5 シグナルの応用例（Server::Starter）

サーバー系のプログラムは、CUIやGUIのツールとは異なり、複数のユーザーが同時にアクセスして利用できます。そのため、バージョンアップや設定修正などで再起動をする際、正しく終了するのが難しいという問題があります。いきなりシャットダウンしてしまうと、アクセス中のユーザーに正しく結果を返すことができません。かといって、自然にユーザーが途切れるまで待つわけにもいきません。複数台のサーバーを利用している場合には、さらに難しくなります。この課題は**グレイスフル・リスタート**と呼ばれています。

グレイスフル・リスタートを実現するための補助ツールとして広く利用されている仕組みに、奥一穂さんが作成したServer::Starterがあります。Server::Starterは、サーバーの再起動が必要になったときに、「新しいサーバーを起動して新しいリクエストをそちらに流しつつ、古いサーバーのリクエストが完了したら正しく終了させる」ための仕組みです。Server::Starterを利用できるようにサーバーを作れば、サービス停止時間ゼロでサーバーの再起動が可能になります。

Server::Starterは、もともとはPerlで実装されたものですが、シグナルと環境変数を使った汎用の仕組みです。そのため、さまざまな言語で利用可能です。たとえば、

---

†3 Songmu氏によるGo Conferenceの発表（`https://songmu.jp/riji/entry/2019-07-16-gocon-fukuoka.html`）や、doi-t氏によるブログ記事「読了、Goならわかるシステムプログラミング: Linuxシグナル再訪 in Go」（`https://doi-t.hatenablog.com/entry/revisit-linux-signals-in-go`）で詳しく解説されています。

Sonotsさんが移植したRubyバージョンがあります。Go言語については、牧大輔さんが移植したバージョンがあります。

- Perl版：https://metacpan.org/release/KAZUHO/Server-Starter-0.33/view/lib/Server/Starter.pm
- Ruby版：https://github.com/sonots/ruby-server-starter
- Go版：https://github.com/lestrrat-go/server-starter

Go版のServer::Starterは、次のようにインストールします。

```
$ go get github.com/lestrrat-go/server-starter/cmd/start_server ⏎
```

ここでは、プロセスとシグナルの応用例として、Go版のServer::Starterを利用するサーバーを実装してみましょう。

13.5.1 Server::Starterの使い方

Server::Starterを利用可能なサーバーの実装を見る前に、Server::Starterの使い方を簡単に説明します。

カレントディレクトリにあるserverというサーバープログラムを、Server::Starterで起動するには、次のようにstart_serverというコマンドを使います。

```
$ start_server --port 8080 --pid-file app.pid -- ./server ⏎
```

このコマンドは、次の3つのタスクを行います。

- ポート8080番を開く
- 現在のプロセスIDをapp.pidファイルに書き出す
- 開いたポートを渡し、serverを子プロセスとして起動する

serverは、start_serverコマンドの子プロセスとして、start_serverが開いたソケットを受け取り、そのソケットでサーバーとしてサービスを開始します（図13.2）。

親プロセスであるstart_serverが開いたソケットを、子プロセスであるserverが使うために利用しているのは、前章で紹介したexec.CmdのExtraFilesオプションです。ExtraFilesを使ってファイルディスクリプタを渡すと、そのファイルディスクリプタが3番以降の番号として割り当て済みの状態で子プロセスが起動します。何番のポートを何番めのファイルディスクリプタで開いたかという情報は、SERVER_STARTER_PORT環境変数で伝えます。

このあたりの実装については、Go版のServer::StarterのStarter構造体の

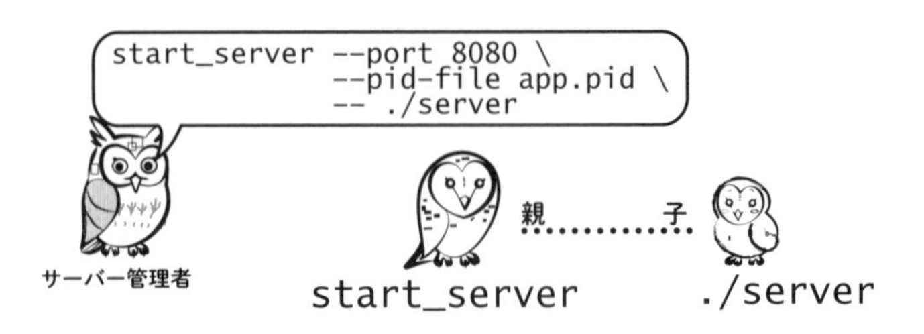

▶図13.2　Server::Starterの開始

StartWorker()メソッド[†4]の中で見ることができます。子プロセス側のコードも、Server::Starterが提供するTCPListener構造体[†5]にあります。

13.5.2 Server::Starterが子プロセスを再起動する仕組み

Server::Starterで起動したサーバープロセスを再起動するときは、シグナルを利用します。デフォルトでは、SIGHUPを使って再起動を依頼します（ただし、どのシグナルを使うかはコマンドライン引数で変更できます）。

再起動したいときは、親プロセスであるServer::StarterにSIGHUPシグナルを送ります。Unix系OSの場合は次のようにすればいいでしょう（起動時に--pid-file app.pidというオプションを渡したので、親プロセスであるServer::StarterのプロセスIDはapp.pidというファイルに格納されています）。

```
$ kill -HUP `cat app.pid` ↵
```

多重起動していなければ、次のコマンドのようにプロセス名を指定してシグナルを送信してもかまいません。

```
$ pkill -HUP start_server ↵
```

SIGHUPを受け取ったServer::Starterは、新しいプロセスを起動し、起動済みの子プロセスにはSIGTERMを送ります。子プロセスであるサーバーが、「SIGTERMシグナルを受け取ったら、新規のリクエスト受け付けを停止し、現在処理中のリクエストが完了するまで待って終了する」という実装になっていれば、再起動によるエラーに遭遇するユーザーを一人も出すことなく、ダウンタイムなしでサービスを更新できます（図13.3）。

---

†4　https://github.com/lestrrat-go/server-starter/blob/0.0.2/starter.go#L415

†5　https://github.com/lestrrat-go/server-starter/blob/0.0.2/listener/listener.go#L35

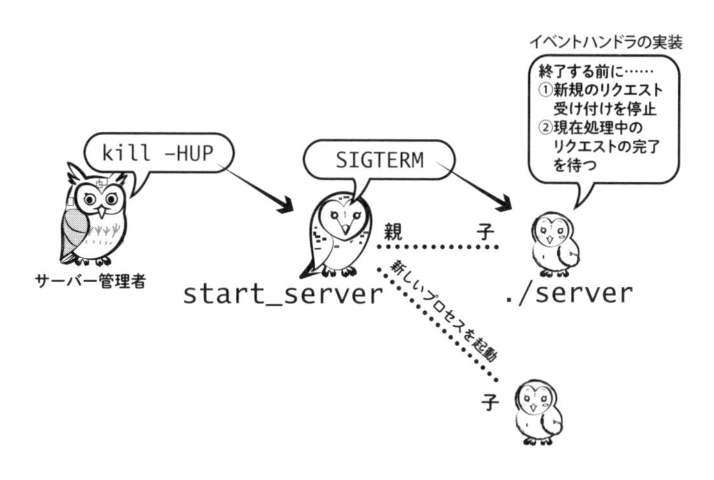

▶ 図 13.3　Server::Starter によるサービス更新

13.5.3 Server::Starter 対応のサーバーの実装例

サーバーを Server::Starter で起動するだけであれば、Server::Starter が提供するインタフェースを使って`net.Listener`を取得し、そのポートを使って起動するようになっていれば問題ありません。しかし、無停止でグレイスフル・リスタートするためには、「SIGTERM シグナルを受け取ったら、新規のリクエスト受け付けを停止し、現在処理中のリクエストが完了するまで待って終了する」という実装になっている必要があります。

ウェブサーバーであれば、そのような**グレイスフル・シャットダウン**のためのメソッド（`http.Server.Shutdown()`）が、Go 言語のバージョン 1.8 から標準で提供されています。サーバーを goroutine で起動し、SIGTERM シグナルを受け取ったら外部から停止するメソッドを呼び出すようにすれば、簡単に実現できます。

次のコードが Server::Starter 対応のウェブサーバーのための最小限[†6]のコードです。

```
package main

import (
    "context"
    "fmt"
    "net/http"
    "os"
```

[†6] 本当に最低限の実装です。HTTP/2 対応や Go 1.7 環境と互換のある実装など、より実践的な内容は Shogo さんのブログの「Go1.8 の Graceful Shutdown と go-gracedown の対応」を参照してください。 https://shogo82148.github.io/blog/2017/01/21/golang-1-dot-8-graceful-shutdown/

```
	"os/signal"
	"syscall"

	"github.com/lestrrat/go-server-starter/listener"
)

func main() {
	// シグナル初期化
	signals := make(chan os.Signal, 1)
	signal.Notify(signals, syscall.SIGTERM)

	// Server::Starterからもらったソケットを確認
	listeners, err := listener.ListenAll()
	if err != nil {
		panic(err)
	}
	// ウェブサーバーをgoroutineで起動
	server := http.Server{
		Handler: http.HandlerFunc(func(w http.ResponseWriter, r *http.Request) {
			fmt.Fprintf(w, "server pid: %d %v\n", os.Getpid(), os.Environ())
		}),
	}
	go server.Serve(listeners[0])

	// SIGTERMを受け取ったら終了させる
	<-signals
	server.Shutdown(context.Background())
}
```

このようにSIGTERMをハンドルしてグレイスフル・シャットダウンする実装にすることには、Server::Starter対応だけでないメリットもあります。たとえば、複数のコンテナをクラウド環境にデプロイしてサービスの環境を作り上げるオーケストレーションツールのKubernetesでも、サービスのローリングアップデート時にはSIGTERMシグナルが末端の各サービスに送られます。そのため、SIGTERMをハンドルするようになっていれば、Kubernetesを使ってAWSやGKE、Azure上でもダウンタイムゼロでサービスが更新できることになります[†7]。なお、この場合はコンテナ内部での再起動になるため、ファイルディスクリプタを受け取る必要はありません。外部向けの公開ポートで起動し、シャットダウンを行儀よく行う実装にすればよいでしょう。

NOTE 自由に再起動できるとはいっても、あくまでもウェブサービスなどのロジックに限定したレイヤーの話です。データベース、メッセージキューなどの各種ストレージは、それほど簡単には再起動できません。スキーマ変更を伴うような場合に、新旧の環境を自由自在に行き来したり、A/Bテスト的に新旧のバージョンを混在させることは、簡単ではないのです。

筆者が実際に話を聞いたことがあるのは、次のような方法による再起動です。

- 新しいバージョンに旧形式で書き出すためのカラムを用意し、古いバージョンでも使えるようにする

†7　筆者自身は大規模クラウドサービスでKubernetesを使ったことがありませんが、GoCon 2017のChris Broadfootのキーノートでそのような事例が紹介されました。https://github.com/broady/gocon-2017/blob/v0.15/main.go

- MongoDBのようなKVSを使い、各データにバージョン番号を埋め込む。それと同時に、Erlangのホットデプロイのように新旧バージョンのデータのマイグレーションコードを完備して、データ構造の変更をアプリケーション側が任意で行えるようにする

ほかにもさまざまな方法が考えられると思いますが、メンテナンスのコストや失敗時の影響の大きさを考えると、変更が大きい場合には完全な無停止はあきらめてメンテナンス期間を設けるほうがリーズナブルだといえます。

13.6 Go言語ランタイムにおけるシグナルの内部実装

マルチスレッドのプログラムだと、シグナルはその中のどれかのスレッドに届けられます。マルチスレッドのプログラムでは、リソースアクセス時にロックを取得するスレッドがどれかわからないと容易にブロックしてプログラムがおかしくなってしまうため、シグナル処理用のスレッドとそれ以外のスレッドを分けるのが定石です。Go言語でもそのようになっています。主なコードは`runtime/signal_unix.go`[†8]にあります。

まず、各スレッドの初期化時に呼ばれる関数`minitSignalMask()`ではシグナルのマスクを設定し、すべてのシグナルをブロックする（受け取らない）ように設定しています。この関数内部では、最後に`sigprocmask()`関数を呼んでいます。`sigprocmask()`は、各OSごとにアセンブリ言語で実装されている関数[†9]で、内部では`pthread_sigmask()`を呼び出しています。

シグナル処理用スレッドのみでシグナルを許可しているのは、`ensureSigM()`関数です。Go言語では、goroutineとOSスレッドを負荷状況に応じて柔軟に組み合わせられます（「N:Mモデル」と呼ばれています）が、この場合は特定のシグナルに限定したいので、goroutineが必ず特定のOSスレッドで実行されるように保証する`runtime.LockOSThread()`関数を使っています。`signal`パッケージのシグナル設定のための関数を呼ぶと、`runtime`パッケージの`signal_enable()`や`signal_disable()`といった関数が呼ばれます。これらの関数は、`ensureSigM()`が監視しているチャネルに更新情報を届けます。`ensureSigM()`は、これらの情報を使って`sigprocmask()`関数を呼び出すことにより、`signal`パッケージがどのスレッドで実行されても問題なく、シグナル処理用スレッドのシグナルについてマスクを更新します。

シグナル受け取り先のハンドラを指定するときは`sigaction()`システムコールが使われ、`sighandler()`関数が呼ばれるようになっています。この関数は、`runtime/`

---

†8 `https://github.com/golang/go/blob/release-branch.go1.17/src/runtime/signal_unix.go`

†9 `https://github.com/golang/go/blob/release-branch.go1.17/src/runtime/sys_darwin_amd64.s#L165`など

sigqueue.go[†10]の sigsend() 関数を呼び出し、共有のメモリ領域に受け取ったシグナル情報を書き出します。ここまでがシグナル処理用スレッドで行われる処理です。その後は同じファイル内の signal_recv() 関数を呼び出すと、シグナル情報を返します。signal パッケージはこの関数を呼び出して、Notify() で渡されたチャネルにシグナル情報を伝達します。

13.7 Windowsとシグナル

ここまで紹介してきた機能はC言語の標準ライブラリではなくPOSIXのAPIということもあり、Windowsにはありません。一方、signal() はC言語の標準規格に入っているため、Windowsにも存在します[†11]。ISOの規格ではSIGABRT、SIGFPE、SIGILL、SIGINT、SIGSEGV、SIGTERMの6種類のシグナルが規定されています。また、「各実装はSIG＋大文字のシグナルを足してもよい」とされています。Windowsで定義されているシグナルは、Ctrl+Cやプロセスの終了を除くと、プロセス内部の問題でCPUから発生される命令違反や数値演算エラーなどの例外に起因するソフトウェア割り込みが基本です。しかし、ISOの規格で必要とされているシグナルにはすべて対応しています。

Windowsでは、signal() でシグナル以外の例外もハンドルするために、**構造化例外処理**と呼ばれるAPIセットを提供しています[†12]。Go言語でも、WindowsにおけるシグナルのAPI初期化コードでは、このAPIの一部である AddVectoredContinueHandler()[†13]を使っています[†14]。

Go言語のWindowsにおけるCtrl+Cのハンドリングでは、SetConsoleCtrlHandler()[†15]を使って、POSIX系OSにおける該当のシグナル（SIGINT）を模倣しています[†16]。この関数では強制的に処理されるシグナルしか扱えないため、その他のPOSIX系OSには存在しているシグナルのマスクを行うような処理は実装されていません[†17]。

[†10] https://github.com/golang/go/blob/release-branch.go1.17/src/runtime/sigqueue.go

[†11] https://docs.microsoft.com/en-us/cpp/c-runtime-library/reference/signal

[†12] Oracle社のJavaのドキュメント「Windowsでの例外処理」がまとまっています。 https://docs.oracle.com/javase/jp/8/docs/technotes/guides/troubleshoot/signals002.html

[†13] https://docs.microsoft.com/en-us/windows/win32/api/errhandlingapi/nf-errhandlingapi-addvectoredcontinuehandler

[†14] https://github.com/golang/go/blob/release-branch.go1.17/src/runtime/signal_windows.go

[†15] https://docs.microsoft.com/en-us/windows/console/setconsolectrlhandler

[†16] https://github.com/golang/go/blob/release-branch.go1.17/src/runtime/os_windows.go#L686

[†17] https://github.com/golang/go/blob/release-branch.go1.17/src/runtime/signal_windows.go#L293

シグナル送信側のコードとしては、SIGKILL時にTerminateProcess()[†18]を呼ぶコードのみがあります[†19]。これは強制終了なので、受け取り側でハンドリングはできません。

なお、GUIが前提のWindowsの世界では、他のプロセスを終了させるときはWM_CLOSEイベントを送るのが作法とされています。これはウインドウの閉じるボタンと同じイベントで、受け取った側では未保存のデータを保存するかどうかをユーザーに確認することができます。プロセス間の通信はウインドウシステムのイベント側で行います。これはGUI用のメッセージループという、大量のイベント情報を扱うための仕組みであり、シグナルとは異なる仕組みです。

13.8 本章のまとめと次章予告

本章では、強制力が高いプロセス間通信の手法であるシグナルを紹介しました。シグナルにはたくさんの種類があり、用途ごとに使われ方が決まっています。自分のプログラムで扱わなければならないシグナルはあまり多くはありませんが、その中でも一番使う機会がありそうな用途として、グレイスフル・リスタートの原理とサービスの実装を紹介しました。

次章は、Go言語がサーバー用途で強力であると言われるポイントでもある、並列処理を紹介します。

†18 https://docs.microsoft.com/en-us/windows/win32/api/processthreadsapi/nf-processthreadsapi-terminateprocess

†19 https://github.com/golang/go/blob/release-branch.go1.17/src/os/exec_windows.go#L48

第14章

Go言語と並列処理

これから2章分にわたって、並列処理を取り扱います。

2010年代までは、CPUのコアあたりの性能向上がめざましく、「性能は時代が解決してくれるのでソフトウェアのレイヤーは生産性にフォーカスしよう」ということで、LL（Lightweight Language）と呼ばれるスクリプト言語が注目を浴びたりしました。しかし、その後はCPUのコア単体の性能向上がだいぶ落ち着いたこともあって、Node.jsのような極めて性能の高いスクリプト言語を使ったり、複数のコアを使い切るという方向に関心が移ってきました。2017年に入ると、AMDが新しいCPUであるRyzenを発表し、Intelもそれに対抗してサーバー向けのCPU製品をコンシューマー向けに振り分けるなど、久しぶりにコンピューター業界が湧いていますが、競われているのはCPUのコア数の多さです。現在、性能の高いソフトウェアを開発するうえでは、多くのコアを活用することが避けられません。

Go言語の特徴として挙げられる機能の1つに、この「並列処理を書くのが簡単」というものがあります。本章では、Goにおける並列処理の機能を紹介します。並列処理の基礎を説明してから、Go言語の並行・並列処理のかなめともいえるgoroutineを掘り下げていきます。その後はgoroutineの低レベルな機能を扱うための`runtime`パッケージ、goroutineのデータ競合を発見するRace Detector、さらに少し凝った非同期の同期処理を書くときに必要になる`sync`パッケージおよび`sync/atomic`パッケージの使い方を紹介します。

14.1 複数の仕事を同時に行うとは？

複数の仕事を行うことを表す言葉には**並行**（Concurrent）と**並列**（Parallel）の2つがあります。これらには次のような特性をシステムに提供します（図14.1）。

- **並行**：CPU数、コア数の限界を超えて複数の仕事を同時に行う

  ほんの少し前まで、コンピューターに搭載されているCPUはコア数が1つしかないものが普通でした。そのような、今ではもう絶滅危惧種になりつつあるシングルコ

アのコンピューターであっても、インターネットを見ながらWordとExcelを立ち上げてレポートを書けます。この場合に大事になるのが並行（Concurrent）です。シングルコアで並行処理をする場合、トータルでのスループットは変わりません。スループットが変わらないのに並行処理が必要なのは、とりかかっている1つの仕事でプログラム全体がブロックされてしまうのを防ぐためです。

- **並列**：複数のCPU、コアを効率よく扱って計算速度を上げる
  並列は、CPUのコアが複数あるコンピューターで、効率よく計算処理を行うときに必要な概念です。たとえば8コアのCPUが8つ同時に100%稼働すると、トータルのスループットが8倍になります。
  現在は、マルチコアのコンピューターとマルチコアが扱えるOSが当たり前となっていることもあって、いかに並列処理を実現するかという点が焦点になっています。並列処理のプログラムは並行処理のプログラムに内包されるため、並列処理についてだけ考えれば並行処理はおおむね達成できるともいえます。

NOTE　並行と並列の本来の定義は別にありますが、本書ではわかりやすさのためにまずは「得られる特性」で説明しています。

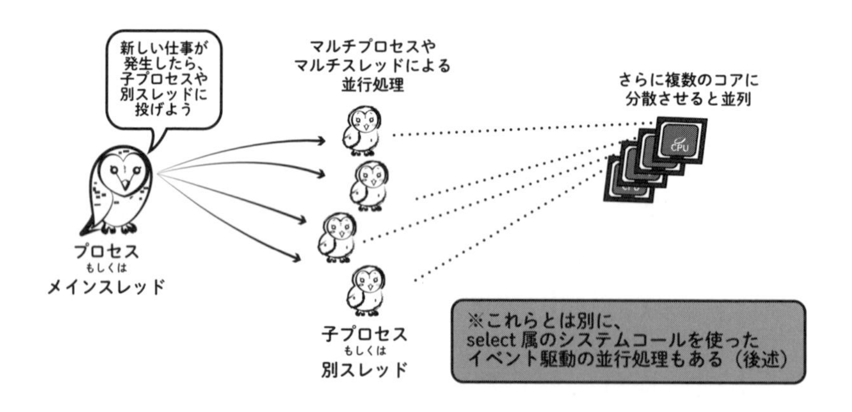

▶図14.1　並行処理と並列処理

並列は並行に内包されていると紹介しましたが、実装時に並列だけを考えればいいというわけでもありません。CPUコア数が8コアあっても、たとえばウェブサービスが同時8アクセスだけで止まってしまっては、8コアのハードウェアに見合った性能が出せているとはいえません。

タスクによっては、並列と並行を両方とも考慮することで、初めて効率を最大化できます。CPUにおける処理時間が大きい場合（ユーザー時間が支配的な場合）は並

列、I/O待ちなどでCPUが暇をしているときは並行で処理するというのが基本です。

14.2 Go言語の並列処理のための道具

Go言語には並列処理を簡単に書くための道具が備わっています。Go言語で並列処理を書くための道具は、goroutineとチャネルです。

チャネルを使えばデータの入出力が直列化します。データを処理するgoroutineに対して複数のgoroutineから同時にデータを送り込んだり、そのgoroutineが返すデータを複数のgoroutineで並列に読み込んだりしても、チャネルを経由するだけで、ロックなどを実装する必要がなくなります。直接のメモリアクセスを行わないようにすることで、マルチスレッド上に擬似マルチプロセス環境ができあがるのです。Go言語では、goroutine間の情報共有方法としてチャネルを使うことを推奨しています。

NOTE 本章のサンプルでは、待ち合わせにtime.Sleep()を使っている箇所がいくつかあります。これは説明のためであり、本来はチャネルやsync.WaitGroupなどの「作業が完了した」ことをきちんと取り扱える仕組みを使って待ち合わせ処理を書くほうが望ましいでしょう。さもないと、忘れたころにコード改変でなぜか動かなくなって悩むことになったり、必要以上に待ちが発生してユニットテストの所要時間が無駄に延びます。

14.2.1 goroutineと情報共有

goroutineで協調動作をするには、goroutineを実行する親スレッドと子の間でデータのやり取りが必要です。このデータのやり取りには、関数の引数として渡す方法と、クロージャのローカル変数にキャプチャして渡す方法の2通りのやり方があります[†1]。

```
package main

import (
    "fmt"
    "time"
)

func sub1(c int) {
    fmt.Println("share by arguments:", c*c)
}

func main() {
    // 引数渡し
    go sub1(10)

    // クロージャのキャプチャ渡し
    c := 20
    go func() {
        fmt.Println("share by capture", c*c)
    }()
    time.Sleep(time.Second)
}
```

†1 もちろん、グローバル変数を使うことも可能ではあります。

クロージャのキャプチャ渡しの場合、内部的には、無名関数に暗黙の引数が追加され、その暗黙の引数にデータや参照（変数は参照扱い）が渡されてgoroutineとして扱われます。そのため、この例のケースでは、結果としては「引数で渡す」のと同じです[†2]。気になる方はアセンブリコードを出力して確認してみてください。

関数の引数として渡す方法と、クロージャのローカル変数にキャプチャして渡す方法との間で、1つ違いがあるとすれば、次のようにforループ内でgoroutineを起動する場合です。

```
package main

import (
	"fmt"
	"time"
)

func main() {
	tasks := []string{
		"cmake ..",
		"cmake . --build Release",
		"cpack",
	}
	for _, task := range tasks {
		go func() {
			// goroutineが起動するときにはループが回りきって
			// 全部のtaskが最後のタスクになってしまう
			fmt.Println(task)
		}()
	}
	time.Sleep(time.Second)
}
```

goroutineの起動はOSのネイティブスレッドより高速ですが、それでもコストゼロではありません。ループの変数は使い回されてしまいますし、単純なループに比べてgoroutineの起動が遅いため、クロージャを使ってキャプチャするとループが回るたびにプログラマーが意図したのとは別のデータを参照してしまいます。その場合は関数の引数経由にして明示的に値コピーが行われるようにします。

子どものgoroutineから親へは、引数やクロージャで渡したデータ構造（配列やマップ、第4章「低レベルアクセスへの入口3：チャネル」で紹介したチャネルなど）に書き込む、あるいはクロージャでキャプチャした変数（キャプチャはポインタを引数に渡した扱いになる）に書き込むことになります。マップの要素へのアクセスはアトミックではないため、注意が必要です。同時に書き込むと、予期せぬ上書きが発生する可能性があるため、何らかの形で同時上書きを防ぐ必要があります。

一番単純な方法は、書き込み先を共有しないことです。たとえば、10個のgoroutineを同時に実行するとき、最初から10個分の結果を保存する配列を用意しておいて、

---

†2　Go言語のクロージャに関しては、次のLinda_ppさんのスライドが参考になります（https://speakerdeck.com/rhysd/go-detukurufan-yong-yan-yu-chu-li-xi-shi-zhuang-zhan-lue?slide=40）。Go製のオリジナル言語でのクロージャの実装方法を解説したものですが、Go自身も考え方は同じです。

それぞれのgoroutineから別の領域に書き込むようにするという方法があります。それ以外にはチャネル、あるいは本章でこれから紹介するsyncパッケージでデータアクセス側を直列化するという方法があります。

14.3 スレッドとgoroutineの違い

ここまでの説明では、4.1節で述べたように、goroutineのことを「OSのネイティブなスレッドを扱いやすくした並列処理機構」とみなしてきました。goroutineとスレッドの間には、当然、異なる点もたくさんあります。両者の違いをはっきりさせるために、まずスレッドとは何なのかを整理しておきましょう。

スレッドとはプログラムを実行するための「もの」であり、OSによって手配されるものです。

プログラムから見たスレッドは、「**メモリにロードされたプログラムの現在の実行状態を持つ仮想CPU**」です。この仮想CPUのそれぞれに、スタックメモリが割り当てられています。

一方、OSやCPUから見たスレッドは、「**時間が凍結されたプログラムの実行状態**」です。この実行状態には、CPUが演算に使ったり計算結果や状態を保持したりするレジスタと呼ばれるメモリと、スタックメモリが含まれます。

OSの仕事は、凍結状態のプログラムの実行状態を復元して、各スレッドを順番に短時間ずつ処理を再開させることです。その際の順番や、1回に実行する時間（**タイムスライス**）は、スレッドごとに設定されている優先度によって決まります。実行予定のスレッドはランキューと呼ばれるリストに入っており、なるべく公平に処理が回るようにスケジューリングされます。複数のプログラムは、このようにして、時間分割してCPUコアにマッピングされて実行されるのです。

スレッドがCPUコアに対してマッピングされるのに対し、goroutineはOSのスレッド（Go製のアプリケーションから見ると1つの仮想CPU）にマッピングされます。この点が、通常のスレッドとGo言語の軽量スレッドであるgoroutineとの最大の違いです。

両者にはほかにも次のような細かい違いがあります。

- OSスレッドはIDを持つが、goroutineは指定しなければ実際のどのスレッドにマッピングされるかは決まっておらず、IDなども持たない
- goroutineは、OSスレッドの1〜2MBと比べると初期スタックメモリのサイズが小さく（2KB）、起動処理が軽い
- goroutineは優先度を持たない
- goroutineは、タイムスライスで強制的に処理が切り替わることはない。コンパイラが「ここで処理を切り替える」という切り替えポイントを埋め込むことで切り替えを実現している
- IDで一意に特定できないため、goroutineには外部から終了のリクエストを送る仕組みがない

まず、メモリ確保は処理時間が長いので、起動時間の面ではgoroutineが圧倒的に有利です。

また、goroutineはOSに処理を渡さないで作成できるので、カーネルとのタスク切り替えのコストも小さくなっています。CPUにおいて、ある処理を強制的に切り替えて他の処理にスイッチするには、前の処理が使っていたレジスタをすべていったん退避し、次の処理がもともと使っていた状態にレジスタを戻さなければなりません。現在のCPUには50以上のレジスタがあるので、この切り替えのコストもそれだけ大きくなります。Goでは、レジスタの退避が最小限で済むコード位置に、タスクスイッチのためのコードが埋め込まれます。これにより、プログラムカウンタ、スタックポインタ、DXの3つのレジスタを退避するだけで済むようになっており[†3]、それだけタスクの切り替え時間が短くなっています。

結果としてgoroutineは、起動時間、切り替え時間など、どれをとってもOSのスレッドの1000倍のオーダーで高速です。そのため、OSのスレッドでは重くて現実的ではなかったプログラムを書くこともできます。たとえば、HTTPのリクエスト1つに対して1つのgoroutineを専門で割り当てるといったことも可能です。

14.4 Goのランタイムはミニ OS

OSが提供するスレッド以外に、プログラミング言語のランタイムでgoroutineのようなスレッド相当の機能を持つことには、どんなメリットがあるのでしょうか。Go言語の場合、「機能が少ない代わりにシンプルで起動が早いスレッド」として提供されているgoroutineを利用できることで、次のようなメリットが生まれています。

- 大量のクライアントを効率よくさばくサーバーを実装する（いわゆるC10K）ときに、クライアントごとに1つのgoroutineを割り当てるような実装であっても、リーズナブルなメモリ使用量で処理できる
- OSのスレッドでブロッキングを行う操作をすると、他のスレッドが処理を開始するにはOSがコンテキストスイッチをして順番を待つ必要があるが、Goの場合はチャネルなどでブロックしたら、残ったタイムスライスでランキューに入った別のgoroutineのタスクも実行できる
- プログラムのランタイムが、プログラム全体の中でどのgoroutineがブロック中なのかといった情報をきちんと把握しているため、デッドロックを作ってもランタイムが検知してどこでブロックしているのかを一覧で表示できる

goroutineは、OSのスレッドと比べると機能的にはシンプルですが、OSのカーネルが行っていることとGo言語のランタイムが行っていることは、大雑把に表14.1のように対応しています。

つまり、Go言語のランタイムは、goroutineをスレッドとみなせば、OSと同じ構

†3　https://blog.nindalf.com/posts/how-goroutines-work/

▶表14.1 Go言語の機能とOSの機能の対応

Go言語の機能（ランタイムにおける用語）	Linuxカーネルにおいて対応するもの
M：Machine	物理CPUコア
P：Process	スケジューラー（ランキュー）
G：goroutine	プロセス

造であると考えることができます（図14.2）。

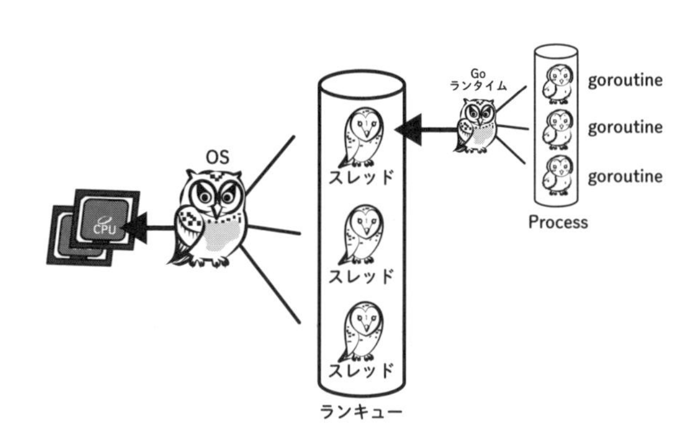

▶図14.2 Go言語のランタイムとgoroutineの関係は、OSとスレッドの関係と相似

実際、Goのランタイムの内部には、OSがスレッドのスケジューラーを持っているのと同様に、goroutineのスケジューラーがあります。具体的には、OSのスレッド（M）ごとに、タスクであるgoroutine（G）のリストがあり、実行中のスレッド上で順番にタスクをどんどん切り替えて実行していきます。ランキューなどのスレッドが行う作業を束ねるものは、Process（P）と呼ばれます（システムプログラミングにおけるプロセスとは別物です）。グローバルなタスクのキューもあり、暇になったプロセスはそこからタスクを取得してきます。また、仕事に偏りがあると、それを平準化する機構も持っています。また、現代のカーネルはCPUのM個のコア数に対して同時にN個の複数の処理ができる**M対Nモデル**になっていますが、Go言語のgoroutineもOSスレッドの数MについてのM対Nモデルになっています。

とはいえ、goroutineのほうが機能的にもシンプルです。たとえば、各goroutine間には優先度の差をつけることができません。これに対し、OSのスレッドでは、重い処理をするスレッドの優先度を上げることができます。また、OSの場合は、スレッドやプロセスをどのCPUコアで回すかを指定するProcessor Affinityという仕組みがあります。この仕組みを使って、シングルスレッドで動くNode.jsを特定のコアでのみプロセスが動作するように設定しておくと、CPUのコア間のタスクの移動でCPUキャッシュが失われることがなくなり、CPUキャッシュの効率が最大化されます。

goroutineは、タスクの偏りがなければスレッド間でタスクが移動することはないので、キャッシュが無駄になることは比較的少ないものの、OSのように明示的な設定はできません。

Goの内部実装

Goの内部実装については詳しく解説された情報をいくつか見つけることができます。ここで解説した内容以上の詳しい情報については、たとえば下記のような情報を参照してください。

- Koki Ideさん「Goのスケジューラー実装とハマりポイント」
- POVILAS VERSOCKAS「GO SCHEDULER: MS, PS & GS」
- Brandon Gao「Go Runtime Scheduler」
- Katherine Cox-Buday著／山口 能迪 訳『Go言語による並行処理』（オライリー・ジャパン、ISBN 978-4873118468、2018年）第6章

14.5 runtimeパッケージのgoroutine関連の機能

軽量スレッドであるgoroutineを使うには、goを付けて関数呼び出しを行うだけです。しかし、場合によっては、ベースとなるOSのスレッドに対して何らかの制限を課すといった、より低レベルの操作をしたいこともあります。`runtime`パッケージには、そのようなときに使える低レベルの関数がいくつかあります。

なお、`runtime`パッケージにはgoroutineのプロファイリング用の関数もいくつかありますが、集計機能などを自分で実装する必要があります。goroutineのプロファイルを行うときは、ドキュメントにあるように、`runtime/pprof`などの既成のパッケージを利用すべきです。

14.5.1 `runtime.LockOSThread()`／`runtime.UnlockOSThread()`

`runtime.LockOSThread()`を呼ぶことで、現在実行中のOSスレッドでのみgoroutineが実行されるように束縛できます。さらに、そのスレッドが他のgoroutineによって使用されなくなります。これらの束縛は、`runtime.UnlockOSThread()`を呼んだり、ロックしたgoroutineが終了すると解除されます。

この機能が必要になる状況としては、メインスレッドでの実行が強制されているライブラリ（GUIのフレームワークや、OpenGLとその依存ライブラリなど）をGo言語で利用する場合が挙げられます。「現在実行中のスレッド」が確実にメインスレッドかどうかは、実行中にはわかりませんが、`main`パッケージの`init()`関数は確実にメインスレッドで実行されるため、それを利用してメインスレッドを固定することがで

きます[†4]。

Goのランタイムでは、シグナルを受け取るスレッドを固定するためにこれらの関数を使っています。

14.5.2 runtime.Gosched()

現在実行中のgoroutineを一時中断して、他のgoroutineに処理を回します。goroutineには、OSスレッドとは異なり、タスクをスリープ状態にしたり復元したりする機能がありません。ランキューの順番が回ってきたら、何ごともなく処理が再開します。

この関数は、ロックを使わずに目的の変数が変更されるのを待つといった用途で使えるかもしれませんが、実際にはあまり使うこともないでしょう。Go言語のソースコードを見ても、ガベージコレクタが自発的に処理を手放すことでGCの停止時間を短縮させるのに使っているぐらいです。

14.5.3 runtime.GOMAXPROCS(n)／runtime.NumCPU()

ウェブに残る古いGo言語の解説記事では、このruntime.GOMAXPROCS()をよく見かけると思います。これは、同時に実行するOSスレッド数（I/Oのブロック中のスレッドは除く）を制御する関数です。Go 1.4までは、デフォルトのPROC数が1となっており、マルチコアを活用するには必ずこの関数を呼ぶ必要がありました。runtime.NumCPU()でCPU数がわかるので、これをruntime.GOMAXPROCSに渡すのが定石でした。

Go 1.5からは、デフォルトでruntime.GOMAXPROCS()が設定されるようになったので、特別な場合を除いてわざわざ設定する必要はありません。しかし、最速を狙おうとすると、このデフォルト値の半分に設定するほうがスループットが上がる場合があります。現代のCPUのいくつかは、余剰のCPUリソースを使って1コアで2つ以上のスレッドを同時に実行する機構（ハイパースレッディングやSMT（Simultaneous Multi-Threading））を備えています。そのような機構を利用している場合、1コアで2つのヘビーな計算を同時に実行すると、CPUコアのリソースを食い合ってパフォーマンスが上がらないことがあります[†5]。筆者が本書の最初の原稿執筆で使っていたMacBook Pro（Core i7の2014モデル）の場合、runtime.NumCPU()は8を返しますが、これも物理コア数が4で、SMT機能による論理コア数がこの返り値となっています。

表14.2は、実際にGo言語でCPUヘビーな計算を並列に行わせて（それぞれの

[†4] https://github.com/golang/go/wiki/LockOSThread

[†5] AMDの最新CPUであるRYZENのベンチマークでも、この問題が話題になりました。「4gamer：Ryzenはなぜ「ゲーム性能だけあと一歩」なのか？　テストとAMD担当者インタビューからその特性と将来性を本気で考える」 https://www.4gamer.net/games/300/G030061/20170425122/

goroutineでは同じ計算をしている)、完了にかかる時間を計測した結果です。1から4と比べて、8並列の場合のパフォーマンスが落ちていることがわかります。

▶表14.2　CPU負荷の高い処理（円周率10万桁計算）の終了時間比較

並列数	1	2	4	8
時間（秒）	11.834	11.971	12.294	15.181

Go言語の`runtime.NumCPU()`はSMTを含めた論理コア数を返しますが、物理コア数を返すAPIはありませんので、プログラム側から自動設定はできません。GOMAXPROCS環境変数によっても設定できるので、実行時にこの環境変数で設定するほうがよいでしょう。また、goroutineを特定のコアに張り付けてリソースの食い合いが起きないように制御する機能は提供されていませんが、現代のOSのスケジューラーは十分に賢いので、4並列で重い計算を行う場合は自動で別のコアに分散して計算してくれます（図14.3）。

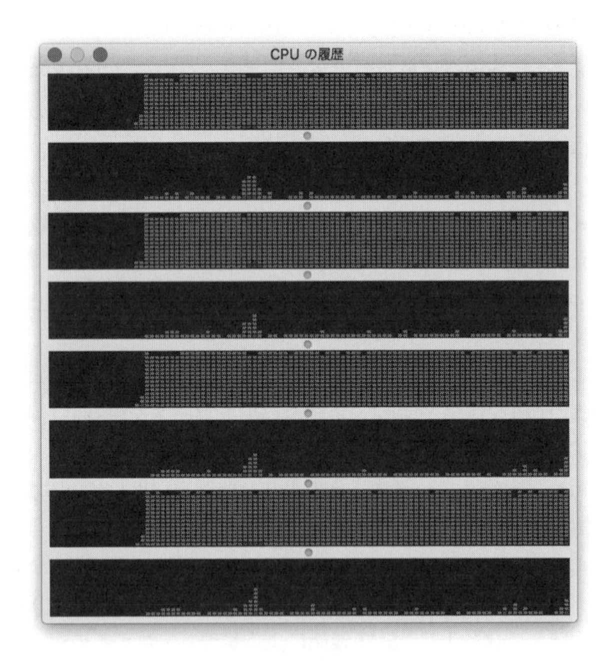

▶図14.3　OSのスケジューラーは、自動で最適なコアを選んでタスクを振り分ける（macOSの例）

14.6 Race Detector

Go言語には、データ競合を発見する機能があります[†6]。この機能は**Race Detector**と呼ばれ、`go build`や`go run`コマンドに`-race`オプションを追加するだけで使えます。

Race Detectorを有効にしてGoプログラムを実行すると、次のようなメッセージが表示され、競合が発生した箇所と、競合した書き込みを行ったgoroutine、そのgoroutineの生成場所がわかります。

```
==================
WARNING: DATA RACE
Read at 0x0000011a7118 by goroutine 7:
  main.main.func1()
      /Users/shibu/.../mutex2.go:25 +0x41

Previous write at 0x0000011a7118 by goroutine 6:
  main.main.func1()
      /Users/shibu/.../mutex2.go:25 +0x60

Goroutine 7 (running) created at:
  main.main()
      /Users/shibu/.../mutex2.go:26 +0x93

Goroutine 6 (finished) created at:
  main.main()
      /Users/shibu/.../mutex2.go:26 +0x93
==================
```

14.7 syncパッケージ

4.2.4「チャネルとselect文」で説明したように、チャネルと`select`の2つの文法があればgoroutine間の同期には事足ります。しかし、すでに他の言語で書かれている実績あるコードをGo言語で再実装する場合など、他言語にはないGoのチャネルと`select`で書き直すのは大変です。そのようなときのために、並列処理をサポートするための**syncパッケージ**が提供されています。

`sync`パッケージには、多くのOSなどで並行・並列処理を同期させるために提供されている機能がいくつか含まれています（おそらく既存のAPIを参考にして実装されています）。表14.3は、参考までに、多くのOSでサポートされているPThreadのAPIと`sync`パッケージの機能を比較したものです。

表14.3を見ると、Goの`sync`パッケージに欠けている機能が2つあります。

スレッドローカルストレージは、スレッドごとの領域にデータを保存できる機能ですが、利用するにはスレッドを識別できる必要があります。goroutineはOSのスレッドとは異なり、IDを持たないため、スレッドローカルストレージが使えません。

スピンロックは、ビジーループでロックを獲得する仕組みです。goroutineの軽量スレッドは、ブロックしてしまってもコンテキストスイッチが軽いため、スピンロッ

†6 `https://go.dev/doc/articles/race_detector`

▶表14.3 ネイティブスレッドのAPIとの比較

機能	ネイティブAPI	syncパッケージ（Go言語）
ロック	pthread_mutex_*	sync.Mutex
RWロック	pthread_rwlock_*	sync.RWMutex
複数スレッドの終了待ち	なし	sync.WaitGroup
条件変数	pthread_cond_*	sync.Cond
一度だけ実行	pthread_once	sync.Once
スレッドローカルストレージ	pthread_key_*など	なし
スピンロック	pthread_spin_*	なし
オブジェクトプール	なし	sync.Pool

クの重要性があまりなく、この機能が提供されていません。

なお、ロックとRWロックは機能として提供されていますが、タイムアウト時間の設定ができる`pthread_mutex_timedlock()`に相当するものは存在しません[†7]。

14.7.1 sync.Mutex／sync.RWMutex

マルチスレッドプログラミングでは、「メモリ保護のためにロックを使う」といった説明をされることがあります。これはスレッドが同じメモリ空間で動くためですが、実際に保護するのは実行パスであり、メモリを直接保護するわけではありません。`sync.Mutex`は、実行パスに入ることが可能なgoroutineを、排他制御によって制限するのに使います。

`sync.Mutex`を使うと、「メモリを読み込んで書き換える」コードに入るgoroutineが1つに制限されるため、不整合を防ぐことができます。この、同時に実行されると問題が起きる実行コードの行（1行とは限らないが、プログラミング言語のブロックより小さいこともある）を、**クリティカルセクション**と呼びます。マップや配列に対する操作はアトミックではないため、複数のgoroutineからアクセスする場合には保護が必要です。

次のコードでは、IDをインクリメントするコードが同時に1つしか実行されないようにしています。マルチスレッドプログラミングでは「コードのどの箇所でコンテキストスイッチが発生しても不整合が置きないようにする」のが鉄則です。`id`変数をCPUが読み込んだタイミングでコンテキストスイッチが発生すると、同じ`id`値を参照するスレッドが複数できてしまい、同じ`id`が生成されてしまいます。

[†7] Go 1.17までは`pthread_mutex_try_lock()`に相当する、ロックできるかどうかをブロッキングせずに確かめるメソッドがありませんでしたが、`TryLock()`や`TryRLock()`（`RWMutex`にのみ）がGo 1.18で追加されました。

```
package main

import (
    "fmt"
    "sync"
)

var id int

func generateId(mutex *sync.Mutex) int {
    // Lock()/Unlock()をペアで呼び出してロックする
    mutex.Lock()
    id++
    result := id
    mutex.Unlock()
    return result
}

func main() {
    // sync.Mutex構造体の変数宣言
    // 次の宣言をしてもポインタ型になるだけで正常に動作する
    // mutex := new(sync.Mutex)
    var mutex sync.Mutex

    for i := 0; i < 100; i++ {
        go func() {
            fmt.Printf("id: %d\n", generateId(&mutex))
        }()
    }
}
```

`sync.Mutex`は内部に整数を2つ持つ構造体です。Go言語では、構造体作成時には必ずメモリが初期化されるため、上記の例のように特別な初期化を行わずに使えます。ただし、値コピーしてしまうとロックしている状態のまま別の`sync.Mutex`インスタンスになってしまうため、他の関数に渡すときは必ずポインタで渡すようにします。なお、この`sync.Mutex`のコピー問題は、コードの静的チェックツールである`go vet`を実行することで発見できます。

Go言語には、そのコードブロックを抜けるときに忘れずに後処理を行う`defer`があるので、これと組み合わせて使うのがほとんどでしょう。メモリ確保と解放、ファイルのオープンとクローズ、ロックの獲得と解放などの対となる動作は、なるべく不可分に記述する、もしくは連続して書くというのが、間違いを防ぐためのベストプラクティスとして多くの言語で採用されています[†8]。

```
func generateId(mutex *sync.Mutex) int {
    // 多くの場合は次のように連続して書く
    mutex.Lock()
    defer mutex.Unlock()
    id++
    return id
}
```

Go言語Wikiには、Mutexとチャネルの使い分けについて次のようにまとめられています[†9]。

---

†8 C++のスマートポインタとデストラクタ、Javaのtry-with-resources文ブロック、C#のusing、Rubyのブロック構文、Pythonのwith構文など、身の回りでたくさん発見できるでしょう。

†9 `https://github.com/golang/go/wiki/MutexOrChannel`

- **チャネルが有用な用途**：データの所有権を渡す場合、作業を並列化して分散する場合、非同期で結果を受け取る場合
- **Mutexが有用な用途**：キャッシュ、状態管理

sync.Mutexにはsync.RWMutexというバリエーションがあります。この構造体にはsync.Mutexと同じLock()／Unlock()に加えて、RLock()／RUnlockというメソッドがあります。Rが付くほうは、読み込み用のロックの取得と解放で、「読み込みはいくつものgoroutineが並列して行えるが、書き込み時には他のgoroutineの実行を許さない」という方式でのロックが行えます。Mutexの用途のうち、読み込みと書き込みがほぼ同時に行われるような状態管理の場合はsync.Mutexが、複数のgoroutineで共有されるキャッシュの保護にはsync.RWMutexが適しています。Go 1.18ではTryLock()、TryRLock()というメソッドも追加されており、ロック済みかどうかを確認した上でロックを行うこともできるようになりました。

なお、上記のコードではmainで生成したgoroutineの終了待ちをしないので、100個分のIDを生成するというループ内の処理が終わる前にプログラムが終了してしまうバグがあります。このバグを直す方法はいくつかありますが、一番簡単なのが、次項で説明するsync.WaitGroupを使う方法です。

14.7.2 sync.WaitGroup

sync.Mutex並に使用頻度が高いのがsync.WaitGroupです。sync.WaitGroupは、多数のgoroutineで実行しているジョブの終了待ちに使います。

```
package main

import (
    "fmt"
    "sync"
)

func main() {
    var wg sync.WaitGroup

    // ジョブ数をあらかじめ登録
    wg.Add(2)

    go func() {
        // 非同期で仕事をする（1）
        fmt.Println("仕事1")
        // Doneで完了を通知
        wg.Done()
    }()

    go func() {
        // 非同期で仕事をする（2）
        fmt.Println("仕事2")
        // Doneで完了を通知
        wg.Done()
    }()

    // すべての処理が終わるのを待つ
    wg.Wait()
    fmt.Println("終了")
}
```

Add()メソッドを呼ぶとジョブ数が追加されます。Add()メソッドは、必ずgoroutineなどを作成する前に呼びましょう。

Done()メソッドを呼ぶと残りジョブ数がデクリメントされていきます。Wait()メソッドはすべてのジョブが完了するのを待つメソッドです。

チャネルよりもsync.WaitGroupのほうがよいのは、ジョブ数が大量にあったり、可変個だったりする場合です。100以上のgoroutineのためにチャネルを大量に作成して終了状態を伝達することもできますが、これだけ大量のジョブであれば、数値のカウントだけでスケールするsync.WaitGroupのほうがリーズナブルです。

前節のサンプルコードは、終了待ちをしていないため、main()が終了したらプログラムが完了してしまいます。sync.WaitGroup構造体を使えば、簡単に全タスクの終了待ちができます。

sync.WaitGroupも変数宣言だけで使えます。値コピーしてしまうと正しく動作しない点もsync.Mutexと同じです。

14.7.3 sync.Once

sync.Onceは、一度だけ関数を実行したいときに使います。初期化処理を一度だけ行いたいときに使う場合が多いでしょう。

```
package main

import (
    "fmt"
    "sync"
)

func initialize() {
    fmt.Println("初期化処理")
}

var once sync.Once

func main() {
    // 3回呼び出しても一度しか呼ばれない。
    once.Do(initialize)
    once.Do(initialize)
    once.Do(initialize)
}
```

Go言語には、init()という名前の関数がパッケージ内にあると、それが初期化関数として呼ばれる機能があります[†10]。sync.Onceではなくinit()を使うほうが、初期化処理を呼び出すコードを書かなくても実行され、コード行数も減るので、シンプルです。sync.Onceをあえて使うのは、初期化処理を必要なときまで遅延させたい場合でしょう。

[†10] https://qiita.com/tenntenn/items/7c70e3451ac783999b4f

14.7.4 sync.Cond

sync.Condは条件変数と呼ばれる排他制御の仕組みです。これもロックをかけたり解除したりすることでクリティカルセクションを保護します。sync.Condの用途には次の2つがあります。

- 先に終わらせなければいけないタスクがあり、それが完了したら待っているすべてのgoroutineに通知する（Broadcast()メソッド）
- リソースの準備ができしだい、そのリソースを待っているgoroutineに通知をする（Signal()メソッド）

後者の用途の場合、Goであればチャネルで用が済むので、主に使うことになるのは前者の用途でしょう。Goの標準ライブラリでは、TLSやHTTP/2のライブラリで、サーバーとのハンドシェイクが完了したりサーバーからレスポンスがきたタイミングでワーカースレッドを起こしたりするのにsync.Condが使われています。

```
package main

import (
	"fmt"
	"sync"
	"time"
)

func main() {
	var mutex sync.Mutex
	cond := sync.NewCond(&mutex)


	for _, name := range []string{"A", "B", "C"} {
		go func(name string) {
			// ロックしてからWaitメソッドを呼ぶ
			mutex.Lock()
			defer mutex.Unlock()
			// Broadcast()が呼ばれるまで待つ
			cond.Wait()
			// 呼ばれた！
			fmt.Println(name)
		}(name)
	}

	fmt.Println("よーい")
	time.Sleep(time.Second)
	fmt.Println("どん！")
	// 待っているgoroutineを一斉に起こす
	cond.Broadcast()
	time.Sleep(time.Second)
}
```

チャネルの場合、待っているすべてのgoroutineに通知するとしたらクローズするしかないため、一度きりの通知にしか使えません。sync.Condであれば、何度でも使えます。また、通知を受け取るgoroutineの数がゼロであっても複数であっても同じように扱えます。

14.7.5 sync.Map

Go 1.9から入ったのがsync.Mapです。組み込みの通常のmapでは、大量のgoroutineからアクセスする場合、mapの外側でロックをすることにより操作するgoroutineを1個に限定しなければ問題が発生します。このsync.Mapは、そのロックを内包し、複数のgoroutineからアクセスされても壊れないことを保証しているmapです。

初期化から、値の投入、削除、取り出しは、下記のサンプルコードに示したように難しくありません。このコードでは使用していませんが、キーも値もinterface{}型（Go言語におけるVariant型）であるため、取り出し後にキャストが必要になるかもしません。

```
// 初期化
smap := &sync.Map{}

// なんでも入れられる
smap.Store("hello", "world")
smap.Store(1, 2)

// 削除
smap.Delete("test")

// 取り出し方法
value, ok := smap.Load("hello")
fmt.Printf("key=%v value=%v exists?=%v\n", "hello", value, ok)
```

標準機能のrangeは使えませんが、ループを行うメソッドも用意されています。

```
smap.Range(func(key, value interface{}) bool {
    fmt.Printf("%v: %v\n", key, value)
    return true
})
```

少し上級の機能としては、キーが登録されていれば過去のデータを、登録されていなければ新しい値を登録するメソッドLoadOrStore()があります。Pythonに慣れた人には、dictのsetdefault()メソッドと同じといえばすぐ伝わるでしょう。

```
// これはすでに保存されているので無視
smap.LoadOrStore(1, 3)
// これは保存されていないので挿入
smap.LoadOrStore(2, 4)
```

14.8 sync/atomicパッケージ

sync/atomicは、不可分操作[†11]と呼ばれる操作を提供するパッケージです。CPUレベルで提供されている「1つで複数の操作を同時に行う命令」などを駆使したり、それが提供されていない場合は「正しく処理が行われるまでループする」という命令を駆使することで、「確実に実行される」ことを保証している関数として提供されています。途中でコンテキストスイッチが入って操作が失敗しないことが保証されるの

[†11] https://ja.wikipedia.org/wiki/不可分操作

です。

表14.4のように6つのデータ型に対して、5つの操作が提供されています。

▶表14.4 不可分操作

データ型	加算	比較してスワップ	変数から読み込み	変数に書き込み	スワップ
int32	AddInt32	CompareAndSwapInt32	LoadInt32	StoreInt32	SwapInt32
int64	AddInt64	CompareAndSwapInt64	LoadInt64	StoreInt64	SwapInt64
uint32	AddUint32	CompareAndSwapUint32	LoadUint32	StoreUint32	SwapUint32
uint64	AddUint64	CompareAndSwapUint64	LoadUint64	StoreUint64	SwapUint64
uintptr	AddUintptr	CompareAndSwapUintptr	LoadUintptr	StoreUintptr	SwapUintptr
unsafe.Pointer		CompareAndSwapPointer	LoadPointer	StorePointer	SwapPointer

これらのGoのAPIは、コンペア・アンド・スワップ（CAS）と呼ばれるインテル系の命令をもとにしており、APIの形もそのまま高水準ライブラリに持ちこまれています。他のアーキテクチャではCASではない別の方式を採用していることもありますが、その場合は、そのアーキテクチャ固有の命令を使ってCASをエミュレーションしています。実装の実態は`runtime/internal/atomic`以下にありますが、ARM系ではLL/SC（Load-Link/Store-Conditional）という方式[†12]の命令セットを利用していることがわかります。

最初の`sync.Mutex`のサンプルを`atomic`を使って表現すると次のようになります。

```
var id int64

func generateId(mutex *sync.Mutex) int64 {
    return atomic.AddInt64(&id, 1)
}
```

`sync.Mutex`や`sync.Cond`、チャネルなどを使っても、複数のgoroutineがアクセスしてロックされると、コンテキストスイッチが発生します。こちらのロックフリーな関数を使えばコンテキストスイッチが発生しないため、うまく用途が合えば本章で紹介した機能の中では最速です。

これ以外に、任意のデータ型（`interface{}`）に対する`Load()`メソッドと`Store()`メソッドによる、アトミックな変数読み書きを提供する`atomic.Value`構造体もあります。

†12 @RTX1209氏による「ARMプロセッサにおけるロックフリーなデータ更新」 https://qiita.com/RKX1209/items/7ba1e7d439cf28c92041

並行と並列の本来の定義

並行の定義は、システムが複数の動作（処理の流れ）を同時に実行状態（in progress）に保てる機能を備えていることを意味します。同時に実行状態になれるということは、複数の動作はお互いに干渉し合わないことになります。そのため、1つの動作が他の動作をブロックしないようになります。本章では、「CPU数、コア数の限界を超えて複数の仕事を同時に行う」「スループットが変わらなくても1つの仕事が全体をブロックしない」としましたが、これは並行の動作から導きだされる効能です。

並列は、複数の動作を同時に実行できることを意味します。同時実行できるということは、2つの仕事に対して2つのコアがあれば2倍の性能が出せます。本章では、並列の定義を「複数のCPU、コアを効率よく扱って計算速度を上げる」としましたが、これは複数の動作を同時にできるという前提で複数のコアがあるなら結果的に得られる効能です。

14.8.1 メモリマップドI/Oとsync/atomic

変数にデータを格納するのに、なぜ`sync/atomic`なる大仰なライブラリが必要になるのでしょうか？ その答えのひとつは、全体のスループット、パフォーマンスに影響を与えうるロックを排除したいという、性能向上です。

それ以外にも、`sync/atomic`が必要になる場面があります。MITが作成した、研究用のBiscuitというOSがあり、これはカーネルがGo言語で実装されています[†13]。この中で、プロセッサ間割り込みの設定コードが、この`sync/atomic`パッケージを駆使した実装になっています。

OSが外部のハードウェアと連携する方法はいくつかあります。

- ポートマップドI/O： CPUには大量の外部I/Oポートがあり、これに対してデータを送ったり受け取ったりすることで、ポートの先に接続されているハードウェアに指令を出したり、情報を読み出したりします。
- メモリマップドI/O： CPUから見えるメモリ空間に、ハードウェアとの間でレジスタとアドレスを共有させておき、特定のアドレスにデータを書き込むことで他のデバイスに仕事を依頼できます。また、外部のデバイスも、何かしらの情報をOS側に伝えるにはメモリを更新します。
- 割り込み： ハードウェアが重い処理をしたあとに、終わったことをCPUに通知します。

このうちメモリマップドI/Oでは、命令の実行順序の維持と、確実にレジスタが更新されたことの確認が不可欠です。カーネルモードで行われるメモリマップドI/Oには、メモリアクセス順の変更によるクリティカルな影響がありえるからです。

現代のCPUでは、実行ファイルに書かれた命令どおりに実行するのではなく、メモリアクセスのオーバーヘッドをうまく隠すために命令の実行順序を実行時に柔軟に入れ替えることがあります。これをアウト・オブ・オーダーと呼び、現在のほとんどの

†13 `https://github.com/mit-pdos/biscuit`。Biscuitについては『n月刊ラムダノート Vol.2, No.1(2020)』の筆者による解説記事も参考にしてください。

CPUでは動的に実施されます。もちろん、アウト・オブ・オーダーによってユーザーランドのアプリケーションの実行結果に影響が及ぶことはありませんが、メモリマップドI/Oではsync/atomicが必要になります。

Biscuitのコードを見てみましょう。0xfee00300番地と0xfee00310番地への書き込みをしています。0xfee00000番地を先頭とする4バイトのuint32型の配列lapを定義し、sync/atomicパッケージを使い、2つの値（hiとlowの2つの変数に入っている）を格納しています。最後に格納した値がきちんと書き込みが完了したことを、atomic.LoadUint32を使って確認していることがわかります。

```
lapaddr := 0xfee00000
lap := (*[mem.PGSIZE / 4]uint32)(unsafe.Pointer(uintptr(lapaddr)))
icrh := 0x310 / 4
icrl := 0x300 / 4

icrw := func(hi uint32, low uint32) {
    // use sync to guarantee order
    atomic.StoreUint32(&lap[icrh], hi)
    atomic.StoreUint32(&lap[icrl], low)
    ipisent := uint32(1 << 12)
    for atomic.LoadUint32(&lap[icrl])&ipisent != 0 {
    }
}
```

14.9 本章のまとめと次章予告

本章では並行、並列処理の基本と、Go言語が提供する3つの基本ツール、スレッドやgoroutineの仕組みと、Goの並行・並列処理をサポートするツールやライブラリを見てきました。Goの作者のRob Pikeのスライド[†14]でも、次の3つが「Goが提供する並行・並列処理の3要素」として紹介されています。

- goroutine：実行
- チャネル：コミュニケーション
- select：調停（coordination）

Goによるプログラムでは、これらの文法を使うことが当たり前となっています。これらは、「安全に非同期な待ち合わせをする機能」として組み込みでGo言語に用意されている、並行・並列処理を記述するための基本ツールなのです。

それに加えて、Go言語の非同期サポートの強力さを実感するのは、goroutineがデッドロックしたときに稼働中のgoroutineがどこでブロックしているかを教えてくれたり、競合状態を検出するオプションがあったり、パニック時にきちんとスタックトレースが出てくれたりする点です。こうした強力な機能のおかげで、Go言語では並列処理を駆使したコードのデバッグが極めて簡単です。

次章では、Goに限らず現代のコンピューターでどのようにして並列処理が実現されているのかを説明したうえで、Goにおける並行・並列処理のパターンをいくつか紹介します。

---

†14 https://talks.golang.org/2015/simplicity-is-complicated.slide

第15章

並行・並列処理の手法と設計のパターン

前章ではGo言語の並行・並列処理について紹介してきました。本章では、並行・並列処理の手法に関する一般的なパターンと、Go言語における並行・並列処理の設計のパターンを取り上げます。

15.1 並行・並列処理の手法のパターン

まず、複数のコアを使って重い処理・ブロックする処理を効率よくさばく方法について、Go言語に限らない一般的な基礎知識を解説しておきます。

並行・並列処理の実現手法には、おおまかに区分すると、**マルチプロセス**、**イベント駆動**、**マルチスレッド**、**ストリーミング・プロセッシング**の4つのパターンがあります。各パターンの比較を表15.1に示します。なお、特徴で×が付いているものも、回避のためのテクニックがあることがほとんどです（これから説明していきます）。

▶表15.1　並行・並列処理のパターン

手法	マルチプロセス	イベント駆動	マルチスレッド	ストリーミング・プロセッシング
特徴	スクリプト言語でも使える	I/O待ちが重いときに最適	性能が高い	桁違いに性能が高い
複数のタスクを同時に行う（並行）	○	○	○	◎
複数コアを使う（並列）	○	×	○	◎
起動コスト	×	○	△	×
情報共有コスト	×	○	○	×
メモリ安全性	○	△	×	○

これらを選択することは、プログラムの構造を根本から書き換える必要があるようなデザインの決定になります。そのため、通常は、必要な処理がCPUバウンド（CPUの処理時間が支配的）なのかI/Oバウンド（I/O待ち時間が支配的）なのかを判断し、改善したい箇所についてあたりをつけたうえで、プログラムを実装する前にいずれか

を選択する必要があります。

といっても、Go言語の場合には、前章と第4章で解説した3つの道具（goroutine、チャネル、select）を使うことで、アプリケーションの構造まで手を入れずとも気軽にこれらの手法を使い分けることができます。少ないストレスで並行・並列プログラミングを学ぶ題材としてGo言語は最適です。

15.1.1 マルチプロセス

12.7「Go言語では触れることのない世界」ではマルチプロセスを使った並行・並列処理について紹介しました。複数のCPUコアを持つコンピューターであれば、それぞれのプロセスは並行に動きますし、シングルコアでも時分割でCPU時間を分け合って並行で動作します。処理系のコアが並行アクセスを許容していない、もしくはボトルネックがあるスクリプト言語などでも、マルチプロセスを使った並行・並列処理がよく使われます。

プロセス同士はメモリ空間がしっかりと分割されるため（第16章参照）、マルチプロセスによる並行・並列処理は安全性が高い方法だといえます。同じロジックを同時に実行する場合であれば、（Goはサポートしていませんが）フォークすることでメモリ使用量を下げることもできます（ただし共通のファイルへのアクセスでは問題も発生します）。

フォークによるマルチプロセスのデメリットは、起動のために時間がかかる点です。OSでは12.7節で紹介したようなフォークのオプションもいくつか用意されていますが、ファイルディスクリプタテーブルなどのコピーが走りますし、コピーオンライトでも最終的にはいくつかのメモリ領域のコピーが発生します。そのため、事前にフォークしておくなどしてプロセスをCPUコア数分作っておき、プロセスプールにためておいて必要になったらすぐに使えるようにする、といった工夫が行われます。

マルチプロセスには、メモリ空間が分かれることによるデメリットもあります。プロセス間でデータを共有するには、共有メモリ[†1]やプロセス間通信、メッセージキュー[†2]などの仕組みが必要です。仕事をするプロセス間でCPU時間が回ってくると、コンテキストスイッチという処理が行われ、CPU内部で持つ演算用のレジスタ、あるいは実行処理のフラグや状態用のレジスタが退避されたり復元されたりします。これには実行コストがかかります。

---

†1　POSIXには共有メモリを扱うシステムコールがありますが、Go言語では非対応です。それ以外に、第10章「ファイルシステムの最深部を扱うGo言語の関数」で紹介したmmapシステムコールを利用したメモリマップドファイルがあり、こちらは使えます。

†2　POSIXにはPOSIX MQというシステムコールもありますが、こちらもGo言語では非対応です。

15.1.2 イベント駆動

イベント駆動が主に使われるのは、並列化ではなく並行処理のためです。ファイルI/Oやネットワークアクセスなど、I/O待ちが多いプログラム（I/Oバウンドなプログラム）で使います。イベント駆動という言葉は、GUIプログラミングの文脈でもよく使われますが、システムプログラミングの文脈では第10章「ファイルシステムの最深部を扱うGo言語の関数」で紹介したselect属によるI/Oマルチプレクサー（多重化）のことを指します。Node.jsのコアになっているlibuv、あるいはPythonのasyncioモジュールなどが該当します。

イベント駆動は、OSに依頼をしたデータ受信の仕事が終わるたびにコールバックが返ってくる仕組みで、次のスレッドと組み合わせていなければ常に1つのスレッドがその受信したデータを処理します。そのため、複数のコア間でデータ競合が発生することはありません。また、デバッガーなどで処理を追いかけても逐次処理でしかないため、タイミングで結果が変わったりずれたりすることはあまりないでしょう。コンテキストスイッチも少ないため、処理によってはマルチプロセスよりCPU効率も高くなります。並列で実行しているジョブ同士は同じプロセス内なので、情報の共有もマルチプロセスより簡単です。

イベント駆動の欠点は、単体ではCPUを使いこなしにくい点です。CPUのコア数分プロセスを起動し、その中でイベント駆動をする、あるいは、イベント駆動でOSからデータが返ってきたところで処理部分をスレッドやプロセスで並行実行する（ファンアウト）必要があり、コードが複雑になりがちです。

> **NOTE** PythonのMeinheld[†3]は、このイベント駆動のライブラリであるpicoev[†4]を核にしてI/O待ちを多重化して効率化し、軽量スレッドによる並行処理を実装しているgreenlet[†5]を組み合わせてシングルスレッドあたりのCPU稼働率を上げ、さらにサービスをフォークしてマルチプロセスで動作させるgunicorn[†6]をプラスしてマルチコアの性能を引き出しています。

15.1.3 マルチスレッド

マルチスレッドは、同じメモリ空間内で多くのCPUが同時に実行するための仕組みです。実際、12.8「子プロセスの内部実装」で紹介したように、Linuxではプロセスもスレッドもカーネル上は同じ構造体で表現されています。親のプロセスとメモリ空間を共有していなければプロセス、共有していたらスレッドです。

通常はOSのスレッドを使って並列性を向上させますが、並行性の向上に限定した

---

†3 https://meinheld.org/
†4 https://github.com/kazuho/picoev
†5 https://greenlet.readthedocs.io/en/latest/
†6 https://gunicorn.org/

グリーンスレッド、あるいは軽量スレッド（ファイバー）と呼ばれるものを使うこともあります。Go言語のgoroutineも軽量スレッドです。ただし、複数のOSスレッド上にマッピングして同時に実行されるため、並列で動作します。

マルチスレッドの利点はCPUのパフォーマンスです。複数のコアの性能を引き出すことができます。また、メモリ空間を共有しているため、スレッド間ではコピー不要でデータの共有が高速に行えます。

欠点としては、プロセスほどではありませんが、OSのスレッドの場合は比較的大きなスタックメモリ（1〜2メガバイト）を必要とし、起動時間もややかかります。そのため、プロセス同様に、事前にCPUコア数分のスレッドを作っておいてスレッドプールにためておき、必要になったらすぐ使えるようにする、といったことが行われます。また、コンテキストスイッチのコストもプロセスと同じだけかかります。Go言語やErlangのようなユーザー空間で作られた軽量スレッドの場合は、どちらのコストもやや低くなります。

Go言語には関係ありませんが、12.7.2「**フォークと並行処理**」で触れたとおり、マルチスレッドにはPythonやRubyなどのようなスクリプト言語で効果を発揮しない場合があるという欠点もあります。これらの言語では、グローバルインタプリタロック（GIL）やグローバルVMロック（GVL）という機構があるため、並列動作はできても並行動作はせず、速度向上が見込めないのです。ただし、ディスクI/O待ちの場合はロックされないので、ディスクI/Oを多用するコードであれば、これらの言語でもマルチスレッドにする効果はあります。

15.1.4 ストリーミング・プロセッシング

読者のみなさんのコンピューターの中には、ここまでに紹介したモデルを利用している多くの処理よりも、さらに大量のタスクを黙々とこなしている第4の並列処理機構があります。それは、ヘテロジーニアス（異種のアーキテクチャとの組み合わせ）前提の並列モデルであるGPUのスレッディングモデルです。

OpenGLやDirectXの進化とともに、GPU用のプログラム（シェーダー言語）による計算対象も、頂点変換、ピクセルの描画色決定、ポリゴン生成など多種多様にわたってきています。現在では、ゲームの表現力向上のために人体の肌の内部散乱や大域照明といった物理現象をピクセル単位で計算する高度な演算が必要とされ、そのためにGPUも進化してきました。また、CUDAやOpenCLによる汎用の演算処理も実現されるようになりました。

シェーダー用の並列処理はOSのスレッドとは次のような点で大きく異なります。

- スレッドは常にハードウェアごとの許容される最大数が作られて稼働しており、生成も終了もない
- NVIDIA系の最新のGPUでは32スレッド、AMD系の最新のGPUでは64スレッド単位で同

じタスクを処理する。前者はWarp、後者はWavefrontと呼ぶ
- ハードウェア上、計算ユニットがSM（Streaming Multiprocessor（NVIDIA用語））やCU（Compute Unit（AMD用語））という単位のブロックに分割されている
- スレッド切り替えはハードウェアで高速に行われる
- どのSM／CUにどのプログラムを割り当てるかは、ハードウェアが高速に実行されるようランタイムが決定し、プログラマーは指定できない

たとえば、筆者のデスクトップパソコンに入っているGeForce GTX 970は13個のSMを持っています。この世代の1個のSMは128個のコア（CUDAコア）で構成されており、13 × 128 = 1664がGPUのスペック表にあるCUDAコア数と一致します。1個のSMは、128個のCUDAコアを利用して、4つのWarpを同時実行（4 × 32）します。

筆者の別のノートパソコンに入っているGeForce RTX 2060 Max-Qは30個のSMを持っています。この世代の1個のSMは64個のコアで構成されており、30 × 64 = 1920が全体のCUDAコア数となります。

このようなGPUにおけるスレッド処理では、OSのスレッドとは異なるプログラミングモデルが必要になります。具体的には、OSスレッドではスレッドごとにスタックやレジスタ、現在実行しているメモリアドレス（IP、Instruction Pointer）を持つのに対し、GPUでは同時実行するスレッドの間でIPを共有しており、それに伴う違いがあります。

たとえば、アニメ調の表現を行うフラグメントシェーダーで一定以上の明るさかどうかをif文で判定して色を出し分けていたりすると[†7]、同じスレッドグループの中でもtrue節を実行するスレッドとfalse節を実行するスレッドとが同時に発生することになりますが、GPUのスレッドではIPが共有されているため、同時に別のコードブロックの実行ができません。そこで、まずはtrue節が実行されるスレッドだけを有効化して実行し、そのあとでfalse節が実行されるスレッドを改めて実行し直します（図15.1）。これを**分岐ダイバージェンス**と呼びます。

また、自スレッド以外の任意のスレッドが処理しているデータにアクセスするために結果をいったんバッファに書き出して改めて新しいプログラムをロードして実行し直す必要があるなどの制限もあります。

これらの違いは、プログラミングモデルとして見ると不便に思えますが、GPUでは数百〜数千のハードウェアスレッドのジョブスケジュールを効率よく行うスケジューラーの実装や高度な分岐予測ロジックを実装するのではなく、単純な演算器を大量に並べることで解決する物量作戦に特化した構成となっているわけです。

さらに、現代のコンピューターでは、演算器（ALU）の速度と比較してメモリの速

---

†7 実際には色をif文などのハードコードされたロジックで計算することはあまりなく、明るさと出力する色の対比表をテクスチャとして渡して、その表の検索で解決するほうが一般的だと思われます。

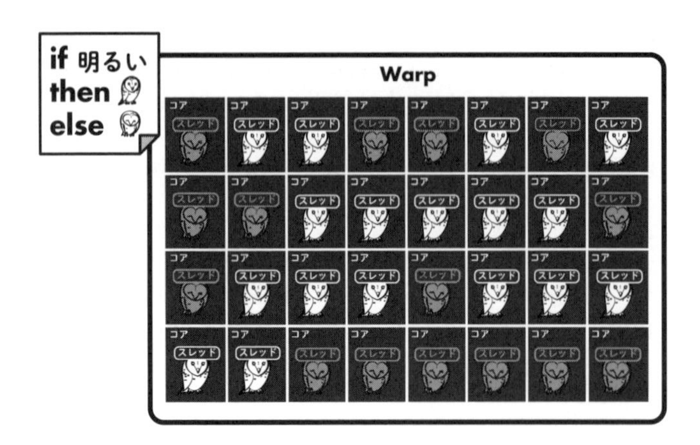

▶ 図15.1　GPUにおけるスレッド処理の例

度がボトルネックになりがちです。そのため、CPUにおける実行速度の向上ではデータの順番待ちをいかに隠蔽するかが重要になり、これを自動的にやる「アウトオブオーダー実行」機能の有無でパフォーマンスが大きく異なります。一方、GPUが処理するコードの場合には、演算器の数（同時処理ピクセル数）と比較して画面を構成するピクセル数のほうが多い（フルHDで200万）ので、高速なタスク切り替えを生かし、処理を一時保留して他の仕事をこなしつつデータがくるのを待つという、別の戦略でメモリ遅延に対抗しています。

NOTE このあたりの話を詳しく知りたい方は、英語になりますがアニメーション付きで説明しているRender Hellというページ、あるいはCUDAの書籍などが参考になります。どちらかというとグラフィックスのAPIよりも、CUDAなどの汎用演算のほうがアーキテクチャを学ぶための情報は豊富に得られます。

- Render Hell 2.0: `https://simonschreibt.de/gat/renderhell/`
- John Chengほか 著／森野慎也 監訳『CUDA C プロフェッショナルプログラミング』（インプレス、ISBN 978-4844338918、2015年）

15.2 Goにおける並行・並列処理のパターン集

並列化を導入するとどれだけ効率が改善するかを表す数式として、アムダールの法則というものがあります。

$$S(N) = \frac{1}{(1 - P) + \frac{P}{N}}$$

Pは並列化できる仕事の割合、Nは並列数です。ある仕事のうち50%の部分が並列化可能だとすると、Nを無限大にしても（分母の右側の項がゼロになる）、パフォーマンスは2倍にしかなりません。90%が並列化可能だとすると、最大で10倍になります。並列化の恩恵がどれだけあるかは、並列化できる仕事の割合によって変わるのです。

アムダールの法則によると、並列化して効率がどれだけ改善できるかはPにかかっているといえます。Pを改善するには、逐次処理をなるべく分解して、同じ粒度のシンプルなたくさんのジョブに分ける必要があります。プログラムをそのように構造化するときに有効な並行・並列化のためのパターンとしては、次のようなものが考えられています。

- 同期処理を非同期にする
- 非同期にしたものを同期化する
- タスク生成と処理を分ける（Producer-Consumerパターン）
- 開始した順で処理する（チャネルのチャネル）
- タスク処理が詰まったら待機（バックプレッシャー）
- 並列なForループ
- 決まった数のgoroutineでタスクを消化する（ワーカープール）
- 依存関係のあるタスクを表現する（Future/Promise）
- イベントの流れを定義する（ReactiveX）
- 自立した複数のシステムで協調動作（アクターモデル）

NOTE　ジョブそのものをスレッドで高速化する手法もたくさんあります。たとえば、書籍『並行コンピューティング技法』[†8]には、MapReduceやソート、検索をマルチスレッドで高速化する方法が紹介されています。本書ではそれらのロジックよりも粒度の大きな話のみを取り扱います。

15.2.1 同期→非同期化

並行・並列化の第一歩は、「重い処理」をタスクに分けることです。Goでは、重い処理をgoroutineの中で実行して非同期化するというのが、これにあたります。Goのシンプルな文法で実現できることですが、これもパターンとして道具箱に入れておきましょう。

次のコードでは、ファイルの読み込みをgoroutineとして切り出しています。

```
inputs := make(chan []byte)

go func() {
    a, _ := os.ReadFile("a.txt")
    inputs<-a
}()
```

†8　Clay Breshears 著／千住治郎 訳『並行コンピューティング技法』（オライリー・ジャパン、ISBN 978-4873114354、2009年）

```
go func() {
    b, _ := os.ReadFile("b.txt")
    inputs<-b
}()
```

上記のコードでは単発のジョブを切り出していますが、「I/O処理専門のgoroutineをサービス化する」といった具合に、責任分担に応じてタスクを切り出すこともよくあります。goroutineのような気軽な軽量スレッドを作れない言語だと、そうした少し大きめの粒度の責務単位でスレッドを作ることが多いでしょう。

15.2.2 非同期→同期化

非同期化したら、どこかで同期する必要があります。そうでないと、Goの場合、main()関数の処理が終わったタイミングでタスクが残っていてもコードが終了してしまいます。

非同期化させた処理を同期化させる、一番簡単な方法が、チャネルです。チャネルは、終了待ちや処理の同期にも使えるし、データの受け渡しも安全に行えます。

ただし、selectを使わずにチャネルの読み込みを行うとブロックしてしまうため、1つのgoroutineが同時に読み込めるチャネルは1つだけになってしまいます。複数のチャネルから読み込むときはselectが必要となります。selectはdefault節なしでイベント駆動、ありで非同期I/Oとして扱えます（詳しくは第4章「低レベルアクセスへの入口3：チャネル」を参照してください）。

それ以外では、sync.WaitGroupで複数のタスクの完了待ち、sync.Condでスタート待ち、sync.Mutexでクリティカルセクションの処理が交錯するのを避けることができました。これらは第14章「Go言語と並列処理」で紹介しています。

15.2.3 タスク生成と処理を分ける：Producer-Consumer

タスクを生成する側と処理をする側を、それぞれProducer（生産者）、Consumer（消費者）と呼びます。

このパターンは、Go言語であれば、チャネルでProducerとConsumerを接続することで簡単に実現できます。チャネルは、複数のgoroutineで同時に読み込みを行っても、必ず1つのgoroutineだけが1つの結果を受け取れます（消失したり、複製ができてしまうことはない）。したがって、Consumer側の数を増やすことで、安全に処理速度をスケールできます。

プロセスをまたいでProducer-Consumerパターンを実現するには、一般に**メッセージキュー**と呼ばれるミドルウェアで仲介します。シンプルなものではbeanstalkd[†9]というメッセージキューのミドルウェアがあり、Goにもbeanstalkd公式のクライアン

†9 https://github.com/beanstalkd/beanstalkd

トライブラリが提供されています[†10]。

Amazon SQSのような、メッセージキューのクラウドサービスもあります。負荷に応じてConsumerプロセスの起動まで面倒を見てくれるものはサーバーレスアーキテクチャと呼ばれ、AWS、GCP、Azureで提供されています。

15.2.4 開始した順で処理する：チャネルのチャネル

チャネルはFIFOのキューとして使えます。早く終わったものから順番に処理すればいいのならチャネルで十分です。一方、早く開始したものから順番に処理するときは、チャネルの中に開始順にチャネルを入れて、それぞれの子チャネルで終了を待ちます。第6章「TCPソケットとHTTPの実装」では、HTTPのパイプライニングを実装する例でチャネルのチャネルを使用しました。

```
// 終了した順に書き出し
// チャネルに結果が投入された順に処理される
func writeToConn(responses chan *http.Response, conn net.Conn) {
    defer conn.Close()
    // 順番に取り出す
    for response := range responses {
        response.Write(conn)
    }
}

// 開始した順に書き出し
// チャネルにチャネルを入れた（開始した）順に処理される
func writeToConn(sessionResponses chan chan *http.Response, conn net.Conn) {
    defer conn.Close()
    // 順番に取り出す
    for sessionResponse := range sessionResponses {
        // 選択された仕事が終わるまで待つ
        response := <-sessionResponse
        response.Write(conn)
    }
}
```

15.2.5 タスク処理が詰まったら待機：バックプレッシャー

バックプレッシャーというのはネットワーク用語です。本来は、LANのスイッチにおいて、パケットが溢れそうになったら送信側に衝突が発生したという信号を意図的に送り、送信量を落とさせる仕組みのことをいいます。この仕組みの特徴は、データが流れる方向とは逆向きに制御が働くことです。最近では、メールボックスが溢れそうなときの制御など、非同期処理全般で広く使われる用語になってきています。

Goの場合は、goroutineの入力にバッファ付きのチャネルを使うだけでバックプレッシャーを実現できます。チャネルではバッファサイズを指定できますが、無限大のバッファは実現できません。バッファのサイズは平常時に送信側が詰まらない程度のサイズにします。

```
tasks := make(chan string, 10)
```

[†10] https://github.com/beanstalkd/go-beanstalk

15.2.6 並列forループ

forループ内をすべてgoroutineで実行すれば、並列化します。注意点として、ループ変数の実体は1つしかないためgoroutineの引数として渡し、goroutineごとにコピーが作られるようにする必要があります（14.2.1「goroutineと情報共有」も参照）。

```
package main

import (
    "fmt"
    "sync"
)

func main() {
    tasks := []string{
        "cmake ..",
        "cmake . --build Release",
        "cpack",
    }
    var wg sync.WaitGroup
    wg.Add(len(tasks))
    for _, task := range tasks {
        go func(task string) {
            // ジョブを実行
            // このサンプルでは出力だけしている
            fmt.Println(task)
            wg.Done()
        }(task)
    }
    wg.Wait()
}
```

ループの内部の処理が小さすぎると、オーバーヘッドのほうが大きくなり、効率が上がらないこともあります。I/O待ちが主体であればそれでも問題ありませんが、計算速度はループをいくら増やしてもCPUのコア数以上にはスケールしないため、CPUの負荷が重い場合は次に紹介するgoroutineプールを利用するほうがいいでしょう。

15.2.7 決まった数のgoroutineでタスクを消化：ワーカープール

OSスレッドやフォークしたプロセスで多数の処理をこなすときは、生成コストの問題があるため、事前にワーカーをいくつか作ってストックしておき、そのワーカーが並列でタスクを消化していく方法がよくとられます。事前に作られたワーカー群のことを、**スレッドプール**とか**プロセスプール**、あるいは**ワーカープール**などと呼びます。

Goでも、goroutineの生成コストは（OSスレッドよりも小さいとはいえ）ゼロではありません。そもそも、CPUのコア数以上にgoroutineを作ってもスループットは増えません。そのため、CPUコア数分のワーカーをgoroutineを作って処理するのが効果的な場合があります。

次のコードは、1年〜35年の住宅ローンを計算するサンプルです。各計算をワーカープールのワーカーで分散して行います。タスクはすべてチャネルに入れて、すべてのgoroutineはそこからタスクを取り出します。各計算は軽いですが、タスクは14.5「runtimeパッケージのgoroutine関連の機能」で紹介したruntime.NumCPU()

の個数分起動しているので、CPUを目一杯回すことができます。

```
package main

import (
    "fmt"
    "runtime"
    "sync"
)

// 計算：元金均等
func calc(id, price int, interestRate float64, year int) {
    months := year * 12
    interest := 0
    for i := 0; i < months; i++ {
        balance := price * (months - i) / months
        interest += int(float64(balance) * interestRate / 12)
    }
    fmt.Printf("year=%d total=%d interest=%d id=%d\n",
            year, price + interest, interest, id)
}

// ワーカー
func worker(id, price int, interestRate float64, years chan int,
        wg *sync.WaitGroup) {
    // タスクがなくなってタスクのチャネルがcloseされるまで無限ループ
    for year := range years {
        calc(id, price, interestRate, year)
        wg.Done()
    }
}

func main() {
    // 借入額
    price := 40000000
    // 利子 1.1%固定
    interestRate := 0.011
    // タスクはchanに格納
    years := make(chan int, 35)
    for i := 1; i < 36; i++ {
        years <- i
    }
    var wg sync.WaitGroup
    wg.Add(35)
    // CPUコア数分のgoroutine起動
    for i := 0; i < runtime.NumCPU(); i++ {
        go worker(i, price, interestRate, years, &wg)
    }
    // すべてのワーカーが終了する
    close(years)
    wg.Wait()
}
```

15.2.8 依存関係のあるタスクを表現する：Future/Promise

Future/Promiseは、1977年に論文で紹介され、Javaに実装されたことで広く知られるようになったタスク分割の手法です。依存関係のあるタスクをパイプラインとしてスマートに表現し、実行可能なタスクから効率よく消化していくことで遅延を短縮します。

Future/Promiseを使う場合は、タスクの処理を書くときに、「今はまだ得られてないけど将来得られるはずの入力」（Future）を使ってロジックを作成していきます。それに対応する「将来、値を提供するという約束」（Promise）が果たされると、必要なデータがそろったタスクが逐次実行されます。

Goの場合は、すべてのタスクをgoroutineとして表現し、Futureはバッファなしチャネルの受信、Promiseは同じチャネルへの送信で実現できます。

```
package main

import (
    "fmt"
    "os"
    "strings"
)

func readFile(path string) chan string {
    // ファイルを読み込み、その結果を返すFutureを返す
    promise := make(chan string)
    go func() {
        content, err := os.ReadFile(path)
        if err != nil {
            fmt.Printf("read error %s\n", err.Error())
            close(promise)
        } else {
            // 約束を果たした
            promise <- string(content)
        }
    }()
    return promise
}

func printFunc(futureSource chan string) chan []string {
    // 文字列中の関数一覧を返すFutureを返す
    promise := make(chan []string)
    go func() {
        var result []string
        // futureが解決するまで待って実行
        for _, line := range strings.Split(<-futureSource, "\n") {
            if strings.HasPrefix(line, "func ") {
                result = append(result, line)
            }
        }
        // 約束を果たした
        promise <- result
    }()
    return promise
}

func main() {
    futureSource := readFile("future_promise.go")
    futureFuncs := printFunc(futureSource)
    fmt.Println(strings.Join(<-futureFuncs, "\n"))
}
```

上記のコードでは、非同期で実行している処理が2つあります。1つめのタスクでは、ファイルの読み込みが終わった時点で、それが格納されるFutureを返しています。2つめのタスクでは、そのソースを受け取り、分析が終わったらソース中に含まれる関数宣言のリストが格納されるFutureを返しています。

Futureでは、結果を1回でまとめて送ります（この点は後述のReactiveXとは異なります)。サーバー越しに取得してきたファイルを小分けにして10回送る、といった処理のことは考えられていません。上記の実装はシンプルなものなので、実用的なものにするためには、途中で中断されたことを把握できるようにすべてのジョブにContextを渡すといったことが必要になるでしょう（Contextについては4.2.5「コンテキスト」を参照してください)。

■ 複数回値が参照できるFuture

上記の実装は簡易的な実装であり、複数のタスクがFutureから値を取得しようとするとブロックしてしまいます。チャネルをラップして、初回に取得したときにその値をキャッシュし、2回めはキャッシュを返すことで、複数のタスクがFutureを参照できるようになります。

初回かどうかの判定をチャネルのクローズ状態で管理するようにしたのが次のコードです。

```
type StringFuture struct {
    receiver chan string
    cache    string
}

func NewStringFuture() (*StringFuture, chan string) {
    f := &StringFuture{
        receiver: make(chan string),
    }
    return f, f.receiver
}

func (f *StringFuture) Get() string {
    r, ok := <-f.receiver
    if ok {
        close(f.receiver)
        f.cache = r
    }
    return f.cache
}

func (f *StringFuture) Close() {
    close(f.receiver)
}
```

本項の最初の例を少し改変し、2つのタスクが上記のFutureを参照するようにしたのが下記のコードです。

```
package main

import (
    "fmt"
    "os"
    "strings"
)


func readFile(path string) *StringFuture {
    // ファイルを読み込み、その結果を返す Future を返す
    promise, future := NewStringFuture()
    go func() {
        content, err := os.ReadFile(path)
        if err != nil {
            fmt.Printf("read error %s\n", err.Error())
            promise.Close()
        } else {
            // 約束を果たした
            future <- string(content)
        }
    }()
    return promise
}

func printFunc(futureSource *StringFuture) chan []string {
    // 文字列中の関数一覧を返す Future を返す
    promise := make(chan []string)
```

```
    go func() {
        var result []string
        // futureが解決するまで待って実行
        for _, line := range strings.Split(futureSource.Get(), "\n") {
            if strings.HasPrefix(line, "func ") {
                result = append(result, line)
            }
        }
        // 約束を果たした
        promise <- result
    }()
    return promise
}

func countLines(futureSource *StringFuture) chan int {
    promise := make(chan int)
    go func() {
        promise <- len(strings.Split(futureSource.Get(), "\n"))
    }()
    return promise
}

func main() {
    futureSource := readFile("future_promise.go")
    futureFuncs := printFunc(futureSource)
    fmt.Println(strings.Join(<-futureFuncs, "\n"))
    fmt.Println(<-countLines(futureSource))
}
```

JavaScriptのPromise

近年、Promiseという言葉を頻繁に見かけるのはJavaScript界隈です。ECMAScript 6として仕様化され、現在よく使われるブラウザではInternet Explorer 11以外で使用できます[†11]。また、このPromiseを活用するためのasync／awaitという構文も追加されています。

しかし、このPromiseは名前だけはFuture/Promiseと関連がありそうですが、出自は多少異なります。実体はPythonのTwistedというI/Oライブラリが提供していた、結果を返すのを遅延させるdeferredという機能が、Python風の関数をJavaScriptで実現するMochikit（prototype.js時代のライブラリ）を通じてJavaScriptに輸入され、サーバーサイドJavaScriptの共通APIを議論するCommonJSの中でPromise/A+という名前の案として提案されて現在に至ります。

実体がdeferredなので、AがきたらBを実行という、シーケンシャルな処理の羅列を記述するためのものです。並列処理ではなく、非同期処理に特化しています。これはJavaScriptの言語自体にスレッドといった概念がなく、シングルスレッドで動く前提であるため、JavaScriptには非常に合っています。then関数の中からまたPromiseを返すことで、その次の節をさらに遅延させることができます。

```
遅延が必要な処理()
.then(value => {
  return 前の処理の結果を加工1(value);
})
.then(value => {
  return 前の処理の結果を加工2(value);
})
.then(value => {
  console.log("最終的な結果:", value);
});
```

現在はJavaScriptにもC#由来のasync／await文法が加わり、Promiseオブジェクトのメソッドを呼ぶなどしなくても非同期がスムーズに扱えるようになりました。

```
const value = await 遅延が必要な処理();
const value2 = await 前の処理の結果を加工1(value);
const value3 = await 前の処理の結果を加工2(value2);
console.log("最終的な結果:", value3);
```

15.2.9 イベントの流れを定義する：ReactiveX

ReactiveXは、オブジェクト指向のデザインパターンでおなじみの**オブザーバーパターン**が少し賢くなったものです。Microsoftが.NET向けに開発したReactive ExtensionがオープンソースGitHub化され、ReactiveXというGitHubのグループ下で各言語のライブラリが提供されています。Go言語用にもライブラリが提供されています[†12]。

オブザーバーパターンでは、監視している値（Observable）が変更されると、監視している側（Observer）に確実に（漏れなくダブりなく）通知を行うのが責務でした。ReactiveXでは、イベントやデータのストリーム（流れ）を定義し、何度も頻繁に発生するイベントも取り扱えるように拡張されています。

ReactiveXは、ここ数年、ユーザーインタフェースまわりのロジックの記述方法として一般化しています。JavaScriptのフロントエンド開発でも、スクロールイベントではごく短期間に大量のイベント発火が起きるため、イベントハンドラ内で逐一ロジックを書いて実行するとパフォーマンス上のトラブルとなることがよく知られています。ReactiveXのObservableには、イベント出力そのものを制御するメソッドが多数定義されており、`Skip()`や`Filter()`などでイベントを間引いたり、`Map()`で出力されたイベントを加工したりできます。詳しくは、godocにある`Observable`のメソッドを参照してください[†13]。

GoにおけるReactiveXの使い方の例を下記に示します。Go言語らしいコードではなく、ReactiveXの流儀が強いため、Go言語に慣れた人には違和感があるかもしれません。

```
package main

import (
    "fmt"
    "os"
    "strings"

    "github.com/reactivex/rxgo/observable"
```

†11 https://caniuse.com/?search=promise

†12 https://github.com/ReactiveX/RxGo

†13 https://pkg.go.dev/github.com/ReactiveX/RxGo/observable

```
    "github.com/reactivex/rxgo/observer"
)

func main() {
    // observableを作成
    emitter := make(chan interface{})
    source := observable.Observable(emitter)

    // イベントを受け取るobserverを作成
    watcher := observer.Observer{
        NextHandler: func(item interface{}) {
            line := item.(string)
            if strings.HasPrefix(line, "func ") {
                fmt.Println(line)
            }
        },
        ErrHandler: func(err error) {
            fmt.Printf("Encountered error: %v\n", err)
        },
        DoneHandler: func() {
            fmt.Println("Done!")
        },
    }

    // observableとobserverを接続（購読）
    sub := source.Subscribe(watcher)

    // observableに値を投入
    go func() {
        content, err := os.ReadFile("reactive.go")
        if err != nil {
            emitter <- err
        } else {
            for _, line := range strings.Split(string(content), "\n") {
                emitter <- line
            }
        }
        close(emitter)
    }()

    // 終了待ち
    <-sub
}
```

RxGoのObservableは、受信専用の`chan interface{}`です。Observerは、ハンドラ関数を持つ構造体です。上記の例では、この2つを作り、それらを`Subscribe()`メソッドでつないでいます。

Future/Promiseと違って何回もイベントが発行できるため、この例では1行単位でイベントを発生させています。Observableのチャネルに送信することでイベントが発火します。

このサンプルは、一番オーソドックスで汎用の利用方法を示したものです。すでに項目数がわかっているデータ列をObservableにするなど、いくつかのケースで`Observable`を短く表現できるショートカットが提供されています。

15.2.10 自立した複数のシステムで協調動作：アクターモデル

アクターモデルは、Future/Promiseよりも古い、1973年に発表された並列演算モデルです。自律した多数の小さなコンピューター（アクターと呼ばれます）が協調して動作するというモデルになっています。各アクターは、別のアクターから送られてくるメッセージを受け取る**メールボックス**を持ち、そのメッセージをもとに協調動作します。各アクターは自律しており、並行動作するものとして考えます。

アクターモデルは、構成要素だけ見ると、すでに説明したProducer-Consumerパターンと似ています。Producer-Consumerパターンはサーバー／クライアントモデルのような上下関係に近い組み合わせですが、アクターモデルはシミュレーション用途で考案されたこともあって、もっと多種類のアクターがそれぞれ自律して動作することを想定しているという違いがあります。共通のジョブリストではなく、各アクターごとにメールボックスを持っている点もアクターモデルの特徴です。

アクターモデルを採用していて長い歴史を持っているプログラミング言語として有名なのはErlang/OTPです。Erlang/OTPでは、アクターの生存を親のアクターが監視し、必要に応じて再起動させるといった機構（Supervision Tree、監視ツリー）を持つことで耐障害性を実現しています。現在アクターモデルと呼ばれるものは、このSupervision TreeがセットになったErlang/OTPのそれを指しているといえるかもしれません。

Goにも、Erlang/OTPにインスパイアされた`protoactor-go`というライブラリがあります[†14]。このライブラリは、裏で使っているProtocol Buffersの準備が必要なため、単純に`go get`では利用できません。Protocol Buffersをインストールしたあとに、ソースコードのフォルダ上で`make`する必要があります。

次のコードは`protoactor-go`のサンプルコードに筆者がコメントを付けたものです。

```
package main

import (
    "fmt"

    "github.com/AsynkronIT/goconsole"
    "github.com/AsynkronIT/protoactor-go/actor"
)

// メッセージの構造体
type hello struct{ Who string }
// アクターの構造体
type helloActor struct{}

// アクターのメールボックス受信時に呼ばれるメソッド
func (state *helloActor) Receive(context actor.Context) {
    switch msg := context.Message().(type) {
    case *hello:
        fmt.Printf("Hello %v\n", msg.Who)
    }
}

func main() {
    props := actor.FromInstance(&helloActor{})
    pid := actor.Spawn(props)
    pid.Tell(&hello{Who: "Roger"})
    console.ReadLine()
}
```

†14 `https://github.com/asynkron/protoactor-go`。正確にはErlang/OTPをインスパイアして作られたJava/Scala用のライブラリであるAkkaを、さらにインスパイアして作られたAkka.NETをベースに、Akka.NETの作者がリライトして.NET用とGo用に同時開発したライブラリのようです。

アクターは、Receiveメソッドを持つ構造体です。Propsという生成方法を管理するオブジェクトを作成しておきます。Spawn関数に渡すとアクターが作成され、そのアクターの識別子であるプロセスID（OSのプロセスIDとは別）が作られます。プロセスIDに対してTellメソッドを使ってメッセージを送信できます。

ほかにも、分散Key-Valueストアであるetcdを使ってアクターを登録／発見する仕組みや、KafkaやAMQPという大規模で実績のあるメッセージキューを使った実装であるGosiris[†15]もありました。

15.3 本章のまとめと次章予告

本章では、並行・並列処理の手法のパターンを4つ紹介したあとに、並行・並列処理に強いプログラムの構造として著名なパターンをいくつか紹介しました。Go言語では、標準の文法だけでも並行・並列処理を実現できますが、効率的な並行・並列処理を行うには、そもそもタスクやロジックをうまく分割することがポイントです。うまく分割できなければ、いくらGoを使っていても並列処理の恩恵にあずかることはできません。

「標準のシンプルな道具」を使いこなすには、用意されたレールに乗るだけで一定の成果が得られるようなフレームワークを使うときとは異なり、使用者自身がレールを敷く必要があります。実行効率やメンテナンス性を考えながらゼロから道具を再発明していくのも楽しいものですが、たいていの場合は既存のソリューションの形式に落ち着くと思いますし、実績のあるメソッドにのっとったほうが、ほかの人にとっても理解しやすいプログラムになるでしょう。本章では、他の言語では一般的な一方、必ずしもGo言語で一般的に使われていないもの（Future/PromiseやReactiveX、アクターモデル）も取り上げていますが、そうした一般的なパターンを知っておくことも、Goによる解決策を考えるうえでマイナスにはならないでしょう。

次章では、メモリについて掘り下げていきます。

---

†15 https://github.com/teivah/gosiris （アーカイブ済）

第16章

Go言語のメモリ管理

ソフトウェアにとってメモリは不可欠です。実行する命令も、メモリにロードしなければ実行できません。ソースコードに書かれた定数値も、いったんメモリにロードしないと使えません。関数を呼び出すにも、スタックと呼ばれるメモリ領域が必要です。スタック以外に、ヒープと呼ばれるメモリ領域が必要なこともあります。

本章では、Go言語のプログラマーが作成するプログラムの下で、どのようにメモリが管理され利用されるかを探ります。

このあたりの話は、実際にはOSがうまく処理してくれるので、プログラマーから意識することはあまりありません。特に、ガベージコレクタがありメモリ確保も変数宣言と同時に完了することが多いGo言語では、パフォーマンスの計測を行って初めて気になるという人も多いでしょう。

16.1 メモリ確保の旅

コンピューターに接続されている物理的なメモリチップが、どのような過程を経てプログラムで使われるのか、順番に見ていきましょう。

16.1.1 物理メモリと仮想メモリ

最近のオペレーティングシステムでは複数のプロセスを同時に実行できます。それらのプロセスのそれぞれに、そのプロセスだけが使うメモリ空間があります。各プロセスのメモリ空間は、物理的なメモリとどう対応しているのでしょうか。

今、メモリが8GBのマシンがあり、そのうちの1GBをOSが消費しているとします。残り7GBを使って、1GBずつのメモリを消費する7個のプロセスを順番に起動し、奇数番めに起動したプロセスを終了しました。残りのメモリは、1GBずつ細切れになった4GBです。この状態で、4GBのメモリを消費するプロセスを追加で起動するとどうなるでしょうか？[†1]

---

†1　以降は話を単純にするため、特に断らない限りはIntel製の64ビットCPUを前提にして説明します。

現代のOSでは、この追加のプロセスを問題なく起動できます。その秘密は、CPUに内蔵されている**メモリ管理ユニット**（MMU）と**仮想メモリ**の仕組みです。プロセスはメモリを読み書きするのに物理的なアドレスを直接使っているわけではなく、プロセスごとに仮想的なメモリアドレス空間があり、それを使ってメモリにアクセスしているのです。

仮想メモリアドレスから実際の物理アドレス上のデータへのアクセスには、**ページテーブル**と呼ばれる階層型のデータ構造が使われます。**ページ**というのは、メモリを管理する単位です。メモリ全体は4KBずつの「ページ」に分けられています[†2]。それぞれのページが物理メモリのどのアドレスに確保されているかを示すのがページテーブルです。OSは、プロセスがメモリを確保すると、このページテーブルを用意します。仮想メモリのおかげで、物理的な保存領域が1GBずつの細切れになっていても、プロセスから見ると4GBのフラットなメモリ領域が確保されているように見えるのです（図16.1）。

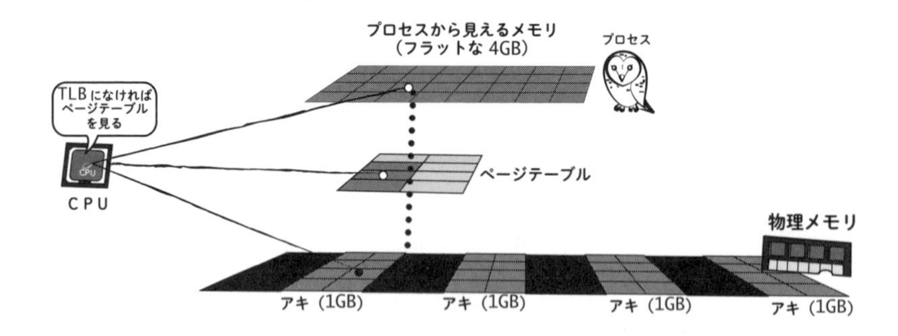

▶ 図16.1　仮想メモリアドレスと実際の物理アドレスはページテーブルで対応づけられる

ページテーブルによる変換が挟まるので遅くなるように思えますが、実際には変換テーブルをキャッシュして高速化する仕組みがCPUには備わっています。このキャッシュを**TLB**（Translation Lookaside Buffer）と呼びます。

仮想メモリは、物理メモリと1対1にリンクしているわけではなく、メモリ節約のために1つの物理アドレスをたくさんの仮想メモリから参照することがあります。たとえば、システムで提供されているDLLや共有ライブラリは数多くのプロセスが利用します。それぞれのプロセスごとにロードするとメモリをたくさん無駄に消費してしまいます。そこで、最初にロードしたものを多くのプロセスで共有することでメモリの無駄を減らします。特殊な用途としては、現在時刻情報を高速にプロセス間で共有

†2　OSの設定で**ラージページオプション**を有効にすれば、2MBか4MB単位にできます。メモリの無駄は増えますが、ページテーブルのサイズも小さくでき、速度も上がります。データベースサーバーなどで利用されるようです。

する目的でも使われます（第18章を参照）。

メモリ管理のこの部分は、Go言語から直接触れることはできません。とはいえ、パフォーマンスに影響を与えうるため、ページサイズの情報を返すAPIが用意されています。

```
package main

import (
    "fmt"
    "os"
)

func main() {
    fmt.Printf("Page Size: %d\n", os.Getpagesize())
}
```

NOTE Linuxの場合、4KBのページごとに64バイトの管理領域を必要とします。つまり、ページごとに1.5%ほどの容量が管理のために必要です。16GBのメインメモリがあるコンピューターであれば、250MBほどが管理領域として消費されている計算になります。これを天使の分け前と呼ぶ人もいます[†3]。

16.1.2 OSカーネルがプロセスのメモリを確保するまで

プロセスは、起動するとOSからメモリをもらいます。OSは、プロセスごとに仮想メモリの領域を確保します。

確保される領域の大きさは、アドレスを示す番地の桁数によるので、基本的にはCPUのビット数に基づきます。とはいえ、CPUのビット数で表現しうる範囲のメモリ領域へ自由にアクセスできるわけではなく、扱えるメモリの量とCPUのビット数は必ずしも一致しません。たとえば、現在主流のIntelアーキテクチャの64ビットモードだと、リニアに扱える仮想メモリ長は47ビット（128テラバイト）が2つで、合計256テラバイトです。ただし、実際にはWindowsもLinuxも、1プロセスあたりの最大のプロセスのメモリサイズは128テラバイトに制限されています。そのため、プロセスから見える仮想メモリ空間の範囲は、128テラバイト分ということになります。

今、プログラムAとプログラムBの2つのプロセスを起動すると、それぞれのプロセスに0番地〜0x00007fffffffffff番地まで広がる空間が見えます。同じ0番地であっても、プログラムAとプログラムBが見ている実際の物理的なメモリの場所は違います（図16.2）。他のプログラムのメモリ領域は、覗き見たり書き込んだりできません。

47ビットの空間すべてをプロセスが自由に使えるわけではありません。「メモリをこれだけください」とカーネルにお願いして、47ビットの空間の一部と物理メモリの対応づけをしてもらいます。現在は多くてもせいぜいギガバイト単位でメモリを使うプログラムがほとんどでしょう。カーネルはこの要求されたサイズのみを、仮想メモ

---

†3 Linuxカーネルコミッターとして有名な小崎資広さん。

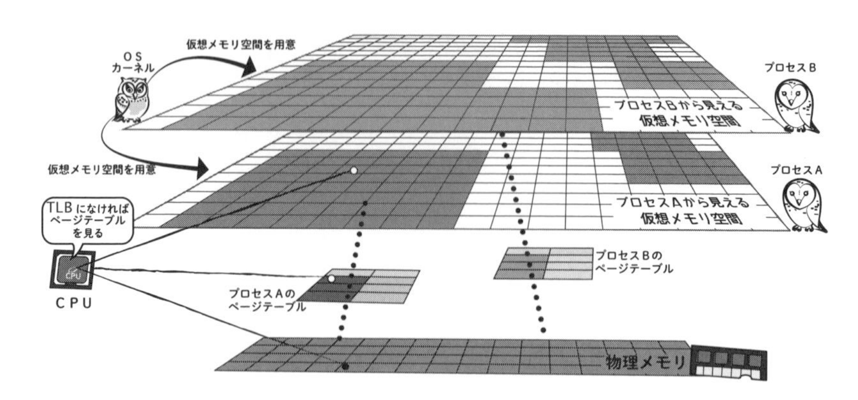

▶図16.2　プロセスごとに見えている物理的なメモリの場所は、同じアドレスでも異なる

リの仕組みを使って確保し、物理メモリと対応づけます。

ユーザーのメモリ空間は大きく3つの連続したメモリ領域に分かれます。その間の空きスペース分はメモリの確保が行われません。ユーザーのメモリ空間は図16.3の下図のようになっています。

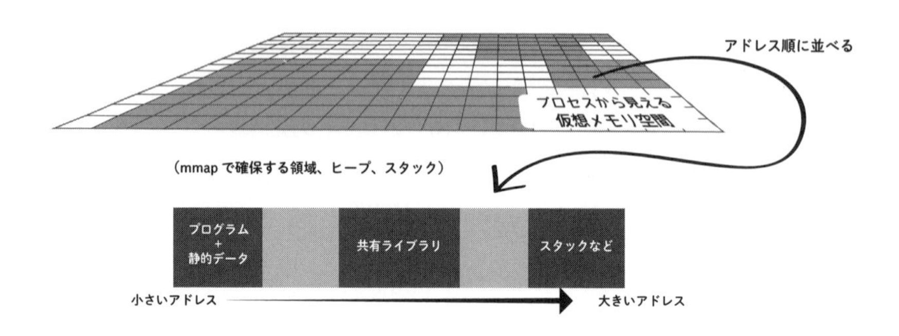

▶図16.3　ユーザーのメモリ空間

ユーザーのメモリ空間の3つの領域のうち、若い番地（小さいアドレス）には、プログラムとプログラムの静的変数などが置かれます。その先の番地の空いている領域には、カーネルから動的にもらうヒープと呼ばれるメモリが置かれていきます。中段には共有ライブラリがマッピングされて置かれます。最上段は、スタックと呼ばれるメモリ領域などです。「最上段にはカーネルがマッピングされ、その下からアドレスが若くなる方向にスタックメモリが確保される」という説明をよく見かけますが、Go言語ではスタックメモリの管理は独自に行っているため、必ずしもこれとは一致しません。

メモリの確保に使うシステムコール

OSに依頼して連続したメモリ領域を確保するためのシステムコールが用意されています。POSIX系OSで、メモリブロックの確保に使われている主なシステムコールは、すでに何度か登場しているmmapです。Go言語では、10.3「ファイルのメモリへのマッピング（syscall.Mmap()）」でファイルをメモリ空間に配置するときに紹介した、syscall.Mmap()が使われます。このシステムコールは、これまでの説明ではファイルの内容をメモリに展開するものでしたが、対象のファイルを指定せずにアノニマス（無名）フラグを付けて実行すると、ファイルを読み込まずに指定サイズのメモリブロックを確保します。この機能を使うことで、プログラムの実行時に必要となるメモリを動的に確保できます。

なお、mmapシステムコールでは確保したメモリブロックを仮想メモリ空間のどのアドレスに配置したいかのヒント情報を指定できます。しかし、これはメモリマップを管理している言語ランタイム向けの機能であり、通常のアプリケーションで使うときはヒント情報として0を指定し、自動設定にします。Go言語のsyscall.Mmap()では最初から指定できません。

WindowsにおけるmmapにCreateFileMapping()ですが、Go言語の実装ではVirtualAlloc()が使われています[†4]。これは、mmapにアノニマスフラグを付けたときの挙動とほぼ同じ動作の関数です。

mmapを使うとある程度大きな塊のメモリを用意できます。ただし、最初に紹介したように、これはTLBによってつながって見える論理的な塊であって、実際の物理領域が連続しているとは限りません。

16.1.3 実行時の動的なメモリ確保：ヒープ

前項までで、OSカーネルが物理メモリと仮想メモリのマッピングを管理していること、プロセスに割り当てられた仮想メモリ空間がアプリケーションプログラマーからどのように見えるかを説明しました。

- プロセスができると、隙間なくフラットなプロセス固有のメモリ空間が、OSカーネルによって仮想メモリ空間に確保される
- そのプロセス固有のメモリ空間には、3つの連続したブロックに分けて、プログラムが実際に利用するデータが格納される

ここまでだと、まだメモリの塊が手に入っただけです。

OS内部でのメモリ確保はコストのかかる可能性のある処理です。物理メモリが足りなければ、優先度の低いメモリ領域を解放して領域を確保したり、HDDなどのストレージにスワップアウトしたり、それでも必要なメモリを確保できなければ他のプロセスを強制終了（LinuxのOOMキラー）させたりするといったことが裏で行われる可能性があります。そのため、こまめにOSにメモリ確保を依頼すると、OSがボト

†4 Web/DBプログラミング徹底解説「ヒープに関する話題」https://www.keicode.com/windows/win11.php

ルネックになってしまいます。そこで、前項のコラム「メモリの確保に使うシステムコール」で紹介したmmapシステムコールなどを使って大きめの塊でメモリをOSから分けてもらい、そのメモリの細かな管理はユーザーランドの中で行うことで、パフォーマンスを維持します。

> **NOTE** スワップでストレージが枯渇するという誤解をときどき見かけます。実際には、スワップ領域はディスク上のパーティションとして確保されていようとファイルとして確保されていようと、必要な固定サイズ分の領域が起動時に確保されます。あらかじめ確保されている領域以上に書き込まれることはないので、スワップを起点としてディスクが枯渇することはありません。また、ファイルとして確保されていても、ファイルシステムを迂回してアクセスされます（ファイルシステムを使うとそこでバッファとしてメモリを利用しようとしてデッドロックになる）。ストレージがなくなる原因はメモリ管理にはなく、たいていはログの出力などが原因であることが多いでしょう。

したがって、ここから先はプログラムにリンクされているランタイムの仕事になります。プログラムの実行時に、扱いやすい形で必要に応じて動的に使えるメモリ領域としては、**ヒープ**と**スタック**の2種類があります。まずはヒープから紹介します。

C言語でヒープメモリを確保するのに使う有名な標準関数は`malloc()`です。`malloc()`は、必要な容量を指定するとそのサイズのメモリブロックを確保し、そのポインタを返します。`malloc()`の仲間としてjemallocやTCMalloc[†5]などがあり、Go言語では**TCMalloc**を採用しています[†6]。TCMallocはGo言語と同じGoogle製です[†7]。

TCMallocは、マルチスレッド時代に合わせて設計されている`malloc`実装で、主な特徴は2つあります。

- 32キロバイト以下の小さなオブジェクトについては、スレッドごとにメモリブロックを管理する。これにより、ロックなどのスレッド競合によるパフォーマンス劣化を防ぐ
- 32キロバイトよりも大きなオブジェクトについては、4キロバイト単位に丸め、共有の領域（TCMallocでは**中央ページヒープ**と呼ばれます）で管理してメモリの無駄を減らす

中央ページヒープは、1ページあたり4キロバイト単位のサイズごとに255ページまである、空きメモリブロックのリストです（256ページを超えるオブジェクトは1つのリストになります）。たとえば、1001キロバイトのメモリが必要であれば、4キ

---

†5 TCMallocについては、C言語版ですが次の記事が参考になります。「TCMalloc : Thread-Caching Malloc」 `http://goog-perftools.sourceforge.net/doc/tcmalloc.html`

†6 `https://github.com/golang/go/blob/release-branch.go1.17/src/runtime/malloc.go`

†7 Go言語のヒープメモリの管理そのものの説明はネット上にもほとんどありませんが、次の記事が参考になるでしょう。「Googleが公開しているソフトウェアの解説（その4）- Performance tools -」 `https://japan.googleblog.com/2009/05/google-4-performance-tools.html`

ロバイトの倍数である1004に丸めた長さのリスト（251ページ分）を探しに行き、空きメモリがあればそれを返します。空きがなければ、最低1メガバイト単位でOSからメモリをもらい、そこから必要なサイズを切り出して返します。

小さなオブジェクトについては、より小さな単位の「クラス」という分類で空きメモリのリストを持っています。クラスからのメモリ取得では、リクエストされたサイズに近いクラスの空きリストがあればそこからメモリを確保します。この場合にはロックが不要であり、それだけ高速に処理できます。もしクラスに空きリストがなければ、スパンと呼ばれる空きメモリのストックから切り出して返します。それもなければ、中央ページヒープからメモリをもらいます。

逆に、不要になったときには、OSにメモリを返すようになります。Go 1.12ではより積極的にOSにメモリを返すようになります。LinuxではOSの物理メモリの空き容量を見て、余裕がある場合は返却を遅らせる機能も入ります。

NOTE なお、POSIX系OSにはbrkおよびsbrkというヒープメモリのサイズを変更するシステムコールがあります。しかし、これらはGo言語のランタイムでは使われていません。brkとsbrkは2001年にPOSIXからも削除されています[†8]。macOSのmanページでは、「仮想メモリ登場前の歴史的遺物」とされています。

malloc()と実行性能

C言語のランタイムのlibcにはいくつもの実装があります。静的リンク専用でコンパクトさが売りのmuslのmalloc()はとてもシンプルでナイーブな実装になっています。その反面、長期間利用ではフラグメントが起きやすいという欠点があります。このような性質に起因する面白い現象が、StackExchangeという質問サイトに投稿されたことがあるので紹介します。

投稿されたのは、「なぜAlpine LinuxだとUbuntu LinuxよりもPythonアプリケーションの実行速度が50%遅いのか[†9]」という趣旨の質問でした。Alpine Linuxはサイズが小さいため、Dockerのベースイメージとして人気があります。そのサイズの小ささの秘密は、静的リンクされるmuslというlibcの実装にあります。これが質問にあったような現象を引き起こしていたのではないかと考えられます。

質問者の状況は、たまたま小さいPyObject型のメモリなどを大量にOSにリクエストするPythonのアプリケーションとmuslの相性が良くなかったといえます。Alpine Linuxは、もともと「フロッピーディスクで起動できる小さいディストリビューション」というコンセプトから出発しているので、その目的からすると何よりもサイズを重視するためにmuslを採用するという方針自体は間違っていません。フラグメントが発生してもすぐにプロセスが終了するのであれば、OSがメモリを回収して問題になることもないでしょう。いずれにしても、メモリ管理はそれだけパフォーマンスに大きく影響があることが伺い知れるエピソードだと思います。

---

†8 https://pubs.opengroup.org/onlinepubs/9699919799/xrat/V4_xsh_chap03.html

> なお、Goアプリケーションであればメモリ管理をlibcに頼らずにTCMallocベースの実装を自前で持っているので、Alpineを使っても（CGoを使ったライブラリを使わなければ）同じような性能低下は起きません。ちなみに、Dockerのベースイメージとして個人的なおすすめは、Debianベースで余計なものを極限まで削ったdistrolessです。シェルすらも入っていないので、中で操作されることがないセキュアなイメージが作れるという利点もあります。

16.1.4 実行時の動的なメモリ確保：スタック

関数を呼ぶと、リターンアドレスや新しい関数のための作業メモリ領域（コンパイル時にサイズがわかるので固定量）として、**スタックフレーム**と呼ばれるメモリブロックが確保されます。スタックフレームは、スレッドごとにあらかじめ確保されているメモリブロックに対して順番に追加したり削除したりされるだけなので、割り当てのコストはほぼゼロです[†10]。

ただし、スレッドを新規に作成するときに固定のメモリを確保する必要があるため、そのぶんだけ作成のコストは上乗せされます。デフォルトのスタックフレームのサイズは、Linuxでは`ulimit -s`で設定します。OSによって初期値が違うようですが、だいたい8MBぐらいが多いようです[†11]。Windowsの場合、確保されるスタックフレームのサイズは、コンパイル時のフラグで設定できます。デフォルトでは32ビット、64ビット問わず1MBです[†12]。

これに対し、Go言語のgoroutineでは、OSスレッドと比べて極めて小さい4キロバイトという小さなサイズのスタックを確保します。この小さなスタックサイズがgoroutineの高速な起動にも貢献しています。

もし、goroutineの実行時に関数呼び出しで大きなサイズのスタックフレームが必要なことがわかれば、別にスタックフレームを準備してそちらに引数をコピーし、あたかもスタックが初めて使われていたかのような状態で関数呼び出しを行います。これにより、スタックサイズがギガバイトサイズになっても問題なく再帰ループが回せ

---

†9 https://superuser.com/questions/1219609/why-is-the-alpine-docker-image-over-50-slower-than-the-ubuntu-image

†10 筆者が趣味で実装した行列演算のライブラリ（https://github.com/shibukawa/math4g）では、ヒープに確保して行う計算（引数はポインタ渡し）とスタック内で即値で行う計算（引数はコピー渡し）とで、後者のベンチマークのほうが8倍以上高速でした。ただし、JavaScriptにコンパイルするGopher.jsの場合は3倍以上低速で、まだ設計が決められずにいます。

†11 https://unix.stackexchange.com/questions/127602/default-stack-size-for-pthreads

†12 https://docs.microsoft.com/en-us/windows/win32/procthread/thread-stack-size

ます[†13]。

NOTE Go言語のランタイムのコードでは次のコメントをよく見かけますが、これは、この関数の呼び出しではスタックの操作はしないという指示になります。

```
//go:nosplit
```

仮想メモリで実現する高度な機能

仮想メモリには、フラグメント化されたメモリをフラットに見せかけるアドレス変換以外にも、数多くの機能があります。それらを組み合わせることで、物理メモリのサイズを超える量のメモリを扱うことができますし、メモリの無駄を減らして効率よくアプリケーションに配ることもできます。

たとえば、ページテーブルのエントリーには、メモリの該当ページに対する読み書きが行われたときにカーネルに通知するためのフラグや、書き込みされたことを示すフラグが設定できます。これらのフラグを利用することで、高度なメモリ管理が実現できます。その一例として、**デマンドページング**と呼ばれる、「メモリを確保したと見せかけて、初めてアクセスがあったときに実際に取得しに行く」という仕組みがあります。デマンドページングでは、たとえばメモリを1GB取得したとしても、即座に物理メモリを1GB取得しに行かず、取得していない部分についてはアクセスがあったときにOSからメモリを受け取るようにします。メモリを確保しても実際に使うまでにはタイムラグがあるので、デマンドページングによって初期化コストが削れ、使用メモリのピークが異なるプロセス同士でうまくメモリを融通しやすくなります。デマンドページングは、初期化時だけではなく、優先度の低いメモリ領域をディスクに退避（スワップ）して必要なときに書き戻す際にも使われます。

また、12.7.2「フォークと並行処理」で**コピーオンライト**というメモリ節約のテクニックを紹介しましたが、これもページテーブルのフラグで実現されています。

仮想メモリには、複数のプロセスでシステムの同じ共有ライブラリをロードしている場合にメモリ消費を抑える仕組みもあります。それぞれのプロセスの仮想メモリには同じライブラリが個別にロードされているように見えますが、ページテーブルを使って同じアドレスを参照することで、1つ分のメモリしか消費しないようにするのです。このようなメモリの使われ方は、メモリの使用方法を観察するツールで確認できます[†14]。

Linuxのカーネルの書籍を読むと、メモリ管理のセクションには、ディスクの読み書きをメモリに保存しておくページキャッシュ、優先順位を決めてメモリの解放、大きいバッファを管理するバディシステムなど、ここで触れたもの以外にもいろいろな手法が登場します。さらに、macOS 10.9のMavericksやWindows 10 November Update（バージョン1511）で導入されたプロセスのメモリの動的圧縮（おそらくLinuxのZswapと同じ圧縮機構付きスワップ）といったトピックもあります。しかし、アプリケーションのメモリ管理からは少し離れるので、これらの機能については本書では割愛します。

---

†13 このあたりの詳細は、日本のGoイベントにもよく参加してくれているDave Cheneyさんによるブログ記事「Why is a Goroutine's stack infinite」（`https://dave.cheney.net/2013/06/02/why-is-a-goroutines-stack-infinite`）で詳しく解説されています。

16.1.5 ユーザーコードでメモリを使う

ここまで、物理メモリから順番にメモリ確保の道をたどってきて、ようやくユーザーコードにやってきました。

Go言語では、構造体やプリミティブの初期化の方法がいくつか提供されています。こうしたコードでは、「メモリを確保する」ことをコンパイラやランタイムに指示していることになります。

```
// プリミティブのインスタンスを定義
var a int = 10

// 構造体のインスタンスを newして作成
// 変数にはポインタを保存
var b *Struct = new(Struct)

// 構造体を {}でメンバーの初期値を与えて初期化
// 変数にはインスタンスを保存
var c Struct = Struct{"param"}

// 構造体を {}でメンバーの初期値を与えて初期化
// 変数にはポインタを保存
var d *Struct = &Struct{"param"}
```

配列やスライスの定義もいくつかあります。varで定義するときは型を明示しますが、右辺で型が明確にわかるときは、:=と書くことで変数宣言と代入を同時に行えます。

```
// 固定長配列を定義
a := [4]int{1, 2, 3, 4}

// サイズを持ったスライスを定義
b := make([]int, 4)

// サイズとキャパシティを持ったスライスを定義
c := make([]int, 4, 16)

// マップを定義
d := make(map[string]int)

// キャパシティを持ったマップを定義
e := make(map[string]int, 100)

// バッファなしのチャネル
f := make(chan string)

// バッファありのチャネル
g := make(chan string, 10)
```

C/C++の場合は、ポインタを使わずにローカル変数として宣言するとスタックにメモリが確保され、newやmalloc()を使うとヒープメモリにメモリが確保される、というシンプルな仕組みになっています。Go言語の場合、ヒープに置くかスタックに置くかは、コンパイラが自動的に判断します。newで作っても、その関数内でしか利

---

†14　Windowsについては https://ascii.jp/elem/000/000/649/649680/index-4.html を参照。LinuxとSolarisについては、Brendan Gregg 著／西脇靖紘 監訳『詳解システムパフォーマンス 第2版』（オライリー・ジャパン、ISBN 978-4814400072、2023年）が詳しいです。

用されなければスタックに確保されます。ローカル変数として宣言しても、そのポインタを他の関数に渡したり、関数の返り値として返すような場合にはヒープに置かれます。そのためGo言語では、「ローカル変数のポインタを関数の返り値として返すと、呼んだ側からアクセスしに行ったときにはもうスタックのフレームが巻き戻されて無効なメモリになっており、実行時エラーで落ちる」「ローカル変数をクロージャから参照キャプチャし、そのクロージャを関数終了後に実行すると無効なメモリアクセスになって落ちる」というC/C++で起きるような問題は起こりません。

Go言語で、メモリがスタックとヒープのどちらに確保されているかを知りたい場合は、ビルド時に`-gcflags -m`を渡します。

```
$ go build -gcflags -m sample.go ⏎
./sample.go:7: can inline sub
./sample.go:23: inlining call to sub
./sample.go:10: &b escapes to heap
./sample.go:9: moved to heap: b
./sample.go:17: b escapes to heap
./sample.go:16: make([]int, 10) escapes to heap
./sample.go:14: test_make make([]int, 10) does not escape
./sample.go:17: test_make ... argument does not escape
./sample.go:24: a escapes to heap
./sample.go:24: *b escapes to heap
```

スタックのほうが高速なので、デフォルトではスタックを選択しようとします。しかし、外部の関数に渡したり返り値で使おうとしたりすると、宣言した関数のスコープよりも変数の寿命が長くなる可能性があるため、ヒープに逃がす（escape）ことがわかります。ただし、`fmt.Println()`のような表示しか行わずデータを変更しない関数であっても、ヒープに置かれてしまいます。データのサイズと使われ方しだいですが、参照専用で変更しない場合は、ポインタではなくて実体のコピーを受け取るような関数にしたほうがパフォーマンスが上がることもあります。他の関数に渡しただけでスタックからヒープになってしまうのは、まだ最適化不足ともいえるので、今後のGoのコンパイラでは改善してほしいところです。

Go言語の公式サイトのFAQによれば、Go言語ではコンパイラが安全側に倒しながら判断するため、スタックとヒープのどちらに置かれるかをアプリケーションを書くプログラマーが意識する必要がありません[†15]。C/C++では、ヒープの場合は`delete`や`free()`で明示的に削除したり、あるいはスマートポインタで削除されるように仕向ける必要があります。「どちらか適切なほうに自動で割り当てられる」というGo言語の方針を実現するには、ヒープであってもスタックと同じように不要になったら自動で解放するガベージコレクタが不可欠になります。

---

†15 「How do I know whether a variable is allocated on the heap or the stack?（ヒープとスタックのどちらに変数が割り当てられているかを知る方法はあるか？）」 `https://go.dev/doc/faq#stack_or_heap`

16.2 Go言語の配列

たいていの言語には可変長の配列やリストと呼ばれるものがあり、多くのデータが直列に並んでいるデータ構造を表現できます。そのデータ構造に対してはデータの追加や削除が簡単に行えます。しかし、Go言語の場合はそうではありません。Go言語の配列は固定長配列です。可変長配列については次項で説明するスライスを使いますが、本節ではまずこの固定長の配列について説明します。

配列は次のような構文で作成できます。初期値を与えないと、各型の初期値（数値なら0、文字列なら空文字列、ポインタならnil）が設定されます。

```
// リストを宣言
var a [4]int

// リストを生成
b := [4]int{}

// リストを生成（初期値付き）
c := [4]int{0, 1, 2, 3}

// リストを生成（初期値付き/要素数は自動設定）
d := [...]int{0, 1, 2, 3}
```

固定長配列は要素数まで含めて型であり、厳密にコンパイル時にサイズが決まっています。したがって、要素数が違う変数には代入できません。ファイルを読み込んで行ごとにデータを格納するといったケースでは、サイズが決まらないので、配列を直接は使えません。配列を使うのは、3次元の頂点データを格納したり、色データを格納したりする場合でしょう。

```
// 3要素の浮動小数点数を座標を扱う構造体とする
type Vector3D [3]float64

// R, G, B, Aのそれぞれが0-255の範囲で表現できる色構造体
type Color [4]uint8
```

Go言語はエラーメッセージをよく出す言語であり、配列の範囲外アクセスもエラーになります。定数でアクセスしたときに、すでに範囲外であることが明確であれば、コンパイル時にエラーとなります。

```
fmt.Println(a[10])
fmt.Println(a[-1])
```

```
$ go build list.go ↵
# command-line-arguments
./list.go:24: invalid array index 10 (out of bounds for 4-element array)
./list.go:25: invalid array index -1 (index must be non-negative)
```

一方で、変数を使ってアクセスすると実行時にエラーが表示されます。

```
panic: runtime error: index out of range

goroutine 1 [running]:
main.main()
    /home/shibu/test/list.go:23 +0x2d9
exit status 2
```

16.3 スライスなど

Go言語のスライスは、他の言語にはあまり見られない特殊なデータです。他の言語をやってきた人が、Go言語を学び始めて最初に「おや？」と思うポイントは、**スライス**でしょう。実際には裏に配列があり、そこを参照するウインドウ（対象の配列のスタート位置、終了位置、確保済みのサイズの3つの情報を持つ）のようなデータです。この裏の配列が必要に応じて新しく割り当てられますが、このあたりの話は日本語の解説も多くあるため、割愛します。

前述のように、Goの配列は完全に固定長なので、使い勝手としてはよくありません。バックエンドの配列に対し、使いやすいフロントエンドとして提供されているのが、スライスというわけです。実際、スライスは可変長配列として使われることがよくあります。

ただし、スライスの使い勝手は可変長配列とは少し異なっています。正確に書くと、スライスは「配列に対する便利なインタフェース」ではありません。スライスは、必要に応じて新しい配列を作ってそちらにデータを移し替えるということまでしてくれます。

スライスの実体は、次の3つの数値とポインタを持った24バイト（64ビットアーキテクチャ）のデータです。

- スライスの先頭の要素へのポインタ（大きさがゼロでなければ`&slice[0]`で参照可能）
- スライスの長さ（`len()`で参照可能）
- スライスが確保している要素数（`cap()`で参照可能）

スライスと配列は1対1の関係ではなく、多対多の関係だといえます[†16]。実体である配列を隠したままスライスだけを使って操作することも、1つの配列から複数のスライスを作り出すこともできます。どちらが親とはいえない関係なので、コツをつかむまでは違和感があるでしょう。

16.3.1 スライスの作成方法

スライスの作成方法はたくさんあります。まずは既存の配列を参照する方法です。

[†16] 便利インタフェースというと、オブジェクト指向的に説明するならMediatorパターンが一般的ですが、配列とスライスは単純な1対1の集約ではなく、N対Mの弱い参照です。

```
// 既存の配列を参照するスライス
a := [4]int{1, 2, 3, 4}
b := a[:]
fmt.Println(&b[0], len(b), cap(b))
// 0xc42000a360, 4, 4

// 既存の配列の一部を参照するスライス
c := a[1:3]
fmt.Println(&c[0], len(c), cap(c))
// 0xc42000a368, 2, 3
```

要素のポインタは既存の配列の中のどこかを参照します。スライスの長さと確保している要素数は切り取り方によって変わります。上記のサンプルコードのうち前者であれば、スライスの長さも、確保している要素数も、オリジナルの配列と同じ4になります。後者のほうは、スライスの大きさは2ですが、裏の配列の真ん中の2要素を参照しているので、最後の要素はスライスの範囲外であっても存在はしています。そのため、確保している要素数は3になります。

次の例は、何も参照しないスライスです。要素数も確保されている数もゼロです。スライスへの要素追加時にメモリが初めて確保されます。このままだと何も使いようがありませんが、構造体のフィールドなどでは、この状態で未初期化にしておいてメモリを遅延確保するという使い方をします。

```
// 何も参照していないスライス
var d []int
fmt.Println(len(d), cap(d))
// 0, 0
```

スライスと裏の配列を同時に作成する方法もあります。この方法でスライスを使うことがもっとも多いでしょう。次項で説明するように、スライスのサイズ変更では重いメモリ確保とメモリコピーが発生することがあります。そのため、必要なサイズがわかっているのであれば、組み込み関数のmake()を使って最初からそのサイズで確保すべきです。これはGoに限らず、可変長配列を持っている言語（RubyやPythonだけではなく、C++のstd::vectorとかでも）では一般的な話です。

```
// 初期の配列とリンクされているスライス
e := []int{1, 2, 3, 4}
fmt.Println(&e[0], len(e), cap(e))
// 0xc42000a3a0 4 4

// サイズを持ったスライスを定義
f := make([]int, 4)
fmt.Println(&f[0], len(f), cap(f))
// 0xc42000a3c0 4 4

// サイズと容量を持ったスライスを定義
g := make([]int, 4, 8)
fmt.Println(&g[0], len(g), cap(g))
// 0xc420014200 4 8
```

16.3.2 スライスのメモリ確保とパフォーマンス改善のヒント

Go言語の標準の配列にはC言語と同等ぐらいの表現力しかありません。にもかかわらず、自力でメモリ確保用の関数を駆使してメモリ管理をがんばらなくて済むのは、これから説明するappend()関数が必要に応じてスライスの裏で使っている配列のメモリを伸長してくれるところによります。

append()関数には、スライスと、追加したい要素（1つ以上）を書きます。cap()の返り値とlen()の返り値に差がある状態（余裕がある状態）であれば、長さを伸ばし、そこに要素をコピーします。もし、余裕がない状態でappend()を呼ぶと、cap()の2倍のメモリを確保し[†17]、今までの要素をコピーしたうえで新しい要素を新しいメモリ領域に追加します。

```
// 長さ1、確保された要素2のスライスを作成
s := make([]int, 1, 2)
fmt.Println(&s[0], len(s), cap(s))
// 0xc42000e300 1 2

// 1要素追加（確保された範囲内）
s = append(s, 1)
fmt.Println(&s[0], len(s), cap(s))
// 0xc42000e300 2 2

// さらに要素を追加（新しく配列が確保され直す）
s = append(s, 2)
fmt.Println(&s[0], len(s), cap(s))
// 0xc42000a3e0 3 4
// スライスの先頭要素のアドレスも変わった！
```

append()を呼ぶと、条件によってはアドレスが変わりますが、毎回条件をチェックするのは冗長なので、append()の第一引数をそのまま結果の代入先に使うというイディオムを多用します。

```
s = append(s, e)
```

これまでOSのメモリ管理の紹介をしてきましたが、append()の呼び出しにすごく時間がかかる可能性があることにお気づきでしょう。実際、既存の領域の要素数が極端に大きい、あるいは要素が構造体のような複合型で1要素のサイズが大きいと、ループで1要素ずつappend()すれば次のような余計なコストが発生します。

- 何度も中間配列が確保されてしまうコスト（256要素であれば、2、4、8、16、32、64、128の各中間サイズの配列が作られる）
- ガベージコレクタが不要になった中間配列を回収して処理するコスト
- その中間配列の間で何度も要素がコピーされるコスト
- 2倍ずつ延びるので、必要なサイズ以上に容量が確保されてしまうコスト（129必要でも256確保される）

---

†17 1.19時点では、512までは2倍ですが、それ以降は848、1280、1792、2560、3408とペースが落ちます。

:tex:enlargethispage{baselineskip}

大量に要素を追加したり新しくスライスを作ったりする必要があってメモリ操作がボトルネックになる場合には、必要に応じて事前にmake()で大きなメモリを確保してから組み込み関数のcopy()でコピーするなど、OSのシステムコールの回数を減らす工夫をすることでパフォーマンスが改善します。特に、最終的に確保すべき配列長が見えている場合には、append()を使わずにmake()を使って添字で配列に要素をセットしていくとパフォーマンスがかなり良くなります。make([]int, 0, 256)のようにして、長さがゼロでもキャパシティを256にしておけば、append()の途中で余計な配列が作られたり配列間でコピーされたりしないので効果があるでしょう。

16.3.3 マップとパフォーマンス改善のヒント

マップは、任意のimmutableな要素をキーにできるデータ構造です。Goでは、ハッシュ値を利用した要素への高速なアクセスを実現するmapがマップとして利用できます。その高速アクセスの仕組みを簡単に紹介します。

mapでは、8個の要素を1つにまとめた「バケット」という単位でデータを保持します。キーに対応するデータがどのバケットに格納されているかは、キーを変換したハッシュ値の下位nビットで決まります（つまりバケットの数は全部で2のn乗個です）。そして、バケットから目的のデータを取り出すには、ハッシュ値の上位8ビットを使います。この2層構造のデータ階層を使って高速に要素にアクセスします[†18]。

スライスのときと同じく、マップも要素数が増えてくると新しいバケットのリストが作られて移動が行われるので、mapに格納したい要素数が見えている場合には、やはりそれを事前に設定しておくことでバケットの作成やコピーのコストを削減し、パフォーマンスを向上できます。mapはmake()を使って作成しますが、その際に2つめの引数を使うことで、初期のキャパシティ量を決定できます。

16.3.4 sync.Poolによる、アロケート回数の削減

sync.Poolは、オブジェクトのキャッシュを実現する構造体です。一時的な状態を保持する構造体をプールしておいて、goroutine間でシェアできます。sync.Poolは、syncパッケージにいるところからもわかるように、当然ながらgoroutineセーフです。この構造体は、fmtパッケージの一時的な内部出力バッファなどを保持する目的で導入されました。

sync.Poolはスラブアロケータと似たような仕組みをアプリケーションレイヤーで提供するものといえます。スラブアロケータとは、Linuxカーネルに用意されてい

†18　実際のロジックはもう少し複雑で、バケットへの格納数が8を超えた場合にオーバーフローした要素を格納したり、一定の充填率を超えたら2のn+1乗個のバケットを別に用意して新旧のバケットを維持しつつ更新のタイミングで少しずつ新しいほうに移動したりといった工夫をしています（https://www.ardanlabs.com/blog/2013/12/macro-view-of-map-internals-in-go.html）。

るメモリ管理機構で、Linux内部で大量に使われるinodeやファイルディスクリプタといった同一種類の構造体のメモリの在庫を一括で管理し、不要になったオブジェクトを回収して必要になったら渡す仕事をします。カーネルはメモリを自分で管理しなければならないので、スラブアロケータのような仕組みが必要となります。

似たようなサイズのメモリブロックを管理する仕組みとしてはTCMallocがあります。TCMallocは汎用的なメモリ管理なので型違いの同一サイズの構造体間でもシェアが行われます。`sync.Pool`は構造体などの特定の型のインスタンスごとにプールを作成しておくので、必要な型のインスタンスを大量に使う場合にOSにメモリ確保の依頼が飛ぶのを抑制してパフォーマンスを向上できますし、初期化処理済みのものを確保しておくことで取得時のコストを節約したり、リセット処理も型に合わせて最低限にするといった局所的な最適化も行えます。文字列を出力するためのバッファなどでよく使われています。メモリアロケート数ゼロをうたっているログ出力のライブラリの`github.com/uber-go/zap`でも、それを実現するために活用されています[†19]。

`sync.Pool`の使い方は簡単で、インスタンス作成用の関数を設定して初期化します。`Get()`で、プールからデータを取り出します。プールが空のときは、プール作成時に設定した関数で作ったインスタンスが返ります。そのメモリが不要になったら`Put()`メソッドでプールに戻します。出し入れするデータは`interface{}`型なので、どのような要素でも入れられます。

```
package main

import (
    "fmt"
    "sync"
)

func main() {
    // Poolを作成。Newで新規作成時のコードを実装
    var count int
    pool := sync.Pool{
        New: func() interface{} {
            count++
            return fmt.Sprintf("created: %d", count)
        },
    }

    // 追加した要素から受け取れる
    // プールが空だと新規作成
    pool.Put("manualy added: 1")
    pool.Put("manualy added: 2")
    fmt.Println(pool.Get())
    fmt.Println(pool.Get())
    fmt.Println(pool.Get()) // これは新規作成
}
```

なお、内部では要素はキャッシュでしかなく、(他の言語で言うところの) **WeakRef**のコンテナとなっています。そのため、ガベージコレクタが稼働すると、保持してい

†19 https://speakerdeck.com/moricho/deep-dive-into-sync-dot-pool?slide=15

るデータが削除されます。`sync.Pool`は、消えては困る重要なデータのコンテナには適しません。

```
package main

import (
	"fmt"
	"runtime"
	"sync"
)

func main() {
	var count int
	pool := sync.Pool{
		New: func() interface{} {
			count++
			return fmt.Sprintf("created: %d", count)
		},
	}

	// GCを呼ぶと追加された要素が消える
	pool.Put("removed 1")
	pool.Put("removed 2")
	runtime.GC()
	fmt.Println(pool.Get())
}
```

16.4 ガベージコレクタ

C言語のようなシステムプログラミングでよく使われる言語と近い機能性を備えながらも、Go言語がコーディングしやすい言語であるのは、前述のようなヒープとスタックへの割り当てが自動化されている点と、もうひとつはガベージコレクタ（GC、Garbage Collector）のおかげです。

GCにはいくつか種類があります。多くの言語で採用されているのは、**マーク・アンド・スイープ**という方式です。マーク・アンド・スイープ方式では、まずメモリ領域をスキャンして必要なデータか否かを示すマークを付けていき、次のフェーズで不要なものを削除します。世代別にデータを管理してスキャンの回数を減らすことによりコストを抑える世代別GCや、必要なメモリにマークすると同時に隙間がないようにメモリを移動してメモリ領域の断片化を防ぎ、新しいメモリ確保時の計算量を減らすコピーGCといった方式もあります。また、参照カウントを使ってメモリを管理する方式[†20]や、それらを併用する言語ランタイムもあります[†21]。

GCのアルゴリズムは、メモリ使用量や停止時間などのさまざまなトレードオフの中で、各言語の特性やその時代の一般的なコンピューター・アーキテクチャの性能に合わせて最良の結果が得られるものが選択されています。実際、マーク・アンド・スイープのような単純なGCの実装では、不要なメモリを削除する間にプログラム全体

†20 参照カウントによる方式はガベージコレクタに含めないという流儀もあります。

†21 Objective-CではARCという自動参照カウントを使ったメモリ管理を採用しています。Pythonは循環参照したメモリの解放にマーク・アンド・スイープを使いますが、それ以外のメモリの解放では参照カウントを使っています。

を停止する必要があります。これはストップ・ザ・ワールドと呼ばれ、GCのネガティブな側面です。

Go言語は、コンパイル言語でパフォーマンスが比較的良い言語であることもあり、パフォーマンスに占めるメモリのコストが比較的高く見えてしまいます。そこで、ストップ・ザ・ワールドによる停止時間を減らすことを最優先に、GCが常に改良されています。

Go 1.3世代では、50%から70%改良されました。それでも10GBぐらいのヒープサイズがあると、10秒近い停止時間がありました。Go 1.5ではGCが大きく変更され、コピーGCや世代別GCのようなデータ移動を必要とするアルゴリズムや多くのメモリを使うアルゴリズムではなく、インクリメンタルかつ並行にマーク・アンド・スイープができるtri-color GCというガベージコレクタのアルゴリズムが採用されました。その結果、大きなヒープサイズでも、10ミリ秒前後の停止時間でのGCが実現できました。

Go 1.8ではさらに高速化して10マイクロ秒から100マイクロ秒の停止時間となっており、その後もさらに改善されています。この値がどれくらいすごいかというと、現在のLinuxカーネルの8コアのCPUにおけるタスク切り替え時間が3〜24ミリ秒くらい†22なので、複数のプロセスを起動して処理が回ってくるよりも停止時間が短いことになります。つまり、GCがなく停止時間のないプログラムを実行するのと比べても、Goを使うことによってリアルタイム性が損なわれることがまったくないということです。

NOTE Go言語におけるガベージコレクタの実装に関してさらに詳しく知りたい場合は、deeeetさんによる「GolangのGCを追う」というブログ記事†23が参考になります。Go言語におけるGCの説明だけでなく、参考文献も数多く紹介されています。

16.4.1 メモリアリーナ

Go 1.20†24では実験的サポートとしてメモリアリーナが追加されました。これは領域ベースメモリ管理†25と呼ばれる手法です。ソフトウェアにより、アリーナ、ゾーン、メモリコンテキストなどさまざまな呼び方がされます。

ヒープと同じようにOSからある程度の大きさの領域をもらってきますが、この中

---

†22 タスク間の公平なスケジューリングを提供するCFSスケジューラーのプロセスの切り替え時間が`t * (1 + ilog2(CPU数))`ミリ秒（tは0.75から6）とされており（ https://elixir.bootlin.com/linux/latest/source/kernel/sched/fair.c#L57 ）、`ilog2(CPU数)`は8コアだと3なので、3〜24ミリ秒と計算しました。

†23 https://deeeet.com/writing/2016/05/08/gogc-2016/ （eは4つです）

†24 https://en.wikipedia.org/wiki/Region-based_memory_management

†25 1.20では`GOEXPERIMENT=arenas`環境変数が設定されているときにのみ利用できます。

でユーザープログラム自体がメモリ管理を自分で行います。一度確保したメモリの中を自分で値に割り付けていったり、不要になったら領域丸ごと解放したりします。一部だけ解放などはできませんが、この制約のおかげで、ガベージコレクタは「この領域にあるメモリであれば解放しない」と大雑把に判断できるので、マークのステップの処理が軽くなります。大量の小さな値がたくさんあるプログラムほど処理性能が向上します。領域解放後はこの中のメモリにはアクセスできなくなるので、その必要があればヒープ領域にエスケープします。

```
import (
    "arena"
)

a := arena.NewArena()                          // アリーナ作成
b := arena.New[Book](a)                        // アリーナ内にBook型のメモリを作成
s := arena.MakeSlice[Book](a, 10, 10) // アリーナ内に[]Book型のスライス作成
b2 := arena.Clone(b)                           // アリーナ内のメモリをヒープにコピー
a.Free()                                       // アリーナ解放（以後アリーナ内のメモリにはさわれない）
```

処理性能が向上するといっても、ガベージコレクタの恩恵をあえて捨てて手動のメモリ管理を導入した結果として得られるものですし、ワークロードの種類によっても恩恵の大きさが変わることから、万人が即座に使うべき機能ではありません。じっくりとメモリの使い方を観察し、ベンチマークも取り、性能向上が得られそうなときだけ利用するとよいでしょう。

16.5 本章のまとめと次章予告

本章では、OSのメモリ管理から、Go言語のプログラム側のメモリの取り扱い、OSがアプリケーションをロードするところまでを一通り紹介してきました。比較的高速なコードを出力するGo言語にあって、パフォーマンス上の問題として取り上げられやすいのがメモリのアロケーションです。高速をうたうライブラリはみな、ベンチマークでメモリのアロケート回数とバイト数も出力し（`-benchmem`オプションを付与すれば出力される）、いかに回数が少ないかをアピールしています。メモリ割り当て回数がゼロ（`0 allocs/op`）はGo言語界においては勲章のひとつのように扱われることすらあります。

「メモリ確保は裏でこれだけがんばっている高価なオペレーションだ」というのが伝わったなら、本章の役目は果たせたと思います。

次章では、再びプロセスの話に戻ります。メモリを理解した上で、プロセスが起動するスタートの部分を見ていきます。

第17章

実行ファイルが起動するまで

これまでの章では、シェル、プロセス、メモリについて紹介してきました。本章では、これらの知識を総合して、シェルからプログラムを起動し、実行ファイルがメモリにロードされて実行されるまでの起動プロセスについて見ていきます。

17.1 実行ファイルが起動するまで

Goのコードでは{と}で関数などのブロックを表します。ブロックが終わると、関数が終了して親に戻ったり、ループの先頭に戻ったりします。このようにブロック単位でアトミックに処理を記述して組み立てられるというのは、Goに限らず今時のプログラミング言語（C言語を含む一般的な言語すべて）の世界観です。関数の途中から実行を開始したり、関数の最後を突き抜けて隣のアドレスにある関数を実行したりすることは、今時の言語では基本的にできません。

一方、最終的にCPUで実行されるバイナリは、メモリ空間に単に命令が並んだものです。そこに「ブロック」のようなものはありません。実際、CPUの命令に近いアセンブリ言語の見た目はGoとはかなり違います。まず、関数のブロックがありません。その代わり、アセンブリ言語には「ラベル」があります（Goにもラベルはありますが、ほとんどの人は使ったこともなければ存在もしらない機能でしょう）。

アセンブリ言語のラベルは、最終的にはリンク時にアドレス値となり、次のような命令によって実行順を変えるのに使われます。

- JMP： そのラベル（が定義されているメモリアドレス）にジャンプする。このときに呼ばれる対象は「プロシージャ」と呼ばれる
- CALL： そのラベル（が定義されているメモリアドレス）にジャンプするが、ジャンプ前のアドレスをスタックに記録しておき、RETで戻れるようにする。このときに呼ばれる対象は「サブルーチン」と呼ばれる

NOTE　アセンブリ言語は、GoやC言語に比べるとプリミティブな言語ですが、CPUの命令にそのまま一致する機能しかないわけではなく、実際には（命令ではなく）データ領域の確保なども担います。また、Goのアセンブリ言語（Plan9アセンブリ）の場合には、アーキテクチャごとの差の吸収も多少してくれます。また、上記では「プロシージャ」や「サブルーチン」といった用語を使っていますが、プログラミング言語によっては同じ用語が別の意味で使われていることもあります。他の言語では違う定義だったとしても、本章の説明では上記のようなものとして理解してください。

アセンブリ言語のラベルには、プログラムの起動時に重要な役目を果たすものがあります。Linux上のアセンブリ言語では次の2つのラベルです。

- `_start`：OSがメモリにロードしたプログラムで最初に実行される命令のあるアドレスを表すラベル
- `main`：ユーザーのコードの開始位置のアドレスを表すラベル

まずは`_start`が使われている実際のコードを見てみましょう。GCCに含まれるアセンブリ言語（GAS）で書かれた、x86_64上のLinuxで動くプログラムの例です[†1]。

```
    .global _start                      # このラベルが外部公開されるという宣言

    .text                               # これから先はプログラムが始まる宣言
_start:
    mov     $1, %rax                    # writeシステムコール（1）
    mov     $1, %rdi                    # 出力先ファイルハンドル（1: stdout）をセット
    mov     message(%rip), %rsi         # 出力したいメッセージアドレスをセット
    mov     $13, %rdx                   # 文字数をセット
    syscall                             # writeの実行

    mov     $60, %rax                   # exitシステムコール
    xor     %rdi, %rdi                  # リターンコード（ここではエラーなし、0）
    syscall                             # 終了呼び出し

message:                                # データ領域のラベル（いわゆる定数名）
    .ascii  "Hello, world\n"            # テキストデータ
```

上記のコードは、次節で後述するランタイムライブラリがない、本当にミニマムな`Hello, world`プログラムです。これを`hello.s`というファイル名で保存し、次のコマンドを実行すると、実行ファイル`a.out`が生成されます。これを実行すると、`Hello, world`の文字列が表示されます。

```
$ gcc -nostdlib hello.s ↵
$ ./a.out ↵
Hello, world
```

上記のミニマムな`Hello, world`プログラムには4行めに`_start`というラベルがあります。このコードをもとに実行ファイル（プログラム）を生成するのは、リン

†1　本節のアセンブリ言語のコードは、https://cs.lmu.edu/~ray/notes/gasexamples/ で紹介されているコードを参考に説明用のコメントを付けたものです。

カーと呼ばれるツールです。リンカーは、この_startを最初に起動されるエントリーポイントとして、実行ファイルを作成します。

リンカーにより生成された実行ファイルで、本当にエントリーポイントが_startが指し示すアドレスになっているか、確認してみましょう。readelfというコマンドを利用すると実行ファイルを解析できます。

まずは、_startラベル（実行プログラム中では「シンボル」と呼ばれる）のアドレスを確認します。以下のように、0x401000だとわかります。

```
$ readelf --syms a.out ↵
Symbol table '.symtab' contains 8 entries:
   Num:    Value          Size Type    Bind   Vis      Ndx Name
     0: 0000000000000000     0 NOTYPE  LOCAL  DEFAULT  UND
     1: 0000000000401000     0 SECTION LOCAL  DEFAULT    1
     2: 0000000000000000     0 FILE    LOCAL  DEFAULT  ABS /tmp/ccV1qoyN.o
     3: 000000000040102a     0 NOTYPE  LOCAL  DEFAULT    1 message
     4: 0000000000401000     0 NOTYPE  GLOBAL DEFAULT    1 _start
     5: 0000000000402000     0 NOTYPE  GLOBAL DEFAULT    1 __bss_start
     6: 0000000000402000     0 NOTYPE  GLOBAL DEFAULT    1 _edata
     7: 0000000000402000     0 NOTYPE  GLOBAL DEFAULT    1 _end
```

次に、この実行ファイルのエントリーポイントを確認します。以下の実行結果から、0x401000がエントリーポイントであることがわかります。つまり、_startで示されるのが最初に起動されるコードです。

```
$ readelf --file-header a.out ↵
ELF Header:
  Magic:   7f 45 4c 46 02 01 01 00 00 00 00 00 00 00 00 00
  Class:                             ELF64
  Data:                              2's complement, little endian
  Version:                           1 (current)
  OS/ABI:                            UNIX - System V
  ABI Version:                       0
  Type:                              EXEC (Executable file)
  Machine:                           Advanced Micro Devices X86-64
  Version:                           0x1
  Entry point address:               0x401000
  // （以降略）
```

続いて、mainが使われているコードの例も見てみましょう。

```
   .global main

   .text
main:                                  # Cライブラリのスタートアップコードから呼ばれる
   mov     message(%rip), %rdi         # メッセージのポインタをセット
   call    puts                        # Cライブラリのputs関数呼び出し
   ret                                 # Cライブラリコードに戻る

message:
   .asciz "Hello, world"
```

こちらは、C言語向けのランタイムライブラリであるlibcに乗っかったコードです。画面への出力にもC標準ライブラリのputc()を使っています。終了処理もありません。先ほどのコードに比べるとだいぶ短いですね。

こちらは次のコマンドにより実行ファイルa.outを生成できます。

```
$ gcc hello-libc.s ↵
$ ./a.out ↵
Hello, world
```

libcを利用したmainしかないコードでも、その実行ファイルでは_startがエントリーポイントのアドレスとなっているのですが、この場合はC言語側のランタイムライブラリの中に_startがあります。このC言語のランタイムで初期化を終えるとmainが起動します。

この節で見たのは、あくまでもLinux上でGCCを使って生成した実行ファイルの起動プロセスです。エントリーポイントを何にするか、言語のランタイムが何を最後に呼ぶかは、言語によって異なります。Goの場合は、Linuxでビルドした場合のエントリーポイントは0x0701d0で、そこにあるラベルの名前も_startではなく、_rt0_arm64_linuxというものが与えられています。そして、このエントリーポイントから起動されるランタイムはmain・mainを最後に起動します。main・mainはGoコンパイラが生成するラベルでパッケージ名と関数名を中黒で接続した名前です。つまり、mainパッケージのmain()関数を表しています。

Linuxマシンがない場合

Linuxマシンがない場合には、GCCが一式使えるDockerイメージを使って試してみてください。x86_64ではないApple Silicon（ARMv8）上のmacOSでも、--platform linux/amd64を付加することでx86_64なDockerイメージが動作します。

```
$ docker run -it --rm --platform linux/amd64 --name debian gcc:11-bullseye ↵
```

なお、Goにもアセンブラは内蔵されていますが、このようなランタイムなしのバイナリはGoでは作れないので、ここではGCCを利用した例を紹介しています。

17.2 実行ファイルを支える仕組み

前節では、CPUが実行する命令に近いアセンブリ言語のコードを例に、実行ファイルがどう起動するかを見ました。ここでは、そのような実行ファイルの作成において重要な役割を持つランタイムとリンカー、そして実行ファイルのフォーマットについて紹介します。

17.2.1 ランタイムの役割

これまでの章では「Goのランタイム」が何度か登場しています。特に14.4「Goのランタイムはミニ OS」では、GoのランタイムがOSに近い構成であると説明しました。Goに限らず、C言語でもRustでも、何かしらのプログラミング言語で生成したアプリケーションは「ランタイム」と呼ばれるライブラリを利用したプログラムになるのが一般的です。こうしたランタイムライブラリが、最終的にはOSのカーネルにシステムコールを発行して仕事を依頼し、メモリの管理やらファイルやネットワークアクセスやらを実現する機能を担います。ランタイムライブラリがなければ、OSに仕事を依頼するところも全部自分で作成する必要があるでしょう。

一方、それらをすべて自分で書くことで、ランタイムライブラリを利用せずにプログラムを作成することも可能です。前節で紹介したアセンブリ言語のコードのうち1つめは、まさにそのようなプログラムの一例でした。C言語でも、外部のシステムに頼るランタイムライブラリを排除して、自分で必要なコードをすべて書いてプログラムを作成できます。「C言語はLinuxカーネルのようなシステムの作成に使える」と聞いたことがあると思いますが、それはC言語がこのようなプログラミング言語だからこそ実現可能な技です。

ただし、GCCのようなC言語のコンパイラは、通常はlibcのような標準のランタイムライブラリをデフォルトでリンクします。これは、アプリケーションのビルドに合わせてデフォルトのオプションが設定されているためです。Linuxのカーネルのような特殊な用途のプログラムをC言語で書いて、標準のランタイムライブラリなしでビルドしたい場合には、ランタイム相当の機能のための独自ライブラリをリンクするために、コンパイラに「標準のランタイムライブラリをリンクしないでバイナリを作る」オプション（GCCでは`-nostdlib`）、「そのランタイムライブラリ用のヘッダーを探しにいかない」オプション（GCCでは`-nostdinc`）、あるいは「高速化のために標準ライブラリをインライン展開する機能を抑制する」オプション（GCCでは`-fno-builtin`）などを指定する必要があります。

ランタイムが担う役目は言語によって異なります。一般には、組み込みの機能が豊富な言語ほどランタイムは大きくなります。Goであれば、チャネルやgoroutineなどの並行処理の部品、メモリ管理やスライスやマップといったデータ構造に至るまで、多くの要素がランタイムにあります。

なお、GoのライブラリはC言語の場合と違ってアプリケーションから切り離すことができません。通常のGoのコンパイラではそのような機能が提供されていないからです。仮にできたとしても、多くのリッチな機能がランタイムに含まれてしまっているので、それなしでGoのアプリケーションを書くのは困難でしょう。そのため、通常のGoのコンパイラではOSのカーネルのようなプログラムを作成することも不可能です。ただし、まったく手段がないというわけでもありません。Goの処理系やランタイムに手を入れることでこれを実現している事例として、14.8.1項で紹介したBiscuitというGo製のOSがあります。

17.2.2 リンカーの役割

プログラムの実行時にOSがするのは、決め打ちされた「特定のアドレス」にある`_start`から実行を開始することだけです。OSがプログラム中から`_start`というラベル（名前）を見つけて実行しているわけではありません[†2]。その特定のアドレスに、最初に実行してほしい`_start`が配置されるようにするのは、実行ファイルを作成するプログラム（リンカー）の仕事です。

また、`_start`については「特定アドレス」に配置するだけでOSが発見できますが、ユーザーが作った`_main`のような名前はそうはいきません。リンカーの仕事には、こうした名前のアドレス解決も含まれます。さらにリンカーは、「OSが実行ファイルをロードするときにはメモリ上にこう配置せよ」といった指示を用意してそれを実行ファイルにメタデータとして書き込むという仕事もします。

OSは、リンカーが生成した実行ファイルがシェルから起動されると、この指示に従ってメモリ上にその実行ファイルの内容を配置します（次節で説明します）。そしてロードが終わったら、決め打ちされた「特定のアドレス」からCPUが命令を読み込んで実行が開始されます。実行中に発生する関数呼び出しは、すでにリンカーによってアドレスが解決されているので、「名前を探して呼び出す」といった操作をすることなく、示されたアドレスにジャンプするだけで高速に実行されることになります。

17.3 実行ファイルのメモリ配置

第16章では、アプリケーションが実行されたあとにメモリをどのようにOSからもらっていくるか、また、もらってきたメモリをGoアプリケーション内部でどのように扱っているのかを説明してきました。この節では、OSがアプリケーションの実行ファイルを最初にロードしてくる部分について紹介します。

そのために、まずは実行ファイルの中身がどのようになっているのかを紹介します。

実行ファイルのフォーマットはOSによって異なります[†3]。LinuxなどのPOSIX系OSであれば主にELF形式、WindowsであればPE（Portable Executable）形式、macOSであればMach-O形式です。macOSやLinuxであれば、`file`コマンドを使うことで、実行ファイルがどのフォーマットかを確認できます。たとえば、macOS上のGoでコンパイルした`monkey`というファイル名のプログラムでは、以下のような結果が表示されるでしょう。

```
% file monkey ⏎
monkey Mach-O 64-bit executable x86_64
```

[†2] こうした名前をどう扱うかはプログラミング言語によって異なります。Goのように高水準な言語は名前情報を持っているので、OSが名前を見つけて実行を開始するポイントを探すようなこともできます。

[†3] そのOSが過去に使っていたフォーマットも後方互換性のためにサポートされていたり、エミュレータを使って他のOS用バイナリを直接実行するケースなどもあります。

実行ファイルには、1バイトめから機械語の命令がつまっているわけではなく、その先頭にはそのブロックの意味と場所、サイズを表すヘッダーが付いています。第3章で紹介したPNGファイルの構成に少し似ているといえるでしょう。PNGファイルと異なるのは、データの実体がチャンク中ではなく末尾に並んでいて、メタデータのみが最初にヘッダーとして集まっている点です。

実行ファイルには次のようなデータが格納されています。実際にはビルドが完了する前の中間ファイルや共有ライブラリで使われるデータもありますが、ここでは実行ファイルとして使われるものに絞っています。

- この実行ファイルが対象としているCPUアーキテクチャの種類
- 実行ファイル中に含まれるセクションを、どのメモリアドレスに配置するか、そのときのセクション名と実行権限
- プログラム起動時に最初に呼び出す命令が格納されているアドレス
- 実行ファイルの実行に必要な共有ライブラリの情報
- 実行コードのセクション（Mach-Oでは複数アーキテクチャ分を保持可能）
- 静的に初期化された変数のセクション
- サポートするOSの種類（Mach-Oのみ）
- 初期起動するスレッド情報（Mach-Oのみ）
- デバッガー用のシンボル情報
- 古いOS向けに「このバイナリは実行できません」というメッセージを出す16ビットコード（PEのみ）

セクションというのは、実行ファイルフォーマットを構成するバイナリデータのブロックです。昔からの伝統で、各セクションにはTEXT、DATA、BSSといった名前が付けられています。TEXTは、機械語の実行コードの入るセクションです。バイナリであるにもかかわらず、なぜか名前としてはTEXTが使われてます。DATAは、実行コードを含まない、静的に確保された初期化済み（データがすでに入っている）のメモリ領域です。BSSは、変数が置かれる領域で、初期化されていない（すべてゼロ）のメモリ領域です。それ以外にも、各種のシンボルテーブルなどのセクションがあります。

セクションごとに、CPUがどのようにアクセスできるかを、フラグにより設定できます。これをメモリパーミッションといいます。メモリパーミッションには、実行命令を置いて実行できる、読み込みができる、書き込みができる、などがあります。たとえば、TEXTには実行フラグを付与しておき、DATAやスタックメモリの領域には実行フラグを立てないでおきます。読み書きできる変数領域には、書き込みのフラグも立てておきます。フラグに違反した操作をすると、おなじみのSegmentation Fault（SEGV）が発生します。

OSは、この実行ファイルフォーマットに従って、まずは実行ファイルに含まれるセクションを適切なアドレスに配置していきます。メモリパーミッションも設定しま

す。また、スタックメモリのセクションもOSの標準の設定に従って配置します。

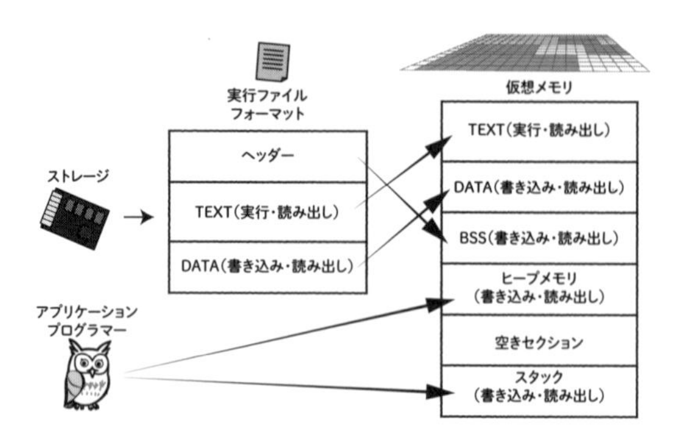

▶図17.1　アプリケーションがメモリに配置されるまで

共有ライブラリが必要であれば、それもメモリに読み込みます。なお、通常の実行ファイルは特定のアドレスに置かれることを前提としてコンパイラがビルドしますが、共有ライブラリは実行時にならないと配置されるアドレスがわかりません。そのため、共有ライブラリは位置独立コード（PIC：Position Independent Code）を生成するモードでコンパイルします。gccやclangで`-fPIC`のようなオプションを見かけたことがあるかもしれませんが、これは、この共有ライブラリのためのモードです。この場合は、実際に設置されたアドレスをもとに関数テーブルのアドレスを再配置する必要があるので、これもOSが対処します。

最後に、実行ファイルフォーマットに書かれた初期実行アドレスを実行することで、アプリケーションが起動します。

17.3.1 アドレス空間配置の相対指定とランダム化

前節では、リンカーが実行時のアドレスを実行ファイルに書き込むと説明しました。このときリンカーが決定するアドレスは、絶対アドレスとは限りません。以前は絶対アドレスまで決定していましたが、現在はメモリ上で丸ごと配置を移動しても動くような仕掛けが実装されています。具体的には、グローバルオフセットテーブル（GOT）という領域に「関数のアドレスの相対値（絶対アドレスではなく）のリスト」を作成しておき、ロード後にメモリ配置されたアドレスとの和を計算して、実際のアドレスを決定します。この方式はPIE（Position Independent Executable）と呼ばれます。

PIEはもともと、複数の実行ファイルから共有されて実行時にならないと環境が決定できない、共有ライブラリのために導入されました。もしアドレス固定であれば、複数の共有ライブラリを使う場合、ライブラリ同士が想定していたアドレスがぶつかってしまうと、同時に使えないということになってしまいます。2005年ごろ、この方式にセキュリティ対策としての価値が見出され、実行ファイルにも用いられるようになりました。

実行ファイルがPIEの場合、OSはロード時のアドレスをランダムに決定して配置できます。これにより、静的にリンクされたシステム関数のアドレスもランダムになるので、セキュリティホールを攻撃されたとしても重篤な問題につながりにくくなり、被害を軽減させることができます[†4]。これは、アドレス空間レイアウトのランダム化（ASLR：Address Space Layout Randomization）と呼ばれます。

Goでは、1.6のときに`-buildmode=pie`がビルドのオプションとして設定できるようになり、Linuxなどの一部のOS向けに使えるようになりました。その後も適用OSなどは増え続け、1.10ではmacOS向けにPIE対応が追加され、Windowsは2019年にOSとしてASLRをサポートしたため、Go 1.15ではWindows向けにもデフォルトでこのビルドモードでビルドするようになりました。このモードのときにはASLRが利用できます。

17.3.2 実行ファイルにアセットをバンドル

実行ファイルフォーマットはファイルの先頭にヘッダーがありますが、zipは末尾にセントラルディレクトリと呼ばれるファイル情報のテーブルがあります。そのため、実行ファイルの末尾にzipファイルをそのままくっつけてしまうことが可能です。この手法は、プログラムの実行に必要なデータをファイルと一緒にバンドルし、1ファイルで配布するのに使えます。自己展開圧縮ファイルや、Pythonなどの実行ファイルの`.exe`化で使われてきました。

前述したように、実行ファイルはそのままメモリにマッピングされて実行されるわけではなく、OSにとって必要なセクションだけがメモリに配置されます。データをソースコードに埋め込む方式だと、実行ファイルのDATAセクションとしてメモリに乗ってしまいます。データを圧縮しても、展開すれば余計にメモリを消費します。アンロードすることもできません。一方、実行ファイルの末尾に情報が載っている状態なら、実行時にはメモリにロードされません。必要に応じてメモリに読み込めますし、不要になったらメモリを解放できます。

このようなzipファイルの添付はGoのプログラムでも可能です。Goで実行ファイルにデータをバンドルする手法としては、Go 1.16のときに標準機能として追加された`go:embed`が一般的ですが、zipファイルでの添付に対応したツールとして`go.`

---

†4　アプリケーションにバッファオーバーフローの問題があると、スタックメモリにある関数やメソッドの`return`先のアドレスを自由に書き換えられる可能性があります。外部プログラムを起動するPOSIXの`system()`のような、より大きな問題が発生しうる関数の位置が特定されてしまい、それが呼び出されるようなことがあれば、悪意のある操作を許してしまいます。

rice[†5]があります。go.riceが内部で利用しているライブラリのzipexe.go[†6]は、実行ファイルから末尾のzipファイルを探索するために、ELF／Mach-O／PEフォーマットを読むライブラリを使っています。末端のセクションの終わりのアドレスを算出することで、zipパートが始まるアドレスを探し出しています。

実際には、ファイルの末端があればセントラルディレクトリを探索できるので、もっと簡易的な方法もあります。筆者が作成したzipsection[†7]というライブラリでは、zipファイルを読み込むGoの標準ライブラリの内部ロジックを拝借し、末尾から開くようにしています。

17.4 Goのプログラムの起動

ここまでは、アセンブリ言語からGCC（が呼び出すリンカー）で実行ファイルを生成する例から始めて、その実行ファイルをシェルから実行すると何が起きるかを簡単に紹介しました。Goでも基本的には同じです。

Goで書かれたアプリケーションをコンパイルすると、Goのランタイムに用意されている$GOROOT/src/runtime/rt0_(OS名)_(ARCH名).sという名前のファイルの関数_rt0_(ARCH名)_(OS名)をエントリーポイントとして、実行ファイルが作成されます。つまり、64ビットのLinux向けのアプリケーションであればrt0_linux_amd64.sが、64ビットのmacOS向けであればrt0_darwin_amd64.sが、32ビットのWindows向けであればrt0_windows_386.sが、それぞれ最初に呼ばれるエントリーポイントを含んだファイルになります。

コンパイル済みのGoプログラムを実行すると、実行環境のランタイムにあるこのファイルから、$GOROOT/src/runtime/asm_(ARCH名).sというファイルの中にある_rt0_(ARCH名)という関数が呼ばれます。こちらはプロシージャです。その中では、まず次の3つの初期化が実行されます。

- 最初のgoroutineの初期化（スタックの初期化も含む）[†8]
- OSから渡されるコマンドライン引数os.Argsのパース
- コンピューターで利用可能なCPUコア数の取得

ここから先は、CPUとアーキテクチャに依存しない共通の処理になります。まず、$GOROOT/src/runtime/proc.goのschedinit()関数の中で、以下のような処理が行われます。

- スタックを初期化

---

†5 https://github.com/GeertJohan/go.rice

†6 https://github.com/daaku/go.zipexe/blob/master/zipexe.go

†7 https://github.com/shibukawa/zipsection

†8 具体的には、14.4「Goのランタイムはミニ OS」で紹介した「G」をアプリケーションを実行中のスレッドで初期化し、その親の「M」を設定します。

- メモリマネージャを初期化し、Mを初期化
- mapの内部で使われるハッシュアルゴリズムの初期化[†9]
- モジュール機能向けのモジュール情報や型情報の取得
- シグナルハンドラの初期化
- コマンドライン引数と環境変数の初期化
- ガベージコレクタの初期化

次に、新しいgoroutineを作って`$GOROOT/src/runtime/proc.go`の`main()`関数を呼び出します。その中では、まず`runtime.lockOSThread()`が呼び出されます（初期化のときはOSのメインスレッドが使われることが保証されます）。次に、ランタイムの`init()`を呼び出してから、`main・init()`を呼び出します。最後に`runtime.unlockOSThread()`を呼び出して、`main・main()`（つまりアプリケーションの`main()`）を呼び出します。

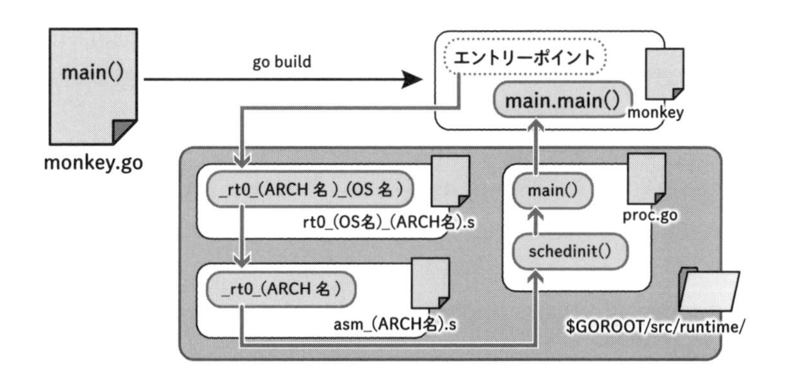

▶図17.2　Goのアプリケーションが起動するまで

ここまでが基本的なGoのアプリケーションの起動までの流れです。goroutineまわりやスタックの初期化の詳細については、Altorosという企業による“Golang Internals”という技術ブログ[†10]が参考になります。対象バージョンが1.5系なので多少の古さはありますが、詳しく説明されています。

NOTE Go 1.5からビルドモードが追加されて、静的ライブラリや共有ライブラリとしてビルドできるようになりました。これらのビルドモードで生成された実行ファイルでも、多くの部分は本文で説明した流れと共通です。ただし、最初のエントリーポイントの関数が多少違ったり、最後に`main・main()`の呼び出しがなかったり、多少の違

[†9] 具体的には、CPUの種類を取得し、HTTPの通信の秘匿で使われるTLS用のハードウェアCPU命令（AES-NI）が利用可能であればそれを利用します。

[†10] https://www.altoros.com/blog/golang-internals-part-5-the-runtime-bootstrap-process/

いがあります。

17.5 インタプリタでのコードの起動

前節の説明では、C言語やGo、あるいはRustのような、コンパイラがネイティブバイナリを生成する言語について、その実行ファイルの起動シーケンスを紹介しました。一方、プログラミング言語のなかには、PythonやRuby、JavaScriptなど、ネイティブバイナリを生成しないものもあります。これらの言語の処理系は、コンパイラに対して「インタプリタ」と呼ばれることがよくあります。

コンパイラで生成される実行ファイルは、OSがロードしたものがCPUが直接解釈できるプログラムになっていますが、インタプリタの場合にCPUが動かすのはインタプリタです。インタプリタは、言語処理系ではありますが、CやC++で書かれたプログラムでもあり、そのプログラムがテキストで書かれたコードの内容を読み取って、システムコールを呼び、さまざまなサービスを提供します。

Pythonを例に、コードが起動するまでの流れを見てみましょう。PythonのインタプリタはC言語のプログラムなので[†11]、その起動の仕組み自体は前節までの説明と同じです。その後は、仮想マシン（CPUのように命令を処理するプログラム）を初期化したり、ハッシュで使う乱数の初期化などを行います。

仮想マシン起動後は、ユーザーの作成したコードの起動に必要なモジュールを読み込みます。このとき読み込まれるモジュールは、`python -v`としてPythonを起動することで、以下のように確認できます。

```
$ python -v ↵
import _frozen_importlib # frozen
import _imp # builtin
import '_thread' # <class '_frozen_importlib.BuiltinImporter'>
（中略）
# installing zipimport hook
import 'time' # <class '_frozen_importlib.BuiltinImporter'>
import 'zipimport' # <class '_frozen_importlib.FrozenImporter'>
# installed zipimport hook
# /opt/local/lib/python3.9/encodings/__pycache__/__init__.cpython-39.pyc matches
 ↪ /opt/local/lib/python3.9/encodings/__init__.py
# code object from
 ↪ '/opt/local/lib/python3.9/encodings/__pycache__/__init__.cpython-39.pyc'
# /opt/local/lib/python3.9/__pycache__/codecs.cpython-39.pyc matches
 ↪ /opt/local/lib/python3.9/codecs.py
# code object from '/opt/local/lib/python3.9/__pycache__/codecs.cpython-39.pyc'
import '_codecs' # <class '_frozen_importlib.BuiltinImporter'>
import 'codecs' # <_frozen_importlib_external.SourceFileLoader object at
 ↪ 0x100c10ca0>
（中略）
import 'site' # <_frozen_importlib_external.SourceFileLoader object at 0x100c40fd0>
Python 3.9.5 (default, May  7 2021, 18:34:13)
[Clang 12.0.5 (clang-1205.0.22.9)] on darwin
Type "help", "copyright", "credits" or "license" for more information.
（中略）
```

[†11] すべてのサービスがC言語で作られているわけではなく、Pythonで書かれているものもあります。

```
# /opt/local/lib/python3.9/__pycache__/rlcompleter.cpython-39.pyc matches
 ↪ /opt/local/lib/python3.9/rlcompleter.py
# code object from
 ↪ '/opt/local/lib/python3.9/__pycache__/rlcompleter.cpython-39.pyc'
import 'rlcompleter' # <_frozen_importlib_external.SourceFileLoader object at
 ↪ 0x100cb3ca0>
```

上記からは、外部からファイルを読み込むためのローダとかコンパイラのほか、さまざまなモジュールが読み込まれているのがわかります。先頭がアンダースコアのものは、C言語で書かれたモジュールです。これらはインタプリタ中で動作するネイティブモジュールで、仮想マシンの文脈の中で動作します。拡張子が`.pyc`のものは、コンパイル済みのバイトコードです。これは純粋なPythonコードです。

ユーザーが作成したアプリケーションのファイルは、このようなさまざまなモジュールを読み込んだあとで読み込まれます。これはインタプリタで指定されたファイルであったり、インタラクティブセッションで動的にキーボードで入力するプログラムであったりします。

17.5.1 現代のコンパイラとインタプリタの複雑な事情

上記では、プログラミング言語の実行モデルをコンパイラとインタプリタという形で区別することがあると説明しました。コンパイラはCPUが直接実行するので高速、インタプリタはプログラムとして作られた処理系がプログラムを解釈して実行するので遅い、というのが通説です。だいたい50倍〜100倍ぐらい速度に差があるというのが一般的でした。

しかし現在では、パフォーマンス、柔軟性、バグの低減などさまざまな要件のもと、プログラミング言語の実行モデルはかなり複雑になってきています。たとえば、Pythonはユーザーの作成したソースコードを解釈してバイトコードにコンパイルし、そのあとで仮想マシンがバイトコードを実行します。コンパイラが仕事をしたあとでインタプリタが仕事をしている格好です。JavaやRubyもこれに似た実行モデルですが、これらの処理系にはJITコンパイラと呼ばれる仕組みも搭載されています。これは、バイトコードのうち実行頻度の高いところをネイティブコードに翻訳して実行するというものです。特に、Javaは相当のエンジニアリングリソースが投入されているので、うまくトップスピードに乗るとC++やRustなどのコンパイル言語と同等クラスの性能を叩き出します[†12]。

現在ではインタプリタとコンパイルの区別が複雑になっている状況は、JavaScriptをめぐる流れからも垣間見えます。JavaScriptでは、記述力の低さや、当初は存在しなかった外部のライブラリを読み込む文法や仕組みを補うために、「拡張して書きやすくする」「Javaのような記法でクラスを実装できるようにする」といった活動が一

[†12] 実際、「言語としてのJavaは好きではないがJVMの仮想マシンはすごい」と発言する人もいます。

時期ブームになりました。その結果、CoffeeScriptをはじめとする多くのAltJSと呼ばれる言語処理系が発達しました。その後はJavaScript自身の機能拡充もあり、大きく文法が異なるAltJSの多くは淘汰されています。また、最新の規格のJavaScriptのコードから古いブラウザでも動作するJavaScriptへと変換する6to5（後のBabel）などの仕組みも登場しました。さらに現在では、型情報を付与してコンパイル時のエラーチェックを行ったり、型情報をもとにやや高速なJavaScriptコードを生成したりできる、flowやTypeScriptといった言語へと発展しています。こうしたコード変換は、元のコードも出力後のコードも高水準であることから「トランスパイル」と呼ばれていますが、内部的な処理としてはコンパイルそのものです。

このように、ナイーブな「インタプリタ」「コンパイラ」という分類はうまくいかない事案も増えています。

CPUと命令セットの関係も複雑に

コンパイラが生成する実行ファイルにはCPUが理解できる命令セットが書き込まれています。現代では、CPUとその命令セットの関係も大きく進化しており、やや複雑です。

パソコン向けのCPUは長らくインテルの独壇場でした[†13]。その命令セットであるx86は長い歴史を持ち、頻繁に拡張を繰り返してきたことから、複雑なものになっています。それらの命令は、現在ではインテルのCPU自身が直接実行しているのではなく、CPUフレンドリーなマイクロOPコードと呼ばれる別の命令セットに置き換えてから実行されています。つまり、ネイティブコードも、実はバイトコードと言えます。最近ではマイクロOPコード側の修正でCPUにパッチをあてるアップデートが行われることもあるので、ハードコードされたロジックというよりも、ソフトウェアに近いとさえ言えるでしょう。

マイクロOPコードが極めて大きな性能差を生むこともあります。その好例がArmのCPUです[†14]。ArmはCPUの設計のみを販売し、CPUそのものは販売していません。その販売形態としては、CPUの完全な設計のライセンス以外に、命令セットだけのライセンスもあります。ライセンスを受けた他の会社が、高性能な独自マイクロOPコードとそれを処理するコアを作ることで、他のArm CPUでは出せない高性能な製品を世に出すこともできます。かつてAndroidの高性能機の多くで採用されていたクアルコムのSnapdragonは、この独自コア（Kraitコア）の高性能さを売りにしていました。また、一般向けで高い性能を叩き出しているArm CPUとしてApple製のものがあります。2020年にはパソコン向けにもリリースされ、シングルコア性能の高さで他のパソコン用CPUを上回るトップクラスの性能を示しました。

Armの命令セットはスーパーコンピューターでも使われています。本書執筆時点、TOP500[†15]で2020年6月から4期連続で1位に輝いている富岳のCPUのA64FXは、もともとSPARCという高性能なサーバー向けCPUを製造していた富士通が作成しており、そのSPARCの技術を応用して作られていますが、命令セットはArmのものです。CPUのコアを実装できる富士通が、あえてArm社にお金を払って命令セットのライセンスを購入するのは、一見すると不思議に思えるかもしれません。これには、Armの命令を100%理解できるCPUであれば、Arm向けの各種コンパイラやArm向けのLinuxなどのOSなど、Arm向けのソフトウェア資産が活用できるというメリットがあります。

17.6 まとめ

プロセスがOSによってロードされる仕組みや、GoやC言語製のブートストラップの違いなどについて紹介し、最後にちょっと特殊な実行形態としてデバッガーによるステップ実行なども紹介しました。これまでの章の説明は主に実行プログラムとOSのコラボレーションでしたが、本章の内容は、コンパイラとOS（とデバッガー）が連携する部分だったため、他の章とはだいぶ雰囲気が違って感じられたかもしれません。

次章では時間と時刻について紹介します。

---

†13 今でもインテル以外はAMDとViaぐらいですが、さらに昔は互換CPUを製造するメーカーも多く、ピン互換の互換CPUなどもいくつも出ており、CPUを載せ替えて高速化なども行われていました。

†14 以前は性能差が大きかったのですが、近年のリファレンス実装は性能が高くなっており、リファレンス実装を使うArmチップが増えています。

†15 スーパーコンピューターのランキングのひとつ。半年ごとにランキングが発表されています。

第18章

時間と時刻

タイマーとカウンターは、クライアントのコードからすると、単に「決まった時間のあとに通知を受ける」「現在時刻相当を取得する」というシンプルな仕組みに見えます。しかし、OSからすると、時間分割でタスクにCPUを割り当てたり、I/Oのスケジューリングやタイムアウトを制御したり、ファイルのタイムスタンプに利用したり、タイマーやカウンターは時間を扱うサブシステムにとって不可欠な構成要素です。また、ハードウェアタイマーを効率よく利用するために複雑な仕組みになっています。本章では、低レイヤーにおけるタイマーやカウンターの仕組みと使い方を紹介します。

NOTE 本章では、決まった時間にコールバックをアプリケーションに返すものをタイマー、現在時刻やそれ相当（プロセスやシステムの起動からの経過時間なども含む）を返すものをカウンター（およびクロック）と呼びます。

18.1 OSのタイマー／カウンターの仕組み

Goのプログラムで現在時刻を取得してくるのはとても簡単です。

```
package main

import (
    "time"
    "fmt"
)

func main() {
     t := time.Now()
     fmt.Println(t.String())
}
```

一方、OSが使う時間の仕組みは歴史的経緯などもあって少し複雑な構成をしており、たくさんの種類のタイマーやカウンターがあります。表18.1に、OSが利用するタイマーやカウンターをまとめます。

OSが起動すると、**リアルタイムクロック**（RTC）から現在時刻を読み取り、OSの**シ**

▶表18.1 タイマーやカウンター

名前	分類	役割	その他
リアルタイムクロック(RTC)	ハードウェア	現在の時刻を保持する。電源を切っても消えない	読み出しに時間がかかる。OSや設定によって指している時間がUTCだったりローカルタイムだったりする
システムクロック	ソフトウェア	OSが保持する時間。電源が切れると消えてしまうため、OS初期化時にリアルタイムクロックを使って初期化される	
タイムスタンプカウンター(TSC)	ハードウェア	CPU内蔵のカウンター。CPUを駆動するクロック周波数をカウントしたもので、分解能が極めて高く、ナノ秒単位でカウントできる	マルチコアCPUの場合、コアごとに結果にずれが生じることがある
各種タイマーデバイス	ハードウェア	指定した間隔でハードウェア割り込みを発生するタイマーデバイス	歴史的に、プログラマブルインターバルタイマー、APICタイマーなど、さまざまなデバイスがある

ステムクロックを合わせます。システムクロックは、OSが管理しているカウンターです。

また、OSはハードウェアのタイマーを設定し、一定間隔で割り込みがかかるようにします。この割り込みを受けて、システムクロックを更新したり、現在実行中のプロセスが持つ残りのタイムスライスを減らしたり、必要に応じてタスクの切り替えを行ったりします。

現在のLinuxカーネルのデフォルト設定だと、このタイマー割り込みの間隔は1秒あたり250回となっています。この割り込みのたびに、`jiffies`というカウンター変数が増えます。このカウンター変数が1増加することを「1 Tick」と呼びます。したがって、Tickというのは、特定の決まった時間ではなく、コンピューター上で観測可能な最小の時間間隔を表すことになります。たとえば、ゲームのようなアプリケーションでは、画面1回更新(1/60秒など)をTickと呼ぶこともあります。

時間と分解能

さまざまな種類のタイマーやカウンターのなかには、Tick単位でまとめられてしまうために精度があまり出ないものもあります。Windowsの`QueryPerformanceFrequency()`のように、パフォーマンスは良いもののCPUの速度が動的に変更されると影響が出るタイマーもあります。

結果の変数の単位が「ナノ秒」のタイマーであっても、それほどの分解能はありません。実は100ナノ秒単位だったりすることもあります。

Goの場合は言語のほうでパフォーマンスがなるべく高い仕組みをバックエンドに抱えているため、タイマーAPIを何通りも試してみる必要はあまりないと思いますが、「完全なタイマーはない」という点を忘れてはいけません。よくある失敗は、何かしらのIDを作成するのにタイマーの数値をそのまま利用するというものです。分解能よりも小さい間隔で時刻を取得すると、まったく同じIDが複数個発生することになります。

APIC

現在のIntel系CPUでは、タイマーの割り込みにはAPIC（Advanced Programmable Interrupt Controller、拡張プログラマブル割り込みコントローラ）というCPU内蔵の割り込みコントローラを使っています。これは、複数のCPUソケットを使ったシステムでも複数コアのシステムでも正しく動作するような割り込みの仕組みです。APICは、タイマー以外にも、温度センサーなどで利用されています。

18.2 さまざまな時間

OSの中で扱う時間にはいくつもの種類があります。

NTP（Network Time Protocol）のような時刻調整サービスを使うと、時間が進みすぎていたら巻き戻ったり、また、遅れていたら時刻が急にジャンプしたりします。このような調整を受けて、そのコンピューターシステム内でもっとも正しい時間を表すものを**リアルタイム時刻**と呼びます。

一方、タイマー待ちで正確に「100ミリ秒測定したい」という場合や、ベンチマークで経過時間を計測したい場合には、時刻が調整されては困ります。たとえば「途中でうるう秒調整で1秒挿入されてしまって100ミリ秒が1100ミリ秒になってしまっては困る」といったケースです。この場合には、時刻調整をせずに起動後の経過時間などの尺度で管理され、決して巻き戻らない時刻が使われます。これを**モノトニック時刻**と呼びます。モノトニック時刻にもいくつかあります。OSは、OS起動からの時間や、各プロセス起動からの時間をカウントしています。

ウォールクロック時間は、日常生活における実時間と同じです。プロセスが起動して5分後に測定したら、プロセスがどんなにたくさん仕事をしても、ほとんどスリープしていたとしても、必ず5分です。

CPU時間は、CPUが消費した時間です。10%のCPU使用率であれば、5分起動しても30秒ですし、8コアをフルに使えば40分です。CPU時間の計算では、ユーザーのプロセス内で消費された時間と、カーネル内部で消費された時間とが、別々にカウントされます。なお、CPU使用率はこの時間から計算されます。

後述しますが、Go言語の`time.Time`型は、Go 1.9からモノトニック時刻に対する補正機能を持っています。

18.3 時間に関するシステムコール

OSの中の仕組みは複雑ですが、Go言語のランタイムと時間関係の接点はシンプルです。Go言語には時刻関連のランタイム関数がいくつかありますが、低レベルな機能として主に使われているのはruntime.now()と、runtime.semasleep()の2つです。

18.3.1 runtime.now()

runtime.now()は現在時刻を取得してくる関数です。なるべく細かい精度で時刻を取得できるように、プラットフォームごとになるべく精度が高くて細かい単位で時間が取れるシステムコールを利用しています。

ソフトウェアの世界で一番細かい粒度はナノ秒の単位です。1GHzのパルス幅が1ナノ秒です。現在のCPUのピークのクロック周波数が4GHzや5GHzであることを考えれば、オーバーヘッドを考慮すると、ナノよりも良い精度が出ないのは想像に難くないでしょう。

Windowsの場合、7ffe0000番地からの1キロバイトほどの領域は、SharedUserData[†1]という読み込み専用のデータ領域として、プロセスにマッピングされています。実体はカーネル内部にあります。第16章で紹介した、仮想メモリを使ったメモリ共有です。この領域の先頭から20バイト（0x14）めからの領域が、SystemTimeというシステム時間が保存される領域となっています。Windowsカーネルが100ナノ秒の精度でこのメモリ領域のカウンターを更新するので、Goのプログラムではこのアドレスを参照することで現在時刻を取得します[†2]。

Linuxの場合は、clock_gettime()とgettimeofday()という2つのシステムコールが使われます。Go言語では、clock_gettime()が利用できたらまず利用し、利用できなければgettimeofday()にフォールバックします。Linuxカーネルには、頻繁に使われるシステムコールのために、vDSO（仮想ELF動的共有オブジェクト）という高速な呼び出しの仕組みが用意されています。clock_gettime()とgettimeofday()も、このvDSOを利用してシステムコールのオーバーヘッドがなく呼び出せるようになっています。Go言語で利用しているのも、このvDSO版のclock_gettime()とgettimeofday()です[†3]。

NOTE 本書執筆時点の最新版のLinuxのソースコード（バージョン5.16）では、まずハードウェアタイマーのイベントハンドラを登録し、定期的にupdate_vsyscall()[†4]という関数が呼ばれるようにしています。この関数はvDSOのライブラリの内部の静的な変数に現在のタイムスタンプを格納しています。このメモリ領域はWindowsのSharedUserDataと同じように、vDSOとしてユーザーランドからも読み込み専用で共有されているため、ユーザープロセスは低いコストで現在時刻が参照できるようになっています。

---

†1 http://uninformed.org/index.cgi?v=2&a=2&p=15

†2 Wineのエミュレータから実行されているときだけは、QueryPerformanceCounter()というWin32 APIにフォールバックします。

†3 https://blog.cloudflare.com/its-go-time-on-linux/

macOSの場合は、RDTSCというCPUのアセンブリ命令を利用できるときはこれを使ってCPUのタイムスタンプカウンターを使い、それ以外ではgettimeofday()システムコールにフォールバックします。

18.3.2 runtime.semasleep()

Goのタイマー処理を使用したときに最終的に呼び出されるのは、runtime.semasleep()という関数です。この関数では、マルチスレッドの共有資源の管理に使われる**セマフォ**と呼ばれる仕組みを利用しています。通常、セマフォを使うときは、正常ケースで資源管理を獲得し、期待どおりにいかなかったケースでタイムアウトさせますが、Goのタイマーでは逆にタイムアウトの機構を使って処理待ちを行っています。

アプリケーションの中でたくさんの時間を待つ処理があったとしても、Goのランタイムの中で使うOSのタイマーは1つだけです。Goのランタイムでは、すべてのタイマーがruntime.timersというグローバル変数に格納されます。タイマーはすべてruntime.timers構造体のインスタンスであり、タイマーが発動したときに呼ばれるコールバック関数が含まれています。これらのタイマーは、いつ呼ばれるか、という時間の順番にソートされて格納されており、OSへ待ち合わせをお願いするのは、このなかで先頭のタイマーのみです。先頭のタイマーが稼働したら、次に早く起動するタイマーと現在時刻との差をタイムアウトに設定して、再度セマフォの獲得処理を呼び出します。

現在もっとも早く起動するタイマーが10秒後に設定されているとして、新たに5秒後にタイマーを設定するとします。すでに10秒後のタイマーによるスリープが実行中です。このときは、セマフォを通常どおりruntime.semawait()で獲得して早く待ちを終わらせます。その後、タイマーのリストに新しい5秒後のタイマーを挿入して、この先頭になったタイマーを開始します。

パニック前後に呼ばれるルーチンなどで、単にタイムアウトだけが必要な場合には、select()のタイムアウトなどを使っている処理も一部にあります。これに対し、タイマーでは、順序をあとから整列して再実行できるようにセマフォが利用されています。

セマフォの実装については、Linuxではメモリの変更を検知してプロセスを起こすfutex()というシステムコールが使われています。macOSではsemaphore_timedwait_trap()という関数が、WindowsではWaitForSingleObject()というWin32 APIが最終的に呼ばれます。

---

†4 https://github.com/torvalds/linux/blob/v5.16/kernel/time/vsyscall.c

18.4 Go言語で時間を扱う

18.4.1 時間と時刻

言語やライブラリによっては、時刻はあっても時間がなくて秒の即値を使うものや、時刻が日時付きとそうでないものとで区別されているものがあります。これに対し、Go言語では、時間（time.Duration）と時刻（time.Time）が厳密に定義されています。また、時刻は日時情報も持ちます。

time.Durationには、次の例のように、数字と単位を表す定数（time.Secondおよびtime.Millisecondなど[†5]）があります。time.ParseDuration()を使えば、文字列から時間への変換もスムーズにできます。

```
// 5秒
5 * time.Second

// 10ミリ秒
10 * time.Millisecond

// 10分30秒
time.ParseDuration("10m30s")
```

Go言語における時刻の作り方は、下記の例のようにいくつかあります。ここに紹介したもの以外にも、ファイルの変更日時取得などで時刻を得る方法もあります。

```
// 現在時刻
time.Now()

// 指定日時を作成
time.Date(2017, time.August, 26, 11, 50, 30, 0, time.Local)

// フォーマットを指定してパース（後述）
time.Parse(time.Kitchen, "11:30AM")

// Epochタイム（後述）から作成
time.Unix(1503673200, 0)
```

時刻に時間を足したり引いたりして新しい時刻を作ったり（「今から3時間後の時間」など）、時刻の差を取って時間を作ったり、30分や1時間といった時間枠で時間と時刻を丸めたり、数多くの演算がtime.Timeで定義されています。

```
// 3時間後の時間
fmt.Println(time.Now().Add(3 * time.Hour))

// ファイル変更日時が何日前か知る
fileInfo, _ := os.Stat(".vimrc")
fmt.Printf("%v前", tme.Now().Sub(fileInfo.ModTime()))

// 時間を1時間ごとに丸める
fmt.Println(time.Now().Round(time.Hour))
```

†5 https://pkg.go.dev/time#Duration

モノトニック時刻による補正機能

Go言語の1.9から、time.Now()で取得するtime.Time型は、モノトニック時刻の情報も内包するようになりました。内部のフィールドとしてモノトニック時刻を持っています。これは1885年からの経過時間を表すパラメータで、有効期間は1885年から2157年です。

t.Add()メソッドや、t.Sub()メソッドの演算時には、このモノトニック時刻が考慮されます。とある区間の処理時間を計測するのにtime.Now()を2回使って経過時間を測定したとすると、その間でリアルタイム時刻が変更されても、この差分情報を考慮して正しく経過時間が計測できます。ただし、ウォールクロック時刻のための演算メソッドであるt.AddDate()、t.Round()、t.Truncate()ではモノトニック時刻は無視されます。

詳しくはGo 1.9のtimeパッケージのリファレンスを参照してください。

18.4.2 スリープ

すでに何度かサンプルコードで利用していますが、Goのプログラムでスリープを実行するのは簡単です。下記のように、time.Sleep()に単位付きの時間間隔型（time.Duration）を渡して使います。

```
package main

import (
    "fmt"
    "time"
)

func main() {
    fmt.Println("waiting 5 seconds")
    time.Sleep(5 * time.Second)
    fmt.Println("done")
}
```

18.4.3 チャネルを使ったタイマー

タイマー関係の関数ではチャネルが多用されています。まず紹介するのは、ワンショットで1回だけ待つtime.After()関数です。time.After()の引数には、待つ時間を渡します。次のサンプルコードでは5秒間待たせてます。

```
package main

import (
    "fmt"
    "time"
)

func main() {
    fmt.Println("waiting 5 seconds")
    after := time.After(5 * time.Second)
    <-after
    fmt.Println("done")
}
```

次に紹介するのは、等間隔で通知するtime.Tick()関数です。time.Tick()の引数には、time.After()と同様に、間隔の時間を渡します。次のサンプルコードでは、5秒間ごとにコンソールにメッセージを出力しています。

```
package main

import (
	"fmt"
	"time"
)

func main() {
	fmt.Println("waiting 5 seconds")
	for now := range time.Tick(5 * time.Second) {
		fmt.Println("now:", now)
	}
}
```

Goのtimeパッケージには、time.Timer構造体やtime.Ticker構造体があります。これらは、time.After()、time.Tick()でも使われている内部実装です。タイマーをあとから停止したりするときはこれらを利用します。

18.5 時刻のフォーマット

時刻はtime.Now()で簡単に取得できます。この関数の返り値はtime.Time型です。

時刻をテキスト化したいとき、Go言語以外では、何かしらのプレースホルダを使って表現するのが一般的です。たとえば、%YやYYYYといったプレースホルダを他のプログラミング言語で使ったことがある人は多いでしょう。これに対し、Go言語では、数値を使ったテキストで時刻のフォーマットを指定します（表18.2）。年を表すのが06である以外は、時刻として粒度の大きい順の連番になっているので、慣れてしまえば難しくはないでしょう。

▶表18.2　Go言語の時刻のフォーマット

数値	意味	バリエーション
1	月	01で1桁時にゼロ補完、Janで英語3文字表記。Januaryで英語フル表記
2	日	02で1桁時のゼロ補完
3	時	15で24時間表記。03で1桁時にゼロ補完。_3で1桁時にスペース補完
4	分	04で1桁時のゼロ補完
5	秒	05で1桁時のゼロ補完
06	年	2006で4桁
Z07	UTCとの時差	-0700、Z0700、Z07:00で分の単位を含む時差
MST	タイムゾーン	
PM	午前/午後	

フォーマット文字列には、表18.2に示した数字や特定のキーワードを除いて自由に文字を付け足せるので、好きな区切り文字や「年」「月」「日」などの文字を時刻の

整形に使えます。たとえば、「年月日の間の区切りが/、時分秒の区切りが:、1桁でも0を入れる、年が4桁、24時間表記」というフォーマット文字列は次のようになります。

```
"2006/01/02 15:04:05"
```

フォーマット文字列は、取得した時刻データをダンプするときだけでなく、読み込んだ文字列を時刻としてパースするのにも使われます。

なお、よく使われる種類のフォーマットには`time.RFC822`といった定数が定義されています。詳しくは`time`パッケージのリファレンスの定数一覧を参照してください[†6]。

```
package main

import (
	"fmt"
	"time"
)

func main() {
	now := time.Now()
	fmt.Println(now.Format(time.RFC822))
	// 27 Aug 17 11:31 JST

	fmt.Println(now.Format("2006/01/02 03:04:05 MST"))
	// 2017/08/27 11:31:53 JST
}
```

Epochタイムと2038年問題

カウンターは、特定の時間からの秒数などで表現されることが多いため、環境によってはオーバーフローのリスクがあります。一番有名なのが2038年問題です。

時刻を表すカウンターとしては、**Epochタイム**と呼ばれるものが広く使われています。Epochタイムは、1970年1月1日0時0分0秒からの経過秒数で時間を表したものです。現在、多くのシステムでは、Epochタイムを格納するのに32ビット符号付き整数（`time_t`型）を使っています。この型で表せる整数の限界は約21億秒であり、68年ちょっとで限界を超えてしまうため、2038年初頭にはEpochタイムが原因でシステムトラブルが発生する可能性が危惧されているというわけです（単一の変数として格納するならまだいいのですが、たとえば加重平均を求めるために2つの時刻の和を求めようとすれば、その半分の間隔で問題が発生します）。

近年では64ビット化されているシステムも増えており、また基準の年月日もシステムによって違うので、すべてのOSに「2038年問題」があるわけではありません。WindowsのSystemTimeは64ビット化されています（ただしWindowsでは基準が1601年1月1日）。macOSも、C言語のヘッダーで`long`型なので、64ビット環境だとデータの上では1400億年ぐらいは保持できるようになっています。地球の寿命があと50億年としても、

---

†6 `https://pkg.go.dev/time#pkg-constants`

ナイーブにEpochタイムを使って太陽系のシミュレーションなどをしない限りは問題ないでしょう。

Go言語では秒を保持する変数が環境によらず64ビットなので特に問題が発生することはないでしょう。なお、Go言語の`time.Time`型はEpochタイムとは異なり紀元後1年1月1日を基準としているので、C言語のAPIと比べるとスタートがずれています。

```
type Time struct {
    sec int64
    nsec int32
    loc *Location
}
```

18.6 本章のまとめと次章予告

本章で説明した時間と時刻は、一見すると簡単に思えますが、OSの中の動きから見ていくとそれなりに複雑なことがわかったと思います。いくつもの種類のカウンターやタイマーを使い分けて、目的に合わせたものを選ぶ必要があります。

Go言語のランタイムでも、内部ではシステムのカウンターやタイマーを使い分け、なるべく分解能が高いものを選択しています。また、Go言語のAPIでは、時間と時刻という2つの型が提供されていることも紹介しました。

次章では、コンテナについて取り上げます。

第19章

Go言語とコンテナ

第1章からここまで、プログラムがコンピューター上で動くときに何が起きているのかを、Go言語のコードを通して覗いてきました。最終章となる本章では、その締めくくりとして、**コンテナ**について紹介します。現在広く利用されているコンテナ技術である**Docker**のコアは、Go言語製の`libcontainer`というライブラリです。このライブラリを使って自作の**コンテナ**を仕立ててみます。

19.1 仮想化

コンテナの話に入る前に、コンテナと目的がよく似た技術である**仮想化**について説明します。仮想化は、コンテナよりも先に広く使われるようになった技術ですが、歴史的にさまざまなソリューションがあり、どのような仕組みか、どのようなメリットがあるか、どのような制約があるか、どこにフォーカスするかで分類の仕方なども大きく変わります。ここでは、仮想化とは何かについて、軽く概要だけ触れます。

ソフトウェアは、ハードウェア、そしてその上で動くOSの上で動作します。ハードウェアを制御し、効率よくストレージやネットワークの入出力ができるようにしたり、メモリを管理したり、CPUの処理時間を割り振ったりするのは、OSの役割です。そのハードウェアとOSの間にもう一つOS（もしくはOSのようなもの）の層を差し込むことで、1台のハードウェア上に複数のOSやシステムを安全に共存させ、ピークの異なる複数のサービスをまとめるなどして効率的にハードを使うのが仮想化です。具体的には、完全な機能を持った普通のOS（**ホストOS**）の上にハードウェアをエミュレーションする仮想化のためのソフトウェアを作り、その上に**ゲストOS**をインストールして使います（ゲストOSも普通のOSです）。

仮想化のためのソフトウェアとしては、Oracle VirtualBoxやHyper-V、Parallels、VMWare、QEMU、Xen Serverといったものが利用されています。これらは、大きく分けて次の2つの方式に大別できます。

- エミュレーション：CPUを完全にエミュレーションすることで別のハードウェアのソフト

ウェアも使える方式。CPUをエミュレーションするため、どうしてもパフォーマンスは大きく落ちるが、現世代の高速なCPUを使って旧世代のCPU向けに書かれたアプリケーションを動作させるのに利用される
- ネイティブ仮想化：同じアーキテクチャのCPUに限定されるものの、エミュレーションが不要で高速な方式

仮想化は、クラウドコンピューティングを支える大事な技術です。仮想化そのものをサービスとして提供しているものは、Infrastructure as a Service（IaaS）と呼ばれます。Amazon EC2やGoogle Compute Engine、さくらのVPSなど、OS環境を提供するサービスが登場したおかげで、ソフトウェアビジネスの構造は大きく変わりました。

19.1.1 仮想化は低レイヤーの技術の組み合わせ

仮想化そのものは、OSの上でOSを動かすという、大掛かりで複雑な仕組みです。ゲストOS上で動いているプログラムから、システムコール呼び出しなどの特権的な命令でホストOSが呼ばれてしまうと、仮想化していたつもりがおかしなことになってしまいます。あるゲストOSで設定したCPUの状態（たとえば、例外発生のモード変更）が、別のゲストOSに影響を与えてはいけません。ホストOSとゲストOSの間も同様です。こうした要件は、システムを仮想化するのに満たすべき必要条件として、1974年に論文化された「PopekとGoldbergの仮想化要件」として知られています[†1]。

最新のIntel系CPUは、この「PopekとGoldbergの要件」を満たす仮想化支援機能として、**VT-x**というものを備えています。これは、第5章「システムコール」で触れた**ユーザーモード**（3）、**特権モード**（0）の下に、**ハイパーバイザー用OSのモード**（-1）を追加し、それを使うことで、ゲストOSからホストOSへの処理の移譲が必要な操作を効率よくフックできる仕組みです（図19.1）。一見すると、WindowsやmacOSというホストOSがあり、その上のアプリケーションとして仮想化のシステムがいて、その中でゲストOSが実行されているように見えますが、CPUから見ると、ホストOSの下により強力な権限を持ったレイヤーが追加されているというわけです[†2]。

現在のIntel系CPUには、VT-x以外にも、ゲストのメモリアドレスとホストのメモリアドレスとを変換する**拡張ページテーブル**、外部ハードウェアとのアクセスでホストOSを介さずに実行（PCIパススルー）できるようにする**VT-d**、ネットワークの仮想化の**VT-c**など、さまざまな仮想化支援機能が実装されています。これらの支援機能により、ハイパーバイザーが毎回割り込みをしてホストに投げなくても済むように

---

†1 `https://ja.wikipedia.org/wiki/PopekとGoldbergの仮想化要件`

†2 -1の下に、-2、-3もあり、-3ではMinixというOSが動作しているとのことです。`https://pc.watch.impress.co.jp/docs/news/1090/501/index.html`

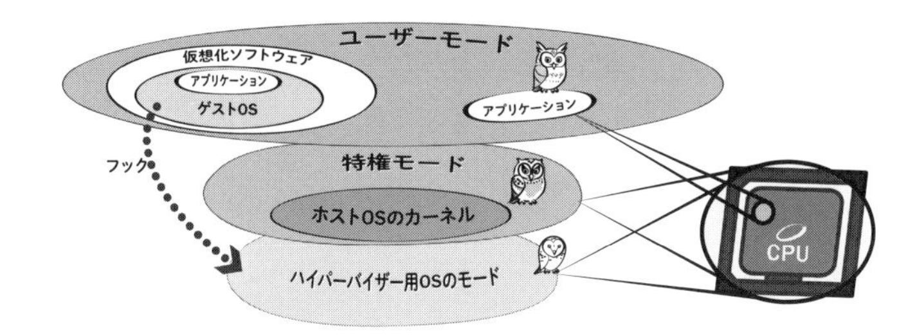

▶図19.1　ゲストOSから、ホストOSの下にさらに強力な権限のレイヤーを介して、CPUの機能にアクセス

なり、ネイティブに近い速度で仮想化が動くようになってきました[†3]。

ハイパーバイザーの側では、WindowsのHyper-V[†4]、macOSのHypervisor.framework、LinuxのKVMといった、OSが提供する支援機能を利用します。高効率な仮想化は、CPUやOSなどさまざまな低レベルのレイヤーの手助けにより実現しているのです。

19.1.2 準仮想化

本文で紹介した仮想化の手法は「完全仮想化」と呼ばれるものです。これに対し、「準仮想化」について紹介している書籍も多くあります（図19.2）。完全仮想化と準仮想化とでは、ハイパーバイザーやVirtual Machine Manager（VMM）と呼ばれるシステムがホストOS（あれば）やゲストOSの調停を行うのは同じですが、OSの実行に必要だけど他に影響を与えうる命令（センシティブ命令）の扱いが異なります。

- 完全仮想化では、ゲストOSがホストOS上にインストールされ、ゲストOSは自分が仮想環境で動いているのを意識する必要がない。他に影響を与えうる命令を実行すると、割り込みが発生し、ハイパーバイザーがその処理を代行する
- 準仮想化は、ハードウェア上にインストールされたハイパーバイザー（ホストOSはない）上で動作する。ゲストOSは、自分がハイパーバイザーの上で動作していることを意識しており、他に影響を与えうる命令の代わりにハイパーバイザーを呼ぶ（hypercall）

準仮想化では、事前にセンシティブ命令を書き換えておくことで仮想化を実現します。ハイパーバイザーの仕様に合わせてカスタマイズされたゲストOSを使うため、ホストOSは不要であり、全体のレイヤーが薄くなります。また、センシティブ命令をハイパーバイザーによる例外処理の割り込みではなく効率のよい呼び出しに書き換

†3　`https://ja.wikipedia.org/wiki/x86仮想化`

†4　準仮想化をサポートしたハイパーバイザーのHyper-Vと区別して、「クライアントHyper-V」と呼ばれることもあります。

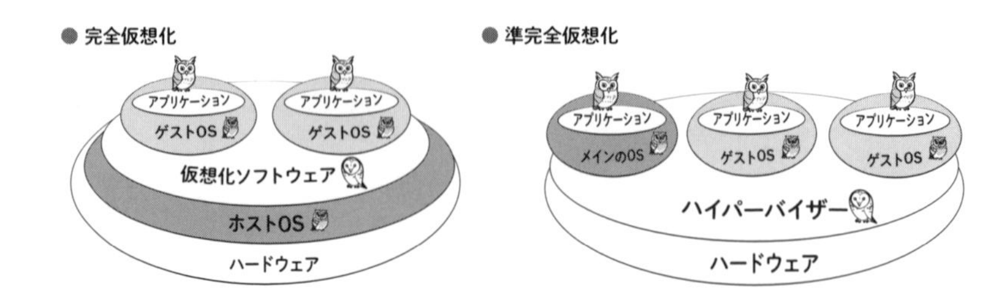

▶図19.2 完全仮想化と準仮想化

えたり、パフォーマンス・チューニングを施したりすることで、完全仮想化よりも高いパフォーマンスを実現できます。Amazon EC2も、初期には準仮想化メインで運用されていました。

完全仮想化では、センシティブ命令などの呼び出しに対してハイパーバイザーが割り込みを行い、適切に変更を局所化させます。この方法ではパフォーマンスに難がありますが、本文で紹介したようなさまざまな支援機能をCPUが提供することで高速化が施され、欠点が改善されてきました。

準仮想化には、Windowsなどの外部からのカスタマイズが難しいOSは開発元の協力がないと動かせず、GPUなどの新しいハードウェア対応が難しいといったデメリットもあります[†5]。そのため、徐々に完全仮想化のほうが優勢になっていきました。Amazon EC2も、リスト[†6]を見る限り、現在ではほぼ完全仮想化となっています（ただし、インスタンスタイプごとに、完全仮想化（HVM）と準仮想化（PV）とで対応具合が異なります）。その完全仮想化も徐々に進化しており、ベアメタル（仮想化なしの状態）と比べたオーバーヘッドをどんどん減らして、ネイティブに近い速度が出るようになってきました。2017年11月には、今まで使っていたXenから、Linuxカーネルに組み込みのKVMをベースとして、専用のASICを組み合わせたNitro Systemと呼ばれる仮想化機構になり、ソフトウェアエミュレーション特有のオーバーヘッドはほぼなくなったようです[†7]。

19.2 コンテナ

ここまでの説明からわかるように、仮想化は、使いたいサービスだけでなくOSも含めて丸ごと動かすことが前提の仕組みです。そのため、たとえばゲストOSとホス

[†5] https://docs.aws.amazon.com/ja_jp/AWSEC2/latest/UserGuide/virtualization_types.html

[†6] https://aws.amazon.com/amazon-linux-ami/instance-type-matrix/

[†7] https://www.brendangregg.com/blog/2017-11-29/aws-ec2-virtualization-2017.html

トOSが同じLinuxであればカーネルやシステムのデーモンを重複してロードすることになり、無駄にメモリを消費してしまいます。

そこで、「OSのカーネルはホストのものをそのまま使うが、アプリケーションから見て自由に使えるOS環境が手に入る」の実現に特化したのが**コンテナ**と呼ばれる技術です。「アプリケーションが好き勝手にしても全体が壊れないような、他のアプリケーションに干渉しない・されない箱を作る」という機能だけ見ると、仮想化もコンテナも同じであるため、コンテナのことを「OSレベル仮想化」と呼ぶこともあります。

仮想化ではストレージを丸ごとファイル化したような仮想イメージを使ってアプリケーションを導入しますが、コンテナでも**イメージ**と呼ばれるものを使います。Amazon EC2 Container Service、Azure Container Service、Google Container Engine（GKE）など、コンテナのイメージ上でアプリケーションのデプロイが可能になるサービスもありますし、Circle CIや、GitLab CIなどのコンテナとの親和性の高さをうたったCI（Continuous Integration、継続的インテグレーション）サービス[†8]もあります。

一口にコンテナ技術といっても、内部では複数の機能を組み合わせて実現されています。たとえばLinuxでは、コンテナを実現するためのOSカーネルの機能として、**コントロールグループ**（cgroups）および**名前空間**（Namespaces）があります。これらの機能を組み合わせることで、さまざまなOSのリソースを、仮想メモリを用意するように気軽に分割できます。

コントロールグループ（cgroups）は、次の項目の使用量とアクセスを制限できるようにするカーネルの機能です。

- CPU
- メモリ
- ブロックデバイス（mmap可能なストレージとほぼ同義）
- ネットワーク
- /dev以下のデバイスファイル

また、カーネルでは、次のような項目について名前空間（Namespaces）を分離できるようになっています。

- プロセスID
- ネットワーク（インタフェース、ルーティングテーブル、ソケットなど）
- マウント（ファイルシステム）
- UTS（ホスト名）
- IPC（セマフォ、MQ、共有メモリなどのプロセス間通信）

†8 コードがコミットされたらそれをトリガーにビルドを実行するサービス。全テストを実行したり、パッケージ作成をしたり、場合によってはデプロイまで一緒に行うことがあります。

- ユーザー（UID、GID）

名前空間を分離すると、親となるホストOSのリソースが許可された一部しか見えなくなり、コンテナ内の要素だけが見えるようになります。あたかも、自分のOS以外がいない世界ができあがります。これらの機能については、次節でコンテナを自作するコードを見れば概要がつかめるはずです。より詳しい情報は、Surgoさんによる下記の記事などを参照してください。

- DockerとLXC： `https://qiita.com/Surgo/items/709a07d68c6eafbad267`

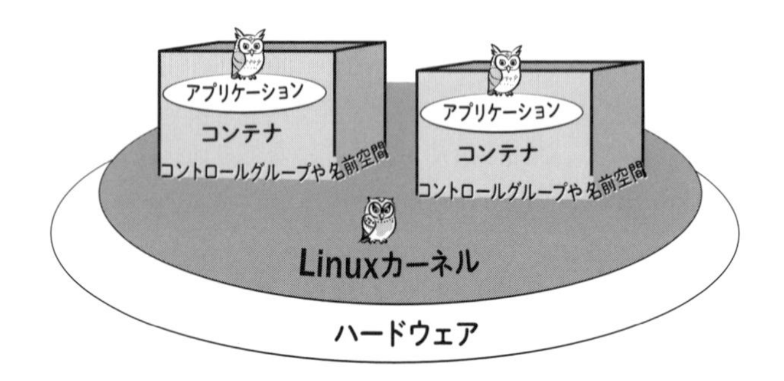

▶ 図19.3　Linuxにおけるコンテナ技術

コンテナと仮想化の関係

仮想化ではOSを起動する必要があるため、起動には長い時間がかかります。一方、コンテナはプロセスを起動するように仮想環境を構築できます。コンテナのほうが効率がよいからといって、コンテナが仮想化を置き換えるとか、仮想化は古いというわけではありません。

コンテナのツールとして人気のDockerは、Linuxではコンテナだけを利用しますが、macOSやWindowsではOSが提供する仮想化の仕組みを使ってLinuxを動かし、その中でコンテナを利用します。コンテナの中で動かしたいシステムがLinuxであれば、一度Linuxを動かす必要がありますが、現在サーバー開発ではLinuxがよく使われ、提供されているDockerイメージもほぼLinuxなので、Linux以外には厳しい状況です。例外がFreeBSDです。FreeBSDには昔から、Linuxバイナリを動かすエミュレーション機能があるので、FreeBSDをホストにしてDockerでLinuxイメージを使うと、FreeBSDのカーネルのままJailでコンテナ化し、コンテナ内部ではLinuxバイナリを動かすという動きになるようです[†9]。

OSが提供するコンテナの中で特殊なものとしては、Windowsのコンテナがあります。軽量なLinuxのコンテナ相当のWindowsコンテナと、仮想化もプラスして他のOSも起動できるHyper-Vコンテナの2種類があります[†10]。

19.3 Windows Subsystem for Linux 2（WSL2）

Windows上でLinuxが動くWSL2は、完全仮想化のようで準仮想化のようでコンテナみたいな仕組みです。いくつもの工夫により、独立した別々のOS環境を、まるで同一のOSであるかのように扱えます（図19.4）。

WSL2の前進であるWSL1は、第5章「システムコール」で触れたシステムコールプロキシのgVisorのような仕組みでした。LinuxのシステムコールをWindowsの命令に翻訳する仕組みで、うまく動作すれば直接Windowsのファイルシステムに対して読み書きができることから、他の仮想化ソリューションよりも高速なディスクアクセスが可能でした。その一方で、システムコールの網羅性の観点から互換性を高くするのが難しいという課題もありました。

これに対しWSL2は、完全なLinuxカーネルを軽量なVM環境で動作させる仕組みです。WSL2が入っている環境では、WindowsもLinuxカーネルも、平等にハイパーバイザー上に乗っています。しかし、そのために特権命令を置き換えたという情報はないので、「準仮想化のように見えて、完全な仮想化を実現しているもの」と考えられます。本物のLinuxカーネルになったことで互換性もかなり上がっており、たとえばDockerも、Windows用のものだけではなくLinux用のものをWLS2内にインストールして使えるレベルとなりました。

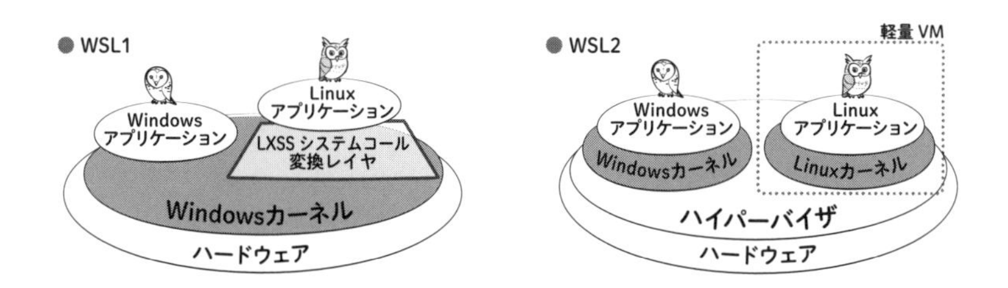

▶ 図19.4　WSL2の構成

WSL2のLinuxカーネルは特殊な作りになっていて、Linux専用のメモリ空間は持っておらず、Windowsとメモリ空間を共有しています。Linux側では、アプリケーションからメモリを要求されるとWindows側に要求してメモリを確保し、それをアプリケーションに返します。不要になったメモリをWindows側に返す機構もあります。これらの機能はメモリバルーニングと呼ばれています。ただし、Linuxカーネルはなるべくメモリをキャッシュに流用してパフォーマンスを上げようとするので、メモリを返す機構は今現在もうまく動作はしていません。そのため現在は、「Windowsから

---

†9　https://www.itmedia.co.jp/enterprise/articles/1606/15/news001.html

†10　https://atmarkit.itmedia.co.jp/ait/articles/1611/04/news028.html

見えているメモリの50%、もしくは8GBの少ないほう」だけがLinuxから見えるように制限がかけられています。また、`init`プロセスも特殊な実装に置き換えられていて、ホストとの情報交換やリクエストに利用されています。Linuxのカーネル以外のOS部分については、コンテナのような仕組みとなっており、さまざまなディストリビューションが切り替えられるようになっています。

WSL2では、WSL1と異なり、Linux側とWindows側との間でのファイルの読み書きにネットワークファイルシステムのプロトコルを使います。これにより、Windowsからは Linuxのファイルもマウントされて見えます（逆も同様）。具体的には、Windows側からはLinux側のファイルシステムが`\\wsl$\`以下でアクセスでき、Linux側からはWindows側のファイルシステムが`/mnt/c`以下でアクセスできるようになっています。ただし、OSをまたいだアクセスは事実上ネットワークアクセスになるので、パフォーマンスがかなり落ちるというデメリットがあります。

ネットワーク通信については、ホスト側のWindowsと共有しているわけではなく、いわゆるブリッジモードで動作します。ホストのWindowsとLinuxとは別々のネットワークになっており、同一ポートを使うアプリケーションを同時に起動してもエラーにはなりませんし、双方との通信も可能です。たとえば、Linux側の`0.0.0.0:8080`でウェブサービスを起動して、Windows側のブラウザから`http://localhost:8080`で接続しようとすると、その通信をLinux内部へとルーティングしてくれます（図19.5）。

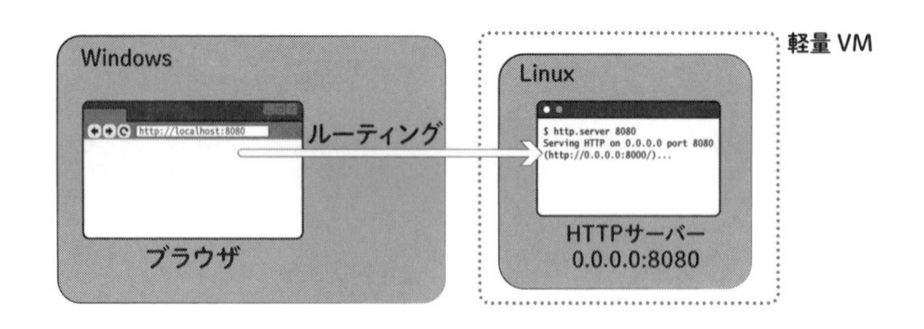

▶ 図19.5　WSL2のネットワーク通信

環境変数も相互運用性を考慮してうまくお互いの環境に相乗りできるようになっています。詳しくは11.4.3節を参照してください。

19.4 `libcontainer`でコンテナを自作する

現在、Dockerのコアとなっているのは、Go言語で書かれている`libcontainer`というライブラリです。このライブラリを利用してGo言語でコンテナを実装し、Linux上での起動に挑戦してみましょう。本章のコードのサンプルはLinuxバイナリが直接実行できる環境でしか動作しません。WindowsやmacOSをお持ちの方は、

VirtualBoxなどの仮想環境をインストールして、Ubuntu Linuxなどを入れて試してください。

Dockerとlibcontainer

当初、Dockerは、Linuxにおけるコンテナ機能のためのユーティリティである**LXC**のラッパーでした。現在のDockerは、libcontainerをベースに書き直されたものです。さらにその後、libcontainerを含むコア部分はrunCというツールになりました。それによってlibcontainerがなくなったわけではなく、現在もrunCのディレクトリ内に同梱されています。

runCは、OCI（Open Container Initiative）に寄贈されています[†11]。OCI傘下になったことで、今後はさまざまなプラットフォームにも対応されていくことでしょう。

なお、ここで紹介する自作コンテナは実験的なものであり、実用面ではrunCコマンドやDockerを使うほうがはるかに簡単でお手頃です。

19.4.1 コンテナのブートに必要な下準備

コンテナとなるコードを書く前に、コンテナ内で新しい環境を起動するために必要なファイル一式を用意する必要があります。コンテナではホストのカーネルを共有するのでディストリビューション一式は不要ですが、initプロセス以降の環境はすべて必要です。ここではサイズが小さいAlpine Linuxのイメージに含まれているファイルを利用させてもらうことにします。必要なファイルは下記の要領で取得できます。

```
$ docker pull alpine ⏎
Using default tag: latest
latest: Pulling from library/alpine
2aecc7e1714b: Pull complete
Digest: sha256:0b94d1d1b5eb130dd0253374552445b39470653fb1a1ec2d81490948876e462c
Status: Downloaded newer image for alpine:latest

$ docker run --name alpine alpine ⏎

$ docker export alpine > alpine.tar ⏎

$ docker rm alpine ⏎
```

これで、ファイルシステムの中身がtarファイルとして取り出せました。作業フォルダにrootfsというフォルダを作り、このtarファイルを展開しておきましょう。

```
$ mkdir rootfs ⏎

$ tar -C rootfs -xvf alpine.tar ⏎
```

libcontainerを利用してコンテナを作る方法は、libcontainerライブラリの

[†11] https://github.com/opencontainers/runc

READMEにほとんどそのまま書いてあります[†12]。それを参考にコンテナを作成してみましょう。

まずは必要なライブラリを取得してきます。libcontainerライブラリのほかに、unixパッケージをインストールしてください。

```
$ go get github.com/opencontainers/runc/libcontainer ⏎
$ go get golang.org/x/sys/unix ⏎
```

それでは実装を見ていきましょう。

libcontainerを使うときは、main()関数のほかに、init()関数を定義します。これは、Linuxの起動時には最初に呼ばれるinitプロセスが必要なためで、その処理をinit()以下に集約します。

コンテナの生成とinitプロセスの起動とを1つの実行ファイルで実現するには、自分自身をinitプロセスとして呼び出すモード（InitArgsの部分）をmain()の中で利用します。その部分までのコードを下記に示します。

```go
package main

import (
    "log"
    "os"
    "runtime"
    "path/filepath"

    "github.com/opencontainers/runc/libcontainer"
    "github.com/opencontainers/runc/libcontainer/configs"
    _ "github.com/opencontainers/runc/libcontainer/nsenter"
    "golang.org/x/sys/unix"
)

func init() {
    if len(os.Args) > 1 && os.Args[1] == "init" {
        runtime.GOMAXPROCS(1)
        runtime.LockOSThread()
        factory, _ := libcontainer.New("")
        if err := factory.StartInitialization(); err != nil {
            log.Fatal(err)
        }
        panic("--this line should have never been executed, congratulations--")
    }
}

func main() {
    abs, _ := filepath.Abs("./")
    factory, err := libcontainer.New(abs, libcontainer.Cgroupfs,
                                      libcontainer.InitArgs(os.Args[0], "init"))
    if err != nil {
        log.Fatal(err)
        return
    }
```

†12　設定に関する構造体が変わっているのでREADMEにあるままでは動きませんが、最新のlibcontainerで動作するように修正したサンプルを公開している方もいるので（https://gist.github.com/elianka/c3d33b37963a41ee11865326cc28701fなど。このgistの例ではlogrusというサードパーティー製のライブラリを利用しています）、完動品をてっとり早く得たい方はそれらを取得してきてください。

main()関数の以降の大部分は、生成するコンテナの環境設定です。ホスト名（Hostname）やマウントするファイルシステム（Mounts）などをconfigインスタンスに設定していきます。あらかじめ用意した仮想OSの実行環境もここで指定します（Rootfs）。

```
	capabilities := []string{
		"CAP_CHOWN",
		"CAP_DAC_OVERRIDE",
		"CAP_FSETID",
		"CAP_FOWNER",
		"CAP_MKNOD",
		"CAP_NET_RAW",
		"CAP_SETGID",
		"CAP_SETUID",
		"CAP_SETFCAP",
		"CAP_SETPCAP",
		"CAP_NET_BIND_SERVICE",
		"CAP_SYS_CHROOT",
		"CAP_KILL",
		"CAP_AUDIT_WRITE",
	}
	defaultMountFlags := unix.MS_NOEXEC | unix.MS_NOSUID | unix.MS_NODEV
	config := &configs.Config{
		Rootfs: abs+"/rootfs",
		Capabilities: &configs.Capabilities{
			Bounding: capabilities,
			Effective: capabilities,
			Inheritable: capabilities,
			Permitted: capabilities,
			Ambient: capabilities,
		},
		Namespaces: configs.Namespaces([]configs.Namespace{
			{Type: configs.NEWNS},
			{Type: configs.NEWUTS},
			{Type: configs.NEWIPC},
			{Type: configs.NEWPID},
			{Type: configs.NEWNET},
		}),
		Cgroups: &configs.Cgroup{
			Name:   "test-container",
			Parent: "system",
			Resources: &configs.Resources{
				MemorySwappiness: nil,
				AllowAllDevices:  nil,
				AllowedDevices:   configs.DefaultAllowedDevices,
			},
		},
		MaskPaths: []string{
			"/proc/kcore", "/sys/firmware",
		},
		ReadonlyPaths: []string{
			"/proc/sys", "/proc/sysrq-trigger", "/proc/irq", "/proc/bus",
		},
		Devices:  configs.DefaultAutoCreatedDevices,
		Hostname: "testing",
		Mounts: []*configs.Mount{
			{
				Source:      "proc",
				Destination: "/proc",
				Device:      "proc",
				Flags:       defaultMountFlags,
			},
			{
				Source:      "tmpfs",
				Destination: "/dev",
				Device:      "tmpfs",
				Flags:       unix.MS_NOSUID | unix.MS_STRICTATIME,
				Data:        "mode=755",
			},
			{
```

```
                Source:      "devpts",
                Destination: "/dev/pts",
                Device:      "devpts",
                Flags:       unix.MS_NOSUID | unix.MS_NOEXEC,
                Data:        "newinstance,ptmxmode=0666,mode=0620,gid=5",
            },
            {
                Device:      "tmpfs",
                Source:      "shm",
                Destination: "/dev/shm",
                Data:        "mode=1777,size=65536k",
                Flags:       defaultMountFlags,
            },
            {
                Source:      "mqueue",
                Destination: "/dev/mqueue",
                Device:      "mqueue",
                Flags:       defaultMountFlags,
            },
            {
                Source:      "sysfs",
                Destination: "/sys",
                Device:      "sysfs",
                Flags:       defaultMountFlags | unix.MS_RDONLY,
            },
        },
        Networks: []*configs.Network{
            {
                Type:    "loopback",
                Address: "127.0.0.1/0",
                Gateway: "localhost",
            },
        },
        Rlimits: []configs.Rlimit{
            {
                Type: unix.RLIMIT_NOFILE,
                Hard: uint64(1025),
                Soft: uint64(1025),
            },
        },
    }
```

最後に、ここまでの部分で作ったconfigインスタンスをCreate()関数に渡してコンテナを作ります。コンテナ内部で起動するプログラムは&libcontainer.Processで指定できます。ここではシェルを起動するようにしましょう。

```
    container, err := factory.Create("container-id", config)
    if err != nil {
        log.Fatal(err)
        return
    }

    process := &libcontainer.Process{
        Args:   []string{"/bin/sh"},
        Env:    []string{"PATH=/bin"},
        User:   "root",
        Stdin:  os.Stdin,
        Stdout: os.Stdout,
        Stderr: os.Stderr,
    }

    err = container.Run(process)
    if err != nil {
        container.Destroy()
        log.Fatal(err)
        return
    }

    _, err = process.Wait()
    if err != nil {
        log.Fatal(err)
```

```
    }

    container.Destroy()
}
```

以上でコンテナの実装は終了です。さっそく実行してみましょう。コンテナの中でシェルが起動するはずです。そのシェルで/bin/hostnameを実行すると、上記コードで設定したホスト名である「testing」が表示されることがわかります。

```
$ go build -o container container.go ⏎

$ sudo ./container ⏎
[sudo] shibuのパスワード: [sudoパスワードを入力] ⏎
/bin/sh: can't access tty; job control turned off
/ # /bin/hostname
testing
```

なお、このconfig構造体も含め、各サブ構造体はJSONでのシリアライズが可能なタグが付いており、JSONから読み込むこともできます。コンテナ構造体を使えば、プログラムを使って外部からコンテナを操作することも可能です。

```
// コンテナ内部で動作しているプロセスIDのリストを[]int形式で返す
processes, err := container.Processes()

// CPU、メモリ、I/O、コンテナの統計情報取得
stats, err := container.Stats()

// コンテナを停止
container.Pause()

// コンテナを再開
container.Resume()

// コンテナのinitプロセスにシグナル送信
container.Signal(signal)
```

19.5 本章のまとめ

本章では、最近話題になることが多いコンテナについて説明しました。話題になることが多いのは、どちらかというとKubernetes、Docker Swarm、Mesosといった大規模なオーケストレーションでのコンテナ活用についてですが、本章ではその下で行われている基礎の説明をしました。

本章で見たとおり、コンテナはOSが持つリソースに「壁」を作って、そのプロセス専用の環境を作ります。ネットワーク、ファイルシステム、プロセス、並列処理、メモリという、これまでの各章で見てきた要素をすべて扱うことでコンテナが実現されているのです。

付録A

セキュリティ関連のOSの機能とssh

ここまで本書では、アプリケーションの機能を一部制限する低レイヤーの機能をいくつか紹介してきました。システムコール、メモリの実行可能フラグ、アドレスのランダム化などです。CPUには、そのような仕組みをサポートする機能がいくつも実装されています[†1]。

しかし、それよりずっと上のレイヤーで実施するセキュリティも必要です。この付録では、OSが低レイヤーで提供するセキュリティに関する機能のうち、アプリケーションの実装に関係する内容を手短にまとめます。アプリケーション本体で特別な実装をしたり手を加えたりせず、アプリケーションそのものが行えることを外部から制限するというのが、OSが提供するセキュリティの基本的な考え方です。

とはいえ、そうしたセキュリティの機能はOSによって大きく実装が異なり、設定方法もまちまちです。そのため、ここで解説する内容は、アプリケーションの実装にかかわる内容に限定します。さまざまなOSを横断した汎用の内容については、内閣府が発表している「OSのセキュリティ機能等に関する調査研究」という報告書[†2]なども参考にしてください。

NOTE ちょっと話はずれますが、アプリケーションの実装にかかわるセキュリティと一口にいっても、その内容は環境によって大きく変わります。
たとえば、スマートフォンによるモバイル環境の普及に伴い、ユーザーから見える権限モデルはここ数年で大きく変化しています。従来のOSにおける権限モデルは、ユーザーという主体に対して「何を許可するか」を決めるというものでした。その場合、アプリケーションの選定とインストールはユーザーの責任です。一方、専門家ではないユーザーがアプリストアから自由にアプリケーションをダウンロードすることが前提のモバイル環境では、このモデルはうまくいきません。ストアでの承認というプロセスもあるものの、アプリケーションをどこまで信用すべきかという問題が避

---

†1 https://github.com/huku-/research/wiki/Intel-CPU-security-features

†2 https://www.nisc.go.jp/inquiry/pdf/secure_os_features.pdf

けられないのです。そのため、現在のスマートフォンでは、アプリケーションごとにサンドボックスを作り、それぞれがその中でしか動かないようになっています。カメラの使用やメディアファイルへのアクセスもアプリケーションごとに個別に許可するようになっています。あるアプリケーションから他のアプリケーションのデータを無許可で触れることもできず、ユーザーの許可が必要です。許可も、ダウンロード時に許可を行ったり、実際に機能を使うときになって初めて許可を求めるなど、ユーザーの利便性や見落とされにくい仕組みへと改善されています。スマートフォン向けのアプリ開発では、この付録で取り上げた事項だけでなく、こうした点にも考慮が求められるでしょう。

A.1　乱数

セキュリティにかかわるシステムで必ず登場するのが乱数です。ここでは、Go言語における乱数生成方法と、それらの使い方を簡単に説明します。

A.1.1　2種類の乱数生成アルゴリズム

Go言語には2つの乱数生成アルゴリズムが用意されています。

- math/rand
- crypto/rand

一口に乱数といっても、何に利用するかによって求められる性質が異なります。そのため、実際のアプリケーションでは上記を使い分けることになります。

math/randは、線形合同法の改良版である、ラグ付きフィボナッチ法というアルゴリズムを使った擬似乱数生成器です。「擬似」という名のとおり、完全な乱数が得られるわけではありません。擬似乱数生成器では**種**（シード）と呼ばれる値を設定することで得られる乱数が変わりますが、これはつまりシードが同じであれば結果が同じということです。結果を何通りか調べて同じ値になるものを探り、シードが暴かれてしまえば、そこから先に生成される乱数もすべて把握されてしまいます。そのため、math/randをセキュリティの目的で使ってはいけません。

crypto/randは、暗号のための乱数生成に使われます。暗号に使うためには、次に出てくる値が予想されにくいことが大切です。そこで暗号用の乱数では、不安定な外部の物理現象を**外乱要素**として使うことで、予測されにくい乱数を作ります。外乱要素としては、ユーザーによるキーボード操作などをデバイスドライバ経由で取得した情報のほか、製品によってはCPUの熱雑音などが利用できる場合もあります[†3]。

暗号のための乱数生成でも、外乱要素をそのまま利用するのではなく、擬似乱数生

---

†3　しかし、スノーデン事件の影響もあり、これを単独で使うことでこの命令にバックドアが仕掛けられる危険性が懸念されるようになりました。Linuxでは、この命令を単独の暗号のソースにせず、他の暗号のソースと混ぜて利用することで仮にバックドアがあっても影響がないようにしています（https://en.wikipedia.org/wiki/RDRAND）。

成器が併用されています。これは、速度や使い勝手の面でメリットがあるだけでなく、外乱要素のような外部から観測できる情報だけに乱数生成を頼ってしまうと、生成された乱数以外のところから次に生成される乱数を予測するヒントができてしまうからです。`crypto/rand`でも、擬似乱数生成器を併用した「暗号論的擬似乱数生成器」を利用しています。

擬似乱数生成器のアルゴリズムには、結果にそこそこのばらつきがあって（数学的な評価方法があります）、高速であることが大切です。暗号用の乱数ではそれまで生成された数値の列から、次の数値が予想されにくい、ということが大切です。そのため、擬似乱数生成器としての性能が良くても、暗号用乱数としての性能が高いとは限りません。`math/rand`で利用されている線形合同法のほか、メルセンヌ・ツイスターやXorshiftといったアルゴリズムがあります。

乱数に限らず、セキュリティに関係する処理はなるべく枯れてデバッグが十分にされた安全なコードを使うべきです。

A.1.2 暗号用乱数のシステムコール

`math/rand`はすべてユーザーモードで動作しますが、`crypto/rand`はOSで提供されている表A.1のような暗号論的擬似乱数生成器を利用します。OSごとに提供されている手法や推奨される方法が異なるため、OSごとの対応が必要になります。

▶ 表A.1　Goで利用する暗号論的擬似乱数生成器

OS	乱数生成器
Linux/Windows/OpenBSD以外	/dev/urandom
Linux	getrandom() システムコール
Windows	CryptGenRandom()[†4]

`/dev/urandom`には、ファイルとしてアクセスできます。ただし、これは実際にはファイルではなく、カーネルが提供する擬似デバイスと呼ばれるものです。これと似たものに`/dev/random`がありますが、こちらは乱数生成に必要なエントロピーが集まるまで生成をブロックすることがあります[†5]。`/dev/urandom`のほうは、擬似乱数生成器を利用して乱数を生成し続けます。ブロックしないのでこちらのほうが使い勝手がよいと感じられると思いますが、十分なエントロピーがたまっていない場合、安全性の低い乱数が生成されてしまう可能性があります[†6]。

---

†4　https://docs.microsoft.com/en-us/windows/win32/api/wincrypt/nf-wincrypt-cryptgenrandom

†5　Linuxの将来のバージョンでは/dev/randomはブロッキングされなくなるようです（https://lwn.net/Articles/808575/）。

†6　https://wiki.archlinux.org/index.php/Random_number_generation#/dev/urandom では、/dev/urandomは長く使う暗号鍵の生成には推奨されないとしています。

エントロピーに関する問題も近年、いろいろ出てきています。完全仮想化の下でアプリケーションを起動する場合、起動直後にはエントロピープールがほぼ空でしょうし[†7]、小さな単機能の仕事をするIoTデバイスでも同様です。ファイルシステムのext4でinodeの先読みのための細かいI/Oをなくす最適化をしたところ、エントロピーがたまらなくなってしまって乱数を使うシステムに問題が発生して戻すということも発生しました[†8]。完全仮想化の場合はホスト側の`/dev/urandom`にフォールバックするということも行われています。

Linuxの`getrandom()`システムコールはより細かく動作を制御できるので、Linuxを使う場合はこちらを優先して使うべきです。デフォルトでは`/dev/urandom`と同じエントロピーのソースを参照しますが、未初期化時は初期化されるまでブロックします。オプションで`/dev/random`と同じソースを参照させることもできますし、ブロックしないでエラーを返させることもできます。ファイルというインタフェース経由のアクセスではないので、ファイルディスクリプタを消費しなくても済むというメリットもあります。ただし、カーネルのバージョンが3.17以前の場合は`/dev/urandom`にフォールバックされます。

Go言語の`crypto/rand`のOpenBSD実装では`getentropy()`というシステムコールを使っています。

macOSでは`/dev/random`と`/dev/urandom`はどちらも使い方としては変わらず、同じアルゴリズムを使って乱数を生成します。どちらもブロッキングはしません。`getentropy()`というシステムコールもあり、これもこれらのデバイスと同じ結果を返します[†9]。

A.1.3　乱数の使い方（共通）

第3章では、低レベルインタフェースの抽象化レイヤーとして`io.Reader`の説明をしました。乱数のライブラリも、この`io.Reader`インタフェースで扱えます。具体的には、`rand.Reader`という`io.Reader`を実装したオブジェクトが変数として提供されているので、`rand.Reader.Read()`というメソッドが利用できます。さらに、その短縮形の`rand.Read()`関数も利用できます。

次のコードは`rand.Read()`を16進数表記でダンプする例です。`crypto/rand`で動作します。`math/rand`にも同じ関数が用意されていましたが前者が必要な暗号の文脈でIDEが自動補完で後者を入れたりといった問題がおきるため1.20でdeprecatedになりました。

---

†7　https://www.forbes.com/2009/07/30/cloud-computing-security-technology-cio-network-cloud-computing.html

†8　https://git.kernel.org/pub/scm/linux/kernel/git/torvalds/linux.git/commit/?id=72dbcf72156641fde4d8ea401e977341bfd35a05

†9　https://www.unix.com/man-page/mojave/4/random

```
package main

import (
    // "math/rand"でも動くが1.20からdeprecated
    "crypto/rand"
    "encoding/hex"
    "fmt"
)

func main() {
    a := make([]byte, 20)
    rand.Read(a)
    fmt.Println(hex.EncodeToString(a))
}
```

A.1.4 擬似乱数生成器の使い方

普段のシミュレーションなどのロジック作成では、同じシードを使うことで何度も動作が再現可能で、かつ便利なAPIがそろっているmath/randのほうが便利でしょう[†10]。math/randには、単なるバイト列だけではなく、整数や浮動小数点数など、さまざまな型の乱数を生成する関数がそろっています。たとえば、次のコードはfloat64型の乱数を出力していますが、int、int32、int64、uint32、uint64、float32、float64の各型にも対応できます。int32とint64に対しては特定の範囲内の正整数の乱数を返すAPIもあります。

```
package main

import (
    "fmt"
    "math/rand"
    "time"
)

func main() {
    // 乱数の種を設定
    rand.Seed(time.Now().Unix())
    for i := 0; i < 10; i++ {
        // 浮動小数点数（float64）の乱数を生成
        fmt.Println(rand.Float64())
    }
}
```

ウェブサービスなどで「ユーザーごとに乱数生成器を独立させたい」といったニーズがあれば、下記のように乱数生成器のオブジェクトを必要な数だけ新しく作って使用するという方法があります。

```
import (
    crand "crypto/rand"
    "math"
    "math/big"
    "math/rand"
)

 // 種からソースを作成
 seed, _ := crand.Int(crand.Reader, big.NewInt(math.MaxInt64))
 src := rand.NewSource(seed.Int64())
 // ソースから乱数生成器を作成
 rng := rand.New(src)
```

†10 なお、crypto/randには、乱数だけでなく素数を生成する機能もあります。

この擬似乱数生成器は内部でロックを取っているため、多数のgoroutineから同時に乱数を取得しようとするとパフォーマンスが出ません。goroutineのワーカーごとに生成器を作成するとロックの解放待ちで止まることがなくなり、パフォーマンスが良くなります[†11]。

なお、Goの擬似乱数生成器ではシードが定数で初期化されているので、乱数として使うためには必ず違う値をシードとして設定する必要があります[†12]。一方で、シードを外部から設定できれば、何度実行しても同じ乱数が生成できます。乱数が絡むユニットテストなどは、シードを設定できることで問題がかなりシンプルになるでしょう[†13]。しかし、暗号用の乱数ではこのような「再現性」そのものがセキュリティホールになりえるため、このようなことはできないようになっています。

Go言語では連想配列の順序がランダム

Goの連想配列であるmapのループでは、取り出される順序がランダムになっています。他の言語では連想配列の順序が常にソートされているという前提のものがあったり、一見ソートされているように見えるものもあります。一見ソートされているように見えるだけの場合に、少しだけ試して「これは常にソートされている」と勘違いしてしまうと、だいぶ先になってより大きな問題に足をすくわれることがあります。勘違いした使い方がされないように、あえて使いにくい、間違いを気づかせる言語デザインがされています。

A.2 TLS（Transport Layer Security）

TLS（以前はSSLと呼ばれていました）は、通信経路を暗号化して、盗聴、改ざん、再送信などを防ぐために使われるプロトコルです。TLSの細かい仕組みは他の書籍など[†14]に譲りますが、OSのサポートを必要とするところがあるため、本書でも簡単に紹介します。

TLSでは、さまざまな暗号化アルゴリズムなどの要素技術を組み合わせて使います。他の言語やシステムでは、それらをまとめたOpenSSLなどのライブラリを使うのが一般的ですが、Go言語では標準ライブラリにGo製の実装が用意されています。

---

†11 Go Conference 2019 Autumnにおける辻大志郎さんの発表「Golangで並行シミュレーテッドアニーリング」で実証実験の結果が示されています。「Go Conference 2019 Autumn に登壇しました | Future Tech Blog」 `https://future-architect.github.io/articles/20191120/`

†12 makiuchi-dさんによる次のQiitaエントリーなどが参考になります。「Goでrandを使うときは忘れずにSeedを設定しないといけない」 `https://qiita.com/makiuchi-d/items/9c4af327bc8502cdcdce`

†13 筆者が以前実装したゲームのサーバーサイドでは乱数のシードをDBに保存し、乱数によって作られるユーザーの体験を手元でも再現可能にしていました。

†14 TLSについての技術的な詳細は、Ivan Ristić 著／齋藤孝道 監訳『プロフェッショナルSSL/TLS』（ラムダノート、ISBN 978-4908686009、2017年）や、拙著『Real World HTTP 第2版』（オライリー・ジャパン、ISBN 978-4873119038、2020年）に譲ります。

そのため、たとえばクライアントのコードで接続先のURLに「`https`」を付ければ、そのままTLS接続になります。サーバーであれば、別途作成した証明書を指定してサーバーを起動します。

A.2.1 ルート証明書

TLSでは、通信する相手が盗聴や悪用のおそれがある「なりすまし」でないことを、公開鍵暗号基盤（PKI）と呼ばれる仕組みを使って防いでいます。PKIを利用するには、デジタル署名が確認できる公開鍵が入ったいくつかの「信用のできるルート証明書」をあらかじめ用意しておく必要があります。

証明書は、認証局という機関から発行されるデータで、サーバーの身元や、証明書を発行している認証局自身の身元を保証するための情報が含まれています。正式には**公開鍵証明書**と呼ばれ、証明書に添付されている公開鍵（と対応する秘密鍵）の所有者が、Subject欄に記載されている人であることを「証明」するものです。証明書には次のような情報が含まれています。

- 発行した認証局が誰か（issuer）
- 発行対象（公開鍵の所有者）は誰か（subject）
- 公開鍵
- 発行した認証局の秘密鍵を使って施したデジタル署名

TLSを利用してサーバーにアクセスすると、そのサーバーの証明書をもらえます。その証明書には認証局の情報が書かれているので、その認証局の身元を保証する証明書を使えば、そのサーバーの身元が確認できたことになります。

PKIでは、このようにして連鎖的に証明書を確認して信頼を確認していくのですが、どこまでたどれば最初のサーバーに対する証明書を信用できたといえるでしょうか？

この信頼の連鎖は、最終的には、**ルート証明書**と呼ばれる証明書を発行できる認証局に集約されます。OSやブラウザベンダーは、いくつかの認証局を「信頼できる認証局」として、そのルート証明書を製品にバンドルして配布したり、アップデートで更新したりしています。つまり、OSやブラウザのベンダーがルート認証局を保証することで、最終的な信用が担保されているのです。Go言語は、ルート証明書については、このOSの仕組みに極力従っています。そのため、OSに登録した認証局はGoでもそのまま使えます。表A.2に各OSにおけるルート証明書のパスをまとめます。

A.2.2 ルート証明書の取得

LinuxやFreeBSDでは、オープンソースであるOpenSSLライブラリや、そのクローン（LibreSSL、BoringSSLなど、OpenSSLからフォークしたプロジェクトがたくさんあります）をOSのコアコンポーネントとして使っています。Go言語には、それらのコアライブラリが使用する証明書を直接パースできる`crypto/x509`パッケージが用意されています。crypto/x509パッケージは各OSで次のパスから証明書を探してきます。

▶表A.2 ルート証明書のパス

OS	パス
Linux（Debian/Ubuntu/Gentooなど）	/etc/ssl/certs/ca-certificates.crt
Linux（Fedora/RHEL 6）	/etc/pki/tls/certs/ca-bundle.crt
Linux（OpenSUSE）	/etc/ssl/ca-bundle.pem
Linux（OpenELEC）	/etc/pki/tls/cacert.pem
Linux（CentOS/RHEL 7）	/etc/pki/ca-trust/extracted/pem/tls-ca-bundle.pem
FreeBSD	/usr/local/etc/ssl/cert.pem
OpenBSD	/etc/ssl/cert.pem
DragonFly	/usr/local/share/certs/ca-root-nss.crt
NetBSD	/etc/openssl/certs/ca-certificates.crt
Solaris 11.2+	/etc/certs/ca-certificates.crt
Solaris（Joyent SmartOS）	/etc/ssl/certs/ca-certificates.crt
Solaris（OmniOS）	/etc/ssl/cacert.pem
Plan9	/sys/lib/tls/ca.pem
Android	/system/etc/security/cacerts

WindowsにはCertGetCertificateChain()というAPIがあり、指定した証明書とそれの上位に位置する証明書のチェーンが取得できます。これを使って証明書の確認を行っています。

macOSの場合は、CGOでコンパイルしたときにはSecurity Frameworkの信頼確認のAPI[†15]を使います。しかし、クロスビルドでC言語のAPIを使うためにはC言語のクロスコンパイラやライブラリを用意しなければならず、ビルドを通すのも一苦労です。そのため、クロスコンパイル時は/usr/bin/securityコマンドを使って証明書を取得します。なお、iOS向けのライブラリでは事前に書き出した証明書をハードコードしています[†16]。

A.3 ssh（Secure Shell）

前項では、通信経路を保護するTLSと、TLSの安全性を支えるルート証明書について説明しました。通信経路の保護というのは、その通信経路を扱うアプリケーションからは経路が透過的に見えており、どのような暗号化が行われているか知らない、知る必要がない状態です。

---

†15 https://developer.apple.com/documentation/security/certificate_key_and_trust_services/trust

†16 https://github.com/golang/go/blob/release-branch.go1.17/src/crypto/x509/root_ios.go

TLSは、HTTPSという形で、主にブラウザにおける通信経路の保護に用いられています。これに対し、他のサーバーに安全な通信経路で接続して操作を行うリモートシェルとして使われるプロトコルがあります。それがssh（Secure Shell）です。sshにより、通信内容が見えないのは当然のこととして、第三者が通信内容を改変したり、同じ命令を再送するといったことができない状態を実現できます。

Go言語には、sshのプロトコルを扱う準標準ライブラリがあります。そのため、リモートのサーバーでsshを介して操作を行うコードを簡単に作成できます[†17]。ここでは、プロセスの応用編として、sshの操作と、それを使ったscpを取り上げます。

A.3.1 sshの基本的な流れ

sshやTLSでは、通信経路の保護に暗号化が使われます。暗号化に使うアルゴリズムそのものは秘密ではなく、オープンです。暗号のアルゴリズムがオープンということもあり、sshやTLSのクライアントやサーバーを多数のベンダーが開発していますが、特定のベンダーの実装間でしか通信できないといった不便はありません。

暗号化のアルゴリズムが公開されていても通信を保護できるのは、通信で使う「鍵」を切り替えているからです。sshでもTLSでも、クライアントとサーバーとの間で、まずは通信用の鍵を交換します。そのための通信経路をどうやって保護するかという問題がありますが、その問題を克服するための仕組みもあります。現在よく使われているのは、DH鍵共有（Diffie-Hellman鍵共有）という仕組みをベースにしたものです。DH鍵共有では、安全な通信をしたい双方が鍵の材料となるデータを作り、それを安全とは限らない通信路で互いにやり取りして、安全な通信に使う実際の鍵を、双方がそれぞれ手に入れた材料から計算によって作り出します。

ここまでで、安全な通信に使う鍵の共有はできました。この鍵を使えば、やり取りする内容は暗号化できます。しかしこれだけだと、クライアントには、通信相手が本物の意図したサーバーであるという確証が得られません。意図したサーバーではなく、本物になりすました偽物のサーバーが応答してしまうリスクを考慮して、sshでは公開鍵方式を使ったデジタル署名によるサーバー認証を採用しています。具体的には、サーバーの公開鍵をクライアントに保持しておき、サーバーから送られる署名を検証して、なりすましがないことを確認します。

サーバーだけでなく、クライアントに対する認証も必要です。sshで行いたい操作は、リモートのサーバーに対する設定のような、リスクが大きな操作です。そのため、権限があるクライアントからの通信であることを、サーバー側で認証できなければなりません。sshの利用例を考えると、不特定多数のクライアントに通信の許可を与えたいケースは少なく、特定のコンピューターを認証できれば十分なので、ホワイ

---

†17 sshのサーバーの実装もできますが、本書では割愛します。

トリストで許可したものだけに接続を認めるようにします[†18]。

最終的に、お互いの身元を確認できた安全な通信経路でシェルが起動され、そのシェル経由でコマンドの実行が行われます[†19]。

サーバー鍵とknown_hostsファイル

サーバーの公開鍵は、クライアントのknown_hostsというファイルに、1サーバーにつき1行で登録されています[†20]。known_hostsは、昔は、ホスト名とその鍵が列挙されているだけの簡単なテキストファイルでした。しかし、近年ではハッシュ化されているので、どの行が該当するサーバーの鍵かは単純にはわかりません。known_hostsや、そこに登録されている鍵に対する操作は、次のコマンドで行います[†21]。

```
# サーバーの鍵を表示
$ ssh-keyscan <サーバーのアドレスやホスト名> ↵

# known_hosts内の指定のサーバーのものを表示
$ ssh-keygen -F '[<サーバーのアドレスやホスト名>]' ↵

# 指定のサーバーの鍵をknown_hostsから削除
$ ssh-keygen -R '[<サーバーのアドレスやホスト名>]' ↵
```

A.3.2 Goによるssh接続

Go言語でsshを使ったプログラムを書くときには、golang.org/x/crypto/sshパッケージを使います。まずは、sshサーバーの情報を収集するコードを書いてみましょう。

下記のサンプルコードは、sshでログインした先のサーバーのsshコマンドのバージョン情報を取得するというものです。たとえば、sshに脆弱性が発見されたとして、定期的にこのようにバージョンチェックを行えば、脆弱性があったときにすぐに対応できるでしょう。

```
package main

import (
    "bytes"
```

†18 鍵を使わずに、ユーザーIDとパスワードでログインするsshのサービスもあります。

†19 sshにはポートフォワードという使い方もあり、多くのプロトコルを素通しする安全なパイプとしても利用されています。

†20 known_hostsに公開鍵が登録されていないサーバーに初めてsshで接続するときは、サーバーから公開鍵についての情報が送られてくるので、それを見てユーザー自身が本物のサーバーかどうかを判断することになります。2回め以降はknown_hostsを使って検証されるという運用です。

†21 sshの標準のポート番号は22番です。それ以外のポートでssh-keyscanを起動するときは、ポート番号を-pオプションやコロン(:)を使って指定します。また、ssh-keygenでローカルホストを指定するときは[と]で囲む必要があります。このときはシングルクオートで全体を囲む必要があります。

```
	"fmt"
	"os"
	"time"

	"golang.org/x/crypto/ssh"
)

// 取得してきたサーバーの鍵情報
var hostKeyString string = "ecdsa-sha2-nistp256 AAAAE...idDI="

func main() {
	// 秘密鍵の準備
	key, err := os.ReadFile("id_sysprogo")
	if err != nil {
		panic(err)
	}
	signer, err := ssh.ParsePrivateKey(key)
	if err != nil {
		panic(err)
	}

	// サーバーの鍵の準備
	hostKey, _, _, _, err := ssh.ParseAuthorizedKey([]byte(hostKeyString))
	if err != nil {
		panic(err)
	}

	// 接続設定
	config := &ssh.ClientConfig{
		User: "root",
		Auth: []ssh.AuthMethod{
			ssh.PublicKeys(signer),
		},
		Timeout:         5 * time.Second,
		HostKeyCallback: ssh.FixedHostKey(hostKey),
	}

	// 通信開始
	conn, err := ssh.Dial("tcp", "localhost:1222", config)
	if err != nil {
		panic(err)
	}
	defer conn.Close()

	session, err := conn.NewSession()
	if err != nil {
		panic(err)
	}
	defer session.Close()

	// コマンドを実行して出力結果を取得
	output, err := session.CombinedOutput("ssh -V")
	if err != nil {
		panic(err)
	}
	fmt.Println(string(output))
}
```

上記のコードのうち、前半では、認証のために必要な情報を設定しています。それらの情報を使って、`ssh.ClientConfig`でssh接続を設定し、`ssh.Dial`コマンドで通信を開始します。

通信を開始したら、`NewSession()`でセッションを確立し、そこを経由してプログラムを実行できます。セッションは、Go言語から見るとプロセスに近いものです。提供されているメソッドも、`os/exec`の`exec.Cmd`構造体とほぼ同じで、下記のようなものがあります。

- Run(cmd)：指定したプログラムを実行して終了を待つ
- Start(cmd)：指定したプログラムを実行。終了はWait()メソッド
- Output(cmd)：指定したプログラムを実行して終了を待ちつつ、リモートの標準出力の内容を返す
- CombinedOutput(cmd)：指定したプログラムを実行して終了を待ちつつ、リモートの標準出力と標準エラー出力の内容を返す

NOTE これらのメソッドは、1回のセッションでどれか1つしか使えません。うまく工夫すれば1つのセッション内で複数のコマンドを実行することができそうですが、シンプルな方法は今のところありません。session.Shell()の代わりにsession.Start("/bin/sh")でシェルのプログラムをリモートで呼び出し、そのコマンドが出力するプロンプトを見て各コマンドのレスポンスを切り分ける、といった処理が必要になるでしょう[†22]。

なお、上記のサンプルコードで使っているCombinedOutput()は、内部では次のようにRun()を実行します。

```
func (s *Session) CombinedOutput(cmd string) ([]byte, error) {
    var b singleWriter
    s.Stdout = &b
    s.Stderr = &b
    err := s.Run(cmd)
    return b.b.Bytes(), err
}
```

さらに、セッションではリモートへのシグナルの送信も可能です。Signal()メソッドを使います。

■ ユーザー操作を受け付けるsshターミナルの実装

先ほどのサンプルコードに少し手を加えるだけで、シェルを起動して複数のコマンドを実行させることもできます。セッションを使ってコマンドを呼び出していた部分を次のように書き換えるだけです。

```
// シェルモード
session.Stdout = os.Stdout
session.Stderr = os.Stderr
session.Stdin = os.Stdin
session.Shell()
session.Wait()
```

■ 認証まわりの追加情報

sshでは、クライアントの認証に公開鍵暗号化方式を使わず、パスワードを使うこともできます（パスワードによるクライアント認証はブルートフォース攻撃に弱いため非推奨とされることもあります）。

---

†22 https://stackoverflow.com/a/24441190

golang.org/x/crypto/sshパッケージでは、認証方法は配列になっているので、複数指定してフォールバックさせることもできます。

```
config := &ssh.ClientConfig{
    User: "root",
    Auth: []ssh.AuthMethod{
        ssh.Password("root-password"),
    },
}
```

サーバーの鍵は、前述のサンプルコードでは文字列としてグローバル変数に入れていました。厳密でなくてもよいのであれば、サーバー鍵を無視することもできます。

```
HostKeyCallback: ssh.InsecureIgnoreHostKey(),
```

NOTE シンプルなサンプルコードから始めて設定を追加していくのが技術解説では一般的ですが、セキュリティが弱いサンプルは必要性を判断できなければ使うべきではないので、本節ではシンプルな例のほうを後回しにしました。特に、サーバー鍵を無視する方法は、ドキュメントでも「本番環境では使うべきではない」と明記されています。

A.3.3 scp（Secure Copy）

scpはリモートサーバーとの間でファイルコピーをするプログラムです[†23]。

面白いポイントとしては、サーバー側にもscpという同名のコマンドがあり、クライアントはサーバーにインストールされているscpコマンドを実行します。クライアント側のscpコマンドは、sshを使ってサーバーにログインし、実行すべきコマンドとしてサーバー側のscpコマンドを実行します。サーバー側のscpは、クライアント側のscpコマンドを受けて、クライアントが指定するファイルを標準出力を使ってクライアントに返します。クライアントとサーバーでそれぞれ起動された同一名のコマンド間で、決まったルールで情報をやり取りすることにより、安全にファイルをコピーするという形です。このときのプロトコルは**Secure Copy Protocol（SCP）**と呼ばれます。

scpはサーバーからクライアント、クライアントからサーバーの双方向のコピーに対応しています。リモートからローカルに持ってくる場合をソースモード、ローカルからリモートに送るときはシンクモードとなります。ファイル転送時には、ソースモード側のプログラムが次の手順でデータを送信します。

- C<モード> <サイズ> <ファイル名>：ファイルを転送。このコマンドのあとに指定されたサイズのバイナリデータ＋0x00（1バイトの終了フラグ）が送付される
- D<モード> 0 <ディレクトリ名>：ディレクトリを開始

†23 scpのプロトコルについては、以前はOracle社のブログに詳しい解説が掲載されていました。現在は海外の魚拓サイトであるarchive.isで閲覧できます。https://archive.is/WQUX5

- E：ディレクトリの終了
- T<変更日時> 0 <アクセス日時> 0：日時を設定。日時はepoch秒。日時をコピーするオプションを付けたときにC/Dの前に送信される

下記に、scpをGoで実装するサンプルコードを示します[†24]。

```
// scpでファイルをリモートに送信
go func() {
    w, _ := session.StdinPipe()
    defer w.Close()
    content := []byte("Go言語でシステムプログラミング\n")
    fmt.Fprintln(w, "D0755", 0, "testdir") // mkdir
    fmt.Fprintln(w, "C0644", len(content), "testfile1")
    w.Write(content)
    fmt.Fprint(w, "\x00") // transfer end with \x00
    fmt.Fprintln(w, "C0644", len(content), "testfile2")
    w.Write(content)
    fmt.Fprint(w, "\x00")
}()
err = session.Run("/usr/bin/scp -tr ./")
if err != nil {
    panic(err)
}
```

ssh用の鍵の作成

ssh用鍵はssh-keygenコマンドで作成します。WindowsではGit for WindowsやBash on Windows経由で使えます。

ssh-keygenは、オプションを省略すると、デフォルト値を使います。たとえば、認証に使う公開鍵アルゴリズムの種類のデフォルトはRSA、作成された秘密鍵が格納されるファイル名のデフォルトは~/.ssh/id_[アルゴリズムの種類]です。

下記の例では、ssh-keygenコマンドを使ってed25519形式（エドワーズ曲線デジタル署名）の鍵を作成しています。

```
% ssh-keygen -t ed25519 -f id_sysprogo ↵
Generating public/private ed25519 key pair.
Enter passphrase (empty for no passphrase):
Enter same passphrase again:
Your identification has been saved in id_sysprogo.
Your public key has been saved in id_sysprogo.pub.
The key fingerprint is:
SHA256:ijt3ag3KAXojrhIP8cS8YYsJSGLcSbfGfZBoZqOAcB8 shibu@ubuntu
The key's randomart image is:
+--[ED25519 256]--+
|= +.E....        |
|o* +oBo..        |
|=o. *+.. .       |
|+ B..    .       |
|.O =     S       |
|B * ....         |
|.* o.o.o         |
|... +.o o        |
|+   .+.o         |
+----[SHA256]-----+
```

†24 https://gist.github.com/jedy/3357393 のコードをベースに、ASCII文字以外にも対応させたものです。

上記のコマンドが成功すると、下記の2つのファイルが作成されます（id_sysprogoの部分は、上記の-fオプションで指定したファイル名です）。

- id_sysprogo：秘密鍵。このファイルは外部のマシンに持ち出す必要はない
- id_sysprogo.pub：公開鍵。ログインしたいサーバーに、このファイルの中身を登録する

A.4 キーチェーン

古き良きPOSIXのAPIでは、データを保存するときはファイルを開いて書き込みます。しかし、ユーザーIDやパスワード、外部のサービスを利用するためのアクセストークンなど、読まれると困るデータをそのまま保存すると、漏洩の危険があります。もちろん、ファイルのアクセス権をきちんと設定して守るという考え方もありますが、最近のOSではより強固な**キーチェーン**と呼ばれる仕組みを提供しています。

A.4.1 キーチェーンとは

キーチェーンは、ユーザーIDやパスワード、クレジットカード情報などの情報を集中管理する仕組みです。キーチェーンの実装はOSによっていくつかあります（表A.3）。

キーチェーンは、macOSでもWindowsでも、かなり古い時代から提供されています。現在のApple製のiCloudキーチェーンでは、オンラインサービスと連動することで複数のコンピューター間での情報共有も可能です。

Linuxカーネルにもシステムコールとしてキーチェーン相当のものがありますが、これが使われているのを筆者は見たことがありません。FreeBSDやOpenBSDなど、他のさまざまなOS環境で共通に利用できる仕組みが、FreeDesktop、Gnome、KDEの各環境向けに提供されています。おそらく一番使われているのはGnome Keyringでしょう。

▶表A.3　キーチェーンの種類

OS	APIなど
macOS	Security FrameworkのKeychain Service†25
Windows	資格情報マネージャ†26
Linuxカーネル	Key鍵保存サービス†27
FreeDesktop	Secret Service†28
Gnome	Gnome Keyring†29
KDE	KDE Wallet Manager†30
Android	Android Keystore システム†31

Go言語で簡単にキーチェーンを扱うためのパッケージとしては、github.com/tmc/keyringがあります。このパッケージでは次の3つのAPIに対応しています[†32]。

- macOS（コマンドライン経由）
- FreeDesktop
- Gnome Keyring（オプションで有効化した場合のみ）

使い方は簡単で、keyring.Get()とkeyring.Set()の2つの関数を使うだけです。サービス名、ユーザー名（本来は）の2つの階層でデータを保持します。同じ名前でGet()関数を呼ぶと、登録したデータが読み出せます。

```
package main

import (
    "fmt"
    "syscall"

    "github.com/tmc/keyring"
    "golang.org/x/crypto/ssh/terminal"
)

func main() {
    secretValue, err := keyring.Get("progo-keyring-test", "password")
    if err == keyring.ErrNotFound {
        // 未登録だった
        fmt.Printf("Secret Value is not found. Please Type:")
        pw, err := terminal.ReadPassword(int(syscall.Stdin))
        if err != nil {
            panic(err)
        }
        // 登録
        err = keyring.Set("progo-keyring-test", "password", string(pw))
        if err != nil {
            panic(err)
        }
    } else if err != nil {
        // 未知のエラー
        panic(err)
    } else {
        // 登録済みの値を表示
        fmt.Printf("Secret Value: %s\n", secretValue)
    }
}
```

上記のコードを使えば、「ウェブサービスに初めてアクセスするときにパスワードをユーザーに問い合わせて、2回め以降はそれを利用する」といったことが可能になります。

---

†25　https://developer.apple.com/documentation/security/keychain_services
†26　https://docs.microsoft.com/en-us/windows/win32/secauthn/authentication-functions
†27　https://github.com/spotify/linux/blob/master/Documentation/keys.txt
†28　https://specifications.freedesktop.org/secret-service/
†29　https://github.com/GNOME/gnome-keyring
†30　https://userbase.kde.org/KDE_Wallet_Manager
†31　https://developer.android.com/training/articles/keystore.html
†32　この原稿を書いている日に、Windows対応パッチをmattnさんが書いてくれました。

付録B

デバッガーのお仕事

本付録では、プロセスの特殊な実行形態として、デバッガーの挙動を説明します。その名前から、「バグを取ってくれるツール」のように思えるかもしれませんが、実際にはプログラマーが「逐次実行やメモリ監視を通じてバグを見つけるためのお手伝い」をしてくれるツールです[†1]。

1.4「デバッガーを使って"Hello World!"の裏側を覗く」では、このデバッガーを使い、Go言語の"Hello World!"プログラムの裏で何が起きているのかを探索しました。ここで改めてデバッガーの一般的な機能を要約してみましょう。

- デバッグ対象プログラムに接続する
- プログラムを止めたり進めたりする
  - ステップ実行
  - ブレークポイントまで実行
  - 止めた箇所のソースコードを表示
- 変数（メモリ）を閲覧したり、書き換えたり、メモリの変更を監視する

メモリを見たり書き換えたりすることから、セキュリティという観点ではデバッガーはかなり危険性が高いツールです。これは、セキュリティホールを突く攻撃が最終的に「メモリを書き換えたりして任意のコードを実行する関数を呼び出すこと」を目標としていることからも想像できるでしょう。実際、デバッガーは通常とは異なる強力なOSのAPIや権限、CPUで提供されている特別なデバッガー向けの機能などに依存しています。

以降では、Delve[†2]というGo向けのデバッガーを題材に、上記の各ステップを概説

†1　そのため筆者は「デバッガー」という名前は誇大広告ではないかと常日頃から感じています。

†2　https://github.com/go-delve/delve/

していきます[†3]。

NOTE Delveには他のデバッガーのラッパーとしての機能もあり、macOSではデフォルトでOS提供のdebugserverが利用されます。ここでは、WindowsとLinuxにおいてデフォルトで利用される、OSやCPUごとのDelveのネイティブなデバッガーについてのみ紹介します。

B.1 デバッグ対象のプログラムに接続する

デバッガーのプロセスから見ると、デバッグ対象のプログラムは別のプロセスです。自分のプロセスであれば、その中でCPUのレジスタを操作したり、メモリを書き換えたり、いろいろな操作が可能です。しかし他のプロセスの操作はそう単純にはいきません。各OSごとのシステムコールやAPIを利用する必要があります。

- Linuxではptraceシステムコールなどを主に使う
- WindowsではWaitForDebugEvent()などのWin32 APIを利用する

実際にDelveでデバッガーを使う際には、IDEからデバッグのためにプログラムを起動する方法と、すでに起動中のプログラムにデバッガーから接続する方法があり、それぞれの方法で利用するAPIが異なります。Linuxの場合には、いずれの方法でもptraceシステムコールを利用します。そのために、前者については対象のプロセスのSysProcAttr構造体においてPtraceフラグ[†4]をオンにしています。

```
process = exec.Command(cmd[0])
process.Args = cmd
process.Stdin = stdin
process.Stdout = stdout
process.Stderr = stderr
process.SysProcAttr = &syscall.SysProcAttr{
    Ptrace:     true,
    Setpgid:    true,
    Foreground: foreground,
}
// （中略）
err = process.Start()
```

一方、Linuxにおいて起動中のプログラムへ接続する際には、次のようにPtraceAttach関数を使ってPTRACE_ATTACHシステムコールを呼んでいます。

```
sys.PtraceAttach(pid)
```

Windowsについては、IDEからデバッグのためにプロセスを起動する際には、プロ

†3 GDBについての概説記事（https://sourceware.org/gdb/wiki/Internalsf）や、Delveの内部構造に関する資料（https://speakerdeck.com/aarzilli/internal-architecture-of-delve）も参考になります。

†4 Delveでは、標準ライブラリにあるSysProcAttrではなく、golang.org/x/sys/unixという準標準ライブラリにあるSysProcAttrを代わりに利用していますが、こちらにはPtraceフラグがないので、さらにDelveでカスタマイズされたバージョンが利用されています。

セス起動のオプションで「デバッグ対象として起動というフラグ」を設定しています。

```
attr := &os.ProcAttr{
	Dir:   wd,
	Files: []*os.File{stdin, stdout, stderr},
	Sys: &syscall.SysProcAttr{
		CreationFlags: _DEBUG_ONLY_THIS_PROCESS,
	},
	Env: env,
}
p, err = os.StartProcess(argv0Go, cmd, attr)
```

起動中のプロセスへ接続する場合には、DebugActiveProcessというWin32APIを利用しています。

B.2 プログラムを止めたり進めたりする

Delveに限らず、一般にデバッガーを使ってプログラムの動作を追いかける際には、主に「ステップ実行」と「ブレークポイントを設定した実行」が可能です。「ステップ実行」では次のような操作ができます（これ以外に条件付きのステップ実行などができるデバッガーもあります）。

- ステップイン: 実行中の行が関数呼び出しであれば、その中に移動する。そうでなければ次の行か、関数を抜けると停止する
- ステップオーバー: 実行中の行が関数呼び出しであれば、その関数を実行して次の行に移動する。関数が抜けても停止する
- ステップアウト: 実行中の行がある関数を抜けるところまで実行する

もう一方の「ブレークポイントを設定した実行」というのは、特定の行にフラグを立てておき、その行に到達したら停止するという使い方です。

ステップ実行とブレークポイントを設定した実行は、使い勝手を見ると大きく異なりますが、内部的にはどちらも「ブレークポイントを設定した実行」として実装できます。Delveの場合、たとえばステップオーバーは、「関数内の行と呼び出し元の関数の次の行にブレークポイントを設定し、とりあえず停止させてみて、条件（ブレークポイントで止めたいスレッド以外は止めない、など）に合わなければ続行させる」という形で実装されています[†5]。デバッガーの肝はブレークポイントにあると言えるでしょう。

ブレークポイントには、デバッガーの処理として実装される「ソフトウェアブレークポイント」のほかに、CPUに用意された特殊なレジスタを使う「ハードウェアブレークポイント」もあります。そのレジスタに停止したいアドレスを設定すると、その行でシグナルが発行され、OSから通知されてプログラムが停止します。Delveでもこの両方に対応しています[†6]。

---

†5 https://speakerdeck.com/aarzilli/internal-architecture-of-delve?slide=53
†6 https://speakerdeck.com/aarzilli/internal-architecture-of-delve?slide=40

B.2.1 ハードウェアブレークポイント

ハードウェアブレークポイントでは、停止させたいアドレスをCPUのレジスタに設定します。プログラムの実行がハードウェアブレークポイントで指定されたアドレスに到達すると、Linuxカーネルが SIGTRAP という特別なシグナルを発行し、そのプログラムを停止させます（図B.1）。

この情報はデバッガーにも通知されます。これはデバッガーが、デバッグ対象であるプログラムに何かが起きたときに情報を取得できるように、`wait4` システムコールを利用して待機しているからです。詳細は省きますが、`wait4` システムコールはプログラムが出したシグナルもキャッチできるので、プログラムを異常終了させるエラーをデバッガーで受け取って表示することも可能です。範囲外のメモリアクセスが起きた場合のエラー（SIGSEGV）などもキャッチできます。

```
wpid, err := sys.Wait4(pid, &s, sys.WALL|options, nil)
```

Windowsの場合は、`WaitForDebugEvent()` を使ってデバッグ対象のプログラムのシグナルを取得しています。`WaitForDebugEvent()` からは多種多様な情報が取得されてくるので、一種のメインループのようなコード[†7]でそれらが処理されています。

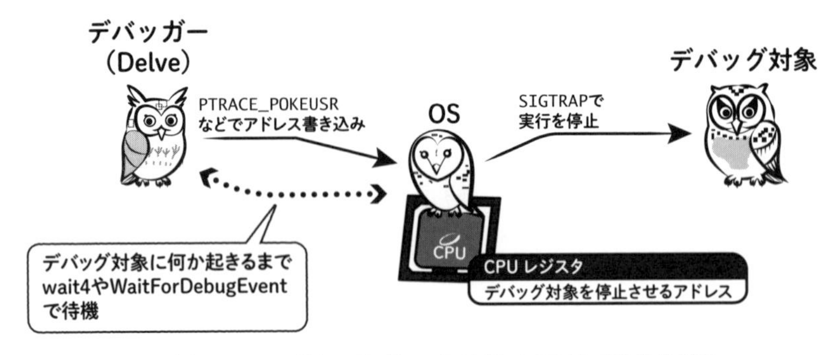

▶図B.1 ハードウェアブレークポイントではシグナルを使う

デバッグ対象のプログラムはデバッガーとは別のプロセスなので、その実行に関するCPUレジスタへDelveから値を書き込むには `ptrace` システムコールを使う必要があります。インテル系のamd64で動作するLinuxの場合、下記のように POKEUSR を使って実現しています[†8]。

†7 https://github.com/go-delve/delve/blob/v1.8.0/pkg/proc/native/proc_windows.go#L248

†8 https://github.com/go-delve/delve/blob/v1.8.0/pkg/proc/native/threads_linux_amd64.go

```
sys.Syscall6(sys.SYS_PTRACE, sys.PTRACE_POKEUSR, uintptr(t.ID), ...)
```

ARMで動作するLunuxの場合には、これとは別のSETREGSETを使っています[†9]。

```
syscall.Syscall6(syscall.SYS_PTRACE, sys.PTRACE_SETREGSET, uintptr(t.ID),
                 _NT_ARM_HW_WATCH, ...)
```

ARMの場合に利用されているSETREGSETのほうが、名前だけを見ると、レジスタへの書き込みとして素直な実装に思えるかもしれません。実際、インテル系の環境で使われているPOKEUSRは、値をレジスタに直接書き込むわけではなく、スレッドが持つスレッドローカルストレージへ書き込みます。そしてその内容が、タスクスイッチのタイミングで、Linuxカーネルによりcpuのレジスタへ書き込まれます。これにより、インテル系のCPUでアドレスの書き込みに利用できる4つのレジスタ（DR0からDR3）をスレッドごとに利用できるようにカーネルが拡張しているというわけです。とはいえ、Linuxカーネル内部ではARMもタスクスイッチ時に実際にCPUに書き込む実装になっており[†10]、SETREGSETもスレッドがアクティブになったときに書き戻す領域への書き込みなので、実質的な差はなさそうです。

B.2.2 ソフトウェアブレークポイント

ソフトウェアブレークポイントでは、プログラム側で自発的にプログラムを停止させてOSに情報を伝達させます。CPUのレジスタを直接使うわけではないので、ブレークポイントの数の制限はありません。

ソフトウェアブレークポイントを利用すると、デバッグ対象のプログラムのメモリ上の命令が直接、デバッガーにおけるブレークポイント設定用のソフトウェア割り込み命令（DelveではBreakpointInstruction()）に書き換えられます。実行中のプログラムがこの命令に到達すると、ハードウェアブレークポイントの場合と同じようにOS側に処理が移ります。ソフトウェア割り込みは第13章でも軽く紹介したように、昔はシステムコールの実現手段として利用されていました。現在でも、このようにデバッガーの実装で利用されています。

```
func (dbp *nativeProcess) writeSoftwareBreakpoint(
  thread *nativeThread, addr uint64) error {
    _, err := thread.WriteMemory(addr, dbp.bi.Arch.BreakpointInstruction())
    return err
}
```

amd64の場合、BreakpointInstruction()は[]byte{0xCC}になっています。これはx86系のアセンブリ言語のINT 3という命令に対応したコードです。INT 3は、機械語では0xCD 0x03という2バイトの命令になるはずですが、特別に0xCCと

---

†9 https://github.com/go-delve/delve/blob/v1.8.0/pkg/proc/native/threads_linux_arm64.go

†10 https://github.com/torvalds/linux/blob/master/arch/arm64/kernel/hw_breakpoint.c

いう専用の1バイトのコードが与えられています。これは、動的に命令を書き換える際には対象の命令が1バイトのこともありえるので、最小命令長で表現する必要があるからです。

arm64の場合、`BreakpointInstruction()`は`[]byte{0x0, 0x0, 0x20, 0xd4}`になっています。ちなみにARM系のアセンブリ言語にはBKPTというデバッグ用の命令が用意されています。

この命令の書き込みに使っている`WriteMemory`という関数では、標準ライブラリの`PtracePokeData`関数を呼び出しています。これはLinuxの場合は`ptrace`システムコールのPOKE_DATAに対応しています。

Windowsの場合は、`WriteProcessMemory()`というWin32APIがメモリへの書き込みに使われます。

ソフトウェアブレークポイントでもOSに到達してからの動きはハードウェアブレークポイントと似ています。ただし再実行の際には、プログラムカウンタを戻して命令を戻す処理が必要になります。

B.2.3 ソースコードと命令の対応

ソフトウェアブレークポイントを設定したアドレスやブレークポイントで停止したアドレスが、ソースコード上のどの行に相当するかは、デバッグ情報から探索する必要があります。そのための情報源は、GoではビルドDWARF[†11]という形式で保存されます。WindowsのC/C++コンパイラではPDB（Portable Database）という形式を使うのが一般的ですが、GoではWindowsであってもDWARFが使われます。

NOTE Goのビルド時に`-ldflags "-w -s"`を指定するとバイナリサイズが小さくなると聞いたことがある人もいるでしょう。このオプション（の前者）で削除される情報こそ、デバッガーが使う情報源です。

このDWARFを分析すると、「命令のアドレスがソースコードのどの行に対応するか」の情報が得られます。この情報を使ってIDE上のソースコードの行に対応するアドレスを取得し、ハードウェアブレークポイントやソフトウェアブレークポイントを設定できます。また、メモリエラーなどのシグナルが発生した行も判明します。IDE上で該当の行にカーソルを移動してプログラマーにわかりやすく表示することも可能です。

DWARFには、ソースコードで表現されている情報のほか、コンパイラやリンカーが生成した情報など大量のデータが符号化されて保存されています。Goの標準ライブラリの`debug/dwarf`パッケージで読み込めますが、内部は木構造の複雑なデータになっていることもあり、そこからデバッガーが使える形でデータを取り出すにはか

†11 `https://dwarfstd.org/`

なりのコードが必要[†12]となります。

B.3 メモリの読み書きと変更の監視

メモリの読み書きに関しては、ソフトウェアブレークポイントで紹介したPtracePokeDataやWriteProcessMemory()が利用されます。

変更の監視については、メモリのフラグを変更してメモリエラーを発生させることにより実現できます。第16章で説明したように、メモリには読み書きが可能かどうかのフラグがあります。そのフラグを変更し、書き込みがあったときにシグナルが発行されるようにします。シグナルに関する情報は、ブレークポイントの取得で説明したように取得可能なので、デバッガーには「どのスレッドがそのシグナルを発行したか」がわかります。また、スレッドの持っているプログラムカウンターを見れば、ソースコードのどの行における読み書きがその原因となったのかもわかります。

Windowsの場合は、VirtualProtectExというWin32APIを使ってこれを実現できます。Linuxの場合、自分でmmapシステムコールを使うときのフラグにより制御は可能ですが、ptrace経由で制御する手段は提供されておらず、Delveでもそのような機能は実装されていません。

ハイゼンバグ

デバッガーではソフトウェアブレークポイントのためにメモリを書き換えたり、それを元に戻したり、本当に実行を止めるべきかの条件比較を行ったり、通常の実行とは異なる操作をいろいろ実行します。そのため、デバッガーによって観察しようとする行為そのものが副作用をもたらし、タイミングによっては発生する不具合が発生しなくなったり、観測結果が変わってしまうこともあります。このような現象を、量子力学における不確定性原理を提唱したハイゼンベルクになぞらえて、ハイゼンバグと呼ぶこともあります。

また、C/C++のRISC CPU向けの最適化では性能が出るように命令の順序を入れ替える場合もあるので、デバッガーでステップ実行をしてソースコード上を行ったり来たりしていると、どこを実行しているのかわからなくなってしまうこともあります。そのため、デバッグ実行時は最適化をオフにすることもあります。

こうしたデバッグをめぐる事情や、デバッガーの動きを理解すると、一見すると不思議なハイゼンバグの一因が少し垣間見えるでしょう。

[†12] https://github.com/go-delve/delve/blob/v1.8.0/pkg/proc/bininfo.go

付録C

参考文献

本書は、Go言語を通じて学べるように内容を整理してまとめていますが、本書だけで説明しきれない内容もたくさんあります。より詳しく知りたいという方のために本書の執筆で参考にした書籍や、おすすめの書籍を紹介します。

- Daniel P. Bovet、Marco Cesati 著／高橋浩和 監訳『詳解Linuxカーネル 第3版』オライリー・ジャパン、ISBN 978-4873113135、2007年2月

  Linuxのカーネル内部の仕組みについて詳しく説明している本です。カーネルを支えるベースとなる機能について、C言語やアセンブリ言語レベルの話や、内部のデータ構造などのレベルで説明しているため、難易度はかなり高めです。読書会など、詳しい人と一緒に読むのをおすすめします。また、この書籍も含めて、この手のカーネル解説の書籍は古めのバージョンが対象となっています。最新の機能が触れられていないことはありますが、逆に本書で説明していることは現在でも使われているところがほとんどです。

- Richard Stevens、Stephen A. Rago 著／大木敦雄 訳『詳解UNIXプログラミング 第3版』翔泳社、ISBN 978-4798134888、2014年4月

  カーネル内部ではなく、POSIXのAPIを中心にアプリケーション開発者向けに書かれている本です。実際にはAPIはカーネル内部の動きを映す鏡なので、学ぶことはたくさんあります。Linuxに限らず、さまざまなPOSIX系OSについて触れています。

- Randal E. Bryant、David R. O'Hallaron 著／五島正裕ら 監訳『コンピュータ・システム プログラマの視点から』、丸善出版、ISBN 978-4621302019、2019年

  プログラムが動く仕組みについて詳しく説明しています。OSを説明するのを主目的とはしていませんが、結果としてOSの幅広い範囲を扱っています。

- Abraham Silberschatz、Peter Baer Galvin、Greg Gagne 著 “Operating System Concepts, 9th Edition” Willy & Sons、ISBN 978-1118093757、2012年10月

  OSの機能をわかりやすく説明した本です。ソースコードは少なめで説明が中心ですが、Linux以外にもWindows 7に触れていますし、ウェブサイトではmacOSや

FreeBSDの追加の章も提供されています。少し古い版は日本語訳が出ているようです。

- 宗像尚郎、海老原祐太郎 著『動くメカニズムを図解＆実験！ Linux超入門』CQ出版、ISBN 978-4789844727、2016年4月
  この書籍を手に取ったのは本書の原稿をほぼ仕上げたあとでしたが、カーネルの動きのイメージをつかむにはコンパクトでとても良い本です。また、モバイルの省電力だったり、グラフィックスまわりだったり、他の書籍ではあまり書かれない内容にも触れています。より詳しい本にチャレンジする前の肩慣らしとしては最高の本だと思います。
- Brendan Gregg 著／西脇靖紘 監訳『詳解システム・パフォーマンス 第2版』オライリー・ジャパン、ISBN 978-4814400072、2023年1月
  データセンター内で大声を出すとディスクI/Oに悪影響が出るという実験をした動画をご覧になった方は多いでしょう。この書籍はその動画にも出演しているBrendan Greggが書いた本です。タイトルだけを見るとパフォーマンス・チューニングの本ですが、カーネル内部のさまざま動きも解説したうえで、パフォーマンス劣化の原因を追求する手法をいくつも紹介しています。OSを学ぶ本として使えるかどうかはわかりませんが、本書や他のカーネル本と見比べながら読むと、新たな視点から理解を強化することができるでしょう。第2版になり1000ページ近い厚さになっています。また本書で紹介しているstraceより新、次世代のeBPF関連の記述が大幅に増加しています。
- Michael Kerrisk 著／千住治郎 訳『Linuxプログラミングインタフェース』オライリー・ジャパン、ISBN 978-4873115856、2017年2月
  C言語からシステム提供の関数を使ってアプリケーションを書く方法について幅広く取り扱っている本です。本書で触れていない機能も数多く紹介されています。圧倒的なページ数です。
- 渋川よしき 著『Real World HTTP 第2版』オライリー・ジャパン、ISBN 978-4873119038、2020年4月
  筆者の自身の著書です。第6章では、低レベルなコードを紹介するために生ソケットを使ってHTTPによる通信を実装しました。そのHTTPにフォーカスした書籍であり、本来使うべき高水準なAPIによる実装例を掲載しています。（本書のもとになったASCII.jpのウェブ連載では、この書籍の内容とかぶらないように、実用性よりも低レベルの説明にフォーカスしたというのが実態です。）
- Jesse Storimer 著／島田浩二、角谷信太郎 訳『なるほどUnixプロセス - Rubyで学ぶUnixの基礎』達人出版会、2013年4月
  プロセスまわりを高級言語であるRubyで説明した電子書籍です。本書執筆時点では2016年12月が最新版です。

- John Cheng、Max Grossman、Ty McKerche 著／森野慎也 監訳『CUDA C プロフェッショナルプログラミング』 インプレス、ISBN 978-4844338918、2015年9月

  並列処理の項目で少しだけ触れた、GPUの並列処理モデルを詳しく説明した本です。残念ながらGoからはサードパーティーのラッパー経由でしか扱えませんが、GPUまわりをプログラムから扱うためのさまざまなトピックが詳しく説明されています。

- Ivan Ristić 著／齋藤孝道 監訳『プロフェッショナルSSL/TLS』ラムダノート、ISBN 978-4908686009、2017年3月

  TLSに関する定番本となるべき本です。付録Aで軽く説明したネットワークセキュリティまわりで登場するトピックを理解するならこの本がベストです。

以下の書籍は本書の最初の原稿を執筆したあとに出版されたものですが、どれもコンピューターシステムの理解や、実践で使うためのテクニックの習得に役立つ書籍ですので紹介します。

- 武内覚 著『[試して理解] Linuxのしくみ【増補改訂版】』技術評論社、ISBN 978-4297131487、2022年10月

  OSの機能を学ぶにはコンパクトな書籍です。Linuxに特化した内容で、豊富な図と実験結果により、スケジューラー、メモリ、ファイルシステムなどが簡単に理解できるでしょう。改訂されてフルカラーになり、サンプルコードがGoとPythonになったので、本書を読まれた方は一緒に読むと良いでしょう。

- Katherine Cox-Buday 著／山口 能迪 訳『Go言語による並行処理』オライリー・ジャパン、ISBN 978-4873118468、2018年10月

  原著が出版されたのは本書の執筆後ですが、Goによる丁寧な実装パターンが説明されています。Goの内部実装についても、ジョブスケジューリングの詳細まで扱っています。何よりも、サンプルコードこそGoですが、特定の言語のための説明というより、コンピューターのプログラミングにおける並列と並行の普遍的な説明が心がけられています。

- Takenobu Tani 著『プログラマーのためのCPU入門 — CPUは如何にしてソフトウェアを高速に実行するか』ラムダノート、ISBN 978-4908686160、2023年1月

  こちらも本書2版後に出版された書籍です。本書はOSとアプリケーションの間の理解を深めるのを目的としていますが、こちらはCPUとアプリケーションの間を詳しく解説しています。本書で紹介したシステムコールや仮想メモリといった内容もより深く説明されていますし、分岐予測やキャッシュ、メモリの整合性を維持する仕組みなど、CPU内部のさまざまな要素が詳しく解説されています。

あとがき

筆者には、自転車に乗れるようになるまで母親に教わりつつ何度も転びながら練習し、6歳ぐらいでようやく乗れるようになったという記憶があります。ところが、筆者の娘たちは全員「バランスバイク」というペダルのない自転車で1年間くらい楽しく公園で遊び、4歳でペダル付きの自転車に乗り換えた瞬間、一度も転ばずに自由に自転車を乗りこなしてしまいました。

自転車の練習ひとつとっても、練習道具が変わるだけで、このような劇的な改善があります。ましてや新しいプログラミング言語や方法論が日進月歩で登場するコンピューターの世界です。これからコンピューターについて学ぼうとする若者に対し、自分が学んだときに使ったものとは違う、より効率的な教育コースや書籍を練習道具として提供できなければ、業界の先輩として「失礼」にあたるでしょう。

筆者の周囲では、年に1回ぐらい、「C言語を最初のプログラミング言語として教えるべきかどうか」という議論が沸き起こります。単にプログラミングを学ぶという観点から見れば、現在ではC言語より優れた選択肢も数多くあります。しかし、それでもまだ最初に教えるべき言語として、C言語の重要性は顕在です。それは、C言語そのものというより、C言語が作り上げてきた世界が重要だからです。OSのカーネル、さまざまなプログラミング言語など、コンピューターシステムに直結するようなプログラミングを学ぶうえでC言語を避けることは困難です。システムプログラミングに関する書籍やウェブ上の資料、ソースコードなどを読み解こうと思ったとき、これらの多くはC言語が読めることが前提です。そうした「C言語しかない」領域であっても、これから学びたいという方には「C言語を使いこなせなくても効率よく学べますよ」と言って渡せるような新しい視点で書かれた情報を提供したいというのが、本書のもとになったASCII.jpのウェブ連載の最初の動機でした。

本書でシステムプログラミングを学ぶために採用したのはGo言語です。Go言語でサポートされているシステムコールやWin32 APIは、クロスプラットフォームで実行したいプログラムを作成するには十分な機能が網羅されています。一部のPOSIXの機能はありませんが、そうした機能の多くはあまり使われていないか、より優れた代替の機能があり、なくてもそれほど困りません。特定のOSでのみサポートされていてGo言語では標準でサポートしていない機能でも、gopsutilのような高機能なライブラリによって補完できます。

さらに本書には、プログラムの裏でOSが提供してくれている仕組みを知るだけではなく、Go言語そのものを即座に日々の開発で使いこなすヒントになるという利点もあります。Go言語は、コマンドラインのタスクランナーだったり、入出力の負荷が高いサーバーだったり、さまざまな場で活躍する言語です。もちろん、他の言語を主に使って開発されている方でも、本書で学んだことを応用できる場面はたくさんあるはずです。

本書で触れてきた内容には、筆者自身それまで知らなかったものの要望を受けて調査や実験をして執筆した箇所もあれば、「この仕組みの上っ面は知っているけれど、そういえば中身はどうなっているんだっけ？」という状態から文献を読み漁ったり詳しい人に教えを請いながら書いた箇所もあります。チャレンジングなテーマであり、かなり背伸びをした部分もありますが、それだけに、ほかにはない内容の濃い書籍を送り出せたのではないかと思っています。

謝辞

本書の執筆にあたっては、多くの人の支えに助けられました。皆様に強力にサポートしていただいたおかげで、書き始めた当初の筆者の実力を上回る、レベルの高い本をお届けすることができました。

まず、この原稿が多くの人の目に触れることができたのは、ASCII.jpの方々のおかげです。ありがとうございました。

Goでわかりやすく OSまわりの話を書いたらいいのでは、と思ったのは、筆者が所属していたDeNAのメンバーとの会話や、社内の詳解Linuxカーネル本[1]読書会で得た着想からきています。仮想化まわりではsyohexさんに大きく助けられました。伊藤亘さん、越智琢正さん、加辺友也さん、瀬尾直利さんは書籍化にあたってもコメントをいただきました。その4名に加えて、progrhymeさんには、3刷でのアップデートにコメントをいただきました。越智さんには組版された内容のレビューにも参加していただきました。

現職のフューチャー株式会社でもGo開発者が続々と増えていますが、その中の辻大志郎さんが外部発表した内容や、辻さんが社内で主催しているGoコードリーディングの中で調べた話も少し4刷に追加しました。

Python温泉というプログラマー仲間のコミュニティのメンバーとの普段からのチャットなどから学んだことは本書の内容を高めるうえで大きな支えとなりました。時にはわからないことを質問して教えてもらったり、原稿のレビューをしてもらったりと、一人では越えられなかった壁を越えることができました。一番お世話になったのは小泉守義さんで、Goの内部の話を教わったり、macOSにおけるDTraceとGo製アプリケーションの相性問題[2]の分析をしてもらったり、LinuxのvDSO内のタイマーの処理のコード分析をしたり、ネットワークまわりの指摘をしてもらったりしました。佐藤貴彦さんと若山史郎さんには、ネットワークまわりで指摘をもらいました。上西康太さん、松原豊さんには、連載の項目の案出しをはじめ、要所要所でアド

---

[1] Daniel P. Bovet, Marco Cesati 著／高橋浩和 監訳『詳解Linuxカーネル 第3版』(オライリー・ジャパン、ISBN 978-4873113135、2007年)

[2] https://github.com/golang/go/issues/17819

バイスをいただきました。また、「絶対に渋川さんはGo言語を気に入ると思う」と強く推薦してくれた山口能迪さんのプッシュがなければ、この企画が実現することもなかったでしょう。上西さん、岡野真也さん、佐藤太一さん、中山心太さんには書籍化にあたってコメントをいただきました。さらに、上西さん、奥田順一さん、佐藤太一さん、若山さんには、ロスタイムギリギリまで組版された内容をレビューしていただき、徹底的なコメントをいただきました。山口さん、cocoatomoさんには3刷更新時に、小崎資広さん、久保田祐史さんには4刷更新時に、さまざまなインスピレーションやコメントをいただきました。

並列処理のGPUまわりの部分では、学生時代に参加していたcppllというC++のコミュニティでお世話になった、エヌビディアジャパンの森野慎也さんにご協力いただきました。

何より、今まで本書を手に取って応援してくださった読者の皆様のおかげでアップデートを継続し、今回第2版を出すことができました。正誤報告をしていただいた方々にも御礼申し上げます。

本書ではLinuxやPOSIX系OSだけではなく、Windowsユーザーもなるべく多くの内容が活用できることも目標にしていましたが、本書で紹介したものだけでなく、数多くのライブラリのWindows対応を根気強く行っているmattnさんの活動がなければ達成できなかったでしょう。

執筆環境としては、ドキュメントツールのSphinxと、作図ツールのblockdiagを一部使いました。PDFやHTMLで効率よくレビューできたのは、これらのツールを支える@tk0miyaさんのおかげです。Sphinxは海外の開発者がPythonのドキュメントツールとして作成し始めましたが、現在その開発とメンテナンスを支えているのは@tk0miyaさんです。

質、量ともに一番の多大なサポートをしていただいたのはラムダノートの鹿野さん、高尾さんです。単なる日本語の校正にとどまらず、読者に伝わりやすくするために説明の順序を大胆に入れ替えたり、イラストをたくさん入れていただきました。私の説明が悪いところも、チャットでの質疑応答を通じて洗練させることができました。

もちろん、本書の執筆を完走できたのは、ウェブの連載に最後までお付き合いくださり、時には厳しく指摘をしてくださった読者の皆様のおかげです。すべてのお名前をここに掲載することはできませんが、Twitterやはてなブックマーク、ASCII.jpへのメールなどでウェブ連載バージョンに有意義なコメントを入れていただいたおかげで、よりよいものにできました。

最後になりますが、毎度、二冊同時に書き下ろしや雑誌の執筆が重なって忙しくなってしまう無茶な父親を支えてくれて、家庭をいつも楽しくしてくれている、妻和香奈と、ありな、りおな、えれな三姉妹にも感謝します。

索引

記号・数字

A

B

C

D

N

O

P

Q

R

S

ア

イ

ウ

エ

オ

カ

キ

ク

ケ

コ

ヘ

ホ

マ

メ

モ

ユ

ヨ

ラ

リ

ル

レ

ロ

ワ

■ 著者紹介

渋川よしき

自動車会社、ソーシャルゲームの会社を経て現在はフューチャー株式会社勤務。Python/C++/JavaScript/Golangあたりを仕事や趣味で扱う。ウェブ関連は仕事よりも趣味寄り。著書に『Real World HTTP 第2版』、『Mithril』（ともにオライリー・ジャパン）、共著に『つまみぐい勉強法』、『Mobageを支える技術』（ともに技術評論社）、訳書に『アート・オブ・コミュニティ』（オライリー・ジャパン）、共訳に『エキスパートPythonプログラミング 改訂3版』（アスキードワンゴ）、『ポモドーロテクニック入門』（アスキー・メディアワークス）など。

技術書出版社の立ち上げに際して

コンピュータとネットワーク技術の普及は情報の流通を変え、出版社の役割にも再定義が求められています。誰もが技術情報を執筆して公開できる時代、自らが技術の当事者として技術書出版を問い直したいとの思いから、株式会社時雨堂をはじめとする数多くの技術者の方々の支援をうけてラムダノート株式会社を立ち上げました。当社の一冊一冊が、技術者の糧となれば幸いです。

鹿野桂一郎

Goならわかるシステムプログラミング 第2版

Printed in Japan ／ ISBN 978-4-908686-12-2 ／

2017年10月23日 第1版第1刷 発行
2022年3月23日 第2版第1刷 発行
2023年3月6日 第2版第2刷 発行

著　者 渋川よしき
発行者 鹿野桂一郎
編　集 高尾智絵
制　作 鹿野桂一郎
挿　絵 ごっちん
装　丁 轟木亜紀子（トップスタジオ）
印　刷 平河工業社
製　本 平河工業社

発　行 ラムダノート株式会社
lambdanote.com
所在地 東京都荒川区西日暮里2-22-1
連絡先 info@lambdanote.com